AKHMATOVA :

KV-543-545

50

Анна Ахматова.

2

ANNA AKHMATOVA

WORKS

2

INTER-LANGUAGE LITERARY ASSOCIATES
1968

АННА АХМАТОВА

СОЧИНЕНИЯ

ТОМ ВТОРОЙ

МЕЖДУНАРОДНОЕ ЛИТЕРАТУРНОЕ СОДРУЖЕСТВО
1968

Общая редакция, свод разночтений, примечания
и библиография Г. П. Струве и Б. А. Филиппова

Вступительные статьи и статья в приложениях Алексиса
Раннита, Виктора Франка, Бориса Филиппова и Никиты Струве

Художник — С. Л. Голлербах

All rights reserved
Copyright 1968 by Inter-Language Literary Associates

Printed in W.-Germany
by Fremdsprachendruckerei Dr. Peter Belej, München 13

Портрет работы Юрия Анненкова
1921

ANNA AKHMATOVA
CONSIDERED IN A CONTEXT
OF ART NOUVEAU

To lose the freshness of words
and the singleness of feeling
is for us the same as for the painter
to lose his eyesight.

Akhmatova

Now I do not know where
the painter is
with whom I used to step out
from his blue attic
through the window onto the roof,
and walk on the cornice
above the deadly abyss,
so that I would see the snow,
the Neva river, and the clouds.
But I do feel that our Muses
are friends,
having formed a casual
and an entrancing friendship —

Akhmatova

I

Baudelaire was the first leading modern poet of whom it can be said that he actually thought in terms of visual impressions. His criticism was perceptive, and his *correspondences* were inventive. His idea that there is a fundamental aesthetic in which all the arts are *one*, foreshadowed the early 20-th century move toward an integration of the arts. Emphasizing a trend in the same legitimate direction, André Gide said of Mallarmé that he dreamed of a book entirely composed in the manner at once of a painting and of a symphony. M. K. Čiurlionis (1875—1911)[1]),

---

[1]) The central issue and conflict in Čiurlionis's art: a synthesis between painting and music, or space and time, created by one single act of perception, was first discussed by Vjačeslav Ivanov in his essay. *M. K. Čiurlionis i problema sinteza iskusstv, Apollon*, No. 3, 1914, pp. 5—21. The re-edited text of this paper is in Ivanov's collection of essays, *Borozdy i mezhi*, 1916, and an English translation appears in the special issue of *Lituanus*, No. 2, vol. VII, devoted to the painter-composer.

a highly original Lithuanian painter, created a structural alliance between painting and music, having composed his abstract and semi-abstract pictorial works as logical symphonic sequences. Vjačeslav Ivanov, the leading *Poeta Doctus* of the Russian *Art Nouveau* period, a critic of Čiurlionis and a teacher of Akhmatova, has convincingly shown in one of his articles that after the Décadents "poetry freed itself from literature and joined the other arts: music, painting, sculpture, and dance".[2]

This multiple perspective, especially the simultaneous viewpoint of visual art and poetry, has been indicated earlier by many other poets starting with Simonides of Keos[3] and Horace, especially in the Romance languages. With some artists like Blake, William Morris, Wyspiański, Vološin, Barlach, Lorca, and Cocteau, the *rapprochement* of art and literature is tellingly illustrated. The modernist critics have frequently compared poets to painters. We have heard of parallels between Virgil and Poussin, (and Virgil and Lorrain), Hokusai and Bakin, Verlaine and Monet, Picasso and Majakovskij, Klee and Kafka, etc.[4]. Valerijan Čudovskij (Walerian Czudowski), probably the finest critic of Akhmatova, has written persuasively on her early poetry[5] as being composed in the style of Japanese art, especially as revealed in the woodcut-designs of Hiroshige (I shall return to this subject later). In my article "Anna Akhmatova and Marie Under"[6] I have compared Akhmatova, the Acmeist, with Degas, whom I regarded as a traditionalist, a linear modeler of

---

[2] Ivanov "O veselom remesle i umnom veselii", *Zolotoe Runo*, No. 5, 1960, pp. 68—73.

[3] The statement of Simonides of Keos was first recorded by Plutarch, *De gloria Atheniensium*, 3.347a. See also: K. Borinski, *Die Antike in Poetik und Kunsttheorie* (2 vols., 1914—24); S. Rocheblave, "L'art française au XVIIe s. dans ses rapports avec la littérature", in *Histoire de la langue et de la littérature française*, 1898; L. Hautecoeur, *Littérature et peinture en France*, 1942; J. H. Hagstrum, *The Sister Arts*, 1958.

[4] For recent attempts at comparison in the field of Russian poetry and art see: V. Al'fonsov, *Slova i kraski*, 1966, and J. Hahl-Koch, *Marianne Werefkin und der russische Symbolismus / Studien zur Aesthetik und Kunsttheorie*, 1967.

[5] "Po povodu stikhov Anny Akhmatovoj", in *Apollon*, No. 5, 1912, pp. 45—50.

[6] Anna Akhmatova / Marie Under *Requiem*, Inter-Language Literary Associates, 1967, pp. 13—36.

6

Farbgestalt, and an aesthetically subtle but sceptical and pessimistic artist[7]).

The following metaphorical and analytical observations, devoted mainly to Akhmatova's early poetry, written between 1909 and 1921, may be considered as an attempt in *comparative aesthetics.* By virtue of its emphasis on sensory perception I venture to call my interpretative literary criticism predominantly *visualistic.*[8]) As such this speculative critical appreciation is a sister-essay to the one written for this publishing house in 1965 and entitled "Zabolockij—a visionary at a crossroad of expressionism and classicism".

II

It is that subtle thing that seems
to be the smile of a contour.
E. and J. Goncourt

Roughly speaking, we can distinguish three principal stylistic elements in Akhmatova's work. First comes the element of decorative stylization which may be called more specifically the manner of Russian *Art Nouveau,* based on somewhat broader and more massive lines than are generally found in West European *Art Nouveau.* Next there is the element of colloquialism, the use of common, spoken language and folk expression; and finally the prevailing classicist element which marked the specific period of Russian poetry and was called "Acmeism".

Anna Akhmatova was born into the atmosphere of the *fin de siècle.* Although not of aristocratic blood but rather coming from the lower gentry, she became spiritually an organic part of Carskoe Selo and of Petersburg's upper-class culture. This culture was characterized by beauty in the sense of pretty, delightful, gay, and exquisite, but also gallant and above all, gracious and comely (*anmutig*—in the double sense of the German

---

[7]) I am borrowing the term *Farbgestalt* from Ernst Wilhelm Nay. See Robert von Berg, "Zur Ausstellung des Ernst Wilhelm Nay in New York", *Süddeutsche Zeitung,* 2. 12. 1962, p. 6.

[8]) By *visualistic* I mean specifically an analysis combining literary criticism with a comparative examination of imagery and style in the area of fine arts. It is an *Augenmensch* (to use the term of Goethe) who may be inclined to produce this kind of criticism.

word). The ethos which was predominant at that time in Russian society resembled society morals elsewhere in Europe: it denied death, sin, old age, and sickness, being in itself no longer Christian or stoic but rather Epicurean. And yet there was an ever-present sense of mysticism and fatalism, always a part of Russian life, but now strengthened by the influence of Vladimir Solov'ëv, Aleksandr Blok, Maurice Maeterlinck, and the Symbolist school in general.

Russian *Art Nouveau* was explicitly developed within the "decadent" *Mir Iskusstva* movement, especially in the works of its representative artists: Somov, Bakst, Lanceray, Golovin, Narbut, and Benois. Aestheticism, passéism, refinement of stylizations, aristocracy of artistic manner, and sensuality are common components in their work as well as in that of the early Akhmatova. The immediate background of *Mir Iskusstva* was conditioned by the echo of the English Pre-Raphaelites, Beardsley, Böcklin, Redon, Gustave Moreau, and other "decadent" West Europeans, and their espousal of the Japanese and Gothic styles which was paralleled by the revival of the Rococo, the Antiquity, and the era of Puškin in Russia. Similarly, Akhmatova's artistic orientation was considerably influenced by the theater and ballet of that period, partly because of the friendship of the poetess with the dancer-actress Olga Glebova-Sudejkina,[9] but even more through a close involvement with the group which gathered around the journal *Apollon*.

Distinctly, too, contemporary Russian and foreign literature exerted a vigorous direct influence upon the formative years of the poet.

The strong links of Russian letters with the French Décadents and the aestheticism of Oscar Wilde on the one side, and the erotic pantheism of Stanisław Przybyszewski, the agitated magnetism of Strindberg, Hamsun, and especially of Nietzsche on the other, cannot be overlooked. In poetry, the spokesman of the *Zeitgeist* was at first, although often only nominally a poet, Va-

---

[9] No monograph exists on Glebova-Sudejkina. For recent literature see J. Annenkov, "Anna Akhmatova" in his *Dnevnik moikh vstrech*, Inter-Language Literary Associates, 1966, vol. 1, pp. 125—197 and A. Lur'e, "O. A. Glebova-Sudejkina" in *Vozdushnye puti*, vol. 5, 1967, pp. 139—145.

lerij Brjusov. The true spokesman, however, became Konstantin Bal'mont who exemplified the ascendancy of sensuous colorism (a kind of "decadent"[9a] Rubensism) over spiritual imagery. The shiny iridescent silks or softly glowing velvets of his *musical-istic*[10]) poems were products *par excellence* of the *fin de siècle* as well as of *Art Nouveau* (it is essential to recognize this poet as a master of "decadent" styles, which have already been accepted as historic achievements in the field of the visual arts). Bal'mont's ideal was a refined voluptuousness, a sublimation of the senses. The pathos and darkness of the Russian soul (alien to this neo-rococo philosophy) are, nonetheless, not excluded in his poetry. The most genuine of the *Art Nouveau* spirits, next to Bal'mont, was Mikhail Kuzmin, the Beardsley of Russian poetry, who was concerned with gracile irony and with a capricious display of ingenious craftsmanship. Perhaps no other Russian poet has achieved such slenderness of proportions and such flowerlike delicacy of sensual mannerism. With Igor' Severjanin, another mannerist, the poem becomes the central concept of demonstrative erotic imagination and idiom. Being the last dynamic figure of Russian *Art Nouveau*, he combines, metaphorically speaking, the *Art Nouveau*-sentimentality of a Rakhmaninov[11]) with something like the shocking contrasts of pop art, banality serving him as a conscious aesthetic ideal in itself[12]).

If the long flexible curve, reminiscent of a thin-bodied flame, undulating, flowing and interplaying with others and a peculiar

---

[9a]) The term "decadent" is used in this article in a *positive* sense, as related to the "symbolist-decadent" movement.

[10]) The term *peintre musicaliste* is used by Lydia Krestovsky in her book *La laideur dans l'art*, 1947.

[11]) Severjanin and Rakhmaninov mutually admired each other. Rakhmaninov wrote music to Severjanin's poems. Severjanin dedicated to him the poem "Vse oni govorjat ob odnom" in the collection *Klassicheskije Rozy*, 1931, p. 48. Both, Severjanin and Rakhmaninov have had enormous popular success. The art of both is well constructed and effective, while both have a lyric gift of surpassing eloquence.

[12]) Severjanin is generally misunderstood by the critics. He was *not* a champion of *petite bourgeoisie*, but a critic of it. The poet called himself an "ironical child" (see his *Medal'ony*, 1934, p. 75). His innovations in the area of rhythmicity are still awaiting an investigator.

languor *(istoma)* can be recognized as characteristic of *Art Nouveau,* to what degree is this reflected in Akhmatova's poems?

First of all,—typical of *Art Nouveau* and *fin de siècle,*—are the numerous "slender", languishing adjectives of the early Akhmatova (especially in the collections *Večer* (Evening, 1912) and *Čëtki* (Rosary, 1914): «душный», «душистый», «легкий», «ароматно-легкий», «пленительный», «томный», «томительный», «истомный», «истомленный», «утомленный», «томно-порочный» («томление», «истома», «томная лень», and «истомная скука» being the corresponding nouns), «бледный», «матовый», «матово-бледный», «мутно-бледнеющий», «безнадежно бледный», «лениво-серебряный», «воздушный», «голубеющий», «нежно-голубой», «лиловый», «безмятежный», «замирающий», «тайно-веселый», «таинственно-млеющий», «млеющий и зыбкий», «млеюще-зеленый», etc.

Interwoven with these and similar "lethargic" adjectives there is a thematic sharing of *Art Nouveau* feelings, descriptions, and requisites: «ликует алмаз и мечтает опал / и красивый рубин так причудливо ал»; «волны фимиама»; «душная истома»; «В молитве тоскующей скрипки»; «Дни томлений острых прожиты»; «Почудится в дреме левкоя»; «Свежих лилий аромат»; «так душно пахнет старое саше»; «светлоокая, нежная, сирин»; «легкий, трепетный смычок»; «Пусть струится она [речь] сто веков подряд / горностаевой мантией с плеч»; «И на террасе запах роз слышней / а небо ярче синего фаянса. / Тетрадь в обложке мягкого сафьяна»; «О, такой пленительной истомы . . .»; «Звезды матово-бледные»; «Смотрю, блестящих севрских статуэток / померкли глянцевые плащи»; «Холодные руки маркизы / так ароматно легки»; «И только под маской бледнела / от жгучих предчувствий любви»; «низко спадающий хмель»; «И бледный, с букетом азалий, / их смехом встречает Пьеро»; «В пушистой муфте руки холодели»; «А теперь я игрушечной стала, / как мой розовый друг какаду»; «Как мой китайский зонтик красен, / натерты мелом башмачки»; «Мне больше ног моих не надо, / пусть превратятся в рыбий хвост»; «И вели голубому туману / надо мною читать

10

псалмы»; «где тина на парчу похожа»; «Мимоза пахнет Ниццей»; «В широкой муфте руки прячу»; «мутно-бледные от любви»; «Медлительной истоме сладострастья»; «Сладостный укор», etc.

It is significant that most of these *Art Nouveau* images are from *Večer*, Akhmatova's first book, while fewer are scattered through the second book *Čëtki*, and only a small number occur in the poet's late production. This specific style of imagery reappears, however, in Akhmatova's longer, rhapsodically-composed, hermetic *Poema bez geroja (Poem Without a Hero, 1940—1962)*. There we find expressions and descriptions like «Сладость молений», «Заветные свечи», «в хрустале утонуло пламя, / и вино, как отрава, жжет», «кружевную шаль», «в юбилейные пышныя кресла», «распахнулась атласная шубка», «черная роза в бокале» (Blok's image), «дурманющую дремоту», «горы пармских фиалок в апреле», «Кружевной роняет платочек, / только жмурится из-за строчек / и брюлловским манит плечом», etc. And if some of the heroes of *Večer* are Mignons, Pierrettes, water-nymphs, marquises, counts, princes, and crown princes, in the *Poema bez geroja* we meet the real idols of *Art Nouveau:* Salomé and Dorian Gray of Wilde, Hamsun's Thomas Glahn, *The Blue Bird* of Maeterlinck, Vrubel's Demon "with the smile of Tamara" and the "Spring" of Botticelli, the artist who may be considered the very father of *Art Nouveau*. In *Poema bez geroja* these figures are, however, only of historical importance. The style of the poem is not "décadent", there are no long curves of feminine wording gracefully entwined; instead there is a directness and laconism supported by some masculine metaphors such as: "mirror of the terrible night" or "youth . . . like a pure flame in the clay".

The surface of a poem by Konstantin Bal'mont or Aleksandr Blok is a glittering veil, their musicality is demonstrative, even if their verses are not as dramatically over-orchestrated as is the case with for example, Andrej Belyj. Akhmatova has been sparing in her use of this kind of euphonious affection. Even such *Art Nouveau*-like abundance of delicate sound nuances as in the lines:

И столетие мы лелеем
еле слышный шелест шагов
Večer

does not underline the impressionist dissolution of the word-texture. The sweetness of "l" is sometimes balances by a liquid consonant like "r" in connection with "b", "z", and "g":

И мне любо, что брызги соленой волны,
словно слезы мои солоны
Podorožnik

The "l" may be muted by "r" in the first line, made somewhat more audible in the second line, and given fluid tone-color ("-níla" or—a short dash-like sound ("-lù") in the last syllables at the end of both lines:

Пророчишь, горькая, и руки уронила,
прилипла прядь волос к бескровному челу
Anno Domini

Finally, the "l" may be overpowered by the similar reinforcement of the stern and menacing "r", supplemented by the extension of the sharp "g" and in this case the solemn "n":

Пусть голоса органа снова грянут,
как первая весенняя гроза.
Anno Domini

Such richness of instrumentation is generally alien to Akhmatova. In addition, there is practically no shimmering playfulness of *enjambement* in her work, so typical for example of the *Jugendstil* of Rilke, and in Russian poetry dramatically exhibited in Cvetajeva's poem "Toska po rodine", or produced with natural grace by Puškin in the 38th canto of the 3rd chapter of *Eugene Onegin*.

The phonic indebtedness of the early Akhmatova to contemporary Russian poetry is very small. In rhythmical pattern and style the language-imagery of poems like "Tumanom lëgkim park napolnilsja", Kak vplelas' v eti tëmnye kosy" *(Večer)*, "O tebe vspominaju ja redko" *(Četki)*, "O net ja ne tebja ljubila" *(Podorožnik)*, remind us of Aleksandr Blok, another great poet of the Russian *Art Nouveau* era, whose development from decadent mannerism toward a realistic-expressive style is—in a distant way—similar to the progression in Akhmatova.

12

Speaking at random of *fin de siècle* or *Art Nouveau* metrical influences, one should also mention Semën Nadson. His musically nostalgic and hypnotic anapaestic poem "Snova lunnaja noč', tol'ko lunnaja noč', na čužbine, / ves' oblit serebrom // potonuvšij v tumane zaliv;" is (with slightly different transference of medial caesura) rhythmically reproduced in Akhmatova's

> Небывалая осень построила купол высокий,
> был приказ облакам // этот купол собой не темнить.

It is unclear, however, whether the poetess followed Nadson's example, or whether she was inspired by Brjusov or Bal'mont, who used Nadson's specific metrical organization before Akhmatova [13]).

There are in Akhmatova's work very few examples of pure alliteration like: «прошумели высокой осокой», «звонких воплей» (with the variation «стоны звонкие») «высокие своды костела», (all in *Večer*), «медный смех», «город, горькой любовью любимый», «музы смуглая рука», «бесславную славу», «и над толпою голос колокольный» *(Belaja staja)*. Similar examples found in Akhmatova's second book *Čётki* (with the exception of «жадно и жарко») *are* either cases of concealed alliteration or show the alliterative correlation, called *polytopon,* which is not confined to stressed syllables:

«В зверинце говорят о северном сияньи, / и я поверила . . . », «страстная, страшная неделя» (compare Belyj's: «в страстную страстную неделю»), «белый сумрак в мраморе аллей», «побелев от боли», *(Večer)* «стало лицо моложе», «ужасом сжато», «только ты соловей безголосый», «в луче луны» *(Čётki),* etc.

Other varieties would include either patterns which could be called reversed alliteration, traditionally termed suspended allit-

---

[13]) In this rhythm Bal'mont wrote his "Beloj noč'ju" (In the White Night) and "Osen'" (The Autumn), in his *Solnečnaja Prjaža,* pp. 190, 192, 193. The same rhythm was used in Georgij Adamovič's "Po širokim mostam" ("Over the Wide Bridges") in the collection *Na Zapade,* Paris, 1939, pp. 24, 25; and by the Lithuanian poet Henrikas Radauskas in his "Pilnatis" (The Full Moon), *Strele Danguje,* Chicago, 1950, p. 94.

eration, using transposition of the reverberating consonants and vowels: *ru-ur* (*"ruki uronila"*), or other close and free juxtapositions, and proximities of the same and similar sounds, including—with notable effect— the repetition of consonants, vowels, or consonant-vowel combinations in medial or even final position. Some of the described alliterative concurrences are as follows:

«пусть она *у*лыбнется *лу*каво» *(Čëtki)*, «ус*л*ышу с*ла*достный голос», «чтобы *ту*ча над скорбной Россией / ста*ла* облаком в славе *лу*чей», «*ч*ерный узор оград», «смутной песней затравленных струн», «росой окропляющий травы», «*п*лакал над черным *п*латком», «*п*алкой чертишь *п*алаты», «О нет, я не тебя *л*юби*ла* / *п*а*ли*ма сладостным огнем» *(Belaja staja)*, «голодной тоской изглодано» *(Anno Domini)*.

The identity of word endings, the *homoeoteleuton* sometimes takes a form of rhyme as: «*Мал*ьчика очень *жал*ь», «О как была с тобой мне с*ладост*на зем*ля*», «я так моли*лась*: уто*ли*», «иль вправду кончена *игра*», or with a shifting of the stress and changing the vowels: «под*ругу* помнишь до*рогую*» *(Belaja staja)*. It is difficult to decide, however, whether such an alliteration has ever been consciously intended by the poet as a rhyme or whether it occurred "involuntarily". That such musical dependency could happen unintentionally is, of course, excluded. — In some of her work Akhmatova had a marked preference for alliterative ornament, while abstaining from this practice completely in other parts.

At least one poem (two lines of which have been already quoted) should be given in its entirety, to demonstrate Akhmatova's technical involvement with melopoeia (and iconographical involvement with the motif of destruction, dear to the heart of *Art Nouveau* artists and writers through the veneration of Salomé, Judith, Medea, and Delilah):

Let the organ peals resound once more
like the headmost vernal thunderstorm.
From behind the shoulder of your bride
my half-shut eyes will be reaching you.

14

Seven: days' love, looming years of parting.
War, rebellion, devastated home.
Little hands dipped in innocent blood.
One grey lock above a rosy brow.

Farewell: Fare well, be happy, perfect Friend.
I'll return to you your gentle vow;
but fear to speak out my fevered whisper
(inimitable!) to your fervid bride.

Because it will pierce with burning poison
your blessèd and your blissful union,
while I'll go reign in a miracle-filled garden
with rustling grass and exulting muses.

Translated by Emery E. George

Пусть голоса орга́на снова грянут,
Как первая весенняя гроза:
Из-за плеча твоей невесты глянут,
Мои полузакрытые глаза.

Семь дней любви, семь грозных лет разлуки,
Война, мятеж, опустошенный дом,
В крови невинной маленькие руки,
Седая прядь над розовым виском.

Прощай, прощай, будь счастлив, друг прекрасный,
Верну тебе твой сладостный обет,
Но берегись твоей подруге страстной
Поведать мой неповторимый бред, —

Затем, что он пронижет жгучим ядом
Ваш благостный, ваш радостный союз;
А я иду владеть чудесным садом,
Где шелест трав и восклицанья муз.

The first two lines of this poem are composed with the sound
"g", "r", and "n" so that they would give the special onomato-
poetic effects of organ music (compare Mandel'štam's: "V tot
večer *ne* gudel strel'čatyj les organa". In addition, the vowels
"o" and "a" complete the spelling of the phonetic spectrum of
the word "organ", thus enhancing the image. The third and the
fourth lines have the triple combination of "za" (*iz-za*, poluzakrytye gla*za*), one double combination of "pl" (*plečà, polu-*),
and an additional repetition of "gl" (*gl*janut, *gl*aza).
    The second stanza of the poem is instrumented to a lesser
degree, although it has the "roz-raz" pulsation (groznykh let

*raz*luki), the repetition of the word "sem' " as well as a vibran-cy of the "n" and "m" (17 times) accompanied by 6 "r"-s. There is also evident the quadruple "vi" pattern supplemented by the closely sounding "vy" (ljub*vi* . . . Kro*vi* ne*vi*nnoj . . . ro-*zovy*m *vi*skòm). Perhaps Akhmatova wishes to rest somewhat in this stanza from the unusually rich sound-manipulation of the first as well as of the third and fourth stanzas. (This stanza is so outstanding thematically as well as metaphorically that it represents a rather independent, almost alien unit). The formal unrelatedness of the stanza is also demonstrated by the exclusion of all verbs from it.

The third stanza is abundant in sound-patterning. The rubricating emphasis is especially strong in the first line: "*Prošča*j, *pro*ščaj, bud' sčastliv, d*ru*g *pr*ekrasnyj" (with four "a" stresses in that line, three "šča-šča" parallelisms, and two "as" combinations: "s*č*astliv . . . prek*r*asnyj"). This is re-echoed in the second line by connecting "sla" with "stra" in the third line, and a later correspondence of "sladostnyj" with the "blagostnyj" and "radostnyj" in the second line of the fourth stanza. The three last lines of the third stanza are based on the compositional coherence of the "b", "r" and "d" sounds (the repetition "te*be*", "o*bet*", "*be*regis' ", and "*b*red" being the most obvious one; the last one is also connected with the first word of the line: "pove*dat*' " . . . -"b*red*"). We must also point out the *ono-matopoetically* "warning" consonants "r", "g", and "s" in the word "*be*regis' " supplemented by "pod*ru*ge strastnoj . . . ne-povto*ri*myj b*red*". Cogently exploited to the extreme of musicality, this stanza receives its architectonic equilibrium through the exact static position of the masculine caesura after the fourth syllable (the graphic divisions are mine. AR):

> Прощай, прощай, // будь счастлив, друг прекрасный,
> верну тебе // твой сладостный обет,
> но берегись // твоей подруге страстной
> поведать мой // неповторимый бред, —

The fourth stanza, like the second one, may again be considered a kind of strategic pause from the rich sound-patterning as well as from static caesura. (The caesura here and in stanzas 1, 2, and 4, is expressively shifted). The indicative,

16

Настоящую нежность не спутаешь
Ни с чем, и она тиха.
Ты напрасно бережно кутаешь
Мне плечи и грудь в меха.
И напрасно слова покорные
Говоришь о первой любви.
Как я знаю эти упорные,
Несытые взгляды твои!

Анна Ахматова

1913 Царское Село

*Воспроизведен с оригинала, подаренного Ахматовой
Автограф Анны Ахматовой
эстонскому поэту Алексису Ранниту*

structural device is the repetition in the second line and a kind of inner rhyme: "blagostnyj" — "radostnyj" as well as the accentuation of the consonant "d" in the third line ("... *idu vladet' čudesnym sadom*"). This latter accentuation also brings into relief an important instance of the device of chiasmus, as the extreme members of the tetrad incorporate the "d" in its full value as the voiced stop ("*idu sadom*"), while the central members bring out his phoneme in its palatalized form ("*vladet' — čudesnym*").

It cannot be denied that this poem, written in 1921, at the time when Akhmatova had essentially overcome the decadent consciousness of modernist diction, has a deliberate, skilfully labored arrangement. By and large the profusion of orchestral style developed here can (in its exalted dramatism and tragic jubilation) *)be compared with the style of Aleksandr Skrjabin, the Russian *Art Nouveau* composer *par excellence*. The criteria of such a comparison may need some comments and certain additional observations. An especially fine case can be made for the incompatibility of the two tonalities (lines 1 and 16),**) which separately stand in harmonious relation with the "tonal center" — the beloved-man (lines 10 and 14). Such a polyfunctional relation of forces preoccupied not only the modernist Skrjabin but also Prokof'ev and especially Stravinskij.

I am indebted to Denis Mickiewicz, literary historian and *homo artis musicae doctus,* who in his letter of July 16, 1967, has suggested to me the following rewarding thoughts. — " ... *In this poem, the role of musical images points distinctly towards principles of composition analogous to those applied by composers of that period who were developing the technique of polyfunctional writing.***) It must be borne in mind that in this*

---

*) The first person, *the woman,* possibly the tragic lover Akhmatova herself, represents a "poisoning", "piercing" discord (see lines 4, 5—8, 11—13).

**) Witness the unrelatedness of the "ecclesiastic" and "heathen" environments of the determined "organized'" sound and the free random noises; consider also the disassociation of the real (lines 2, 3) and the unreal (lines 4, 15) nature sounds.

***) Polyfunctional technique imposes a limitation on the use of polytonality, i.e. simultaneously sounding chords with different fundamentals;

poem Akhmatova, by employing sonorities as a means of symbolizing relationships, departs significantly from her usual method of depicting spiritual drama. But, in this case, the departure from her usual iconography demanded a parallel departure in compositional method. The new method allows Akhmatova to retain the attitude and technique of a post-Symbolist objectivist, while operating in a realm of abstract and multiple magnitudes, the realm of relationships between more than two people. In the scheme of the poem, these relationships are converted into specific, acoustically concrete clusters.

If her other love poems are contrapuntal, that is, characterized by relationships confined to two elements; in this poem the first person's path towards alienation proceeds through a number of harmonious (or harmonic) relations which occur on two levels of simultaneity: mental combination of present and past (line 3), identical with what musicians call implied harmony, and actually articulated juxtaposition (line 12) of Tongestalten.

Akhmatova's manner of abruptly juxtaposing concrete images has already received general notice and acclaim. In this case, I submit that her omitting of sequences of action is analogous to polyfunctional thinking, not merely because she, too, uses sonorities as "commanding images" (konstruirujuščij element, lines 1, 16, 14), but more specifically (1) because her manipulations with time (omissions) destroy any line of events, just as polyfunctions render obsolete the concept of a sustained melodic line, (2) because the thus isolated compounds call for comparison and contrast and not for chromatic progression as the dynamic vehicle of expression, and finally, (3) because the very theme—the demonstration of essential or harmonic incompatibility (the function of the first person) must, by definition, be based on clusters rather than on lines.

In terms of harmonic incompatibility, the concept of simple dissonance is as irrelevant in this poem as it is in polyfunctions.

---

the chosen chords telescope the Dominant-Tonic-Subdominant relations. Thus, at any instant, the employed tonal centers assume more than one unambiguous harmonic function. This technique, introduced in 1918 by Darius Milhaud, was developed by Prokof'ev, Honegger and, most strikingly, by Stravinskij. The term was coined a decade ago by music theorists at Yale University.

*The first person's relationship was and still is consonant with
the second (lines 9, 10); as is the relationship between the second
and third person (line 14). We are also told that this second
relationship or sonority is a* repetition in kind (snova, *line 1;*
vernu, *line 10), which is the reason why the second person will
inevitably be subjected to the memory of the first relationship.
This is the above-mentioned first level (implied harmony) of
simultaneity which the designer imposes upon the beholder. The
other level is the attempt to actually superimpose one harmonic
relation over the other* rationally *(lines 11, 12). The threat of
"poisonous" (note the "acoustical" verb, line 13) incompatibility of functions would materialize not because the elements are
not consonant (by the laws of syllogism they are consonant) but
because, like unrelated tonalities, each of them is interrelated
with the tonal center (2nd person) on* functionally *incommen-
surable levels: one is "night-time" irrational (line 12) and trans-
cendent (line 4), and the other is bright and bodily (lines 3,
11) and youthfully (line 2) jubilant (line 14). But the display of
contrasts is only a static map of the areas through which we
travel between the poles, the first and the last lines, or between
the two outer tonalities. What are the dynamics?*

*Comparisons and contrasts, as in polyfunctional music, are
a tested substitute for a "story"; similarly, Akhmatova
arranges the compounds in such an order as to proceed towards
a cadence, while omitting sequences, disrupting time with flash-
backs, and collapsing tenses into one simultaneity. In this poem,
verbs are good indicators of dynamics. As in an overture, the
compositional elements are presented in the opening stanza side
by side (lines 3, 4) in the future tense and charge the space with
the organ thunder and its echo. The second (verb-less) stanza
informs us of a great distance between the original "burst" and
its echo. But not being dramatized, that distance collapses; it
is compressed by the kinetic stanzas which surround the second. In the fourth stanza the sudden dramatic use of the present tense (line 15; prosodically the verb could have read* pojdu*)
frees or extracts the first person or tonality from the context
(which was in the future) while sending her self-image to an en-*

tirely new harmonic relation, heralded by a new tempo*). As indicated by the progression of words of action, the tempo of the entire poem slows down from stanza to stanza until the sound images of the last line reach the status of total rhythmical nonperiodicity. Akhmatova's contrasting tempi vivify stratifications of relationships. She presents temporal contrasts simultaneously with harmonic ones. Thus she also adds in the first stanza the striking contrasts between the one-time swiftness implied by the verbs (grjanut and gljanut) and the sustained effect of the participle (poluzakrytye). In the third stanza it is the nouns of action (obet and bred) which express the same contrast. The last stanza has already been discussed.

Modernism avoids modality and perspective; it compensates for such subtlety by superimposing layers of complexity. Collapsing time and space into contrasting clusters, Akhmatova, like the polyfunctionists, surpassed technically the refined non-spatialness introduced by Art Nouveau. Like the painters of Art Nouveau, she went beyond the chromaticism of impressionist painters, poets, and musicians; but she went further with the polyfunctionists (and perhaps cubists) by abandoning chromaticism altogether. Also, as in polyfunctional music, her terse simplicity of style does not seek to conceal the enormous intellectual complexity of design. Perhaps only in sentiment, towards the coda, does she depart from the polyfunctionists and return to Art Nouveau. Her self-image, not unrelated to the destiny-bearing figures of Art Nouveau, Salomé, Judith, and Delilah, wanders languorously from organized voices to isolated exultation in the heathen beauty of her domain."

In its "Church Slavonic" and "Byzantine" stateliness Akhmatova's poem may also be placed in relationship to the work of Vjačeslav Ivanov, particularly in the borderlands of his verses of the *Cor ardens* period, — the verses with considerable *fin-de-siècle* and *Art Nouveau* leanings. Majestic and controlled like the "Orpheus and Eurydice" of Anselm Feuerbach (Austrian Gallery of the 19th Century, Vienna); this poem corresponds

---

*) Similarly, in polyphony, the effect of singling out the tempo of a thematic element within the general tempo of a composition is achieved by "rhythmic augmentation" or "diminution".

only to a certain degree with that painting. Further, the thickness of the drawing-line which Akhmatova, as a powerful linear artist, is using in her wording, can in its potency be compared for example with the density of Gauguin's line. At the same time we must keep in mind the strongly decorative tapestry-like surface of Gauguin's canvas (for example in "The Moon and the Earth", Museum of Modern Art, New York) which to some extent accords with Akhmatova's musicality in "Pust' golosa organa snova grjanut".

Furthermore, it is important to specify that the compactness of Akhmatova's drawing-line diminishes in the last two verse-lines of the poem, as does the tempo. In comparison to those renderings of the third person (the bride), her own depictions are engraved in thinner lines (see verse-lines 3:4; 11:12). The precesion of these sparse drawing-lines show a similar sensibility as those of Beardsley, Picasso (of the Ingres period) or Cocteau.

III

> *Painting and versemaking are one and the same art.*
>
> *Sesshû*

In a number of Akhmatova's poems a tree appears which becomes an aesthetic, rhythmical symbol *per se*—the willow tree. In one of her late poems (from the collection *Iva,* Willow Tree, 1940) the author pronounced her final admiration: "More than [anything else] I loved the silvery willow tree". This tree is for Akhmatova, as for Far Eastern and *Art Nouveau* artists, a symbol of ease, grace, and of the peculiar delicate line, which is fluid and produces a subtle languor. In addition, the branch of the willow tree may be considered— just as the slender flame is— a mirror-image of a gliding, fleeting form.

In this connection it is interesting to note that the term *Ukiyo-e* in Japanese art has been generally translated into English as the "fleeting" or "floating world", and here may enter into comparative focus Čudovskij's classification of the poems of early Akhmatova as being "Japanese" in technique. Čudovskij sees this Japanese manner based on "the secret of synthetic perception". He specifically underlines the omission of

21

the "filling in" details in Japanese art as well as in Akhmatova's poems. He calls it dramatically a "breaking of composition" and quotes as an example the following stanza:

> The willow has spread its transparent fan
> in the empty sky.
>
> It may be for the best that I did not
> become your wife.
>
> Ива на небе пустом распластала
> веер сквозной.
>
> Может быть лучше, что я не стала
> вашей женой.
>
> *Večer*

The disregarding of a unified linear perspective, a method which is constantly applied in Japanese art, and through its influence in the works of such artists as Beardsley, Toulouse-Lautrec, Whistler, and Bonnard, is peculiar to Akhmatova's style throughout her work. The Japanese manner may also be seen in the presentation of isolated essential details as they appear under some specific momentary light. Such separated images or disconnected phrases are, nevertheless, sustained by the force of a specific, unifying poetic atmosphere, an element that is as fundamental to the poet's way of writing verses as it is in Japanese art. In her later work the "rhapsodic" manner of eliminating unnecessary descriptions and emphasizing essentials is even more bold; but in a parallel way Akhmatova develops mastery in writing a poem as a normal conversation, sometimes achieving the narrative charm of Japanese scrolls.

Since Čudovskij mentioned Hiroshige, one is tempted to compare Akhmatova also with Hokusai, his great rival. Hokusai was searching for "the essential hill", "the eternal sea" and thus he was seeking to grasp a philosophical essence, one of a rather Mandel'štamian kind. This category of absolute, deeply elegant, precise, purely aesthetic draftsmanship, the *poésie pure*, is not primarily sought by Akhmatova, although she sometimes achieves it. Like Hiroshige she is more human than Hokusai and produces a world which we instantly recognize and enter with susceptibility. But the linear style of Akhmatova's poetry, as opposed to the generally painterly one in Japanese brushwork,

suggests comparing her with another artist, namely Sesshû. This
great master worked almost entirely with black ink on a white
surface. Only very few of his drawings may be stylistically
placed near *Art Nouveau*, as for example his famous "portrait"
of Bishamonten (Private Collection, Japan), patron of warriors,
in which the artist arrives at a swirling of curves. In his usual
manner early Sesshû exploited the decorative possibilities of
both angular and rounded forms. In this polarity he may be
compared to the early Akhmatova. Simultaneously—like the
Russian poetess—he moves away from the soft style with at-
mospheric effects toward rectilinearity, achieving this by the
use of thick lines and strong contrasts of light and shade.
Within this straightness Sesshû, like Akhmatova, achieves a
grandeur and sweep which transcend a purely "Acmeist" perception. His poetically concentrated, materially abbreviated
painting, the "Winter Landscape" (National Museum, Tokyo)
equals the electricity and serenity present in some of Akhmatova's best poems like «Есть в близости людей заветная
черта», «Они летят, они еще в дороге», «Я знаю ты моя
награда», and «Сон».

As in Japanese art and poetry, the images in Akhmatova's
verse are presented to the eye and are often "free" impressions
expressed in few strokes, lines, or syllables. Such lyrical epi-
grams are created to give us basic representations, instead of
reproductions, of nature or a story. Several poems of *Večer* and
Čëtki are composed in this style: "Dva stikhotvorenija 1, 2",
"Čitaja Gamleta 2", "Khočeš' znat' kak vsë eto bylo", "Ja
živu kak kukuška v časakh". "8 nojabrja 1913", Prostiš'-li
mne eti nojabr'skie dni?" The last may be quoted fully as being
the most "Japanese" in its brevity and symbolic force among
Akhmatova's early poems:

> Will you forgive me these November days?
> In Neva canals lights shatter.
> The poor attire of the tragic autumn.

> Простишь ли мне эти ноябрьские дни?
> В каналах приневских дробятся огни.
> Трагической осени скудны убранства.

Čëtki

This poem shows convincingly that Akhmatova can write in the Japanese tradition, in which imagery of nature is the crucial vehicle of meaning.[14])

Speaking of Akhmatova's Japanese manner, Čudovskij points out the omission of some syllables in the classical metres as used by the poet. He charcaterizes Akhmatova's verse as a "synthesis between femininely fluid smoothness and feminine capriciousness". In my opinion, it must also be recognized as having a masculine telegraphic directness of expression, which is only seldom present in classical Japanese art or in *Art Nouveau* (as in the above mentioned Sesshû or in early Munch). It is interesting to examine in this sense a poem in which structural "deficiency" is distinctly amplified for the required sharpness to convey the atmosphere and the fragmentary narration:

> Все мы бражники здесь, Λ блудницы,
> Как невесело вместе нам!
> На стенах Λ цветы и птицы
> Λ томятся по облакам.
>
> Ты Λ куришь черную трубку,
> так Λ странен дымок над ней.
> Я надела Λ узкую юбку,
> чтоб казаться еще стройней.
>
> Навсегда Λ забыты окошки:
> что там, изморозь иль гроза?
> На глаза осторожной Λ кошки
> Λ похожи твои глаза.
>
> О, как сердце мое Λ тоскует!
> Λ Не смертного ль часа жду?
> А Λ та, что сейчас Λ танцует,
> непременно будет в аду.
>
> *Čëtki*

Here the rhythmical *infinito.*, not unlike its function in polyfunctional music, becomes a plastically finished, sharp rhythmi-

---

[14]) There are no monographs about Japanese influence on Russian poetry but the following studies may be suggested for a comparison: W.L. Schwartz, *The imaginative interpretation of the Far East in Modern French Literature, 1800—1925*, 1927 and E. Miner, *The Japanese tradition in British and American Literature*, 1958.

city, one which cannot be called a form of *Art Nouveau*.[15]) It is rather a move toward the dynamics of expressionism. At the same time *thematically* this *is* obviously a "décadent" or *Art Nouveau* poem, and as such it may also be quoted in Natalie Duddington's[16]) English translation:

> We are all sinners here and profligates,
> How dull we are together!
> The flowers and birds on the walls
> Are longing for the clouds.
>
> You are smoking a short black pipe.
> How strange is the smoke above it!
> I have put on a narrow skirt
> To make myself look more slender.
>
> The windows are closed forever.
> Is there storm or frost outside?
> Like the eyes of a cautious cat
> Are your eyes.
>
> Oh, how my heart is homesick!
> Is it the hour of death I am waiting for?
> And the girl who is dancing now
> Is sure to be in hell.

A definite mark of *Art Nouveau* philosophy is present in the feminine bearing of Akhmatova which combines the chaste and the piquant, seldom equaled by any other exponents of Russian poetry in any period. She appears *outré*, wilful, and sometimes highly artificial, when she asks or asserts:

> Are you my brother or my lover?
> I don't remember...
>
> Кто Ты: брат мой или любовник,
> я не помню...

————— — — — — — —

[15]) The background of this poem represents an evening in the Bohemian restaurant "Brodjachaja Sobaka" with a performance by Glebova-Sudejkina and décors by her husband, the painter Sergej Sudejkin.

[16]) This and other translations by Natalie Duddington are taken from her anthology, *Forty-seven Love Poems by Anna Akhmatova*, 1927, courtesy of Jonathan Cape, Publishers, London.

25

> Once also I was led to the altar,*)
> with whom—I don't know: I don't remember...

> Как-то раз и меня повели к аналою
> с кем — не знаю: не помню...
> ("Как соломинкой p'jёš moju dušu", Večer)

This utterance sounds like a pose, similar to the one adopted by Edna St. Vincent Millay in the same *Art Nouveau* spirit:

> What lips my lips have kissed, and where, and why,
> I have forgotten.

Millay's decoratively provocative gesture: "What should I be but harlot and a nun" could also be pronounced by Akhmatova who takes sacraments of love while praying[17]) and who likes to be a part of Bohemian *cabaret artistique:* "We are all sinners here and profligates" *(Večer),* or a part of the peculiar Geisha or *femme fatale* world: "I brought happiness to all my lovers" ("Zemnaja slava kak dym", *Belaja Staja).*

The distinctive feature of *Art Nouveau,* the curved contour line of complex and subtle geometric character, realized through the "Japanese" lightness of execution, may be found in the poem called "Ljubov'" (Love):

> Now curled up like a tiny snake
> It works its spell straight to the heart.
> Now like a dove at the white window
> It cools for whole long days together.
> Now in the bright hoar-frost it gleams;
> Now hides in the sleepy scent of stock.
> But surely and secretly it leads
> Away from peace, away from joy.
> It has a way of sweetly sobbing

---

*) literally: "... I was led to the church pulpit". Meant is the pulpit *analój* (from Greek ἀναλογεῖον) used in the Russian church for wedding ceremonies.

[17]) Ždanov's attack on Akhmatova published in the Soviet press (in full, among other journals in: *Kul'tura i Žizn'*, No. 6, August 20, 1946), vulgarizes her poetic expression at the end of the poem "A, ty dumal — ja tož takaja..." So — you thought I, too, was one of those...): "But I swear to you by the angels' garden, / swear it by the wonder-working icon / and by our nights' vapor, charcoal fumes: / that I won't ever come back to you".

26

In the fiddle's sorrowing prayer,
And fearful it is to guess it
In a smile of one still a stranger.

Translated by Natalie Duddington.

То змейкой, свернувшись клубком,
У самого сердца колдует,
То целые дни голубком
На белом окошке воркует,

То в инее ярком блеснет,
Почудится в дреме левкоя ...
Но верно и тайно ведет
От радости и от покоя.

Умеет так сладко рыдать
В молитве тоскующей скрипки,
И страшно ее угадать
В еще незнакомой улыбке.

Compare this with the Cleopatra motif recurring in other poems: "Ty pover', ne zmeinoe ostroe žalo, / a toska moju vypila krov'" *(Večer)* and "I černuju zmejku, kak budto proščal'nuju žalost', / na smugluju grud' ravnodušnoj rukoj položit'" *(Trostnik).*

Of all modern Russian artists Akhmatova herself speaks in her poems only of Chagall and Vrubel'. In her memoirs on Modigliani[18] she mentions also Tyschler, Exter, Anrep, and Altman. Modigliani himself, Annenkov, Sorin, Tyrssa, Tyschler, Altman, Verejskij, Della Vos-Kardovskaja, Petrov-Vodkin, and maybe some other artists, have drawn or painted her portraits. In some distant future, from letters written by her[19] we may discover her attitude toward some of her contemporary artists. It would be important to know, for example, her opinion of Konstantin Somov, a master of the exquisite and rare, who reached the highest accomplishments of *Art Nouveau* painting

---

[18] *Vozdushnye puti,* vol. IV, 1965, pp. 15—22.
[19] In her short autobiography ("Korotko o sebe", in *Sovetskie pisateli/ Avtobiografii,* vol. III, 1966, p. 32) Akhmatova says that she burned her archives after the arrest of her son.

and drawing in Russia. This artist was venerated by Akhmatova's first critic-patron Mikhail Kuzmin, and by Blok, Vjačeslav Ivanov, and others as well. But whatever the opinion, of Akhmatova about Somov, a student of Beardsley, may be, in three poems of *Večer:* "Vsë toskuet o zabytom", "Kak pozdno! Ustala, zevaju", and especially in "Maskarad v parke" she appears distinctly as a Somovian "décadent", a brilliant and playful Columbine:

The moon illumines the cornices;
it errs on the crests of the river.
The cold hands of the marquise
are so aromatically light.

"Oh, Prince," she smiles and sits next to him,
"in quadrille you are our *vis-à-vis,*"
and, languidly under the mask, she turns pale
from an etching pre-sentience of love.

The entrance is hidden by a silvery poplar
and a hop, falling from low height.
"Either Bagdad or Constantinople
I will conquer for you, *ma belle.*"

"How seldom you smile;
how frightening to embrace you, Marquise!"
It is dark and cool in the arbor.
"Well, then! shall we go dance?"

Out they walk. On elms and on maples
the colored lanterns flicker.
Two ladies in green costumes
make a bet with monks.

And pale, with a bouquet of azaleas,
the Pierrot meets them with a laugh.
"My Prince! wasn't it you who broke
the feather on the Marquise's hat?"

Translated by Emery E. George

Луна освещает карнизы,
Блуждает по гребням реки . . .
Холодные руки маркизы
Так ароматно-легки.

«О принц!» улыбаясь присела,
«В кадрили вы наш vis-à-vis»,
И томно под маской бледнела
От жгучих предчувствий любви.

Вход скрыл серебрящийся тополь
И низко спадающий хмель.
«Багдад или Константинополь
Я вам завоюю, ma belle!

«Как вы улыбаетесь редко,
Вас страшно, маркиза, обнять!?»
Темно и прохладно в беседке,
«Ну, что же! пойдем танцовать?»

Выходят. На вязах, на кленах
Цветные дрожат фонари,
Две дамы в одеждах зеленых
С монахами держат пари.

И бледный, с букетом азалий,
Их смехом встречает Пьеро:
«Мой принц! О не вы ли сломали
На шляпе маркизы перо?»

Like Somov, the subjects which Akhmatova uses here are old
ones, belonging to the 19th century, and her personages are not
human beings but rather figurines or mannequins. The whole
poem is a delicate and elegant game, an ornament in itself,
which is the true philosophy of *Art Nouveau.*

The most original Russian artist of this period was Mikhail
Vrubel', in all probability the greatest Russian painter next to
Rublëv. A virtuoso and phantast, he reflected (in his decorative
patterns and his semi-mystical visions) a part, but only a part, of
Art Nouveau refinement. His demoniacal bewitchment electri-
fied a whole generation of Russian lyricists, especially Aleksandr Blok ("Vrubel' and Blok" would make an inspiring study
in comparative aesthetics) [20]). Akhmatova speaks of Vrubel' as
an agitated, excited artist: «Это Врубель наш вдохновенный». With the word "naš" ("our") she accentuates clearly
the nearness of Vrubel' to her and her contemporaries. The se-
quence of words and the melody of the line express additional
fervor for this tragic genius. We find some characteristic ele-

---

[20]) See Blok's Pamjati Vrubelja" in his *Sobranie Sočinenij,* 1960—1963,
vol. 5, pp. 421—424 and his statements on Vrubel' in vol. III, pp. 295, 340,
442, 443; vol. V, pp. 70, 131, 428, 430, 431, 433, 434, 673, 689—691; vol.
VII, pp. 70, 407, 408; vol. VIII, pp. 78, 79, 307, 309. See also Al'fonsov,
"Blok i Vrubel' " in his *Slova i kraski,* 1966, pp. 13—62.

ments of feverish Vrubelian temperament already in *early* Akhmatova. They may be seen in lines like:

«И когда друг друга проклинали / в страсти раскалённой до бела», «мы хотели муки жалящей», «ты поверь, не змеиное острое жало, / а тоска мою выпила кровь», «И тогда побелев от боли, / прошептала: «Уйду с тобой!» (*Večer*), «Как волосы густые / безумных Магдален» (*Čëtki*), «последняя из всех безумных песен», «исполненный жгучего бреда», «так Ангел смерти ждет у рокового ложа» (*Belaja staja*), «Тебе клянусь я небесами», / в огне расплавится гранит» (*Anno Domini*) etc.

Incantational and thaumaturgic force dominates most of Vrubel's works, of which some modernistic masterpieces like "Spanish Dancer in Red", "Portrait of S. I. Mamontov", "Lilac", and "Nightfall" (all in the Tret'jakov Gallery in Moscow) should be singled out.

Although a considerable colourist, Vrubel' at his best treats colour (like Cézanne, Monticelli or even van Gogh) as sculptural form. It may be suggested that in this disciplining of *Farbgestalt* he resembles Akhmatova's glyptic sharpness of every rhythmical unit and *shaping-out (Herausmodellieren)* of every single word. Vrubel's noted "Demon" variations are full of the pathos of negation. To the works of Akhmatova, characterized by a similar conjuring force (both formal and thematic), a spirit of negation, belongs the following, densely expressive poem:

> So—you thought I, too, was one of those whom
> it is all that easy to forget;
> that I'd throw myself, praying and sobbing,
> under your fiery horses' hooves?
>
> Or that I would ask some sorceress
> for her root dipped in enchanted water,
> and that I'd send you my fearful gift—
> this inviolable scented scarf?
>
> Curses on you. No groan, no single glance
> will I waste on your vilified soul.
> But I swear to you by the angels' garden,
> swear it by the wonder-working icon

and by our nights's vapor, charcoal fumes:
that I won't ever come back to you.

Translated by Emery E. George

А, ты думал — я тоже такая,
Что можно забыть меня
И что брошусь, моля и рыдая,
Под копыта гнедого коня.

Или стану просить у знахарок
В наговорной воде корешок
И пришлю тебе страшный подарок —
Мой заветный душистый платок.

Будь же проклят. Ни стоном, ни взглядом
Окаянной души не коснусь,
Но клянусь тебе ангельским садом,
Чудотворной иконой клянусь
И ночей наших пламенных чадом —
Я к тебе никогда не вернусь.

IV

Because I do not hope to turn again
Because I do not hope
Because I do not hope to turn

Eliot

The most obvious of Akhmatova's melodic usages is repetition
which the poet herself characterizes with pathos as «блаженство
повторенья» (blessedness of repetition) ("Epičeskie otryvki
I", *(Belaja staja)*. It would be hypothetical to call this method
a part of *Art Nouveau* aesthetic perception, although a parallel
repetition of patterns and consonant lines (and sometimes even
figures) belongs to the carriers of *Art Nouveau* expression
Beardsley, Mucha, Guimard, Klimt, Hodler, Stuck, Somov, and
others).

Already the oldest Russian religious and secular chants show
repetition developing into cadence. In recent history, at the end
of the last and the beginning of this century, Russian symbolists
gave this rhythmical device new life. This is true of Hippius,
Brjusov, Vjačeslav Ivanov, and especially of Bal'mont, and
Blok. The latter's method of using the exact repetition of words

(not necessarily assigning them to the same structural pattern but definitely in the place of metrical stress), has been either followed or independently developed by Akhmatova. This applies to her creativity from the very beginning to the very last years. Recurrence of the same words starts with the second poem in *Večer:*

> *тот же* голос, *тот же* взгляд,
> *те же* волосы льняные

(these and the following italics are mine. A. R.), and the recurrence contninues progressively in the same book and through the subsequent collections and single poems hundreds of times. The succeeding illustrations are only some examples of this formalistic idiosyncrasy in the collections *Večer* and *Čëtki* (the words being repeated as a unifying device for emphasis):

> «Тот голос, с *тишиной* великой споря, / победу одержал над *тишиной*». «*Я была твоей* бессоницей, / *я* тоской *твоей была.*» «Ведь пахли иначе *травы* / осенние *травы*», «*Я молчу. Молчу* готовая», «*Не любил*, когда плачут дети, / *не любил* чая с малиной...», «*Хорони, хорони* меня ветер», «Как от предсмертной боли, бьется, бьется», «*никого* мне, *никого* не жаль», «*С книгой лев* на вышитой подушке, / *с книгой лев* на мраморном столбе», «*Только память* вы мне оставьте, / *только память* в последний миг», «*Я дрожу над каждой* соринкою, / *над каждым* словом глупца», «*Красный дом твой* нарочно минаю, / *красный дом твой* над мутной рекой», «*Вижу, вижу лунный* лик ... / *слышу, слышу* ровный стук», etc.

It becomes visible and audible that Akhmatova is never tired of this and other kinds of rhetoric *staccato*. The echo sometimes takes up the aggressive form of trebling:

> «Но *не хочу, не хочу, не хочу*», or
> «*Над Невой, над Невой, над Невой*»;

Presumably under the influence of Pasternak's poem "Opredelenie poezii" (from the book *Sestra moja žizn'*, 1922) in which the word *eto* appears seven times as an *anaphora* at the beginning of lines, Akhmatova writes her own definition of verse:

32

and drawing in Russia. This artist was venerated by Akhmatova's first critic-patron Mikhail Kuzmin, and by Blok, Vjačeslav Ivanov, and others as well. But whatever the opinion, of Akhmatova about Somov, a student of Beardsley, may be, in three poems of *Večer:* "Vsë toskuet o zabytom", "Kak pozdno! Ustala, zevaju", and especially in "Maskarad v parke" she appears distinctly as a Somovian "décadent", a brilliant and playful Columbine:

> The moon illumines the cornices;
> it errs on the crests of the river.
> The cold hands of the marquise
> are so aromatically light.
>
> "Oh, Prince," she smiles and sits next to him,
> "in quadrille you are our *vis-à-vis,*"
> and, languidly under the mask, she turns pale
> from an etching pre-sentience of love.
>
> The entrance is hidden by a silvery poplar
> and a hop, falling from low height.
> "Either Bagdad or Constantinople
> I will conquer for you, *ma belle.*"
>
> "How seldom you smile;
> how frightening to embrace you, Marquise!"
> It is dark and cool in the arbor.
> "Well, then! shall we go dance?"
>
> Out they walk. On elms and on maples
> the colored lanterns flicker.
> Two ladies in green costumes
> make a bet with monks.
>
> And pale, with a bouquet of azaleas,
> the Pierrot meets them with a laugh.
> "My Prince! wasn't it you who broke
> the feather on the Marquise's hat?"
>
> *Translated by Emery E. George*

Луна освещает карнизы,
Блуждает по гребням реки ...
Холодные руки маркизы
Так ароматно-легки.

«О принц!» улыбаясь присела,
«В кадрили вы наш vis-à-vis»,
И томно под маской бледнела
От жгучих предчувствий любви.

Это — выжимки бессониц,
Это — свеч кривых нагар,
Это — сотен белых звонниц

Это — теплый подоконник

Это — пчелы, это — донник,
Это — пыль, *и* мрак, *и* зной.

«Про стихи» (1940)

In another attempt to apply repetition she uses the same word, but resounds in addition three other words: *не той* and *когда*. (The last syllables of each line are also exactly repeated as *closed rhymes*.)

Это — из песни *не той* и *не той*,
Это — *когда* будет век золотой,
Это — *когда* я встречусь с тобой,
Это — *когда* окончится бой ...

«Справа раскинулись пустыри» (1940)

Among the repetitive devices, the use of the lexical *acromonogram*, very common in Russian folk poetry, is also applied by Akhmatova. It appears either in the pure form:

И одна ушла *уступая,*
уступая место другой.

И только красный *тюльпан,*
тюльпан у тебя в петлице.   *Čётki*

or with modification:

Расскажи, как тебя целуют,
расскажи, как целуешь ты.   *Čётki*

Что сделал с тобой *любимый,*
что сделал *любимый* твой.   *Večer*

The element of repetition must also be seen in the perspective of the general influence of Church Slavonic on Russian poetry (and prose). Such repetition constitutes, most frequently as *anaphora*, an important part in the sophisticated rhetoric of the Russian liturgy.

The developments and shifts of liturgical emotions are present in Akhmatova's verse throughout the course of her development. Even among the "decadent" poems of *Večer* and *Čětki* we find them occasionally. One must agree with Čudovskij[21] that the first line of the memorable lyric "Seroglazyj korol' " expressing the passion for self-flagellation:

> Glory to you, inconsolable pain!
> Слава тебе, безысходная боль!

sounds bombastic as compared to the other quiet and even playfully mournful *Art Nouveau* lines of the poem. And yet this Church Slavonic manner of exaltation belongs to the anti-thetic style of the poetess who is longing for that "only, lumin-ous day" when

> The incantations of liturgy
> fly to the miraculous shed of heaven.
> Когда возгласы литургии
> возлетят под дивную сень.
>
> *Anno Domini*

The all-powerful exclamation of "Slava!" ("Glory!") which is repeated in many of Akhmatova's poems, harks back not on-ly to Arenskij, Čajkovskij, Rimskij-Korsakov, Musorgskij, and others but also to the *Byliny* as well as to the rites of Russian church in evoking the Trinity, or in the *Moleben* to particular saints or the Virgin.

V

> *The contraries are easily understood and even more so when placed side by side, also because antithesis resembles a syllogism, for it is by putting op-posing ideas together that you refute one of them.*
>
> *Aristotle*

Besides the elements of repetition showing the influence of Symbolism and solemnity derived from the influence of Church Slavonic and Deržavin, there are other components, either alien to or not characteristic of the *Art Nouveau* style. Some atten-tion should be paid to the contradictory interest the artists of the Russian *fin de siècle* and *Art Nouveau* period paid to folk

---

[21] Article mentioned in note No. 5, p. 50.

34

art and folk toys. It was first expressed in the work of Elena Polenova and later developed by the painters of the 20-th century like Bilibin, Sudejkin, Sapunov, Roerich, Zareckij, Kustodiev, Narbut, Benois, and others. The discovery of the icon as an object of *aesthetic* appreciation, quite aside from religious considerations, approached the aesthetic of the *primitive* as expressed in Henri Rousseau. Among the different forms of painting popular in Russian folk art at that time was the *lubok*, chapbook, a kind of picture-book, which open-heartedly depicted fairy tales and folklore, while being frequently saturated with unobtrusive satirical comments (the candor of the *lubok* and the fantastic features of icons were brought to a new maturity in the angular works of the early Chagall who enchanted Akhmatova [22]). In music this was first used by Musorgskij. Later he was joined by Stravinskij, whose work, according to Akhmatova, is "the highest musical expression of the 20-th century".[23] Stravinskij's music had at that time the vivid coloring of a *lubok*, its rhythmic and harmonic diversity. In his *Petruška,* as in many early works of Chagall and in poems of early Akhmatova (for example the "Gray-eyed King"), Stravinskij succeeds in suggesting two different planes of reality, coexisting simultaneously, and invests both with a hallucinating significance. In composer's other works which involve popular folk motifs, like "A Soldier's Tale", "Renard" and "Wedding", the style has the compactness of a *lubok*, and he contents himself with a small but striking combination of instruments and voices. Stravinskij's love for order and discipline, as well as his respect for autority and tradition, revealed in almost everything he has written, must have been dear to Akhmatova's mind. Nonetheless, his "deficiency" in lyrical warmth and purely sensuous appeal separates them distinctly. Akhmatova (only when compared with Stravinskij) is a *veristic* poet with a melodramatic disposition or sometimes even with striking theatricality *à la* Verdi. Her early involvement with folk art and folk expression is not as earnest in its formalistic ethos as is Stravinskij's, but

---

[22]) See Akhmatova's memoirs on Modigliani in *Vozdušnye puti*, vol. IV, 1965, pp. 20—21.
[23]) ibid, p. 19.

constitutes rather a part of the snobbish trend popular with Russian artists and writers of the *Art Nouveau period,* especially of the *Mir Iskusstvo* painters. It is a fashionable *stylization* based on the *corpora* of folk poetry or folk diction in general. Typical samples of this modishness are the poems entitled "Rybak", "Pesenka", "Muž khlestal menja uzorčatym" *(Večer)* "Budeš' žit', ne znaja likha", "Ja s toboj ne stanu pit' vino" *(Čëtki),* "Lučše b mne častuški zadorno vyklikat'", "Ne byvat' tebe v živykh", "Budu tikho na pogoste", "Ja okoška ne zavesila" *(Belaja staja),* "A Smolenskaja nynče imeninnica" *(Anno Domini).* Not one of these poems could be considered authentic folk art, but they may looked upon as an "authentic" modernization of folk poetry (in the sense of Stravinskij's and Bartok's instrumentations or Larionov's and Gončarova's "translation" of folk forms into art of painting). All of them, because of the use of rustic elements, create a stylistic conflict within the aesthetics of *Art Nouveau.*

Another related phenomenon, though dissimilar from the attempts toward a social usage of the component parts of folk poetry, are such strongly realistic and even naturalistic descriptions and images as:

«осень ранняя развесила / флаги желтые на вязах», «едкий, душный запах дегтя», *(Večer)* «бензина запах и сирени», «У грядок груды овощей / лежат, пестры, на черноземе», «рыжий месяц» *(Čëtki),* «лохматым сизым дымом», «крепкий запах морского каната», «Муза в дырявом платке», «На взбухших ветках лопаются сливы, / и травы легшие гниют», «кормили дети пестрых жадных уток, / что кувыркались в проруби чернильной» *(Belaja staja),* «А к колосу прижатый тесно колос / с змеиным свистом срезывает серп» *(Podorožnik)* «И крапива запахла как розы» *(Anno Domini).*

Parallel to the much used *Art Nouveau*-adjective «легкий» ("easy" or "light") Akhmatova introduces, starting with *Čëtki,* a neutral and objective adjective «сухой» (dry) which is repeated very often:

«Твои сухие губы», «поднявши руку сухую», «восковая, сухая рука», «сухая лежала рука», «и сухими пальцами мяла», «глаза сухие», «припала я к земле сухой», «жидкие березы ... сухо шелестят», «улыбнется сухо», «вьюги сухие», etc.

Structurally non-*Art Nouveau* are also Akhmatova's early polymetric attempts present in *Večer* in the lyrics: "On ljubil tri vešči na svete", Khočeš' znat' kak vsë eto bylo?", and "Ja živu kak kukuška v časakh", and the highly original poem in *Četki:* "Ja prišla tebja smenit', sestra".

Akhmatova developed at an early stage the technique of the little-adorned or, rather, unadorned surface of poetic wording which was in itself not new. Puškin and Baratynskij were her predecessors in the emphasis on austerity of expression and the logical structure of the sentence. This however, was new and foreign to the philosophy of *Art Nouveau*. The rational, reflective approach culminating in her acmeistic, short-lined verses should be compared with Degas and also with Cézanne, Seurat and Lhote. Such a comparison reveals the related tendency toward a clear and sober design both in modern poetry and art. Stress may be put on the comparison of Akhmatova's extrinsic, anti-*Art Nouveau* talent for description and the return to objectivity of vision which is exemplified in modern painting by the German movement *Neue Sachlichkeit* and the Italian movement *Valori Plastici.* Such Akhmatova's lines as:

> On the table a riding whip
> and a glove are forgotten

> На столе забыты
> хлыстик и перчатка

Večer

remind us stylistically of the still-life paintings of Alexander Kahnold, the central figure of the *Neue Sachlichkeit.* This simplicity of approach led Akhmatova—as it led Kahnold—to traditional forms combined with a new intellectual awareness.

Speaking of Akhmatova's early work as a whole, we may say that her methods were an individual, ingenuous, and well-balanced mixture of the new and of the forgotten old. On the one hand, being an *amoureuse décorative* she was attracted by the *fin-de-siècle* and the *Art Nouveau* concept of vision. On the other hand, she reverted at intervals to the modes of symbolist eloquence, to classical and neo-classical poetry, but also to the ecclesiastical expressivity of Russian church art, conveyed in music and frescoes. (Boris Filippov, in the Russian introduction to the first volume of this publication, has indicated Akhmatova's nearness to the old Novgorod school of painting). The following traits of Akhmatova could be recognized as characteristic of *Art Nouveau:* excessive self-analysis, experience with private sensations, poetic interest in corruption and vengeance, neurosis, erotic sensuality, scorn of contemporary society, postromantic irony in the manner of Degas and Laforgue (whom she venerated when young), and a nostalgic semi-mysticism, often without a clear moral commitment. Contrary to many *Art Nouveau* poets and artists she was not interested in jewel-like ornamentation, exotic vocabulary, complex and manneristic structure, and aestheticism with a strong accent on "Art for art's sake". The resulting idiom attained very rich possibilities within its sphere. In the moderation and the chastity of outward form, her poetry is classic from its very beginnings; but at the same time it is strongly animated by that intense personal feeling which is the keynote of romanticism, part of which is the sensibility of *Art Nouveau*. It is in this seeming contrariety and this stable equilibrium that Akhmatova's inspirations culminates—at the point where movement transcends pose—life becomes memory, reality becomes image *and* symbol, and history is fixed in the crystal of myth.

ALEKSIS RANNIT

Yale University

БЕГ ВРЕМЕНИ

Нет, пожалуй, в новой русской поэзии поэта, кроме Анненского, который воспринимал бы время с такой отчетливостью и остротой, как Анна Ахматова. Я имею в виду время и в историческом смысле, и в смысле того таинственного метафизического процесса, в который погружены человек и мир.

Это гипертрофированное восприятие времени не было у Ахматовой чем-то неизменным. Зрелая Ахматова расширяет и углубляет его и в историко-социальном, и в метафизическом его планах и приходит к пророческому ощущению истории. В молодые же годы чувство времени носило у Ахматовой форму почти машинально точной фиксации момента или продолжительности явления. В четырнадцати строках, из которых состоит «Сероглазый король» — четыре точных хронологических определения. Они засекают четыре события: смерть короля («умер вчера сероглазый король»); горе королевы («за ночь одну она стала седой»); приход мужа («вечер осенний...») и его уход («... и на работу ночную ушел»).

Даже в самых эмоционально насыщенных стихотворениях течение времени то и дело проверяется календарем и хронометром:

Хочешь знать, как это было?
Три в столовой пробило.

*

Двадцать первое. Ночь. Понедельник.

*

Без недели двадцать лет
Он глядел на Божий свет.

*

Тому три года в Вербную Субботу.

И даже:

> Я сошла с ума, о мальчик странный,
> В среду, в три часа.

Подлинный месяцеслов можно составить из календарных засечек Ахматовой:

> Я в январе была его подругой.
>
> ✻
>
> Памятным мне будет месяц вьюжный,
> Северный, встревоженный февраль.
>
> ✻
>
> Мне жаль, что ваше тело,
> Растает в марте, хрупкая Снегурка.
>
> ✻
>
> Нежна апрельская прохлада.
>
> ✻
>
> Как ты до мая доживешь?

С этим четким восприятием времени юная Ахматова сочетает одинаково четкое восприятие числовых соотношений:

> Показалось, что много ступеней,
> А я знала, — их только три.
>
> ✻
>
> Но не заменят мне утрату
> Четыре новые плаща.
>
> ✻
>
> И дал мне три гвоздики.
>
> ✻
>
> Когда я стану царицей,
> Выстрою шесть броненосцев
> И шесть канонерских лодок.
>
> ✻
>
> Жарко пламя трех тысяч свечей.

Столь же отчетливо пространственное ви́дение Ахматовой:

> За кладбищем направо пылил пустырь,
> А за ним голубела река.
>
> ✻
>
> Здравствуй! Легкий шелест слышишь
> Справа от стола?

40

Так же влево пламя клонит
Стеариновая свечка.

Эта трезвая, умная точность зрительной памяти сближает некоторые ранние стихотворения Ахматовой с журналистским жанром в лучшем смысле слова. Как опытный репортер, она выискивает, запоминает и лапидарно воспроизводит одну, единственно нужную, конкретную деталь:

Не бывать тебе в живых,
Со снегу не встать.
Двадцать восемь штыковых,
Огнестрельных пять.

Или уже цитированное выше:

На Малаховом Кургане
Офицера расстреляли.
Без недели двадцать лет
Он глядел на Божий свет.

Гипертрофия времяощущения естественно сопрягается с сознанием преходимости, обреченности всего земного, с памятью смертной. И действительно мысль о смерти часто встречается у молодой Ахматовой. Но это именно отвлеченная мысль, а не живое знание. Она облечена в условно-романтические, почти оперные формы:

Хорони, хорони меня, ветер!
. . . .
Видишь, ветер, мой труп холодный,
И некому руки сложить.

*

Смертный час, наклонясь, напоит
Прозрачной сулемой.
А люди придут, зароют
Мое тело и голос мой.

Это слова двадцатилетнего неумудренного существа, для которого смерть — повод для меланхолических размышлений или традиционный литературный гамбит.

Тридцать лет спустя Ахматова писала с гораздо меньшей уверенностью:

> Я была на краю чего-то,
> Чему верного нет названья...
> Зазывающая дремота,
> От себя самой ускользанье.

Или:

> Смерти нет — это всем известно,
> Повторять это стало пресно,
> А что есть — пусть расскажут мне.

Только одно, пожалуй, стихотворение раннего периода видит смерть без романтических прикрас. Характерно, что оно относится к 1916 году, к военному времени, которое внесло новое измерение в ахматовскую поэзию:

> А дальше — свет невыносимо щедрый,
> Как красное, горячее вино...
> Уже душистым, раскаленным ветром
> Сознание мое опалено.

Но в поздних стихотворениях память смертная приобретает у Ахматовой конкретность, сложность и конечную невыразимость, присущие всему непосредственно познанному. Ахматова постоянно размышляет о смерти, постоянно чует ее присутствие, изучает признаки, принципиально отличающие ее от всякой *жизненной* беды:

> Когда человек умирает,
> Меняются его портреты.
> По другому глаза глядят, а губы
> Улыбаются другой улыбкой.
> Я заметила это, вернувшись
> С похорон одного поэта.
> И с тех пор проверяла часто,
> И моя догадка подтвердилась.

В стихотворении «Три осени» Ахматова прослеживает приближение смерти — через «праздничный беспорядок» ранней осени, через бесстрастие и блеклость поздне-осеннего невзгодья:

> Но ветер рванул, распахнулось — и прямо
> Всем стало понятно: кончается драма,
> И это не третья осень, а смерть.

Но одно дело — предчувствие собственной смерти; другое дело — смерть близких. Ко второму неизбежно присоединяется сознание вины, муки совести, покаяние.

Покаяние — третье звено ахматовского мироощущения. Время, смерть, покаяние: вот триада, вокруг которой вращается поэтическая мысль Ахматовой.

Покаяние — оборотная сторона чувства ответственности. Кто бы мог предугадать в первые годы поэтической жизни Ахматовой, что ей, «царскосельской веселой грешнице», выпадет на долю страшный жребий Сивиллы, что она на своих, казалось бы, хрупких плечах понесет тяжкий груз ответственности — не только личной, но и общенародной, что она станет голосом совести всей страны? Но так случилось. Ахматова перешла от эгоцентрической любовной лирики, замкнутой в узком мирке душевных переживаний, своих обид, своей ревности, своей тоски, к широкому, эпическому восприятию истории, к жертвенной готовности принять все ей положенное. Переход этот начался летом 1914 года.

И, может быть, прирожденная, почти физиологическая, сама по себе морально нейтральная способность ощущать бег времени послужила Ахматовой в качестве ранней практики для пророчески-зоркого восприятия истории, которое проснулось в ней позже. Как бы то ни было, с 1914 года Ахматова заговорила новым языком:

> Из памяти, как груз отныне лишний,
> Исчезли тени песен и страстей.
> Ей — опустевшей — приказал Всевышний
> Стать страшной книгой грозовых вестей.

Примечательно, что и грамматика этого нового языка иная. Впервые единственное число уступает место множественному, местоимения «мы» и «вы» превозмогают местоимения «я» и «ты».

> Сроки страшные близятся. Скоро
> Станет тесно от новых могил.

Ждите глада, и труса, и мора,
И затменья небесных светил.

*

Думали нищие мы, нету у нас ничего,
А как стали одно за другим терять,
Так что сделался каждый день
Поминальным днем, —
Начали песни слагать
О великой щедрости Божьей,
Да о нашем бывшем богатстве.

Ахматова никогда не была гражданским поэтом в некрасовском смысле. Ее поэтический темперамент — не темперамент борца или проповедника. Но после начала «настоящего двадцатого века», летом 1914 года, ей — как и другим поэтам — стало трудно,если не невозможно писать о своем в отрыве от общего. Правда, и после 1914 года интимно-личные темы продолжают преобладать в творчестве Ахматовой. Но само ее творчество претерпевает некое химическое изменение. Субъективное уступает объективному. Грусть, например, сменяется объективным понятием «горя».

Вообще слово «горе» — одно из самых излюбленных Ахматовой слов:

Я друзьям моим сказала:
«Горя много, счастья мало.»
*
Было горе, будет горе,
Горю нет конца.
*
Горе душит, не задушит.
*
Разве забыли мои уста
Твой привкус, горе?
*
Перед этим горем гнутся горы,
Не течет великая река.

В двадцатые годы личное и общее единоборствуют в ахматовской поэзии с переменным успехом. Они все еще существуют каждое само по себе, и поэт ищет путей к преодолению этого напряжения. Только после страшных переживаний, выпавших на долю Ахматовой в тридцатых и сороковых годах, ей удается синтез этих двух начал. И характерно, что она находит решение не в радости, не в экстазе, а в скорби и в страдании. «Реквием» и «Поэма без героя» — два царственных примера взаимопроникновения личного и общего.

В «Реквиеме» отчаяние матери не обособляет ее. Наоборот, через свою скорбь она прозревает страдания других. «Мы» и «я» становятся почти синонимами. Ахматова сама предугадала, чем станет ее «Реквием»:

> И если зажмут мой измученный рот,
> Которым кричит стомильонный народ ...

Предельное одиночество («эта женщина больна, эта женщина одна») не перерождается в эгоцентрическое замыкание в собственной боли. Душа Ахматовой отверзта настежь:

> Опять поминальный приблизился час.
> Я вижу, я слышу, я чувствую вас.

> ∗

> И я молюсь не о себе одной,
> А обо всех, кто там стоял со мною.

Чисто поэтически «Реквием» — чудо простоты. Поэзия Ахматовой всегда была четкой, по-петербургски подобранной. Ей всегда были чужды вычурность и говорливость московского лада. Но в «Реквиеме» ей удалось еще большее — дисциплинировать свои собственные чувства, вогнать их в крепкую ограду стихотворной формы, как воды Невы сдерживаются гранитными набережными. Простая суровость формы, противостоящая страшному содержанию, делают «Реквием» произведением, адекватным той апокалиптической поре, о которой оно повествует.

Несравненно более сложна — и по содержанию, и по форме — «Поэма без героя». Недаром Ахматова работала над ней многие годы, дополняя, редактируя, переписывая, перемещая отдельные строки, строфы и главки. Поэма обрастала посвящениями, предисловиями. Именно в «Поэме без героя» три сквозные темы ахматовской поэтической мысли — время, смерть, покаяние — выявлены наиболее выпукло и контрапунктически переплетены друг с другом. Причем это сплетение имеет место на трех временных уровнях или в трех временных потоках — в рассказе о 1913 годе, в возврате этой темы четверть века спустя («из года сорокового, как с башни, на все гляжу»), и в том времени, в котором пишется поэма.

> У шкатулки ж тройное дно,

говорит сама Ахматова.

Отворим же эту волшебную шкатулку. Первое ее дно — повесть о самоубийстве молодого офицера, несчастно влюбленного в героиню поэмы. Героиня эта фигурирует под разными именами: она и «Путаница-Психея», она и «козлоногая», и «Коломбина десятых годов», и «донна Анна», и «петербургская кукла». Больше того, она даже один из двойников Ахматовой. Во всяком случае Ахматова берет на себя ее грех: «Не тебя, а себя казню», говорит автор, обращаясь к портрету «Путаницы». Всю поэму — на чисто психологическим уровне — можно истолковать как исповедь. «Поэма без героя» — вся под знаком раскаяния. Но раскаяния в чем? Прежде всего в бессмысленной смерти мальчика, но в более широкой перспективе и в исторических грехах целого поколения. Поколение это отказывалось и отказывается брать на себя ответственность за все случившееся. Об одном из персонажей тринадцатого года, которого Ахматова называет «изящнейшим сатаной», она говорит:

> И проходят десятилетья:
> Кто не знает, что совесть значит,
> И зачем существует она.

А о другом:

> И ни в чем не повинен: ни в этом,
> Ни в другом и ни в третьем . . .
> Поэтам
> Вообще не пристали грехи.

46

Они, эти «лжепророки и краснобаи», явившись теперь Ахматовой под Новый Год, отказываются принимать на себя ответственность. Но Ахматова-то знает, что ей от ответственности не уйти:

> Ведь сегодня такая ночь,
> Когда нужно платить по счету.

Но почему именно ей?

> Ну, а как же могло случиться,
> Что во всем виновата я?
> Я — тишайшая, я — простая,
> «Подорожник», «Белая стая»...
> Оправдаться... Но как, друзья?

Покаяние, обусловленное смертью — неизбывно. Время тут бессильно. Прошло более четверти века с той ночи, как в Петербурге на парадной лестнице застрелился мальчик, прошло почти четверть века с той поры, как рухнул весь мир, в котором жили «Коломбина десятых годов», «Иванушка древней сказки», сам автор. И вот в новогоднюю ночь врываются под видом ряженых петербургские тени, оживает весь мир, выходит из портрета «Путаница-Психея» — а «между печкой и шкафом» (еще один пример поразительной топографической точности Ахматовой!) стоит кто-то, вышедший из-под могильной плиты.

Это — второе дно шкатулки: только-только кончилась ежовщина, миллионы людей гибнут в лагерях, в Европе началась Вторая война. В полном одиночестве Ахматова встречает новый, 1941-ый год — вспоминая, оплакивая год 13-ый, и пытается «замаливать давний грех».

> Из года сорокового,
> Как с башни, на все гляжу.
> Как будто прощаюсь снова
> С тем, с чем давно простилась,
> Как будто перекрестилась
> И под темные своды схожу.

Мир, который она вспоминает, противоречив, как все живое. И противоречиво ее отношение к нему. Конечно, в первую очередь, это мир ее молодости. Пожалуй, нежнейшие слова во всей «Поэме» Ахматова находит именно, когда пишет об этой весенней поре:

> Теплый ливень уперся в крышу,
> Шепоточек слышу в плюще.
> Кто-то маленький жить собрался,
> Зеленел, пушился, старался
> Завтра в новом блеснуть плаще.
> Сплю —
> 　　　　она одна надо мною, —
> Та, что люди зовут весною,
> Одиночеством я зову.
> Сплю — мне снится молодость наша...

Или, в другом ключе:

> А теперь бы домой скорее,
> Камероновой галереей
> В ледяной таинственный сад,
> Где безмолвствуют водопады,
> Где все девять мне будут рады,
> Как бывал ты когда-то рад...

Но этот же мир — мир «блудный» и «грозный», исполненный тревогой и «непонятным гулом», мир, смутно чувствующий свою обреченность:

> Словно в зеркале страшной ночи
> И беснуется и не хочет
> Узнавать себя человек —
> А по набережной легендарной
> Приближается не календарный,
> Настоящий двадцатый век.

Мир этот кощунственно легкомыслен. Это — «адская арлекинада»:

> Гибель где-то здесь очевидно,
> Но бездумна, легка, бесстыдна
> Маскарадная болтовня.

А между тем:

> До смешного близка развязка;
> Из-за ширм Петрушкина маска,
> Вкруг костров кучерская пляска,
> Над дворцом черно-желтый стяг...

Н. С. Гумилев, Лев Гумилев, А. А. Ахматова.

1915 (?)

Все уже на местах, кто надо;
Пятым актом из Летнего сада
Пахнет...

*

Оттого что по всем дорогам,
Оттого что ко всем порогам
Приближалась медленно тень...

Мир этот игнорирует смерть. («Кто над мертвым со мной не плачет...»). А между тем, смерть и вызванное ею отчаянное покаяние — суть всей Поэмы. «Поэма без героя» — заклинание, вопль об освобождении от мук совести: «Ведь сегодня такая ночь, когда нужно платить по счету». Но в том-то и ужас этих мук, что от них избавления нет:

Все в порядке: лежит поэма
И, как свойственно ей, молчит.
Ну, а вдруг как вырвется тема,
Кулаком в окно застучит, —
И откликнется издалека
На призыв этот страшный звук —
Клокотание, стон и клекот
И виденье скрещенных рук...

Или, более субъективно:

За одно мгновенье покоя
Я посмертный отдам покой.

Но «Поэма без героя» — нечто несравненно большее, чем только одно лирическое излияние, как бы страстно оно ни было. Поэма одновременно и величественный эпос — правда, не героический, эпос «без героя». Две части этого эпоса самоочевидны: старый мир накануне своей гибели; новый мир накануне и во время войны. Но есть в «Поэме» и третья тема. Это третье дно шкатулки запрятано и замаскировано — отчасти в результате купюр (строфы X, XI и XII второй части), купюр, которые Ахматова иронически объясняет как «подражание Пушкину», отчасти же в результате нарочитой неясности, которую Ахматова вносит в поэму.

Но сознаюсь, что применила
Симпатические чернила . . .
И зеркальным письмом пишу,
А другой мне дороги нету.

Это тема «великой молчальницы-эпохи», сталинского безвременья. О трактовке этой зашифрованной темы можно судить только по отдельным пассажам, например, по трем невычеркнутым Ахматовой строчкам строфы X, второй части:

И проходят десятилетья:
Войны, смерти, рожденья — петь я,
Вы же видите, не могу.

Тут же, в IX строфе, слова о Седьмой симфонии Шостаковича, как бы ненароком затесавшиеся сюда из третьей части, где им полагается быть по ходу фабулы:

И со мною моя «Седьмая»,
Полумертвая и немая,
Рот ее сведен и открыт,
Словно рот трагической маски,
Но он черной замазан краской
И сухою землею набит.

Это же третье дно в особенно страшной форме выходит на поверхность в третьей части, где внезапный перебой ритма выделяет его из потока плавной поэтической речи:

А за проволокой колючей
В самом сердце тайги дремучей —
Я не знаю, который год —
Ставший горстью лагерной пыли,
Ставший сказкой из страшной были,
Мой двойник на допрос идет.
А потом он идет с допроса,
Двум посланцам Девки Безносой
Суждено охранять его.
И я слышу даже отсюда —
Неужели это не чудо! —
Звуки голоса своего:
За тебя я заплатила
     Чистоганом,
Ровно десять лет ходила
     Под наганом,

Ни налево, ни направо
                Не глядела,
А за мной худая слава
                Шелестела.

И здесь налицо все та же триада: 1) время: «ровно
десять лет» — опять поразительная историческая точность Ахматовой. «Десять лет» это пора с 1946-го (жда-
новская травля Ахматовой) по 1956-ой (освобождение
сына и «реабилитация» самой Ахматовой); 2) смерть —
«Девка Безносая» — и 3) покаяние: ведь допрашивается
«двойник» не лагерным начальством, а кем-то близким
Ахматовой, перед которым она оправдывается.

Надо надеяться, что со временем отыщутся и будут
опубликованы и ранние версии поэмы. В тексте, предла-
гаемом читателям в этом томе, есть — помимо открытых
купюр — и купюры скрытые. Так, весьма вероятно,
что за «лагерным отрывком» следовали еще какие-то
строки, так как переход к следующему за отрывком об-
ращению к родному городу («а не ставший моей могилой» и т. д.) структурно не оправдан: ему, по-видимому,
предшествовало что-то другое.

Вкраплены в поэму и просветы в еще одно время — в
будущее. Таинственный образ «гостя из будущего», который предстоял ахматовскому воображению много лет,
играет по-видимому ключевую роль в этих прозрениях.
Но здесь «зеркальное письмо» становится настолько сложным, что мы не можем его прочесть.

                        ❋❋❋

Ахматовская поэзия совмещает в себе три элемента —
классическую строгость, лирическую насыщенность и
конкретную точность. Это сочетание само по себе ред-
кое. Но в данном случае оно венчается тем, что Ахматова называет «таинственным песенным даром», откры-
тостью души Музе.

Устами большого поэта говорит правда. Правда —
всегда и везде редкость. Но в том мире миража и обмана,
в котором Ахматова прожила свою большую и траги-

ческую жизнь, этот голос правды звучал и звучит как трубный глас. В эпоху, когда свыше навязывался притворный и приторный оптимизм, Ахматова говорила свое; говорила о том, что важнее всего человеку — о смерти, о старости, об одиночестве, о бездомности, о вдохновении, и говорила неповторимо простым и мудрым языком:

О старости:

> И не с кем плакать,
> Не с кем вспоминать.

Об изгнании:

> Горька твоя дорога, странник,
> Полынью пахнет хлеб чужой.

Об одиночестве:

> Как хорошо, что некого терять
> И можно плакать.

Об эпохе:

> Меня, как реку,
> Суровая эпоха повернула,
> Мне подменили жизнь.
> В другое русло
> Мимо другого потекла она.

О горе:

> Муж в могиле, сын в тюрьме,
> Помолитесь обо мне.

Вот почему Ахматова, вовсе не борец по своему характеру, стала самым чистым, самым трезвым, самым совестливым, самым важным голосом в России.

Виктор Франк

Лондон

ПОЭМА БЕЗ ГЕРОЯ

Осязаемо-вещная и просторечиво-психологическая поэзия Ахматовой «Вечера» и «Четок» уже к 1920-м годам начала принимать совсем другой, напряженно-внутренний и — скажем — патетический оттенок. Исключительная прозрачность и тонкая психологичность ее стихов стала вытесняться тяжкой поступью иных вѝдений, постижением сокровенной сути мира. На смену лиризму и драматизму пришло трагедийное восприятие жизни. Это движение от ясности к суггестивности, от прозрачности чуть подкрашенного рисунка к масляной пастозной живописи, от гомофонии к полифонии было воспринято многими не как духовное и творческое возрастание, а как «измена» и «падение». Одновременно замечается и склонность к переходу от лирической миниатюры к «большой форме» — поэме или поэмообразному циклу. Многие поэмы и поэмы-циклы строятся на основе более ранних поэтических «заготовок»: ранее написанные стихотворения соединяются в сюиты, некоторые из сюит превращаются затем в поэмы. Это движение к большой форме также осуждалось многими, привыкшими к очень камерному, хотя и очень народному по свойствам поэтического языка, творчеству ранней Ахматовой, с ее слегка преодоленным автобиографизмом, с ее склонностью к лирическому наброску-миниатюре.

Как же должны были усилиться эти осуждающие Ахматову голоса после появления поэмы или цикла-сюиты «Шаг времени» (первая появившаяся в печати редакция «триптиха») и самой «Поэмы без героя»! «Строже же всего, как это ни странно, ее осудили мои современники, — рассказывает автор в письме 27 мая 1955, — и их обвинение сформулировал в Ташкенте X, когда он сказал, что я свожу какие-то старые счеты с эпохой (10-е годы) и людьми, которых или уже нет, или которые не могут мне ответить. Тем же, кто не знает некоторые 'петербургские обстоятельства', Поэма будет непонятна и неинтересна. Другие, в особенности женщины, считали, что Поэма без героя — измена какому-то прежнему 'идеалу', и, что еще хуже, разоблачение моих давних стихов 'Четки', которые они 'так любят'».

И действительно: 1913 год: ах, как он был в представлении большинства безоблачен, радостен, благополучен! Ну, о каких таких апокалиптических тревогах и признаках катастрофы можно было тогда говорить! Их — этих признаков и предвещаний — не было и в помине! Было иное: агнивцевское:

> Букет от Эйлерса! Вы слышите мотив
> Двух этих слов . . .

Был «блистательный Санкт-Петербург» и безмятежный быт, и только чудаки, мол, вроде Ахматовой или — особенно — Блока, «трагического тенора эпохи», могли видеть этот грядущий катаклизм, могли усмотреть сквозь этот блестящий наряд эпохи какие-то язвы на теле и распадение на аморфные элементы духа, слышать отдаленный, нет, очень уже приблизившийся гул небывалых потрясений: «Так или иначе — мы переживаем страшный кризис. Мы еще не знаем в точности, каких нам ждать событий, но в с е р д ц е н а ш е м у ж е о т к л о н и л а с ь с т р е л к а с е й с м о г р а ф а. Мы видим себя как бы на фоне зарева, на легком, кружевном аэроплане, высоко над землею; а под нами — громыхающая и огнедышащая гора, по которой за тучами пепла ползут, освобождаясь, ручьи раскаленной лавы» (А. Блок. Стихия и культура. Декабрь 1908). Нет, писать, да еще в ретроспективном порядке, праздную ложь или бытописательную поверхностную олеографию предреволюционных лет могут только вчерашние участники сборников «Знания» или изголодавшиеся по покою слабодушные авторы третьего ранжира. Для больших и навечных — наше с е г о д н я озаряет трагедийным, но и очищающим — искупающим через страдания — огнем наше в ч е р а и позавчера. В одном из поздних своих стихотворений Ахматова пишет:

И в памяти черной пошарив, найдешь
До самого локтя перчатки,
И ночь Петербурга, и в сумраке лож
Тот запах и душный и сладкий,
И ветер с залива. А там, между строк,
Минуя и ахи и охи,
Тебе улыбнется презрительно Блок —
Трагический тенор эпохи.

Эти стихи как-то освещают и «Поэму без героя». Кстати, они и написаны в те годы, когда заканчивалась, перерабатывалась и принимала свою окончательную форму «Поэма без героя». Воистину б е з г е р о я, ибо героем поэмы, единственным отвоплотившимся до конца, является сама эпоха, время распада отдельных личностей, их обезличения, но сама по себе — эпоха очень яркая и характерная. А личности в ней — и в поэме, и в эпохе — только слегка намечены, и то наиболее великие, и притом иной раз восходящие к иному времени, в двадцатый век забредшие из девятнадцатого, как посланники русской совести, как представители великой литературы великого века. Таков ясный в поэме Б л о к. Таково упоминание — еще более символическое — Достоевского, особенно в первом по опубликованию (но не по написанию) варианте поэмы — «Шаг времени» — и открывающемся в этом ключе:

Россия Достоевского. Луна
Почти на четверть скрыта колокольней...

В дальнейшем, из отброшенных в процессе работы фрагментов поэмы «Шаг времени» (или одноименного цикла стихов, весьма поэмообразного — включавшего в себя и отрывок из «1913 года» — первой части «Поэмы без героя») были созданы другие поэмообразные циклы: «Предыстория» вошла первым фрагментом в «Северные элегии», «Юность» (с подзаголовком «Из цикла

'Юность'») и «На Смоленском кладбище» включены в другие циклы. Вообще, как уже говорилось выше, в творчестве поздней Ахматовой наблюдается не только устремленность к большой форме поэмы и поэмообразного цикла, но и стремление разновременно написанные стихотворения соединять в циклы. Поэтому «Шаг времени», хотя и рассыпанный впоследствии по разным циклам, не может быть обойден при рассмотрении «Поэмы без героя» и ее предыстории . . .

В маскарадной пестряди не лиц, а масок, мелькают многие, но сам автор старается как можно дальше отодвинуть их отожествление с их реальными прототипами. И это — не только из соображений литературно-этических: чтобы не слишком приоткрывать завесу, скрывающую некоторые «петербургские обстоятельства»: нет, личное в нашу эпоху слишком связано с историей, слишком кровно связано с общим. Когда слишком много внешних событий — почти не остается места для жизни индивидуальной, личные события перестают отмечаться нами, как материал для постройки нашей души и литературы. История убивает биографию. Мы видим скорее не лица, а личины, маски. Не внутреннее-сокровенное, а кажимость, маскарад. Умирает ли глубинное, внутреннее? Нет, конечно. Но умирает фабула: она заслоняется тем, что раньше было только фоном. Исторический фон порабощает личность, бессильную перед силами торжествующей истории. Вещи порабощают человека — всей своей наличной наглой массой. В учении Маркса о товарном фетишизме есть большая правда конкретного наблюдения. Развоплощение человеческой личности идет и путем крайнего овеществления душевной жизни — и путем почти магического одушевления окружающих нас вещей. Остаются только дух и подсознательное с одной стороны — и огромная машинерия вещей с другой. При этом не может существовать больше фабула — даже раннеахматовская:

Слава тебе, безысходная боль!
Умер вчера сероглазый король.

Теперь нам неинтересен этот классический треугольник. И Ахматова с о з н а т е л ь н о бросает нам вызов, взяв за каркас сюжета своей первой части «Поэмы без героя» именно тот же классический треугольник: «Коломбина десятых годов», «драгунский Пьеро» и он, победительный герой, трагический тенор эпохи, пославший Коломбине розу в бокале. Так прозрачно, так ясно:

> Это он в переполненном зале
> Слал ту черную розу в бокале ...
>
> Я послал тебе черную розу в бокале
> Золотого, как небо, аи ...

И как все отдалено, как все м е т а ф и з и р о в а н о! Даже Блок не отвоплощен: он дважды обозначен: «без лица и названья», ему придан несколько демонический облик, но и маска его — знаменательная: он, стоящий на грани двух столетий-эонов, потому и наряжен как верстовой столб: «полосатой наряжен верстой». Наряжен он так и потому, что стоит на границе двух сосуществующих миров: Запада и России. Здесь у Ахматовой явная перекличка с ее другом — Мандельштамом: «Домашнее и европейское — два полюса не только поэзии Блока, но и всей русской культуры последних десятилетий»; «Блок был человеком девятнадцатого века и знал, что дни его столетия сочтены. Он жадно расширял и углублял свой внутренний мир во времени ...» («Барсучья нора», 1921). Ахматова не хочет фотографичности: да и может ли фотография запечатлеть вечно текущую жизнь! —

> Ту полночную Гофманиану
> Разглашать я по свету не стану
> И других бы просила ...

Но ее уже разгласили: разгласил отчасти Корней Чуковский, отчасти в умной и содержательной статье «'Поэма без героя' Анны Ахматовой» Е. Добин («Вопросы Литературы», 1966, № 9):
«Как уже сообщил Корней Чуковский, в 'Петербургской повести' воссоздана жизненная драма, действи-

тельно приключившаяся в Петербурге в 1913 году. Коломбина — блеснувшая в те годы актриса Ольга Афанасьевна Глебова-Судейкина (жена известного по 'Миру Искусства' художника Судейкина). Читателю, который интересуется реальными прототипами, можем сообщить и имя Пьеро: Всеволод Князев, драгунский корнет, выпустивший книжку стихов, не лишенных дарования.[1] Но смысл 'Петербургской повести', разумеется не в 'истинности' происшествия. Поэта вдохновил не сенсационный случай из газетной хроники, в сущности, тривиальный. ... ... Ольга Глебова-Судейкина, Всеволод Князев — не герои 'девятьсот тринадцатого года'. Они лишь прообразы. И если 'корнет со стихами', повидимому, очень близок к прототипу, то этого нельзя столь же определенно сказать о Коломбине. Напомним, что в 'Anno Domini' есть стихотворение, посвященное О. А. Глебовой-Судейкиной.

> Пророчишь, горькая, и руки уронила,
> Прилипла прядь волос к бескровному челу. ...
> ... Как лунные глаза светлы, и напряженно
> Далеко видящий остановился взор.
> То мертвому ли сладостный укор,
> Или живым прощаешь благосклонно
> Твое изнеможенье и позор?

Героиня выступает в какой-то мере даже жертвой. Быть может, виновница кровавого финала имела основания бросить 'укор' мертвому? И даже была вправе 'прощать' твое изнеможенье и позор? Вопросы поставлены. Ответа на них не дано.

Вероятно, потому, что ответы могли быть разные».

---

[1] Сохранившиеся у Ахматовой портреты живых участников «Петербургской повести» несут на себе выразительный отпечаток времени. Корнет — в полной парадной форме. Левая рука картинно лежит на эфесе. Но лицо простодушное, открытое, без всякого налета щеголеватости, позировки, парадности. Героиня — прельстительная вакханка. В призывной улыбке — бесовская жажда наслаждений. Но есть и более поздняя фотография: лицо — усталое и грустное. *Примеч. Добина.*

Но в стихотворении «Голос памяти», посвященном Глебовой-Судейкиной, стихотворении, написанном летом 1913 года, непосредственно после кровавого финала, ответ, как будто, дан:

> ...Иль того ты видишь у своих колен,
> Кто для белой смерти твой покинул плен?

Небольшая поправка: Добин ошибается, когда говорит, что «Иванушка русской сказки», «драгунский Пьеро» в ы п у с т и л книгу не лишенных дарования стихов: книга эта вышла п о с м е р т н о: Всеволод Князев. Стихи. Посмертное издание. 1914. СПб. Даже эта деталь — выход книги Князева в год войны, а не в 1913 году — году его самоубийства — косвенно отразился в поэме:

> Гляди:
> Не в проклятых Мазурских болотах,
> Не на синих Карпатских высотах...
> Он — на твой порог
> Поперек...
> Да простит тебя Бог!

Все детали взвешены: детали, вещи, характерные личины времени невероятно точно и уместно включены в самую ткань повествования: чтобы и нам быть возможно более конкретными, наиболее приближенными к реалиям, лежащим во в н е ш н е й подоснове поэмы, мы будем обильно цитировать современников «Петербургской повести», как из близкого героям поэмы лагеря, так и из кругов, ярко враждебных петербургским «декадентам». Пусть читатель не сетует за обилие цитат и их длину. Вот драгунский Пьеро бродит под окнами своей Коломбины, у дома на углу Марсова поля, «построенном в начале XIX века братьями Адамини». В этом доме одно время жила не только Глебова-Судейкина, но и дружившая с нею Ахматова.

> И дождался он. Стройная маска
> На обратном «Пути из Дамаска»
> Возвратилась домой... не одна!

«Путь из Дамаска» — интермедия-миракль, поставленная в литературно-артистическом кабаре «Бродячая Собака» (в «Поэме без героя»: «Мы отсюда еще в 'Собаку'»). Кабаре открылось под новый 1912 год, прекратило свое существование в 1915 году, затем вновь открылось под названием «Привал Комедиантов». Бродячую Собаку охотно посещали Анна Ахматова («Да, я любила их — те сборища ночные»), Гумилев, Михаил Кузмин, Мандельштам, Сергей Городецкий, жена Блока — артистка Л. Д. Басаргина-Блок, художники Судейкин, Сапунов, Добужинский, артисты Шаляпин, Самойлов и многие другие. Сходились к ночи. «Четыре-пять часов утра. Табачный дым, пустые бутылки. Час назад было весело и шумно — кто-то пел, подыгрывая сам себе, глупые куплеты, кто-то требовал еще вина. Теперь шумевшие либо разошлись, либо дремлют. В подвале почти тишина. . . . Разговоры идут полушопотом. . . . Здесь только: 'Веселость едкая литературной шутки, И друга первый взгляд, беспомощный и жуткий'. . .» (Георгий Иванов. Петербургские зимы. Париж, 1928, стр. 68—69). Михаил Кузмин написал даже гимн «Бродячей Собаке»:

> . . . Мы не строим строгой мины,
> Всякий пить и петь готов:
> Есть певицы, балерины
> И артисты всех сортов. . . .
> . . . Наши девы, наши дамы,
> Что за прелесть глаз и губ!
> Цех Поэтов — все «Адамы»,
> Всяк приятен и не груб . . .

Приведший полностью этот гимн в своих воспоминаниях поэт Бенедикт Лившиц, указывает на «двусмысленную роль, на которую были обречены футуристы в пронинском подвале. Совсем иное положение занимали в «Бродячей Собаке» акмеисты. . . . Ахматова, Гумилев, Зенкевич, Нарбут, Лозинский были в подвале желанными гостями» (Б. Лившиц. Полутораглазый стрелец. Изд. Писателей в Ленинграде, 1933, стр. 263). «В петербургской 'Бродячей Собаке', где Ахматова сказала: 'Все мы грешники тут, блудницы', поставлено было однажды 'Бегство Богоматери с Младенцем в Египет', некое 'литургическое действо', для которого Кузмин написал слова, Сац сочинил музыку, а Судейкин придумал декорацию, костюмы, — 'действо', в котором поэт Потемкин изображал осла, шел, согнувшись под прямым углом, опираясь на два костыля, и нес на своей спине супругу Судейкина в роли Богоматери» (И. А. Бунин. Воспоминания. Изд. «Возрождение», Париж, 1950, стр. 46). Блок давно почувствовал, что весь этот шумный маскарад времени — бал покойников. В своем дневнике и в своих статьях и письмах он неоднократно говорит об этом. А 21 августа 1917 года он с явным сожалением записывает, что его жена «была ночью в 'Бродячей Собаке', называемой 'Привал Комедиантов'. . . . . . В 'Бродячей Собаке' выступали покойники: Кузмин и Олечка Глебова, дилетант Евреинов, плохой танцор Ростовцев». . . (Собр. соч., том 7, 1963, стр. 303). Приведем только отзыв о «Коломбине десятых годов» ее друга — известного художника и эссеиста Юрия Анненкова: «Ольга Афанасьевна Глебова-Судейкина, выдающаяся танцовщица, первая жена знаменитого художника и театрального декоратора, Сергея Судейкина, умершего в Соединенных Штатах Америки. Женщина рафинированной культуры, вращавшаяся в центре художественного и литературного мира тогдашней России и близкая подруга Анны Ахматовой» («Дневник моих встреч. Цикл трагедий», том 1, 1966, стр. 77).

Классический треугольник взят в явно трагедофарсовом виде: ведь взяты, как мы видим, в виде прообразов личности или не лишенные таланта творческого — и таланта ж и т ь (а биография в десятых годах нашего века тоже — в кругах творческой интеллигенции — т в о р и л а с ь; даже заживо творили вокруг себя некую легенду): таков двадцатилетний «корнет со стихами» — Всеволод Князев: он характеризуется и цитатами-эпиграфами к главкам поэмы (подписанными «Вс. К.»); или личности талантливые, одаренные — такова «Путаница-Психея», «Коломбина десятых годов» — Ольга Глебова-Судейкина; наконец, огромная фигура «без лица и названья» — Блок. И вот, несмотря на это, все они — лишь маскарадные маски, лишь верстовые столбы времени, что-то мнимо-существующее, невсамделишное, миражное, как и окружающий их мир интеллигентских эпифеноменов — над разбушевавшейся стихией истории и мира вещей. Недаром почти все характерные детали взяты из мира искусства наиболее мимолетного, исчезающего, манящего и нестойкого — мира театра: вот Дапертутто — литературно-редакторский псевдоним Всеволода Майерхольда — и в строфах «Поэмы без героя» «мейерхольдовы арапчата затевают опять возню»: впервые поставленный в свободном импровизационном стиле 9 ноября 1910 года мольеровский «Дон Жуан» «начинался с того, что маленькие арапчата в красных расшитых камзолах выбегали на сцену и зажигали свечи, и звонили в колокольчик, созывая публику. ... Арапчата выполняли на сцене множество разнообразных дел — ... поправляли костюмы и парики актерам, приносили и уносили шпаги, плащи и шляпы, объявляли о перерыве и меняли декорации картин...» (Ю. Елагин. Темный гений [Всеволод Мейрхольд]. Нью-Йорк, 1955, стр. 164). «У Мейерхольда реализм, элементы реализма, служили не более, чем исходными точками, комбинируя которые он создавал, сплетал свои собственные видения, скользившие н а д реальностью или — р я д о м с нею» (Юрий Анненков. Дневник моих встреч. Цикл трагедий. Том 2, 1966, стр. 38). Характерно, что русское искусство десятых годов — если исключить поэзию, отчасти — музыку — преимущественно т е а т р а л ь н о: искусство театра, балета, театральной живописи — искусство м н и м о с т и, к а ж и м о с т и. И характерно, что проносящаяся через «Позму без героя» Анна Павлова характеризуется именно этой м н и м о с т ь ю:

> Но летит, улыбаясь м н и м о,
> Над Мариинской сценой прима,
> Ты — наш лебедь непостижимый...

И другие маски-персонажи — и персонажи, обряженные в маски: «из-за ширмы Петрушкина маска» — «Петрушка» Стравинского — 1911, Париж, 1913 — Мариинский театр. Стравинский рассказывает: «...мне захотелось развлечься сочинением оркестровой вещи, где рояль играл бы преобладающую роль ...... Когда я сочинял эту музыку, перед глазами у меня был образ игрушечного плясуна, внезапно сорвавшегося с цепи, который своими каскадами дьявольских арпеджио выводит из терпения оркестр, в свою очередь отвечающий ему угрожающими фанфарами. Завязывается схватка, которая в конце концов завершается протяжной жалобой изнемогающего от усталости плясуна» (Игорь Стравинский. Хроника моей жизни. Ленинград, 1963, стр. 72). Любопытно, что и «кучерская пляска» той же строфы — скорее не реальная пляска замерзших кучеров, а театральная кучерская пляска: из того же балета Стравинского; характерно, что и Стравинский замыслил свою партитуру, как победу оркестра, как целого, как стихии, как истории, над одиноко изнемогающей личностью, притом — ряженой, балаганной: Петрушкой-роялем... В «Поэме без героя»:

> До смешного близка развязка;
> Из-за ширм Петрушкина маска,
> Вкруг костров кучерская пляска,
> Над дворцом черно-желтый стяг...
> Все уже на местах кто надо;
> Пятым актом из Летнего сада
> Пахнет...

И еще: у друга и современника Анны Ахматовой, Осипа Мандельштама, тот же образ кучеров-извозчиков вокруг Мариинского театра:

> ...Громоздкая опера к концу идет. ...
> ...Уж занавес наглухо упасть готов...
> ...Извозчики пляшут вкруг костров.
> Карету такого-то! Разъезд. Конец.

Заметим, что стихи эти написаны в том же роковом 1913 году... «И опять тот голос знакомый будто эхо горного грома» — Шаляпин. Но и он, не он скорее, а голос его «несется по бездорожью», и он взят в какой-то мнимости, как меон. Да и сам Шаляпин понимал это не хуже: говоря о своей роли Царя Бориса — и одновременно говоря о трагическом фарсе конца империи, он выразительно обронил: «...если атмосфера не уяснена мною, то жест мой, как у бездарного актера, получается фальшивый, и смущается наблюдатель, и из груди народа сдавленно и хрипло вырывается полушопот:

— Ну, и царь же!...

Не понял атмосферы — провалился.

Горит империя». (Ф. И. Шаляпин. Маска и душа. Париж, 1932, стр. 224).

И другие — мелькающие и мерцающие маски — все модные, тогодневные: Дон-Жуана из постановки (н а д - реальной и о к о л о - реальной) Мейерхольда, Иоканаана — из моднейшей в те годы оперы Рихарда Штрауса «Саломея» — и из постановки драмы Уайльда в те же годы; «вихрь Саломеиной пляски» — из балета М. Фокина на музыку А. К. Глазунова, с Идой Рубинштейн (1908, Париж, 1909 — Петербург); наконец, наимоднейший тогда Гамсун — с его «северным Гланом»...

Исторические и бытовые детали «Поэмы без героя», как и ее первоначальных этюдов, — предельно точны. Так же, если не еще более точны, детали и обстановка первоначального этюда поэмы «Предыстория» — «Шага времени». Кстати и об этом названии: отказавшись от первоначального замысла и названия п о э м ы : «Шаг времени», Ахматова не смогла отказаться от самого обозначения: она назвала свою последнюю книгу — «Бег времени». И тоже знаменательно это видоизменение: история катастрофически убыстряет свой бег: шаг, поступь — уже не выражает того, что следует. Корней Чуковский говорит об этом и с т о р и з м е (даже историзме деталей) Ахматовой: «Я застал конец этой эпохи и могу засвидетельствовать, что самый ее колорит, самый запах переданы в 'Предыстории' с величайшей точностью. ... Зеркала действительно были тогда в коричневых ореховых рамах, испещренных витиеватой резьбой с изображением роз и бабочек. 'Шуршанье юбок', которое так часто поминается в романах и повестях того времени, прекратилось лишь в двадцатом сто-

64

летии, а тогда, в соответствии с модой, было устойчивым признаком всех светских и полусветских гостиных...» (Корней Чуковский. Читая Ахматову. «Москва», 1964, № 5, стр. 201). Историзм «Поэмы без героя» усугубляется еще и цитатно — и эпиграфами из самой себя (из стихов, относящихся или к себе, или к Судейкиной), из стихов современников и друзей — Осипа Мандельштама, Михаила Лозинского, Николая Клюева, Иннокентия Анненского, «героя-негероя» поэмы — Всеволода Князева, чаще всего эпиграфами, подписанными инициалами; и эпиграфами из вечных современников — в особенности Пушкина. Есть литературные реминисценции и в самом тексте: автоцитата из «Новогодней баллады», явившейся как бы первоначальным зерном «Поэмы без героя» (1923), упоминание «Головы мадам де Ламбаль» — знаменитой, особенно в те годы, полубаллады Максимилиана Волошина — и тут же Софокл, Данте, Шекспир, Гофман, Байрон, Шелли, Достоевский. Есть несколько реминисценций живописных — их немного: Гойя, Боттичелли — тоже очень вошедшие в моду около 1911—1913 гг. Но всю поэму пронизывают реминисценции м у з ы к а л ь н ы е: имен и образов немного: моцартовский Дон-Жуан, чакона Баха, похоронный марш Шопена, седьмая — ленинградская — симфония Шостаковича. Но всю «Поэму без героя» пронизывает музыкальное начало. И ни одно из музыкальных упоминаний в ней отнюдь не случайно.

Итак л ю б о в н ы й т р е у г о л ь н и к: «Коломбина-Путаница-Психея» — «Драгунский Пьеро-Корнет со стихами, Иванушка древней сказки» — «Трагический тенор эпохи — без лица и названья — пославший черную розу в бокале» — дан явно трагедофарсово, более того, в плане трагического б а л а г а н а. Тот же треугольник, что в балетно-симфоническом трагедофарсе Стравинского — в «Петрушке»: Петрушка — Балерина — Арап. Все это напоминает и трагический фарс Блока — «Балаганчик», поставленный, примерно, в те же годы: и хотя Драгунский Пьеро и истек н а с т о я щ е й кровью, а в «Балаганчике» Паяц пронзительно кричит:

«Помогите! Истекаю клюквенным соком!», — но вся подлинная житейская трагедия поэмы воспринимается как меон, как кажимость, еще и подчеркнутая вещно-литературной реминисценцией — в «Балаганчике» Блока Пьеро говорит:

> Я стоял между двумя фонарями
> И слушал их голоса,
> Как шептались, закрывшись плащами,
> Целовала их ночь в глаза...
> ...Ах, тогда в извозчичьи сани
> Он подругу мою усадил!...

В «Поэме без героя» Драгунский Пьеро:

> Он за полночь под окнами бродит,
> На него беспощадно наводит
> Тусклый луч угловой фонарь, —

и стройную маску-Коломбину похищает Некто, без лица и названья, счастливый соперник, трагический тенор эпохи...

Раскроем одну литературную реминисценцию: эпиграф ко второй части поэмы — интермеццо — «Решке»:

> ...Жасминный куст,
> где Данте шел и воздух пуст.
>   Н. К.

Н. К. — Николай Алексеевич Клюев: в своих воспоминаниях о Мандельштаме, публикуемых в этом томе (впервые опубликованы в альманахе четвертом «Воздушные Пути», Нью-Йорк, 1965, стр. 37), Ахматова пишет: «Осип (Мандельштам, БФ) читал мне на память отрывки стихотворения Н. Клюева 'Хулители Искусства' — причину гибели несчастного Николая Алексеевича. Я своими глазами видела у Варвары Клычковой заявление Клюева (из лагеря о помиловании): 'Я, осужденный за мое стихотворение' Хулители Искусства 'и за безумные строки моих черновиков'. Оттуда я взяла два стиха как эпиграф — 'Решка'...».

Эпиграф из Клюева, да еще из одного из его наиболее опальных произведений, характерен: Клюев (не в этой цитате, а в творчестве своем вообще) — почвенник-нео-славянофил. Для Клюева начало погрома кондовой, исконной, п о д л и н н о й России, самого онтологического ее существа — Петр и его большевицкие реформы, вернее, петровская революция. Историософия поэта рассматривала первые шаги революции, как возврат к н а р о д н ы м, н а ц и о н а л ь н ы м началам.

Историософский т р е у г о л ь н и к Ахматовой: Россия — Царица Авдотья — «Достоевский и бесноватый» Петербург-Питер, «что народу бока повытер» — революция, как стихийный взрыв-начало в 1917 году «настоящего, а не календарного двадцатого века». И этот любовный треугольник трактуется, как очень тяжкий, очень глубокий, метафизический, но трагедофарс; театральные ассоциации и тут уместны:

> Все равно подходит расплата —
>   Видишь-там, за вьюгой крупчатой
>   Мейерхольдовы арапчата
>   Затевают опять возню...
>
> Звук оркестра как с того света, —
>   (Тень ч е г о - т о мелькнула г д е - т о),
>   Не предчувствием ли рассвета
>   По рядам пробежал озноб?...
>
> Были Святки кострами согреты,
>   И валились с мостов кареты,
>   И весь траурный город плыл
> По неведомому назначенью
> По Неве иль против теченья, —
>   Только прочь от своих могил....
>
> Оттого, что по всем дорогам,
>   Оттого, что ко всем порогам
>   Приближалась медленно тень —
>   ...И кладбищем пахла сирень...
> И ц а р и ц е й А в д о т ь е й з а к л я т ы й,
>   Д о с т о е в с к и й и б е с н о в а т ы й
>   Г о р о д в с в о й у х о д и л т у м а н.

«...Далее, ради Бога, далее от фонаря! и скорее, сколько можно скорее, проходите мимо. ...Но и кроме фонаря все дышит обманом. Он лжет во всякое время, этот Невский проспект, но более всего тогда, когда ночь сгущенною массою наляжет на него и отделит белые и палевые стены домов, когда весь город превратится в гром и блеск, мириады карет валятся с мостов, форейторы кричат и прыгают на лошадях и когда сам демон зажигает лампы для того только, чтобы показать все не в настоящем виде». (Гоголь. Финал «Невского проспекта», 1835).

> И пусть горят светло огни его палат,
>   Пусть слышны в них веселья звуки, —
> Обман, один обман! Они не заглушат
>   Безумно страшных стонов муки!...
> И в те часы, когда на город гордый мой
>   Ложится ночь без тьмы и тени,
> Когда прозрачно все, мелькает предо мной
>   Рой отвратительных видений...
> Пусть ночь ясна, как день, пусть тихо все вокруг,
>   Пусть все прозрачно и спокойно, —
> В покое том затих на время злой недуг,
>   И то — прозрачность язвы гнойной.
>
>   (Аполлон Григорьев. Город. 1 января 1845).

«Для человеческого обихода слишком было бы достаточно обыкновенного человеческого сознания, то есть в половину, в четверть меньше той порции, которая достается на долю развитого человека нашего несчастного девятнадцатого столетия и ,сверх того, имеющего сугубое несчастье обитать в П е т е р б у р г е , с а м о м о т - в л е ч е н н о м и у м ы ш л е н н о м г о р о д е н а в с е м з е м н о м ш а р е ». (Достоевский. Записки из подполья. 1864).

«... И согласно нелепой легенде окажется, что столица не Петербург. Если же Петербург не столица, то — нет Петербурга. Это только кажется, что он существует». (Андрей Белый. Петербург. 1913).

Да, в том историософском-любовном треугольнике, который транспарантом наложен на треугольник традиционно-любовный (Коломбина-Пьеро-Арлекин), в свою очередь являющийся транспарантом треугольника-прообраза (Глебова-Судейкина — Всеволод Князев — Блок), «самому умышленному городу на свете» — Петербургу —

уделено центральное место. А в центре литературных и музыкальных, архитектурных и исторических реминисценций, сложной полифонической вязью обрисовывающих Санкт-Петербург-Петроград-Питер-Ленинград, — все-таки он, Достоевский:

Страну знобит, а омский каторжанин
Все понял и на всем поставил крест.
Вот он сейчас перемешает все
И сам над первозданным беспорядком,
Как некий дух взнесется. Полночь бьет.
Перо скрипит ,и многие страницы
Семеновским припахивают плацем.

Открываясь цитатой из Николая Клюева, «достоевская» череда цитат-эпиграфов заключается эпиграфом из Иннокентия Анненского, из его «Петербурга». Цитата-эпиграф знаменательна: читатель извинит нас еще за одну — и не последнюю! — большую цитату: но ведь про Иннокентия Анненского сама Ахматова сказала: «А тот, кого учителем считаю . . .»:

Желтый пар петербургской зимы,
Желтый снег, облипающий плиты . . .
Я не знаю, где ВЫ и где МЫ,
Знаю только, что крепко мы слиты.
Сочинил ли нас царский указ?
Потопить ли нас шведы забыли?
Вместо сказки в прошедшем у нас
Только камни да страшные были . . .
. . . А что было у нас на земле,
Чем вознесся орел наш двуглавый,
В темных лаврах гигант на скале
Скоро станет ребячьей забавой . . .
Царь змеи раздавить не сумел,
И прижатая стала наш идол.
Ни кремлей, ни чудес, ни святынь,
Ни миражей, ни слез, ни улыбки . . .
Только камни из мерзлых пустынь
Да сознанье проклятой ошибки . . .

И вот, Арлекину-Арапу-Капралу исторического театра Петрушки — Питеру, «что народу бока повытер», противопоставлена стихия, народ, земля. Она — Царица Авдотья, брошенная Петром для немецкой трактирщицы Анны Монс. Она клянет Питер и Петра самой подъюбошной, самой злой бабьей и народной клятвой-заклятьем. На розыске с великой кровью и пытками, недруги Петра из круга монаха Авраамия показали, что народ ропщет: «государь не изволил жить в своих государских чертогах на Москве, и мнится..., что от того на Москве небытия у него в законном супружестве чадородие перестало быть, и о том в народе велми тужат» (С. М. Соловьев. История России с древнейших времен. Книга VII, 1962, стр. 574). Забавы и потехи на лад захудалой провинциальной Еуропы — и лютые казни. Но и о р г а н и з а ц и я : пусть не только политические и литературные староверы кляли — вместе с царицей Авдотьей — Петра за мужское и государское к ней, Царице и земле, невнимание и прекращение чадородия, — нет, кляли и европейски настроенные интеллектуалы, например, Карамзин: «Петр не хотел вникнуть в истину, что дух народный составляет нравственное могущество государства», и потому попирал, мол, питающую этот дух традицию — исконные обыки и навыки, народные особности. Но чем бы была Россия б е з П е т р а ? Стихия, разинщина, народный разгул — все это хорошо как-то в меру, когда влито в какой-то сдерживающий народную аморфную массу сосуд...

Если живопись и поэзия еще допускают большой произвол, большой разгул свободы, то не такова архитектура — наиболее строго кристаллизующееся искусство. И Ахматова, всецело п р и н и м а я и правду царицы Авдотьи, принимает и красу архитектурного и исторического Петербурга: Камеронову галерею, арку Галерной, Летний сад, пушкинскую ясность, прагматическую мудрость и европеизм. Это подчеркнуто и последней частью Поэмы, и ее пушкинскими эпиграфами. Как и Пушкин, она принимает Петра и Петербург не абсолютно, не благоговейно-догматически: она знает, что Петр — начало удушающего деспотизма. Она знает, что Петр и великий о р г а н и з а т о р, кристаллизатор рассыпающейся, сырой, б а б ь е й Русской земли. Да, гибнут бедные Пьеро-Петрушки-Евгении. Но — «так тяжкий млат, дробя стекло, кует булат»: Петр тот,

   ... чьей волей роковой
Под морем город основался...
Ужасен он в окрестной мгле!
Какая дума на челе!
Какая сила в нем сокрыта!
А в сем коне какой огонь!
Куда ты скачешь, гордый конь,
И где опустишь ты копыта?
О мощный властелин судьбы!
Н е т а к л и т ы н а д с а м о й б е з д н о й
На высоте уздой железной
Россию вздернул на дыбы?

И все-таки — бедный Пьеро-Петрушка! Хотя — социально там, исторически, — ты истекаешь всего-навсего «клюквенным соком», но ведь по-плотски, телесно — ты истекаешь своей кровью-рудой... Ты, русский многострадальный и н т е л л и г е н т, л и ш н и й ч е л о в е к русской классической литературы, лишний и в наши машинные времена. Ибо «Медный Всадник» обернулся машинно-коллективистическим пеклом, обездуховленным и обездушенным:

Се-Аз лечу. За мною войск когорты,
Качается набатом каланча,
Траншеи, развороченные шпалы, —
Казармы смрад, жар топок паровых, —
Так начался поход машин усталых
На хищный разум, вышколивший их.
На костылях, всей грудью припадая,
Откинув дым со лбов, крича: назад,
Грядет за мной голодная орда их.
Окно в Европу стало срывом в ад.
(П. Антокольский .Медный Всадник. 1920).

Пьеро-Петрушка — всегда битый, всегда страдающий, всегда вместе с тем топорщущийся и н т е л л и г е н т : третий член трагедофарсового историософского любовного треугольника «Поэмы без героя».

Конструктивен ли Пьеро-Петрушка? О нет, — он больше рассуждает, чем творит, больше критикует («критически мыслящая личность» Лаврова и народников), чем создает, больше мечтает и пророчествует, чем строит:

> Не последние ль близятся сроки? . . .
> Краснобаи и лжепророки,
> Но меня не забыли вы . . .

И все-таки, не будем бросать камень в бедного Петрушку-Интеллигента: он ведь наше прошлое. И без него мы тоже были бы менее особны и оригинальны, хотя Ахматова и не хочет своего с о б с т в е н н о г о возврата в те интеллигентские времена: не хочет возвратиться к прежнему до самого Страшного, последнего суда:

> С той, какою была когда-то
> В ожерельи черных агатов
> До долины Иосафата
> Снова встретиться не хочу . . .

История в поэме — сложное сплетение ряда временных планов: это заметил уже Е. Добин:

«Слово в поэме точно и выверено (пушкинская родословная устанавливается сразу). Вместе с тем в поэме сложный вихревой водоворот течений, видимых и подводных. Пересеченность многих орбит бытия и сознания, характерная для современного искусства. Внутренний монолог внедряется в рассказ. Повествование растворяется в лирических волнах. Непрерывные переходы во времени — от сиюминутного к вчерашнему, к давно прошедшему (и обратно). Страницы дневника — летопись века. Взгляд сверху, с самой высокой точки — и зорко подмеченные детали. Канун первой мировой войны — и дни великой отечественной» (Е. Добин. «Поэма без героя» Анны Ахматовой. «Вопросы Литературы», 1966, № 9, стр. 63).

История — и Ахматова это ясно сознает — есть п а м я т ь о б у д у щ е м, есть освещаемое б у д у щ и м прошлое, иногда этим будущим и порождаемое:

> Как в прошедшем грядущее зреет,
> Так в грядущем прошлое тлеет —
> Страшный праздник мертвой листвы.

Отсюда — смещение временных планов: 1913 предвоенный год легко проникает в годы сороковые, годы эвакуации на Урал и в Сибирь под ударами гитлеровских армий. Отсюда — смещение и свертывание пространственное:

> Это где-то там — у Тобрука,
> Это где-то здесь — за углом.

Отсюда и те на первый взгляд вопиющие противоречия в оценках и характеристиках, какие уже мимоходом указаны выше, — и которые и д о л ж н ы быть, раз мы имеем дело с живой жизнью, с историей, а не с таблицей логарифмов. Вот интеллигентка «Путаница-Психея», «Коломбина десятых голов»: с одной стороны, она, как русская интеллигентка того времени, казалось бы, вполне вненациональна, инородное для русской стихии тело:

> Ты в Россию пришла ниоткуда,
> О мое белокурое чудо,
> Коломбина десятых годов . . .

Но, с другой стороны, ведь и она, и русская интеллигенция, даже в своей оторванности от почвы, такое специфически-русское явление, да еще часто происходящее из разночинцев, из деревни даже: вот и наша Коломбина:

> Деревенскую девку-соседку
> Не узнает веселый скобарь . . .

Еще несколько слов об историософии Ахматовой, историософии лирической, которую смело можно было бы назвать историософией не эротической, а л ю б о в н о й. Обратите внимание: Ахматова — церковно-верующая христианка: но где же е в а н г е л ь с к и е мотивы в ее творчестве? «Майский снег» — со ссылкой на псалом 6-й Царя Давида. «Библейские стихи» — все целиком посвященные любви, браку, чадородию:

> И Лию незрячую твердой рукой
> Приводит к Иакову в брачный покой . . .
>
> . . . Где милому мужу детей родила . . .
>
> . . . Но хочет Мелхола Давида . . .

И мотивы эти — настойчивые: с 1921 по 1961 год. Но и раньше, много раньше:

А в Библии красный кленовый лист
Заложен на Песне Песней...

«Критика тридцатых годов иногда писала, имея в виду толкование Ахматовой некоторых пушкинских текстов, об элементах ф р е й д и з м а в ее литературоведческом методе. Это сомнительно. Но напряженный, противоречивый и драматичный психологизм ее любовной лирики, нередко ужасающейся темных и неизведанных глубин человеческого чувства, свидетельствует о возможной близости ее к отдельным идеям Фрейда, вторично легшим на опыт, усвоенный от Гоголя, Достоевского, Тютчева и Анненского...» (А. И. Павловский. Анна Ахматова. Лениздат, 1966, стр. 97).

Скорее следует предположить некоторую зависимость от Розанова. Даже такая литературная реминисценция характерна: в «Поэме без героя» —

И ни в чем не повинен: ни в этом,
Ни в другом и ни в третьем...
                              Поэтам
Вообще не пристали грехи.
П р о п л я с а т ь п р е д К о в ч е г о м З а в е т а
Или сгинуть!.. Да что там! Про это
Лучше их рассказали стихи.
К р и к п е т у ш и й н а м т о л ь к о с н и т с я...

«Едва монах уцепился за ребенка, сказал: 'не отдам'; едва уцепился за барышню, сказал: 'люблю и не перестану любить', — как христианство кончилось. Как только с е р ь е з н а семья — христианство вдруг обращается в шутку; как только серьезно христианство — в шутку обращается семья, литература, искусство. Все это есть, но не в настоящем виде. Все это есть, но без идеала. Но как же тогда? где э т о м у всему место?... Можно написать оду: 'Размышление о Божьем величии при виде северного сияния', но 'Медного Всадника' написать — грешно. ... Это — с м е р т ь, г р о б, о котором я говорил... и коего решительно невозможно вырвать из христианства. ... Что такое чистый белый цвет? Воскрешенный эллин и иудей, воскрешенный Египет. Все три в светозарном новом воплощении, с какими-нибудь новыми нюансами, но в существе — они. Т а -

74

нец перед Ковчегом Завета, 'воспойте Господу на арфах', как говорила Июдифь. Эллин есть успокоенный, не ажитированный иудей; иудей без глубины. Иудей есть желток того пасхального яичка, скорлупу и белок которого составляет эллинизм: скорлупу раскрашенную, литературную, с надписями 'Христос Воскресе', с изображениями, живописью, искусствами... Но скорлупа со всеми надписями хрупка, а белок мало питателен и н е р а с т и т е л е н. Важнее всего сокрытый внутри желток и в нем з а р о д ы ш е в о е п я т-н ы ш к о...» (В. Розанов. О Сладчайшем Иисусе и горьких плодах мира).

Посмотрите, к о г о воспевает Ахматова в своем «Причитании» (1922): Б о г о р о д и ц у, что «сына кутает в платок», да Анну Кашинскую: княгиню, мать, домостроительницу... Упомянут еще св. Серафим Саровский — святой необычный: радостный и светлый.

Итак, приближается конец: «до смешного близка развязка». Наступает новый век, не календарный, а подлинно, по-существу новый. Его открывает русская Октябрьская революция, ибо, как бы мы ее ни расценивали, настоящий новый век начался в о в с е м м и р е именно с Октября: и христианка в устремлениях своих (но не по творчеству своему), Ахматова принимает новую жизнь и революцию — как и с к у п л е н и е:

Ведь сегодня такая ночь,
Когда нужно платить по счету...

И в «духоте морозной», в которой «непонятный таился гул», окончательно стерлись индивидуальные биографии:

Словно в зеркале страшной ночи
И беснуется и не хочет
Узнавать себя человек —
А по набережной легендарной
Приближался не календарный —
Настоящий Двадцатый век.

И все-таки, вопреки всему своему настрою, нужно спасать душу и вечность свои — во имя победы над смертью:

> Разве ты мне не скажешь снова
> Победившее смерть слово...

Этот «настоящий двадцатый век» грядет в венце войн и революций, он несет неизмеримые страдания и муки. «Как пред казнью бил барабан», — «и многие страницы Семеновским припахивают плацем»: местом казни Достоевского, как бы возглавляющим многое множество Семеновских плацев победившего тоталитаризма...

Сколько литературных реминисценций! — скажет читатель. В чем же исключительность этой поэмы Ахматовой, поэмы, которая как-раз и даст ее автору право на бессмертие? Все мы стоим на плечах предыдущих поколений. Во всех нас скрещиваются взгляды, вкусы и трагические взаимоотношения эпохи. Но нужно у м е т ь вжиться в них, у м е т ь подняться над ними, у м е т ь породить их воплощение. Ахматова хорошо понимала, что ее будут укорять за обилие з а и м с т в о в а н н ы х образов и художнически претворенных идей:

> ...а так как мне бумаги не хватило,
> я на твоем пишу черновике.
> И вот чужое слово проступает...

Эпоха творчески не плодоносящая. Недаром и треугольник — любовный и историософский — в «Поэме без героя» б е з д е т е н: ни Олечка Глебова-Судейкина, ни Всеволод Князев, ни Блок никого н е п о р о д и л и. «Путаница» и «Психея» Глебова-Судейкина — по ее ролям «Путаницы» в одноименной пьесе Ю. Беляева, «Психея» — по заглавной роли в пьесе Беляева же — «Психа». Играла она их в Суворинском театре. «Петербургская кукла», «актерка» — что-то невсамделишное — подчеркивает Ахматова. А Блок — «плоть, почти что ставшая духом» — ведь и он без потомства... Отсюда и повторяющийся мотив театральных масок, и «Бродячая Собака» — «Привал Комедиантов», с чадным весельем пира во время чумы: это о нем писал Клюев — что Господь, сошедший на заснеженные пустыни Петербургских площадей, —

> И «Привал Комедиантов» за б е с п л о д ь е проклял
> Он...

Спасет ли — и спасла ли — Россию грядущая — и свершившаяся — революция? Да и возможен ли рай на земле? И вообще — по плечам ли человеческим этот самый рай, хотя бы даже и небесный, в его каноническом освещении? Во впервые напечатанном в первом томе отрывке из трагедии «Пролог» (1963) Ахматова пишет:

> Этот рай ,в котором мы не согрешили,
> Тошен нам.
> Этот запах смертоносных лилий
> И еще не стыдный срам.
> Снится улыбающейся Еве,
> Что ее сквозь грозные века
> С будущим убийцею во чреве
> Поведет любимая рука.

Ну, а построение земного рая, рая принудительного благополучия, равенства, равноодинаковости, вообще обернулось адом: вот под напором гитлеровских армий Россия бежит на восток, к Уралу, в Сибирь: как раз по тому пути, по которому власть посылала в лагеря миллионы безвинных насельников «цитадели мирового социализма», в том числе и сына Ахматовой:

> А за проволокой колючей
> В самом сердце тайги дремучей —
> Я не знаю, который год —
> Ставший горстью лагерной пыли,
> Ставший сказкой из страшной были,
> Мой двойник на допрос идет . . .

И — встречное движение: перелом в душах: от позорнейшего поражения — к наступлению. Если конец Поэмы читается сейчас так:

> От того, что сделалось прахом,
>   Обуянная смертным страхом
>   И отмщения зная срок,
> Опустивши глаза сухие
>   И ломая руки, Россия
>   Предо мною шла на восток —

то в прежних редакциях за этим следовало еще:

И себе же самой навстречу
Непреклонно в грозную сечу,
Как из зеркала наяву,
Ураганом — с Урала, с Алтая,
Долгу верная, молодая,
Шла Россия — с п а с а т ь М о с к в у.

Россия, как бы очнувшись от своего п е т е р б у р г-
с к о г о сна, — шла спасать свое исконное, кондовое,
поддонно-национальное — М о с к в у. Так поэма кончается в опубликованных в СССР отрывках. Но Ахматова сняла это окончание. Славянофильство оказалось
воплотившимся только на парадных транспарантах де-
монстраций. Концовка снята . . .

Итак, фактологическая подоснова поэмы: любовный
треугольник — была уже сразу же, несмотря на скру-
пулезность в отделке деталей и их историческую подлинность, — претворена в обобщенный и несколько театрализованный треугольник: Коломбина-Пьеро-Арлекин; затем — вторая трансформация образов — в любовный историософский треугольник: Русь-Авдотья —
Достоевский и бесноватый Петербург — прогрессивно-
революционная интеллигенция; наконец, третья трансформация образов — уже н а д -национальная: о н а —
о н — д р у г о й : притом, с неким религиозно-эроти-
ческим оттенком. И тут же — метафизическая ирония,
и тут же маска Петрушки. Ну, да он-то ведь — сверх-
национален! Тот же автор «Петрушки» свидетельствует об этом: «И вот однажды я вдруг подскочил от радости. „Петрушка"! Вечный и несчастный герой в с е х
я р м а р о к, в с е х с т р а н! Это было именно то,
что нужно, — я нашел ему имя, нашел название!»
(Игорь Стравинский. Хроника моей жизни. Ленинград,
1963, стр. 72).

Наконец, четвертая трансформация образов поэмы —
м у з ы к а л ь н а я. О ней говорить совсем трудно. Но
это движение от драматического импрессионизма Му-
соргского — с его растрепанными и шатающимися тем-
пами, с его взрыдом и пьяным разгулом толп — страда-
ющих и разбойных, — к светлой надмирной чаконе Ба-

78

ха, переданной о д н и м лишь голосом скрипки — даже без сопровождения. Этот строгий лаконизм — при невероятной внутренней сложности. Эта величавая сдержанность и внутренняя собранность, — все более и более самоорганизующаяся к концу, — вдруг перебивается драматизмом Седьмой симфонии Шостаковича, чтобы затем опять освободиться от взволнованности для музыкально-трагического катарсиса. И все время присущее Поэме сознание к о н ц а, с у д а над миром и нами — не нарушает общего музыкального строя произведения: это — не драматический срыв; это — ф и н а л.

⁂

Несколько слов о лейтмотивах «Поэмы без героя». Уже Е. Добин отмечает, как часто вообще у Ахматовой встречается слово «Зеркало»:

Все унеслось прозрачным дымом,
Истлело в глубине зеркал ...

Теперь улыбки кроткой
Не видеть зеркалам.

Где странное что-то в вечерней истоме
Хранят для себя зеркала.

Завтра мне скажут, смеясь, зеркала ...

Прибавим еще несколько ахматовских «зеркал», так как образ этот, в особенности для «Поэмы без героя», отнюдь не случаен:

А глаза глядят уже сурово
В потемневшее трюмо.

Как в зеркало, глядела я тревожно ...

Гляделись в обломок
Разбитых зеркал ...

Из зеркала смотрит пустого ...

Не оттого, что зеркало разбилось ...

В разбитом зеркале.

В некоторых стихотворениях м а г и ч е с к о е назначение зеркала наиболее очевидно:

> Возникли...
> Из мглы магических зеркал,
> И над задумчивою Летой...
>
> И в зеркале д в о й н и к, не хочет мне помочь...

(в этом же стихотворении и свеча, и глаз черного кота, и сон...)

> И то зеркало, где, как в чистой воде,
> Ты сейчас отразиться не мог...
> И в р е м я прочь, и п р о с т р а н с т в о прочь.

В стихотворении «В зазеркалье»: ....Мы в а д с к о м к р у г е,

> А, может, э т о и н е м ы...

Читатель пусть не сетует на такое обилие цитат: они нужны, чтобы показать, какое не символическое отнюдь, а м а г и ч е с к о е значение имеет образ зеркала и «гостя зазеркального» в «Поэме без героя»; этот лейтмотив отнюдь не носит только эстетическую нагрузку. Тем более это становится ясным, если мы вспомним колдовскую «Новогоднюю балладу» и «Заклинание» 1935 года:

> Из высоких ворот...
> Путем нехоженым,
> Лугом некошеным,
> Сквозь ночной кордон,
> Под пасхальный звон,
> Незваный,
> Несуженый, —
> Приди ко мне ужинать.

И — в «Поэме без героя»:

> Не для них здесь готовился ужин...
> ...Хвост запрятал под фалды фрака...
> Как он хром и изящен..
> ...И во всех зеркалах отразился
> Человек, что не появился...
> Гость из будущего...

(1920-е г. г.)

Количество цитат из «Поэмы без героя» можно увеличить чрезвычайно. Эпоха глядится «словно в зеркало страшной ночи»... Вспомним, кстати, что Музу Истории — Клио — изображали всегда с зеркалом в руке. Зеркало же неразрывно связано с магическим о т в о-п л о щ е н и е м д в о й н и к а — и это мы видели в приведенных выше цитатах.

История — магическое отвоплощение м о е г о д в о й-н и к а, и это очень сильно дано в поэме: тут и Коломбина — д в о й н и к автора, тут и история — двойник любовного треугольника — и самого автора. И, наконец, не одно зеркало — а магическая система зеркал:

Т о л ь к о з е р к а л о з е р к а л у с н и т с я...

Магическое з е р к а л о связано тесно со свечею: с в е ч а — другой лейтмотив «Поэмы без героя», а в лирике Ахматовой — помимо Поэмы — она упоминается чрезвычайно часто, часто и в сочетании с зеркалом: в «Вечере» — 5 раз, в «Четках» — 2, в «Белой стае» — 1, в «Подорожнике» — 1, в «Анно Домини» — 2, в «Тростнике» — 1, в «Седьмой книге» — 3, в прочих стихах, «У самого моря», в «Реквиеме» — 4 раза; всего 19 раз. Иногда со свечой и зеркалом связан кот, нередко — с о н, также один из лейтмотивов «Поэмы без героя» и лирики Ахматовой («Вечер» — 5 раз, «Четки» — 1, «Белая стая» — 5, «Подорожник» — 3, «Анно Домини» — 5, «Тростник» — 3, «Седьмая книга» — 14, прочие стихи и «У самого моря» — 5: всего, не считая «Поэмы без героя», — 41 раз).

З е р к а л о-с в е ч а-с о н-п р и з р а к-т е н ь. Призрак-тень-привидение — тоже лейтмотив Ахматовой. В ее лирике — кроме «Поэмы без героя» — этот лейтмотив повторяется 22 раза. Иногда, как и в Поэме, он связан с мотивом г а д а н ь я, волхованья, з а к л и-н а н и я (кроме поэмы — 9 раз). Почти всегда з е р-к а л о как-то — явно или прикровенно — связано у Ахматовой с п о р т р е т о м: чаще всего — магическим. Это и от гоголевского «Портрета», несомненно. Но и по другим герметическим соображениям. Портрет —

в том числе с о б с т в е н н ы й портрет автора — частый гость у Ахматовой. Это — лейтмотив ее лирики, в том числе, в цикле «Cinque» (1946):

> Или вышедший вдруг из рамы
> Новогодний страшный портрет...

Это — буквальный повтор одного из самых важных лейтмотивов «Поэмы без героя». И, конечно, все эти лейтмотивы тесно связаны у Ахматовой с п а м я т ь ю — с одной стороны, и со с м е р т ь ю — с другой, и носят ярко выраженный демонический характер. С этим тесно связаны другие лейтмотивы Поэмы и всей лирики Ахматовой: и все они н о ч н ы е: ф о н а р и, к о с т р ы, л у н н ы й л у ч, с н е г. Часто фигурируют п л а т о к - ш а л ь, «ива-дерево русалок», к о л ь ц о и, конечно, в и н о и к р о в ь. Не забыта и мистика ч и - с е л: любимые числа Ахматовой — семь (символ жизни) и три (единение-соединение-зачатие), нередко число тринадцать:

> Семь дней любви, семь грозных лет разлуки...

> Как седьмая всходила на лестницу...

А вот с е м ь «новогодних сорванцов», ворвавшихся к автору в «Поэме без героя»: они наряжены:

> Этот Ф а у с т о м, тот Д о н - Ж у а н о м,
> Д а п е р т у т т о, И о к а н а а н о м,
> Самый скромный — северным Г л а н о м
> Иль убийцею Д о р и а н о м...
> ...А к а к о й - т о еще с тимпаном
> Козлоногую приволок.

Семь — и одна. И эта одна — д в о й н и к автора. А вот м у з ы к а л ь н ы е семерки поэмы: «И со мною моя «Седьмая»; затем — «Седьмая» симфония Шостаковича... И с е м ь книг стихов автора. А вся поэма написана м а г и ч е с к и:

> Но сознаюсь, что применила
> Симпатические чернила
> И з е р к а л ь н ы м письмом пишу,
> И другой мне дороги нету —
> Чудом я набрела на эту...

А у поэмы-шкатулки «тройное дно»... А в стихах: «Есть три эпохи у воспоминаний», «Три раза пытать приходила», «Три осени» («И это не третья осень, а с м е р т ь»), «Трилистник Московский», «Три стихотворения» («И в памяти ч е р н о й...») — и так далее... Какую-то магическую роль играет и важный в поэме лейтмотив с и р е н и, в стихах упоминаемой 6 раз всего, но зато в «Поэме без героя» многозначительно — и в сочетании со смертью:

> И кладбищем пахла сирень...

Н о ч н о й характер поэмы и вообще лирики Ахматовой — и ее связь в этом отношении с Тютчевым подчеркивает и А. Павловский в своей книге об Ахматовой. Да и сама Ахматова сказала о своей Музе: «Когда я ночью жду ее прихода...». Павловский же, хотя и осторожно, но все же остановился и на магическом характере поэзии Ахматовой, не доведя только своего замечания до конца; да и не мог, конечно, сказать больше того, что сказал: «Ощущение конкретного, почти телесного и плотского течения Времени вообще характерная особенность художественного мировоззрения поздней Ахматовой. О н а с т а л а п р и с т р а с т н а к ч и с л а м, наименованиям эпох, веков, столетий. ...Эпохи, по мысли Ахматовой, вместе с живущими в них людьми, так же рождаются, дряхлеют и умирают, как и люди, как созданные ими исторические события. Пушкинская фраза 'Я теперь живу не там...' из 'Домика в Коломне' стала для ее исторической живописи своеобразным камертоном, по которому она настраивала свои последние стихи» (А. И. Павловский. Анна Ахматова. Очерк творчества. Лениздат, 1966, стр. 141).

Да, это правда. Но это — н е п о л н а я правда. Правда, и Павловский умно пишет Время с большой буквы, но не раскрывает скобок. Раскроем их, во всяком случае, попытаемся их раскрыть. Время Ахматовой, как и всякое подлинное время, — отнюдь не математическое понятие; с временем Ньютона и материалистов сейчас делать нечего — оно — явное самопротиворечие: ведь

прошлого, если его рассматривать как сюиту м и-
г о в, у ж е нет, б у д у щ е г о — еще нет, а н а-
с т о я щ е е — математически — н е м о ж е т д л и т ь-
с я: оно — только граница между н е - с у щ и м про-
шлым и н е - с у щ и м будущим. Но Время Ахматовой
(и нашего сегодня) и не категория или форма нашего
возможного опыта, не н е - с у щ е е по-существу время
Канта: тут Павловский прав: время Ахматовой — реальность, почти плотяная. И здесь даже не Бергсоновская
д л я щ е с т ь: время Ахматовой не просто д л и т с я:
прошлое, настоящее и будущее с о п р е б ы в а ю т, даны — в момент творческого озарения, в момент сопри-
косновения с В е ч н о с т ь ю, как нечто т р и е д и н о е.
Это близко к понятию времени Лейбница, а еще ближе
к апокалиптическому: В р е м е н и б о л ь ш е н е б у-
д е т. «Поэма без героя» поэтому — это прежде всего
поэма Конца. И смешно тут говорить, что — «конца культуры паразитических классов», как вынуждены говорить даже умные Павловский и Добин. Нет, — к о н ц а
в о о б щ е. И когда читатели, привыкшие к «прекрасной
ясности», я к о б ы присущей ранней Ахматовой, кричат в ее поэме: «Героя на авансцену!» — она резонно
отвечает: вот он, г е р о й н а ш е г о в р е м е н и:
            ... И я чувствую холод влажный...

... Суккубы же и инкубы — дияволы, принимающие то му-
жескую, то женскую плоть, совокупляясь с женщинами, не
разгорячаются, остаются влажно-хладными, и возжигая хлад-
ное сладострастие, не оплодотворяют и не оплодотворяются...
            (Из старинных судебных актов о ведьмах).
« — Нечистый! Черная ночь пришла. Слышу все ближе, все
ближе. ...Дрожу вся, молю Деву Пресвятую... смилостивь-
ся... Все напрасно... Нет для него ни стен, ни оград, ни
дверей, ни окон. Пробирается всюду, точно дух... Скрипит
лестница... Вот взобрался ко мне на чердак, где сплю, схва-
тил руками — твердые, холодные, как камень. Лицо ледяное.
Целует — мокрый, точно снег. Земля под ногами так и
ходит...» (рассказ ведьмы Катлины — «Легенда об Уленшпи-
геле» Шарля де Костера. Ленинград, 1938, стр. 20).
            ... Вековой собеседник луны... —

— — Люцифер, Денница... В ахматовских воспоминаниях о Модильяни:

«Как теперь понимаю, его больше всего поразило во мне свойство у г а д ы в а т ь ч у ж и е м ы с л и, в и д е т ь ч у ж и е с н ы и п р о ч и е м е л о ч и, к которым знающие меня давно привыкли. ... Вероятно, мы не понимали одну существенную вещь: все, что происходило, было для нас обоих п р е д ы с т о р и е й нашей жизни: его — очень короткой, моей — очень длинной. Дыхание искусства еще не о б у г л и л о, не преобразило эти два существования, это должен был быть с в е т л ы й п р е д р а с с в е т н ы й ч а с. Но будущее, которое, как известно, бросает свою т е н ь задолго перед тем, как в о й т и, стучало в окно, пряталось за ф о н а р я м и, пересекало с н ы и пугало страшным бодлеровским Парижем... И все б о ж е с т в е н н о е в Модильяни только искрилось сквозь какой-то м р а к...»

> ... Гость из Б у д у щ е г о! — Неужели
> Он придет ко мне в самом деле,
> Повернув н а л е в о с моста?

Н и ч т о н е у м и р а е т. Время — это только соитие Вечности — надвременного — с в н е -временными и с недлящимися, а, следовательно, м е р т в ы м и м и г а м и:

> ... Как в прошедшем грядущее зреет,
> Так в грядущем прошлое тлеет —
> Страшный п р и з р а к м е р т в о й л и с т в ы...

> ... Смерти нет — это всем известно,
> Повторять это стало пресно,
> А ч т о е с т ь — пусть расскажут мне.
> Кто стучится? Ведь в с е х впустили.
> Это г о с т ь з а з е р к а л ь н ы й...

Но есть ж и з н ь — и ж и з н ь. Не всякая жизнь — реальность. Часто жизнь — меон, кажимость. Нужно подняться над жизнью, над быстро-текущим временем, чтобы охватить время, попросту — родить время. Если т о л ь к о движешься полностью в такт времени, то времени не усмотришь, не ощутишь его. Помогает осознать время, в частности, «Поэма без героя», и эта поэма — п а н и х и д а. Больший Реквием, чем ахматовский же «Реквием». Это — настоящая панихида на с о р о к о в о й день по человеке — на с о р о к о в о й год по эпохе. Не все ли равно — день — или год? Ведь это — только пространственные символы времени: важно —

с о р о к о в о й. И как не понять, что тут — не календарь, а магия чисел:

> Из года сорокового,
> Как с башни, на все гляжу.
> Как будто прощаюсь снова...

— ведь э т о вступление написано не в сороковом ка-
лендарном году, а 25 августа с о р о к п е р в о г о года.
И с 1913 года тоже прошло не с о р о к лет ко времени
написания этих строк. Но ведь сорок дней и сорок ночей
пребывают души близких около их еще живущих близких. Так уверен народ. Так уверяет нас панихидный
чин. —

— ...и не всякая б е с к о н е ч н о с т ь есть «...ни
болезни, ни воздыхания, но жизнь бесконечная...» —
есть вечность. Есть и д у р н а я бесконечность. Есть
и жизнь (семь) и бесконечность (восемь) — меон, к а -
ж и м о с т ь, маскарад, «чертовня».

— ибо «повернувший н а л е в о с моста» «зазеркальный гость» не дает полноты бытия, полноты и р е а л ь -
н о с т и жизни. «Жизнь есть сон», назвал одну из своих
драм Кальдерон (драм, как раз ставившихся в то время
Мейерхольдом и другими). «Теперь мы видим к а к б ы
з е р к а л о, г а д а т е л ь н о, т о г д а ж е лицем к
л и ц у», — свидетельствует Апостол Павел (Коринфя-
нам, 1, 12). Вечность — это плодоносящий д а р, это —
благодать.

А «герой нашего времени» — «трагический тенор
эпохи» (певец-лицедей) —

> Демон сам с улыбкой Тамары... —

андрогин, не могущий оплодотворить при всей страст-
ности — холодной впрочем — натуры своей: — ведь
и сын, очень недолго притом проживший, Любови Дми-
триевны Блок-Басаргиной, тоже «петербургской актер-
ки», лицедейки, был не от Блока... Так кто же (вывод
и законный, и плоский!) — «гость зазеркальный» —

Александр Блок? Вернее, *И ОН*. Но не только *ОН*. И он —не только «гость зазеркальный». Но нельзя не отметить и литературософского смысла Поэмы-панихиды: ведь и формально-стихологически она движется «от Александра к Александру»:

— от Александра Блока к Александру Пушкину. — Ахматова не раз демонически сознательно передразнивала Блока (ведь дьявол — обезьяна и зеркало, как, впрочем, и история. Это хорошо понимал, все решительно понимавший Достоевский: помните, черт говорит Ивану Федоровичу Карамазову: «...Каким-то там довременным назначением, которого я никогда разобрать не мог, я определен 'отрицать', между тем я искренне добр и к отрицанию не способен. Нет, ступай отрицать, без отрицания-де не будет критики, а какой же журнал, если нет 'отделения критики'? Без критики будет одна 'осанна'. Но для жизни мало одной 'осанны', надо, чтоб 'осанна'-то эта переходила через горнило сомнений, ну и так далее, в этом роде. Я, впрочем, во все это не ввязываюсь, не я сотворял, не я и в ответе. Ну и выбрали козла отпущения, заставили писать в отделении критики, и получилась жизнь. Мы эту комедию понимаем: я, например, прямо и просто требую себе уничтожения. Нет, живи, говорят, потому что без тебя ничего не будет. Если бы на земле было все благоразумно, то ничего бы не произошло. Без тебя не будет никаких происшествий, а надо, чтобы были происшествия...» — «...Ты воплощение меня самого...» — кричит черту Иван Федорович. Черт — обезьяна: он приживальщик, и мечтает даже воплотиться: «Мой идеал — войти в церковь и поставить свечку от чистого сердца...» И без черта — нет и истории). Ахматова дразнила Блока и *ДО* «Поэмы без героя»:

Блок:

> Нет, с постоянством геометра
> Я числю каждый раз без слов
> Мосты, часовню, резкость ветра...

Ахматова:

> Но с любопытством иностранки,
> Плененной каждой новизной,
> Глядела я, как мчатся санки ...

— Дразнит — и понимает — Ахматова и своего самого большого у ч и т е л я: Достоевского. Знает, что недаром Достоевского не признали старцы Оптиной пустыни, не сочли его полностью х р и с т и а н и н о м, во всяком случае, в традиционном смысле и понимании:

> А в Старой Руссе пышные канавы, ...
> И стекла окон так черны, как прорубь,
> И мнится, там такое приключилось,
> Что лучше не заглядывать, уйдем.
> Не с каждым местом сговориться можно,
> Чтобы оно свою открыло тайну
> (А в О п т и н о й м н е б о л ь ш е н е б ы в а т ь...)

— А вся почти третья часть поэмы — некое патетико-траги-ироническое повторение «Медного Всадника»: «Люблю тебя, Петра творенье...», с зеркальными выворотами: Россия, бегущая на восток, по пути довоенных сталинских казней египетских, — и — зеркальный выворот: «Россия, идущая спасать Москву» — на Запад — но этот конец с б р о ш е н автором в подстраничное примечание — он «там, внизу». «Я ж и в у т е п е р ь н е т а м...» — пушкинская фраза перевернута Ахматовой в люциферианском направлении. И все действие первой части поэмы... «в глубине залы, сцены или на вершине гетевского Брокена»...

Но п у т ь о т А л е к с а н д р а Б л о к а (романтики, гофманьяны) к А л е к с а н д р у П у ш к и н у (классицизму, архитектонике, кристаллизации чистого духа) — не есть тоже д в и ж е н и е к ж и з н и; и тут — демонические токи дразнения:

Вот пушкинская по настрою «Царскосельская статуя» Ахматовой (1916):

> ... Смотри, ей весело грустить,
> Такой н а р я д н о - о б н а ж е н н о й.

—— Вот «козлоногая» поэмы:

> ... В бледных локонах злые рожки ...
> Так п а р а д н о о б н а ж е н а.

Она, Ахматова, у м е р щ в л я е т и о м е т а л л и -
в а е т своей любовью своих возлюбленных: возлюбленных не столько живых, реальных, сколько умопостигае-
мых, кажимых: двух Александров: от — к: (это — уже
в 1914):

> Любовникам всем моим
> Я счастие приносила.
> Один и сейчас живой,
> В свою подругу влюбленный,
> И б р о н з о в ы м с т а л д р у г о й
> На площади о с н е ж е н н о й.

Любовь и смерть — близнецы не у Тютчева только:
вся мировая поэзия связывает их воедино. И герой нашего времени — Ж е л е з н а я М а с к а, —не та, историческая, а другая — Рок, Судьба, Дьявол: но есть от
этого в каждом, и в авторе, и в нас:

> Что мне поступь Железной Маски!
> Я сама пожелезней тех ...

«... Как жилистые, крепкие корни, выдавались его, за-
сыпанные землею, ноги и руки. Тяжело ступал он, поминутно оступаясь ... С ужасом заметил Хома, что
лицо на нем было железное» ... (Гоголь, Вий).

> ... Гавриил или Мефистофель, —

опять поддразнит Великого Александра Ахматова («Га-
врилиада»); и — в статье «Последняя сказка Пушкина»
Ахматова приводит характерный ответ Дадона скопцу-
звездочету — один из первоначальных знаменательных
вариантов:

> И з а ч е м тебе девица?
> Полно, с в о д н и к, что ли, я?) —

— А цитируемая Ахматовой в статье «'Каменный Гость' Пушкина» «демоническая бравада» Дон-Гуана —

> Я, командор, прошу тебя придти
> К твоей вдове, где завтра буду я,
> И стать настороже в дверях... —

я в н о пародирована Ахматовой в любовном треугольнике «Поэмы без героя» (одновременно передразнива-
ются и «Шаги Командора» другого Александра — Блока). И при этом — опять мотив неоплодотворяющего
демона:

> «Прощай! Пора!
> Я оставлю тебя живою,
> Но ты будешь м о е й вдовою...

И Командор-Паладин Князев — на пороге... Кстати,
ведь не менее знаменательно, что не на ч е р н о в и к е
Блока, а на черновике Всеволода К н я з е в а написана
«Поэма без героя»...

В с я л и т е р а т у р а, в с е и с к у с с т в о т о л ь к о
п а н и х и д а, т о л ь к о п о х о р о н н о е ш е с т в и е:
Георг (Байрон, кстати, как демон, х р о м о й) — факель-
щик Похоронного бюро: «И факел Георг держал...»;
мертвый Шелли, — да мало ли еще мертвых? Ведь
искусство — только сублимация подлинной жизни,
только панихида по ней: когда жизнь полнокровна и
во всем цветении — тогда не до литературы; когда
жизнь трагична и напряженна — тоже не до нее:

> Когда погребают эпоху,
> Надгробный псалом не звучит... —

А звучит он, а цветет искусство — не искусство ж и -
з н и, а искусство о т р а ж е н и й — тогда особенно,
когда жизнь тускла и неплодоносна.

И какой колдовской, гипнотизирующий ритм «Поэмы
без героя»! Шестикратные, пятикратные, минимум —
трехкратные рифмы и ассонансы — рифмы женские —
опоясываются, сжимаются в железных объятиях рифм
мужских. Четкая поступь и железный ритм, такт, а
образы сменяют друг друга, повторяются, перекрещи-
ваются — все пронизано сквозняками эпохи. Вот и пи-
шущий эти строки не раз и не два цитировал одни и
те же строфы — со всех сторон их оглядывая. Трудно

ведь о т в я з а т ь с я от поэмы. Ахматова писала ее с
1940 года (а первые замыслы-этюды восходят чуть ли
не к 1923 году), и на каждой редакции писала: «закон-
чено тогда-то»: «На рукописи в конце ее неоднократно
ставилось: 'Текст поэмы окончательный — ни добавле-
ний, ни сокращений не предвидится' (так было, например, 15 августа 1960 года в Комарове). И всякий раз
при встрече в Москве или в Ленинграде Анна Ахматова
сообщала еще несколько строк, которые все более украшали и углубляли эту удивительную поэтическую мистерию», — пишет близко знавший в последние годы
Ахматову Лев Озеров («Тайны ремесла», в его книге
«Работа поэта», Москва, 1963, стр. 196). Встречавшиеся
с Ахматовой незадолго до смерти также говорили: Ахматова все работает над поэмой, все шлифует ее, допол-
няет, сокращает:

> Я пила ее в капле каждой
> И, бесовскою черной жаждой
> Одержима, не знала как
> Мне разделаться с бесноватой . . .

Демонические токи поэмы настолько сильны, что разделаться с ней — не только автору, но и внимательному,
пристальному читателю — невероятно трудно. Поэма —
исповедь. Поэма — дневник — человека в эпохе — и
эпохи в человеке. Но искусство может только жаждать
всецелости, всеполноты, о к о н ч а т е л ь н о г о с л о в а.
Ведь то, что о к о н ч а т е л ь н о, — не есть к а ж и-
м о с т ь, а как-никак — кажимость — основа искусства.
Поэма взывает, молит:

> Разве ты мне не скажешь снова
> Победившее
>   смерть
>   слово
> И р а з г а д к у ж и з н и м о е й?

Но Ахматова знает, что

> . . . еще ни один не сказал поэт,
> Что мудрости нет, и старости нет,
> А может, и смерти нет.

91

Ахматова — верующий церковно человек. Ахматова — как и Достоевский, как и Константин Леонтьев, как и Розанов — понимает, что ж и т ь - т о л е г ч е без Христа, но умирать легче с Ним. Она знает, что Вечность и жизнь в вечности — дана только т а м. «Я теперь живу не там...» Она знает, что поэзия, что искусство — в лучшем случае — только и с п о в е д ь, а часто — и искушение. Для нее, Ахматовой, демонизм — не стилевой прием, а реальность. Для нее поэтому «Поэма без героя» — исповедь и самопреображение в двух направлениях — и религиозном, и психоаналитическом: вспомнить, восстановить всю обстановку давнего прошлого, камнем лежащего на душе — значит и з б а - в и т ь с я от чего-то, что пригнетает и делает дух наш и душу нашу больными. И здесь, в этой исповеди — очищение духа во имя и с к у п л е н и я: и личного — и за всех и за вся: мы ведь все виноваты за всех и каждого — и каждый несет вину не только за себя самого.

И та же и с п о в е д ь — один из методов психоанализа, один из наиболее мощных методов л е ч е н и я.

И на этом поддонном уровне Поэма — творение и крестная ноша всего зрелейшего периода творчества Ахматовой — испытывает еще одну трансформацию: приобретает еще один — и самый затаенный смысл: телесно-душевного и с ц е л е н и я и религиозно-церковного о т п у щ е н и я г р е х о в. «Я теперь живу не там...» —

... Все мы немного у жизни в гостях...

Борис Филиппов.

Вашингтон

92

АННА АХМАТОВА

ПОЭМА БЕЗ ГЕРОЯ

Триптих

1940 — 1962

Ленинград-Ташкент-Москва

Di rider finirai
Pria dell'aurora.
Don Giovanni

ИЗ ПИСЬМА К Н.

... Вы, зная обстановку моей тогдашней жизни, можете судить об этом лучше других.

Осенью 1940 года, разбирая мой старый (впоследствии погибший во время осады) архив, я наткнулась на давно бывшие у меня письма и стихи, прежде не читанные мною («Бес попутал в укладке рыться»). Они относились к трагическому событию 1913 г., о котором повествуется в «Поэме без героя».

Тогда я написала стихотворный отрывок «Ты в Россию пришла ниоткуда» в связи с стихотворением «Современница». Вы даже, может быть, еще помните, как я читала Вам оба эти стихотворения в Фонтанном Доме в присутствии старого шереметевского клена («а свидетель всего на свете ...»).

В бессонную ночь 26-27 декабря этот стихотворный отрывок стал неожиданно расти и превращаться в первый набросок «Поэмы без героя». История дальнейшего роста поэмы кое-как изложена в бормотании под заглавием «Вместо предисловия».

Вы не можете себе представить, сколько диких, нелепых и смешных толков породила эта «Петербургская повесть».

Строже всего, как это ни странно, ее судили мои современники, и их обвинения сформулировал в Ташкенте X., когда он сказал, что я свожу какие-то старые счеты с эпохой (10-е годы) и людьми, которых или уже нет, или которые не могут мне ответить. Тем же, кто не знает некоторые «петербургские обстоятельства», поэма будет непонятна и неинтересна.

Другие, в особенности женщины, считали, что «Поэма без героя» — измена какому-то прежнему «идеалу», и, что еще хуже, разоблачение моих давних стихов «Четки», которые они «так любят».

Так в первый раз в жизни я встретила вместо потока патоки искреннее негодование читателей, и это, естественно, вдохновило меня. Затем, как известно каждому грамотному человеку, ..., и я совсем перестала писать стихи, и все же в течении 15 лет эта поэма неожиданно, как припадки какой-то неизлечимой болезни, вновь и вновь настигала меня (случалось это всюду — в концерте при музыке, на улице, даже во сне), и я не могла от нее оторваться, дополняя и исправляя повидимому оконченную вещь.

> («Но была для меня та тема,
> Как раздавленная хризантема
> На полу, когда гроб несут».
>
> «Я пила ее в капле каждой
> И, бесовскою черной жаждой
> Одержима, не знала, как
> Мне разделаться с бесноватой»).

И не удивительно, что Х., как Вам известно, сказал мне: «Ну, Вы пропали, она Вас никогда не отпустит».

Но . . . я замечаю, что письмо мое длиннее, чем ему следует быть, а мне еще надо . . .

1955, 27 мая, Москва

ВМЕСТО ПРЕДИСЛОВИЯ

Deus conservat omnia.
Девиз на гербе Фонтанного Дома

Иных уж нет, а те далече.

Первый раз она пришла ко мне в Фонтанный Дом в ночь на 27 декабря 1940 года, прислав как вестника еще осенью один небольшой отрывок.

Я не звала ее. Я даже не ждала ее в тот холодный и темный день моей последней ленинградской зимы.

Ее появлению предшествовало несколько мелких и незначительных фактов, которые я не решаюсь назвать событиями.

В ту ночь я написала два куска первой части («1913» и «Посвящение»). В начале января я почти неожиданно для себя написала «Решку», а в Ташкенте (в два приема) — «Эпилог», ставший третьей частью поэмы, и сделала несколько существенных вставок в обе первые части.*)

Я посвящаю эту поэму памяти ее первых слушателей — моих друзей и сограждан, погибших в Ленинграде во время осады.

---

*) Работу над поэмой я продолжала и после возвращения в Ленинград, т.е. [после] 1 июня 1944 г.

Их голоса я слышу и вспоминаю их, когда читаю поэму вслух, и этот тайный хор стал для меня навсегда оправданием этой вещи.

8 апреля 1943 года
Ташкент

До меня часто доходят слухи о нелепых толкованиях «Поэмы без героя». И кто-то даже советует сделать мне поэму более понятной.

Я воздержусь от этого.

Никаких третьих, седьмых и двадцать девятых смыслов поэма не содержит.

Ни изменять, ни объяснять ее я не буду.

«Еже писах — писах».

Ленинград
Ноябрь 1944 года

ПЕРВОЕ ПОСВЯЩЕНИЕ

Памяти Вс. К.

. . . .

...а так как мне бумаги не хватило,
я на твоем пишу черновике.
И вот чужое слово проступает,
5 и, как тогда снежинка на руке,
доверчиво и без упрека тает.
И темные ресницы Антиноя
вдруг поднялись — и там зеленый дым,
и ветерком повеяло родным ...
10 Не море ли?
              Нет, это только хвоя
могильная, и в накипаньи пен
все ближе, ближе ...
                Marche funèbre ...
15   Шопен ...

27 декабря 1940
Ночь. Фонтанный Дом

ВТОРОЕ ПОСВЯЩЕНИЕ
О. А. Г.—С.

Ты ли, Путаница-Психея,
  Черно-белым веером вея,
  Наклоняешься надо мной,
Хочешь мне сказать по секрету,
5   Что уже миновала Лету

И иною дышишь весной.
Не диктуй мне, сама я слышу:
Теплый ливень уперся в крышу,
Шепоточек слышу в плюще.
10 Кто-то маленький жить собрался,
Зеленел, пушился, старался
Завтра в новом блеснуть плаще,
Сплю —
она одна надо мною
15 Ту, что люди зовут весною,
Одиночеством я зову.
Сплю —
мне снится молодость наша,
Та, е г о миновавшая чаша;
20 Я ее тебе наяву,
Если хочешь, отдам на память,
Словно в глине чистое пламя
Иль подснежник в могильном рву.

25 мая 1945г.
Фонтанный дом

ТРЕТЬЕ И ПОСЛЕДНЕЕ

Раз в крещенский вечерок . . .
Жуковский

Полно мне леденеть от страха,
лучше кликну Чакону Баха,
а за ней войдет человек,
он не станет мне милым мужем,
5 но мы с ним такое заслужим,
что смутится Двадцатый век.
Я его приняла случайно
за того, кто дарован тайной,
с кем горчайшее суждено.

10 Он ко мне во дворец Фонтанный
опоздает ночью туманной
новогоднее пить вино.
И запомнит Крещенский вечер,
клен в окне, венчальные свечи
15 и поэмы смертный полет . . .
Но не первую ветвь сирени,
не кольцо, не сладость молений —
он погибель мне принесет.

5 января 1956 (Le Jour des Rois)

ВСТУПЛЕНИЕ

ИЗ ГОДА СОРОКОВОГО,
КАК С БАШНИ, НА ВСЕ ГЛЯЖУ.
КАК БУДТО ПРОЩАЮСЬ СНОВА
С ТЕМ, С ЧЕМ ДАВНО ПРОСТИЛАСЬ,
5 КАК БУДТО ПЕРЕКРЕСТИЛАСЬ
И ПОД ТЕМНЫЕ СВОДЫ СХОЖУ.

25 августа 1941 г.
Осажденный Ленинград

ЧАСТЬ ПЕРВАЯ

ДЕВЯТЬСОТ ТРИНАДЦАТЫЙ ГОД
Петербургская повесть

ГЛАВА ПЕРВАЯ

Новогодний праздник длится пышно,
Влажны стебли новогодних роз.

Четки

С Татьяной нам не ворожить...

Пушкин

In my hot youth — when George the Third was king...
Don Juan

Новогодний вечер. Фонтанный Дом. К автору, вместо того, кого ждали, приходят тени тринадцатого года под видом ряженых. Белый зеркальный зал. Лирическое отступление — «Гость из Будущего». Маскарад. Поэт. Призрак.

Я зажгла заветные свечи,
   Чтобы этот светился вечер,
      И с тобой, ко мне не пришедшим,
         Сорок первый встречаю год.
5   Но...

104

Господняя сила с нами!
В хрустале утонуло пламя
«И вино, как отрава, жжет».[1]
Это всплески жесткой беседы,
10   Когда все воскресают бреды,
А часы все еще не бьют . . .
Нету меры моей тревоге,
Я сама, как тень на пороге,
Стерегу последний уют.
15 И я слышу звонок протяжный,
И я чувствую холод влажный,
Каменею, стыну, горю . . .
И, как будто припомнив что-то,
Повернувшись вполоборота,
20   Тихим голосом говорю:
«Вы ошиблись: Венеция дожей —
Это рядом . . . Но маски в прихожей,
И плащи, и жезлы, и венцы
Вам сегодня придется оставить.
25 Вас я вздумала нынче прославить,
Новогодние сорванцы!»
Этот Фаустом, тот Дон-Жуаном,
Дапертутто, Иоканааном;
Самый скромный — северным Гланом
30   Иль убийцею Дорианом,
И все шепчут своим Дианам
Твердо выученный урок.
А какой-то еще с тимпаном
Козлоногую приволок.
35 И для них расступились стены,
Вспыхнул свет, завыли сирены,
И, как купол, вспух потолок.
Я не то что боюсь огласки . . .
Что́ мне Гамлетовы подвязки!
40   Что́ мне вихрь Саломеиной пляски,

Что̀ мне поступь Железной Маски!
Я сама пожелезней тех . . .
И чья очередь испугаться,
Отшатнуться, отпрянуть, сдаться
45 И замаливать давний грех? . .
Ясно все:
не ко мне, так к кому же![2])
Не для них здесь готовился ужин,
И не им со мной по пути.
50 Хвост запрятал под фалды фрака . . .
Как он хром и изящен . . .
Однако . . .
Я надеюсь, Владыку Мрака
Вы не смели сюда ввести? . .
55 Маска это, череп, лицо ли —
Выражение злобной боли,
Что лишь Гойя смел передать.
Общий баловень и насмешник, —
Перед ним самый смрадный грешник —
60 Воплощенная благодать . . .

Веселиться — так веселиться! —
Только как же могло случиться,
Что одна я из них жива?
Завтра утро меня разбудит,
65 И никто меня не осудит,
И в лицо мне смеяться будет
Заоконная синева.
Но мне страшно: войду сама я,
Кружевную шаль не снимая,
70 Улыбнусь всем и замолчу.
С той, какою была когда-то,
В ожерельи черных агатов,
До долины Иосафата[3])
Снова встретиться не хочу . . .
75 Не последние ль близки сроки? . . .

106

Я забыла ваши уроки,
Краснобаи и лжепророки,
Но меня не забыли вы.
Как в прошедшем грядущее зреет,
80   Так в грядущем прошлое тлеет —
Страшный праздник мертвой листвы.

Б   *Звук шагов тех, которых нету,*
Е   *По сияющему паркету,*
Л   *И сигары синий дымок.*
85   Ы   *И во всех зеркалах отразился*
Й   *Человек, что не появился*
    И проникнуть в тот зал не мог.
З   *Он не лучше других и не хуже,*
А   *Но не веет Летейской стужей,*
90   Л   *И в руке его теплота.*
    Гость из Будущего! — Неужели
    Он придет ко мне в самом деле,
    Повернув налево с моста?

. . . С детства ряженых я боялась,
95   Мне всегда почему-то казалось,
Что какая-то лишняя тень
Среди них «б е з л и ц а и н а з в а н ь я»
Затесалась . . .
           Откроем собранье
100   В новогодний торжественный день!
Ту полночную Гофманиану
Разглашать я по свету не стану
И других бы просила . . .
             Постой,
105   Ты как будто не значишься в списках,
В калиострах, магах, лизисках,[4]
    Полосатой наряжен верстой, —
Размалеван пестро и грубо —
    Ты . . .

110   ровесник Мамврийского дуба,
  Вековой собеседник луны.
Не обманут притворные стоны,
  Ты железные пишешь законы;
  Хаммураби, ликурги, солоны
115   У тебя поучиться должны.
Существо это странного нрава,
  Он не ждет, чтоб подагра и слава
  Впопыхах усадили его
   В юбилейные пышные кресла,
120   А несет по цветущему вереску
    По пустыням свое торжество.
И ни в чем не повинен: ни в этом
  Ни в другом и ни в третьем . . .

       Поэтам
125   Вообще не пристали грехи.
Проплясать пред Ковчегом Завета
  Или сгинуть! . .

     Да что там! Про это
Лучше их рассказали стихи.
130 Крик петуший нам только снится,
  За окошком Нева дымится,
   Ночь бездонна и длится, длится —
   Петербургская чертовня . . .
В узких окнах звезды не видно,
135 Гибель где-то здесь, очевидно,
  Но бездумна, легка, бесстыдна
   Маскарадная болтовня . . .
  Крик:
    «Героя на авансцену!»
140   Не волнуйтесь: дылде на смену
   Непременно выйдет сейчас
    И споет о священной мести . . .
  Что ж вы все убегаете вместе,
   Словно каждый нашел по невесте,

145   Оставляя с глазу на глаз
Меня в сумраке с черной рамой,
 Из которой глядит тот самый,
  Ставший наигорчайшей драмой
И еще не оплаканный час.
150   *Это все наплывает не сразу,*
 Как одну музыкальную фразу,
  Слышу шепот: «Прощай! Пора!
Я оставлю тебя живою,
 Но ты будешь м о е й вдовою,
155   *Ты — Голубка, солнце, сестра!»*
 На площадке две слитые тени...
  После — лестницы плоской ступени,
Вопль: «Не надо!» и в отдаленьи
 Чистый голос:
160   *«Я к смерти готов».*

Факелы гаснут, потолок опускается. Белый (зеркальный) зал снова делается комнатой автора. Слова из мрака:

Смерти нет — это всем известно,
 Повторять это стало пресно,
  А что есть — пусть расскажут мне.
Кто стучится?
165   Ведь всех впустили.
 Это гость зазеркальный. Или
  То, что вдруг мелькнуло в окне...
Шутки ль месяца молодого,
 Или вправду там кто-то снова
170   Между печкой и шкафом стоит?
Бледен лоб, и глаза открыты...
 Значит, хрупки могильные плиты,
  Значит, мягче воска гранит...
Вздор, вздор, вздор! — От такого вздора

175   Я седою сделаюсь скоро
            Или стану совсем другой.
      Что ты манишь меня рукою?!

            За одну минуту покоя
            Я посмертный отдам покой.

Через площадку

(Интермедия)

Где-то вокруг этого места (« . . . Но бездумна, легка, бесстыдна, маскарадная болтовня . . . ») бродили еще такие строки, но я не пустила их в основной текст:

180   «Уверяю, это не ново . . .
            Вы дитя, синьор Казанова . . . »
            «На Исакьевской ровно в шесть . . . »
      «Как-нибудь побредем по мраку,
            Мы отсюда еще в 'Собаку'».
185   «Вы отсюда куда?» —

                        «Бог весть!»
      Санчо Пансы и Дон-Кихоты
            И, увы, содомские Лоты
            Смертоносный пробуют сок,
190   Афродиты возникли из пены,
            Шевельнулись в стекле Елены,
            И безумья близится срок.
      И опять из Фонтанного Грота,
            Где любовная стынет дремота
195   Через призрачные ворота
                  И мохнатый и рыжий кто-то
                  Козлоногую приволок.
      Всех наряднее и всех выше,
            Хоть не видит она и не слышит —

110

Не клянет, не молит, не дышит,
   Голова Madame de Lamballe,
   А затейница и красотка,
      Ты, что козью пляшешь чечетку,
         Снова гулишь нежно и кротко:
205 «Que me veut mon Prince Carnaval?»

.. И в то же время в глубине залы, сцены, ада или на вершине гётевского Брокена появляется О н а же (а может быть, ее тень):

   Как копытца топочут сапожки,
      Как бубенчик звенят сережки,
         В бледных локонах злые рожки,
            Окаянной пляской пьяна, —
210 Словно с вазы чернофигурной,
   Прибежала к волне лазурной,
      Так парадно обнажена.
   А за ней в шинели и в каске
      Ты, вошедший сюда без маски,
215   Ты, Иванушка древней сказки,
         Что тебя сегодня томит?
   Сколько горечи в каждом слове,
      Сколько мрака в твоей любови,
         И зачем эта струйка крови
220   Бередит лепесток ланит?

ГЛАВА ВТОРАЯ

Иль того ты видишь у своих колен,
Кто для белой смерти твой покинул плен?
«*Голос памяти*», 1913

Спальня Героини. Горит восковая свеча. Над кроватью три портрета хозяйки дома в ролях. Справа она — Козлоногая, посредине — Путаница, слева — портрет в тени. Одним кажется, что это Коломбина, другим — Донна Анна (из «Шагов Командора»). За мансардным окном арапчата играют в снежки. Метель. Новогодняя ночь. Путаница оживает, сходит с портрета, и ей чудится голос, который читает:

> Распахнулась атласная шубка!
> Не сердись на меня, Голубка,
> Что коснусь я этого кубка:
> Не тебя, а себя казню.
> 225 Все равно подходит расплата —
> Видишь — там, за вьюгой крупчатой
> Мейерхольдовы арапчата
> Затевают опять возню.
> А вокруг старый город Питер, —
> 230 Что народу бока повытер,
> (Как тогда народ говорил).
> В гривах, в сбруях, в мучных обозах,
> В размалеванных чайных розах
> И под тучей вороньих крыл.
> 235 Но летит, улыбаясь мнимо,
> Над Мариинской сценой prima,[5])
> Ты — наш лебедь непостижимый,
> И острит опоздавший сноб.
> Звук оркестра как с того света, —

240 (Тень чего-то мелькнула где-то),
  Не предчувствием ли рассвета
   По рядам пробежал озноб?
И опять тот голос знакомый,
 Будто эхо горного грома, —
245 Наша слава и торжество!
Он сердца наполняет дрожью
 И несется по бездорожью
  Над страной, вскормившей его.[6])
Сучья в иссиня-белом снеге...
250 Коридор Петровских коллегий
Бесконечен, гулок и прям
(Что угодно может случиться,
 Но он будет упрямо сниться
  Тем, кто нынче проходит там).
255 До смешного близка развязка:
 Из-за ширм Петрушкина маска,
 Вкруг костров кучерская пляска,
  Над дворцом черно-желтый стяг...
Все уже на местах, кто надо;
260 Пятым актом из Летнего сада
 Пахнет... Призрак цусимского ада
  Тут же. — Пьяный поет моряк.
Как парадно звенят полозья,
 И волочится полость козья...
265 Мимо, тени! — Он там один.
На стене его твердый профиль.
 Гавриил или Мефистофель —
  Твой, красавица, Паладин?
Демон сам с улыбкой Тамары,
270 Но такие таятся чары
  В этом страшном дымном лице:
Плоть, почти что ставшая духом,
 И античный локон над ухом —
  Все таинственно в пришлеце.

275 Это он в переполненном зале
    Слал ту черную розу в бокале,
    Или все это было сном?..
С мертвым сердцем и мертвым взором,
Он ли встретился с командором,
280   В тот пробравшись проклятый дом!
И его поведано словом,
    Как вы были в пространстве новом,
    Как вне времени были вы —
И в каких хрусталях полярных,
285   И в каких сияньях янтарных
    Там, у устья Леты — Невы.
Ты сбежала сюда с портрета,
    И пустая рама до света
    На стене тебя будет ждать.
290 Так плясать тебе — без партнера.
    Я же роль рокового хора
    На себя согласна принять.

    На щеках твоих алые пятна;
    Шла бы ты в полотно обратно;
295 *Ведь сегодня такая ночь,*
    Когда нужно платить по счету...
    А дурманящую дремоту
    Мне трудней, чем смерть, превозмочь.

    ...Ты в Россию пришла ниоткуда,
300   О мое белокурое чудо,
    Коломбина десятых годов:
Что глядишь ты так смутно и зорко,
Петербургская кукла, актерка,
    Ты — один из моих двойников.
305 К прочим титулам надо и этот
    Приписать. О подруга поэтов,
    Я наследница славы твоей.

Здесь под музыку дивного метра
Ленинградского дикого ветра
310   И в тени заповедного кедра
        Вижу танец придворных костей...
Оплывают венчальные свечи,
     Под фатой поцелуйные плечи,
      Храм гремит: «Голубица, гряди!»
315 Горы пармских фиалок в апреле —
     И свиданье в Мальтийской капелле,
      Как проклятье в твоей груди.
Золотого ль века виденье
     Или черное преступленье
320   В грозном хаосе давних дней?
Мне ответь хоть теперь:

               неужели
     Ты когда-то жила в самом деле
      И топтала торцы площадей
325   Ослепительной ножкой своей?...
Дом пестрей комедьянтской фуры,
     Облупившиеся амуры
      Охраняют Венерин алтарь.
Певчих птиц не сажала в клетку,
330 Спальню ты убрала как беседку,
     Деревенскую девку-соседку
      Не узнает веселый скобарь.[7])
В стенах лесенки скрыты витые,
     А на стенах лазурных святые, —
335   Полукрадено это добро...
Вся в цветах, как «Весна» Боттичелли,
     Ты друзей принимала в постели,
      И томился драгунский Пьеро, —
Всех влюбленных в тебя суеверней,
340 Тот, с улыбкой жертвы вечерней,
     Ты ему как стали — магнит.
Побледнев, он глядит сквозь слезы,

Как тебе протянули розы
И как враг его знаменит.
345 Твоего я не видела мужа,
Я, к стеклу приникавшая стужа...
Вот он, бой крепостных часов...
Я крестами дома́ не мечу, —
Выходи ко мне смело навстречу —
350 Г о р о с к о п   т в о й   д а в н о   г о т о в...

ГЛАВА ТРЕТЬЯ

И под аркой на Галерной . . .
                              А. Ахматова

В Петербурге мы сойдемся снова,
Словно солнце мы похоронили в нем.
                              О. Мандельштам

То был последний год . . .
                              М. Лозинский

Петербург 1913 года. Лирическое отступление: последнее Воспоминание в Царском Селе. Ветер, не то
вспоминая, не то пророчествуя, бормочет:

Были Святки кострами согреты,
    И валились с мостов кареты,
        И весь траурный город плыл
По неведомому назначенью
355   По Неве иль против теченья, —
        Только прочь от своих могил.
На Галерной чернела арка,
    В Летнем тонко пела флюгарка,
        И серебряный месяц ярко
360   Над серебряным веком стыл.
Оттого, что по всем дорогам,
    Оттого, что ко всем порогам
        Приближалась медленно тень —
Ветер рвал со стены афиши,
365   Дым плясал вприсядку на крыше
        И кладбищем пахла сирень.
И царицей Авдотьей заклятый,
    Достоевский и бесноватый
        Город в свой уходил туман,

370 И выглядывал вновь из мрака
    Старый питерщик и гуляка.
        Как пред казнью бил барабан . . .
    И всегда в духоте морозной,
    Предвоенной, блудной и грозной,
375   Непонятный таился гул . . .
    Но тогда он был слышен глухо,
    Он почти не касался слуха
        И в сугробах невских тонул.
    Словно в зеркале страшной ночи
380   И беснуется и не хочет
        Узнавать себя человек, —
    А по набережной легендарной
    Приближался не календарный —
        Настоящий Двадцатый Век.

385   А теперь бы домой скорее
        Камероновой галереей
        В ледяной таинственный сад,
        Где безмолствуют водопады,
        Где все девять[8] мне будут рады,
390   Как бывал ты когда-то рад.
        Там за островом, там за садом,
        Разве мы не встретимся взглядом
        Наших прежних ясных очей?
        Разве ты мне не скажешь снова
395   Победившее
                    смерть
                        слово
            И разгадку жизни моей?

ГЛАВА ЧЕТВЕРТАЯ И ПОСЛЕДНЯЯ

Любовь прошла, и стали ясны
И близки смертные черты.
                              Вс. К.

Угол Марсова поля. Дом, построенный в начале XIX века братьями Адамини. В него будет прямое попадание авиабомбы в 1942 году. Горит высокий костер. Слышны удары колокольного звона от Спаса-на-Крови. На поле за метелью призрак дворцового бала. В промежутке между этими звуками говорит сама Тишина:

     Кто застыл у померкших окон,
400   На чьем сердце «палевый локон»,
       У кого пред глазами тьма?
    «Помогите, еще не поздно!
      Никогда ты такой морозной
       И чужою, ночь, не была!»
405 Ветер, полный балтийской соли,
      Бал метелей на Марсовом поле
       И невидимых звон копыт . . .
    И безмерная в том тревога,
      Кому жить осталось немного,
410   Кто лишь смерти просит у Бога
       И кто будет навеки забыт.
    Он за полночь под окнами бродит,
      На него беспощадно наводит
       Тусклый луч угловой фонарь, —
415 И дождался он. Стройная маска
      На обратном «Пути из Дамаска»
       Возвратилась домой . . . не одна!
    Кто-то с ней «б е з л и ц а и н а з в а н ь я» . . .
      Недвусмысленное расставанье
420   Сквозь косое пламя костра

Он увидел. — Рухнули зданья . . .
    И в ответ обрывок рыданья:
        «Ты, Голубка, солнце, сестра!
Я оставлю тебя живою,
425   Но ты будешь м о е й вдовою,
        А теперь . . .
                        Прощаться пора!»
На площадке пахнет духами,
    И драгунский корнет со стихами
430   И с бессмысленной смертью в груди
Позвонит, если смелости хватит . . .
    Он мгновенье последнее тратит,
    Чтобы славить тебя.
                        Гляди:
435 Не в проклятых Мазурских болотах,
    Не на синих Карпатских высотах . . .
        Он — на твой порог!
            Поперек . . .
        Да простит тебя Бог!

440   *Сколько гибелей шло к поэту,*
    Глупый мальчик: он выбрал эту, —
    Первых он не стерпел обид,
    Он не знал, на каком пороге
    Он стоит и какой дороги
445   *Перед ним откроется вид . . .*

Это я — твоя старая совесть —
    Разыскала сожженную повесть
        И на край подоконника
            В доме покойника
450   Положила —
                    и на цыпочках ушла . . .

ПОСЛЕСЛОВИЕ

ВСЕ В ПОРЯДКЕ: ЛЕЖИТ ПОЭМА
И, КАК СВОЙСТВЕННО ЕЙ, МОЛЧИТ.
НУ, А ВДРУГ КАК ВЫРВЕТСЯ ТЕМА,
455   КУЛАКОМ В ОКНО ЗАСТУЧИТ, —
И ОТКЛИКНЕТСЯ ИЗДАЛЕКА
НА ПРИЗЫВ ЭТОТ СТРАШНЫЙ ЗВУК —
КЛОКОТАНИЕ, СТОН И КЛЕКОТ
И ВИДЕНЬЕ СКРЕЩЕННЫХ РУК...

ЧАСТЬ ВТОРАЯ

Интермеццо

РЕШКА

My future is in my past

Я воды Леты пью,
Мне доктором запрещена унылость.
Пушкин

Место действия — Фонтанный Дом. Время — 5 января 1941 года. В окне призрак оснеженного клена. Только что пронеслась адская арлекинада тринадцатого года, разбудив безмолвье великой молчальницы-эпохи и оставив за собою тот свойственный каждому праздничному или похоронному шествию беспорядок — дым факелов, цветы на полу, навсегда потерянные священные сувениры... В печной трубе воет ветер, и в этом вое можно угадать следующие строфы. О том, что мерещится в зеркалах, лучше не думать.

... жасминный куст,
где Данте шел и воздух пуст.
Н. К.

I
Мой редактор был недоволен,
Клялся мне, что занят и болен,
Засекретил свой телефон
И ворчал: «Там три темы сразу!
5   Дочитав последнюю фразу,
Не поймешь, кто в кого влюблен.

122

II

Кто, когда и зачем встречался,
      Кто погиб, и кто жив остался,
            И кто автор, и кто герой, —
10 И к чему нам сегодня эти
      Рассуждения о поэте
            И каких-то призраков рой».

III

Я ответила: «Там их трое —
      Главный был наряжен верстою,
15   А другой как демон одет, —
Чтоб они столетьям достались,
      Их стихи за них постарались . . .
            Третий прожил лишь двадцать лет,

IV

И мне жалко его». И снова
20 Выпадало за словом слово,
            Музыкальный ящик гремел.
И над тем флаконом надбитым
      Языком кривым и сердитым
            Яд неведомый пламенел.

V

25 А во сне все казалось, что это
      Я пишу для кого-то либретто,
            И отбоя от музыки нет.
А ведь сон — это тоже вещица,
      Soft embalmer[9]), Синяя Птица,
30 Эльсинорских террас парапет.

VI

И сама я была не рада,
      Этой адской арлекинады

Издалёка заслышав вой.
Все надеялась я, что мимо
35   Белой залы, как хлопья дыма,
      Пронесется сквозь сумрак хвой.

VII
Не отбиться от рухляди пестрой.
      Это старый чудит Калиостро —
      Сам изящнейший сатана,
40   Кто над мертвым со мной не плачет,
      Кто не знает, что совесть значит
      И зачем существует она.

VIII
Карнавальной полночью римской
      И не пахнет. Напев Херувимской
45   У закрытых церквей дрожит.
      В дверь мою никто не стучится,
      Только зеркало зеркалу снится,
      Тишина тишину сторожит.

IX
И со мною моя «Седьмая»
50   Полумертвая и немая,
         Рот ее сведен и открыт,
      Словно рот трагической маски,
         Но он черной замазан краской
         И сухою землей набит.

X
55   .   .   .   .

         .   .   .   .

         .   .   .   .

И проходят десятилетья:
      Пытки, ссылки и казни — петь я,
60   Вы же видите, не могу.

XI

И особенно, если снится
 То, что с нами должно случиться:
  Смерть повсюду — город в огне,
И Ташкент в цвету подвенечном . . .
65 Скоро там о верном и вечном
  Ветр азийский расскажет мне.

XII

.   .   .   .[10])
  .   .   .   .
    .   .   .   .
70 .   .   .   .
  .   .   .   .
  .   .   .   .

XIII

Я ль растаю в казенном гимне?
 Не дари, не дари, не дари мне
75 Диадему с мертвого лба.
Скоро мне нужна будет лира,
 Но Софокла уже, не Шекспира.
  На пороге стоит — Судьба.

XIV

И была для меня та тема,
80 Как раздавленная хризантема
  На полу, когда гроб несут.
Между «помнить» и «вспомнить», други,
Расстояние, как от Луги
  До страны атласных баут.[11])

XV

85 Бес попутал в укладке рыться . . .
  Ну, а как же может случиться,
  Что во всем виновата я?

Я — тишайшая, я — простая,
«Подорожник», «Белая стая»...
90   Оправдаться... но как, друзья?

XVI

Так и знай: обвинят в плагиате...
Разве я других виноватей?
      Впрочем, это мне все равно.
Я согласна на неудачу
95   Я смущенье свое не прячу...
      У шкатулки ж тройное дно.

XVII

Но сознаюсь, что применила
Симпатические чернила,
      Что зеркальным письмом пишу,
100 И другой мне дороги нету, —
      Чудом я набрела на эту
      И расстаться с ней не спешу.

XVIII

Чтоб посланец давнего века
Из заветного сна Эль Греко
105 Объяснил мне совсем без слов,
А одной улыбкою летней,
      Как была я ему запретней
      Всех семи смертельных грехов.

XIX

И тогда из грядущего века
110 Незнакомого человека
      Пусть посмотрят дерзко глаза,
Чтобы он отлетающей тени
      Дал охапку мокрой сирени
      В час, как эта минет гроза.

XX

115 А столетняя чаровница
   Вдруг очнулась и веселиться
   Захотела. Я не при чем.
Кружевной роняет платочек,
   Томно жмурится из-за строчек
120   И брюлловским манит плечом.

XXI

Я пила ее в капле каждой
   И, бесовскою черной жаждой
   Одержима, не знала, как
Мне разделаться с бесноватой:
125   Я грозила ей Звездной Палатой
   И гнала на родной чердак, —

XXII

В темноту, под Манфредовы ели,
   И на берег, где мертвый Шелли,
   Прямо в небо глядя, лежал, —
130 И все жаворонки[12]) всего мира
   Разрывали бездну эфира
   И факел Георг[13]) держал.

XXIII

Но она твердила упрямо:
   «Я не та английская дама
135   И совсем не Клара Газуль,
Вовсе нет у меня родословной,
   Кроме солнечной и баснословной,
   И привел меня сам Июль.

XXIV

А твоей двусмысленной славе,
140   Двадцать лет лежавшей в канаве,

Я еще не так послужу.
Мы с тобой еще попируем,
И я царским моим поцелуем
Злую полночь твою награжу».

3-5 января 1941 года.
Фонтанный дом, и в Ташкенте, и после.

ЧАСТЬ ТРЕТЬЯ

ЭПИЛОГ

Люблю тебя, Петра творенье!
                    Медный всадник
Бытъ пусту месту сему...

Да пустыни немых площадей,
Где казнили людей до рассвета
                    Анненский

Белая ночь 24 июня 1942 г. Город в развалинах. От Гавани до Смольного видно все как на ладони. Кое-где догорают застарелые пожары. В Шереметевском саду цветут липы и поет соловей. Одно окно третьего этажа (перед которым увечный клен) выбито, и за ним зияет черная пустота. В стороне Кронштадта ухают тяжелые орудия. Но в общем тихо. Голос автора, находящегося за семь тысяч километров, произносит:

Моему городу

Так под кровлей Фонтанного Дома,
    Где вечерняя бродит истома
        С фонарем и связкой ключей, —
Я аукалась с дальним эхом,
5   Неуместным смущая смехом
        Непробудную сонь вещей;
Где, свидетель всего на свете,
    На закате и на рассвете
        Смотрит в комнату старый клен
10   И, предвидя нашу разлуку,
        Мне иссохшую черную руку,
            Как за помощью, тянет он.

А земля под ногой гудела,
И такая звезда[14]) глядела
В мой еще не брошенный дом,
И ждала условного звука . . .
Это где-то там — у Тобрука,
Это где-то здесь — за углом.
Ты не первый и не последний
Темный слушатель светлых бредней,
Мне какую готовишь месть?
Ты не выпьешь, только пригубишь
Эту горечь из самой глуби —
Этой нашей разлуки весть.
Не клади мне руку на темя —
Пусть навек остановится время
На тобою данных часах.
Нас несчастие не минует,
И кукушка не закукует
В опаленных наших лесах . . .

А за проволокой колючей,
В самом сердце тайги дремучей —
Я не знаю, который год —
Ставший горстью лагерной пыли,
Ставший сказкой из страшной были,
Мой двойник на допрос идет.
А потом он идет с допроса,
Двум посланцам Девки безносой
Суждено охранять его.
И я слышу даже отсюда —
Неужели это не чудо! —
Звуки голоса своего:
За тебя я заплатила

Чистоганом,

Ровно десять лет ходила

Под наганом,

Ни налево, ни направо

А за мной худая слава

50

А не ставший моей могилой,
  Ты, гранитный, кромешный, милый,
    Побледнел, помертвел, затих.
Разлучение наше мнимо:
55 Я с тобою неразлучима,
    Тень моя на стенах твоих,
Отраженье мое в каналах,
  Звук шагов в Эрмитажных залах,
    Где со мною мой друг бродил,
60 И на старом Волковом Поле,
  Где могу я рыдать на воле
    Над безмолвьем братских могил.
Все, что сказано в Первой части
  О любви, измене и страсти,
65   Сбросил с крыльев свободный стих,
И стоит мой город зашитый...
  Тяжелы надгробные плиты
    На бессонных очах твоих.
Мне казалось, за мной ты гнался,
70 Ты, что там погибать остался
    В блеске шпилей, в отблеске вод.
Не дождался желанных вестниц...
  Над тобой — лишь твоих прелестниц,
    Белых ноченек хоровод.
75 А веселое слово — дома —
  Никому теперь незнакомо,
    Все в чужое глядят окно.
Кто в Ташкенте, кто в Нью-Йорке,
  И изгнания воздух горький,
80   Как отравленное вино.
Все вы мной любоваться могли бы,
  Когда в брюхе летучей рыбы

Я от злой погони спаслась,
И над полным врагами лесом,
85   Словно *та*, одержимая бесом,
Как на Брокен ночной неслась.*)
И уже предо мною прямо
Леденела и стыла Кама,
И Quo vadis?[15]) кто-то сказал.
90 Но не дал шевельнуть устами,
Как тоннелями и мостами
Загремел сумасшедший Урал.
И открылась мне та дорога,
По которой ушло так много,
95   По которой сына везли,
И был долог путь погребальный
Средь торжественной и хрустальной
Тишины
Сибирской земли.
100 От того, что сделалось прахом,
Обуянная смертным страхом
И отмщения зная срок,
Опустивши глаза сухие
И ломая руки, Россия
105   Предо мною шла на восток.**)

Окончено в Ташкенте 18 августа 1942 г.

---

*) После этого следовало «первоначальное окончание поэмы»:
    А за мною, тайной сверкая
    И назвавши себя «Седьмая»,[16])
        На неслыханный мчалась пир...
    Притворившись нотной тетрадкой,
    Знаменитая ленинградка
        Возвращалась в родной эфир.

**)После этого в ряде редакций следовало:
    И себе же самой навстречу
    Непреклонно в грозную сечу,
        Как из зеркала наяву,
    Ураганом — с Урала, с Алтая,
    Долгу верная, молодая,
        Шла Россия спасать Москву.

ПРИМЕЧАНИЯ К ПОЭМЕ

1) «Отчего мои пальцы словно в крови
И вино, как отрава, жжет».

(Новогодняя баллада)

2) Три «к» выражают замешательство автора.

3) Долина Иосафата — предполагаемое место Страшного Суда.

4) Лизиска — псевдоним императрицы Мессалины в римских притонах.

5) Анна Павлова.

6) Шаляпин.

7) Скобарь — обидное прозвище псковичей.

8) Девять муз.

9) Soft embalmer — см. сонет Китса «К сну»:
O, soft embalmer of the still midnight

10) Пропущенные строфы — подражание Пушкину. См. «Об Евгении Онегине»: «Смиренно сознаюсь также, что в Дон Жуане есть две выпущенные строфы», писал Пушкин.

11) Баута — венецианская полумаска.

12) Жаворонки — знаменитое стихотворение Шелли To the skylark («К жаворонку»):
Слава тебе, веселый дух,
Птицей ты никогда не был,
Что с небес или возле них.

13) Георг — лорд Байрон.

14) Марс летом 1941 г.

15) Quo vadis? — «Камо грядеши?» — «Куда идешь?»

16) «Седьмая» — 7-я «Ленинградская» симфония Шостаковича. Первая часть этой симфонии вывезена автором на самолете из осажденного города (1. X. 1941).

СТИХИ РАЗНЫХ ЛЕТ

МНОГИМ

Я — голос ваш, жар вашего дыханья,
Я — отраженье вашего лица,
Напрасных крыл напрасны трепетанья, —
Ведь все равно я с вами до конца.

Вот отчего вы любите так жадно
Меня в грехе и в немощи моей;
Вот отчего вы дали неоглядно
Мне лучшего из ваших сыновей;

Вот отчего вы даже не спросили
Меня ни слова никогда о нем
И чадными хвалами задымили
Мой навсегда опустошенный дом.
И говорят — нельзя теснее слиться,
Нельзя непоправимее любить . . .

Как хочет тень от тела отделиться,
Как хочет плоть с душою разлучиться,
Так я хочу теперь — забытой быть.   1922

———————

Привольем пахнет дикий мед,
Пыль — солнечным лучом,
Фиалкою — девичий рот,
А золото — ничем.

Водою пахнет резеда
И яблоком — любовь,
Но мы узнали навсегда,
Что кровью пахнет только кровь.

*

И напрасно наместник Рима
Мыл руки перед всем народом
Под зловещие крики черни,
И шотландская королева
Напрасно с узких ладоней
Стирала красные брызги
В душном мраке царского дома.

———————

Где-то ночка молодая —
Звездная, морозная,
Ой, худая, ой, худая
Голова тифозная.
Про себя воображает,
По подушке мечется,
Знать не знает, знать не знает,
Что, зачем, ответчица, —
Что за речкой, что за садом
Кляча с гробом тащится . . .
Меня под землю не надо:
Я одна рассказчица.

———————

О, знала ль я, когда в одежде белой
Входила Муза в тесный мой приют,
Что к лире, навсегда окаменелой,
Мои живые руки припадут.

О, знала ль я, когда неслась, играя,
Моей любви последняя гроза,
Что лучшему из юношей, рыдая,
Закрою я орлиные глава.

О, знала ль я, когда, томясь успехом,
Я искушала дивную судьбу,
Что скоро люди беспощадным смехом
Ответят на предсмертную мольбу.

1925

ПОДРАЖАНИЕ АРМЯНСКОМУ

Я приснюсь тебе черной овцою
На нетвердых, сухих ногах,
Подойду, заблею, завою:
«Сладко ль ужинал, падишах?
Ты вселенную держишь, как бусу,
Светлой волей Аллаха храним . . .
И пришелся ль сынок мой по вкусу
И тебе и деткам твоим?»

1930-е гг.

———————

Не лирою влюбленного
Иду прельщать народ,
Трещотка прокаженного
В моих руках поет.

———————

Так отлетают темные души . . .
«Я буду бредить, а ты не слушай.

Зашел ты нечаянно, ненароком —
Ты никаким ведь не связан сроком.

Побудь же со мной теперь подольше.
Помнишь, мы были с тобою в Польше?

Первое утро в Варшаве . . . Кто ты?
Ты уж другой или третий?» — «Сотый!»

«А голос совсем такой, как прежде.
Знаешь, я годы жила в надежде,

Что ты вернешься, и вот не рада,
Мне ничего на земле не надо, —

Ни громов Гомера, ни Дантова дива.
Скоро я выйду на берег счастливый:

И Троя не пала, и жив Эабани,
И все потонуло в душистом тумане.

Я б задремала под ивой зеленой,
Да нет мне покоя от этого звона.

Что он? — То с гор возвращается стадо?

Только в лицо не дохнула прохлада.

Или идет священник с дарами?
А звезды на небе, и ночь над горами.

Или сзывают народ на вече?»
— «Нет, это твой последний вечер!»

1940

ПОДВАЛ ПАМЯТИ

Но это вздор, что я живу грустя
И что меня воспоминанье точит.
Не часто я у памяти в гостях,
Да и она всегда меня морочит.
Когда спускаюсь с фонарем в подвал,
Мне кажется — опять глухой обвал
Уже по узкой лестнице грохочет.
Чадит фонарь, вернуться не могу,
Я знаю, что иду туда, к врагу.
И я прошу как милости . . . Но там
Темно и тихо. Мой окончен праздник!
Уж тридцать лет, как проводили дам,
От старости скончался тот проказник . . .
Я опоздала. Экая беда!
Нельзя мне показаться никуда.
Но я касаюсь живописи стен
И у камина греюсь. Что за чудо!
Сквозь эту плесень, этот чад и тлен
Сверкнули два зеленых изумруда.
И кот мяукнул. Ну, идем домой!

Но где мой дом и где рассудок мой?   1940

ПАМЯТИ М. Б-ВА

Вот это я тебе, взамен могильных роз,
Взамен кадильного куренья;
Ты так сурово жил и до конца донес
Великолепное презренье.
Ты пил вино, ты как никто шутил
И в душных стенах задыхался,
И гостью страшную ты сам к себе впустил

И с ней наедине остался.
И нет тебя, и все вокруг молчит
О скорбной и высокой жизни,
Лишь голос мой, как флейта, прозвучит
И на твоей безмолвной тризне.
О, кто поверить смел, что полоумной мне,
Мне, плакальщице дней погибших,
Мне, тлеющей на медленном огне,
Все потерявшей, всех забывшей, —
Придется поминать того, кто, полный сил,
И светлых замыслов, и воли,
Как будто бы вчера со мною говорил,
Скрывая дрожь предсмертной боли.

> Фонтанный дом
> 1940.

————————

Какая есть. Желаю вам другую,
Получше.
        Больше счастьем не торгую . . .
Как шарлатаны и оптовики . . .
Пока мы мирно отдыхали в Сочи,
Ко мне ползли такие ночи,
И я такие слышала звонки!
Над Азией весенние туманы,
И яркие до ужаса тюльпаны
Ковром заткали много сотен миль.
О, что мне делать с этой чистотою,
Что делать с неподкупностью простою?
О, что мне делать с этими людьми!
Мне зрительницей быть не удавалось
И почему-то я всегда вклинялась
В запретнейшие зоны естества.
Целительница нежного недуга,
Чужих мужей вернейшая подруга
И многих — безутешная вдова.

Седой венец достался мне недаром,
И щеки, опаленные загаром,
Уже людей пугают смуглотой.
Но близится конец моей гордыне,
Как той другой — страдалице Марине —
Придется мне напиться пустотой.
И ты придешь под черной епанчою,
С зеленоватой, страшною свечою,
И не откроешь предо мной лица . . .
Но мне недолго мучиться загадкой —
Чья там рука под белою перчаткой
И кто прислал ночного пришлеца.

1942. Ташкент

———————

И ты ко мне вернулась знаменитой,
Темно-зеленой веточкой повитой,
Изящна, равнодушна и горда . . .
Я не такой тебя когда-то знала,
И я не для того тебя спасала
Из месива кровавого тогда.
Не буду я делить с тобой удачу,
Я не ликую над тобой, а плачу,
И ты прекрасно знаешь, почему.
И ночь идет, и сил осталось мало.
Спаси ж меня, как я тебя спасала,
И не пускай в клокочущую тьму.

1944, Ташкент.

———————

. . . За ландышевый май
В моей Москве стоглавой
Отдам я звездных стай
Сияние и славу.

НАСЛЕДНИЦА

От царскосельских лип . . .
Пушкин

Казалось мне, что песня спета
Средь этих опустелых зал.
О, кто бы мне тогда сказал,
Что я наследую все это:
Фелицу, лебедя, мосты
И все китайские затеи,
Дворца сквозные галереи
И липы дивной красоты.
И даже собственную тень,
Всю искаженную от страха,
И покаянную рубаху,
И замогильную сирень.

1958.

———

Если б все, кто помощи душевной
У меня просил на этом свете,
Все юродивые и немые,
Брошенные жены и калеки,
Каторжники и самоубийцы
Мне прислали по одной копейке, —
Стала б я «богаче всех в Египте»,
Как говаривал Кузмин покойный . . .
Но они не слали мне копейки,
А со мной своей делились силой,
И я стала всех сильней на свете.
Так что даже это мне не трудно.

1961.

Хорошо здесь: и шелест и хруст;
С каждым утром сильнее мороз,
В белом пламени клонится куст
Ледяных ослепительных роз.
И на пышных парадных снегах
Лыжный след, словно память о том,
Что в каких-то далеких веках
Здесь с тобою прошли мы вдвоем.

                              Анна Ахматова

1922.

Автограф А. А. Ахматовой

СЛАВА МИРУ

Где дремала пустыня, там ныне сады,
Поля и озерная гладь.
Мы раз навсегда сотрем следы
Войны, чтоб жизнь созидать.

Если мы захотим, осядет Памир,
Путь изменит любая река,
Но для блага и счастья нам нужен мир,
И будут нами гордиться века.

И нам не страшна зарубежная ложь, —
Мы правдой своей сильны.
Он создан уже — великий чертеж
Грядущего нашей страны.

———————

И в великой нашей отчизне
На глазах наших стал человек
Настоящим хозяином жизни,
Повелителем гор и рек.

И в устах его мудрое слово,
Лучезарное слово — мир,
Что звучит, как благовест новый
Над простыми летя людьми,

Что звездой путеводной светит
Среди зарубежной тьмы
И ответ всех народов встретит:
«Мира ищем и жаждем мы!»

КЛЕВЕТНИКАМ

I

Напрасно кровавою пеленой
Вы страну нашу мните покрыть, —
Восстанут народы живой стеной
И скажут: «Тому не быть!»

Уже полмиллиарда новых друзей
Прислали нам свой привет,
И в старой Европе все больше людей,
Которым с каждой минутой ясней,
Откуда приходит свет.

II

Когда б вы знали, как спокойно
Здесь трудовая жизнь течет,
Как вдохновенно, как достойно
Страна великая живет,

Как всё здесь говорит о мире,
Восходят новые леса,
Всё полнозвучнее и шире
Звучат поэтов голоса,

Осуществленною мечтою
И счастьем полон каждый час,
И вы постыдной клеветою
Не смеете тревожить нас!

ТОСТ

За вновь распаханное поле,
За наши юные леса,
За то, чтобы в советской школе
Ребят звенели голоса,
За целость драгоценных всходов
Великих мыслей и трудов,
За то, чтоб воля всех народов
Сковала происки врагов!

МОСКВЕ

Как хорошеешь ты день ото дня,
Но остаешься всегда неизменной,
Верность себе нерушимо храня,
Жаркое сердце вселенной!

Плавный твой говор, рассвет голубой,
Весен твоих наступленье!
Солнечный праздник нам — встреча с тобой,
Мысли и чувств обновленье.

Слышны в раскатах сирен трудовых
Отзвуки славы московской ...
Горький здесь правде учил молодых,
Жизнь прославлял Маяковский.

Везде, где еще на планете Земля
Народы в путах томятся,
Алые звезды на башнях Кремля
Всем жаждущим мира снятся.

21 ДЕКАБРЯ 1949 ГОДА

Пусть миру этот день запомнится навеки,
Пусть будет вечности завещан этот час.
Легенда говорит о мудром человеке,
Что каждого из нас от страшной смерти спас.

Ликует вся страна в лучах зари янтарной
И радости чистейшей нет преград.
И древний Самарканд, и Мурманск заполярный,
И доблестью вождя спасенный Ленинград.

В день новолетия учителя и друга
Песнь светлой благодарности поют, —
Пускай вокруг неистовствует вьюга
Или фиалки горные цветут.

И мысли всех людей летят к столице славы,
К высокому Кремлю — борцу за вечный свет,
Откуда в полночь гимн несется величавый
И на весь мир звучит, как помощь и привет.

———

И он орлиными очами
Увидел с высоты Кремля,
Как пышно залита лучами
Преображенная земля.

Его трудов, его деяний
Пред ним несметные плоды, —
Громады величавых зданий,
Мосты, заводы и сады.

150

Свой дух вдохнул он в этот город
И отвратил от нас беду, —
Вот отчего так бодр и молод
Москвы необоримый дух.

И благодарного народа
Он слышит голос: «Мы пришли
Сказать: где Сталин, там свобода,
Мир и величие земли!»

ПЕСНЯ МИРА

Качаясь на волнах эфира,
Минуя горы и моря,
Лети, лети голубкой мира,
О песня звонкая моя!
И расскажи тому, кто слышит,
Как близок долгожданный век,
Чем ныне и живет и дышит
В твоей отчизне человек.
Ты не одна — их будет много,
С тобой летящих голубей, —
Вас у далекого порога
Ждет сердце ласковых друзей.
Лети в закат багрово-алый,
В удушливый фабричный дым,
И в негритянские кварталы,
И к водам Ганга голубым.

30 ИЮНЯ 1950

Бессмертен день, когда одною грудью
Страна труда восстала против зла
И молвила:
               — Я подлому орудью
Не дам творить бесчестные дела.
Кто хартию Стокгольмскую подпишет
И кто бороться до конца готов,
Он в этот миг великий зов услышит —
То эхо миллионов голосов, —
Оно к своим врагам неумолимо,
Оно не замолчит и не простит,
А каждое подписанное имя,
Как новый шаг по верному пути.

1950 ГОД

Пятидесятый год — как бы водораздел,
Вершина славного, невиданного века,
Заря величия, свидетель мудрых дел,
Свершенных волей человека.

Там — в коммунизм пути, там юные леса,
Хранители необозримой шири,
И дружеские крепнут голоса,
Сливаясь в песнь о вечном мире.

А тот, кто нас ведет дорогою труда,
Дорогою побед и славы неизменной, —
Он будет наречен народом навсегда
Преобразителем вселенной.

152

ПОКОРЕНИЕ ПУСТЫНИ

Чей дух извечно-молодой
Над этим краем веял,
Пустыню напоил водой
Прохладною
         и золотой
Пшеницею засеял!..
Там, где, рождаясь, суховей
С тупым упорством дул,
Сжигая дольний цвет степей, —
Там легонькая тень ветвей,
Черкез и саксаул.

Цветут хлопковые поля
И великаны-тополя,
Где птица не летала.
Чья воля провела канал
Там, где верблюд изнемогал
И вихрь песочный заметал
Иссохший труп шакала!

СЕВМОРПУТЬ

Чей разум угадал сквозь льды
Давно желанный путь,
Куда ничьи не шли следы,
Где вымерзала ртуть,
Под северным сияньем,
Где не видать ни зги,
Под злобным завываньем
Неистовой пурги —

Вернейшей изо всех дорог
Корабль доверив свой,
Не ослабел, не изнемог
Тот разум огневой.

———————

Ах, закройте, закройте глаза газет!..

Маяковский

Где ароматом веяли муссоны,
Где тополя, как факелы, чадят,
А гор алмазных голубые склоны
Едва в дыму пожарища сквозят,
И хочется на помощь звать скорее,
Не может быть, чтоб длился этот ад!
Рыдая, дети на полях Кореи
В родное небо с ужасом глядят...
А их заокеанские соседи,
Погрязшие в непоправимом бреде,
Еще вопят о правоте своей, —
Убийцы и мучители детей.

ПОДЖИГАТЕЛЯМ

И чем грозите вы?
                    Пожаром?
Уничтожением детей?
Но знайте: не пройдет вам даром
Яд клеветнических речей.
Одним порывом благородным
Фронт мира создан против вас,
И труженику стать свободным
Приходит долгожданный час.

[1950 (весь цикл)]

ВОСПОМИНАНИЯ

АМЕДЕО МОДИЛЬЯНИ

Я очень верю тем, кто описывает его не таким, каким я его знала, и вот почему. Во-первых, я могла знать только какую-то одну сторону его сущности (сияющую) — ведь я просто была чужая, вероятно, в свою очередь, не очень понятная двадцатилетняя женщина, иностранка; во-вторых, я сама заметила в нем большую перемену, когда мы встретились в 1911 году. Он весь как-то потемнел и осунулся.

В 10-м году я видела его чрезвычайно редко, всего несколько раз. Тем не менее он всю зиму писал мне. Что он сочинял стихи, он мне не сказал.

Как я теперь понимаю, его больше всего поразило во мне свойство угадывать мысли, видеть чужие сны и прочие мелочи, к которым знающие меня давно привыкли. Он все повторял: «On communique». Часто говорил: «Il n'y a que vous pour réaliser cela».

Вероятно, мы оба не понимали одну существенную вещь: все, что происходило, было для нас обоих предысторией нашей жизни: его — очень короткой, моей — очень длинной. Дыхание искусства еще не обуглило, не преобразило эти два существования, это должен был быть светлый легкий предрассветный час. Но будущее, которое как известно бросает свою тень задолго перед тем, как войти, стучало в окно, пряталось за фонарями, пересекало сны и пугало страшным бодлеровским Парижем, который притаился где-то рядом. И все божественное в Модильяни только искрилось сквозь какой-то мрак. Он был совсем не похож ни на кого на свете. Голос его как-то навсегда остался в памяти. Я знала его нищим, и было непонятно, чем он живет, — как художник он не имел и тени признания.

Жил он тогда (в 1911 году) в Impasse Falguière. Беден был так, что в Люксембургском саду мы сидели всегда на скамейке, а не на платных стульях, как было принято. Он вообще не жаловался ни на совершенно явную нужду, ни на столь же явное непризнание. Только один раз в 1911 году он сказал, что прошлой зимой ему было так плохо, что он даже не мог думать о самом ему дорогом.

Он казался мне окруженным плотным кольцом одиночества. Не помню, чтобы он с кем-нибудь раскланивался в Люксембургском саду или в Латинском квартале, где все более или менее знали друг друга. Я не слышала от него ни одного имени знакомого, друга или художника, и я не слышала от него ни одной шутки. Я ни разу не видела его пьяным, и от него не пахло вином. Очевидно он стал пить позже, но гашиш уже как-то фигурировал в его рассказах. О ч е в и д н о й подруги жизни у него тогда не было. Он никогда не рассказывал новелл о предыдущей влюбленности (что, увы, делают все). Со мной он не говорил ни о чем земном. Он был учтив, но это не было следствием домашнего воспитания, а высоты его духа.

В это время он занимался скульптурой, работал во дворике возле своей мастерской, в пустынном тупике был слышен стук его молоточка. Стены его мастерской были увешаны портретами невероятной длины (как мне теперь кажется — от пола до потолка). Воспроизведения их я не видела — уцелели ли они? Скульптуру свою он называл la chose — она была выставлена, кажется, в Indépendants в 1911 году. Он попросил меня пойти посмотреть на нее, но не подошел ко мне на выставке, потому что я была не одна, а с друзьями. Во время моих больших пропаж исчезла и подаренная мне им фотография с этой вещи.

В это время Модильяни бредил Египтом. Он водил меня в Лувр смотреть египетский отдел, уверял, что все остальное, «tout le reste», недостойно внимания. Рисовал мою голову в убранстве египетских цариц и танцовщиц и казался совершенно захвачен великим искусством Египта. Очевидно, Египет был его последним увлечением. Уже очень скоро он становится столь самобытным, что ничего не хочется вспоминать, глядя на его холсты. Теперь этот период Модильяни называют Période nègre.

✻✤✻

Он говорил: «les bijoux doivent être sauvages» (по поводу моих африканских бус) и рисовал меня в них.

Водил меня смотреть le vieux Paris derrière le Panthéon, ночью при луне. Хорошо знал город, но все-таки мы один раз заблудились. Он сказал: «J'ai oublié qu'il y a une île au milieu (L'île St-Louis)». Это он показал мне настоящий Париж.

По поводу Венеры Милосской говорил, что прекрасно сложенные женщины, которых стоит лепить и писать, всегда кажутся неуклюжими в платьях.

В дождик (в Париже часто дожди) Модильяни ходил с огромным очень старым черным зонтом. Мы иногда сидели под этим зонтом на скамейке в Люксембургском саду, шел теплый летний дождь, около дремал Le vieux palais à l'italienne, а мы в два голоса читали Верлена, которого хорошо помнили наизусть, и радовались, что помним одни и те же вещи.

Я читала в какой-то американской монографии, что, вероятно, большое влияние на Модильяни оказала Беатриса Х., та самая, которая называет его «perle et pourceau». Могу и считаю необходимым засвидетельствовать, что ровно таким же просвещенным Амедео был уже задолго до знакомства с Беатрисой Х. — т. е. в 10-м году. И едва ли дама, которая называет великого художника поросенком, может кого-нибудь просветить.

Первый иностранец, увидевший у меня мой портрет работы Модильяни, в ноябре 1945 года в Фонтанном Доме, сказал мне об этом портрете нечто такое, что я не могу «ни вспомнить, ни забыть», как сказал один известный поэт о чем-то совсем другом.

Люди старше нас показывали, по какой аллее Люксембургского сада Верлен, с оравой почитателей, из «своего кафе», где он ежедневно витийствовал, шел в «свой ресторан» обедать. Но в 1911 году по этой аллее шел не Верлен, а высокий господин в безукоризненном сюртуке, в цилиндре, с ленточкой Почетного Легиона, — а соседи шептали: «Анри де Ренье!».

Для нас обоих это имя никак не звучало. Об Анатоле Франсе Модильяни (как, впрочем, и другие просвещенные парижане), не хотел и слышать. Радовался, что и я его тоже не любила. А Верлен в Люксембургском саду существовал только в виде памятника, который был открыт в том же году. Да, про Гюго Модильяни просто сказал: «Mais Hugo c'est déclamatoire».

✷⁂✷

Как-то раз мы, вероятно, плохо сговорились, и я, зайдя за Модильяни, не застала его и решила подождать его несколько минут. У меня в руках была охапка красных роз. Окно над запертыми воротами мастерской было открыто. Я, от нечего делать, стала бросать в мастерскую цветы. Не дождавшись Модильяни, я ушла.

Когда мы встретились, он выразил недоумение, как я могла попасть в запертую комнату, когда ключ был у него. Я объяснила, как было дело. «Не может быть, — они так красиво лежали . . .»

Модильяни любил ночами бродить по Парижу, и часто, заслышав его шаги в сонной тишине улицы, я подходила к окну и сквозь жалюзи следила за его тенью, медлившей под моими окнами . . .

То, чем был тогда Париж, уже в начале двадцатых годов называлось «vieux Paris et Paris d'avant guerre». Еще во множестве процветали фиакры. У кучеров были свои кабачки, которые назывались «Rendez-vous des cochers», и еще живы были мои молодые современники, вскоре погибшие на Марне и под Верденом. Все левые художники, кроме Модильяни, были признаны. Пикассо был столь же знаменит, как сегодня, но тогда говорили «Пикассо и Брак». Ида Рубинштейн играла Саломею, становились изящной традицией Дягилевские Ballets Russes (Стравинский, Нижинский, Павлова, Карсавина, Бакст).

Мы знаем теперь, что судьба Стравинского тоже не осталась прикованной к десятым годам; что творчество его стало высшим музыкальным выражением духа XX века. Тогда мы этого еще не знали. 20 июня 1910 г. была поставлена «Жар-Птица». 13 июня 1911 г. Фокин поставил у Дягилева «Петрушку».

Прокладка новых бульваров по живому телу Парижа (которую описал Золя) была еще не совсем закончена (Boulevard Raspail). Вернер, друг Эдиссона, показал мне в Taverne de Panthéon два стола и сказал: «А это ваши социал-демократы — тут большевики, а там — меньшевики». Женщины с переменным успехом пытались носить то штаны (jupes-culottes), то почти пеленали ноги (jupes entravées). Стихи были в полном запустении, и их покупали только из-за виньеток более или менее известных художников. Я уже тогда понимала, что парижская живопись съела французскую поэзию.

Рене Гиль проповедовал «научную поэзию», и его так называемые ученики с превеликой неохотой посещали мэтра.

Католическая церковь канонизировала Жанну д'Арк.

Où est Jeanne la bonne Lorraine
Qu'Anglais brulèrent à Rouen?

(Villon)

Я вспоминала эти строки бессмертной баллады, глядя на статуэтки новой святой. Они были весьма сомнительного вкуса, и их начали продавать в лавочках церковной утвари.

❊❊❊

Итальянский рабочий украл Джоконду Леонарда, чтобы вернуть ее на родину, и мне (уже в России) все казалось, что я видела ее последняя.

Модильяни очень жалел, что не может понимать мои стихи, и подозревал, что в них таятся какие-то чудеса, а это были только первые робкие попытки. (Например, в «Аполлоне», 1911). Над аполлоновской живописью («Мир Искусства») Модильяни откровенно смеялся.

Меня поразило, как Модильяни нашел красивым одного заведомо некрасивого человека и очень настаивал на этом. Я уже тогда подумала: он, наверно, видит все не так, как мы.

Во всяком случае то, что в Париже называют модой, украшая это слово роскошными эпитетами, Модильяни не замечал вовсе.

Рисовал он меня не с натуры, а у себя дома, — эти рисунки дарил мне. Их было шестнадцать. Он просил, чтобы я их окантовала и повесила в моей царскосельской комнате. Они погибли в царскосельском доме в первые годы революции. Уцелел тот, в котором меньше, чем в остальных, предчувствуются его будущие «ню» . . .

Больше всего мы говорили с ним о стихах. Мы оба знали очень много французских стихов: Верлена, Лафорга, Малларме, Бодлера.

Потом я встретила художника — Александра Тышлера, который так же, как Модильяни, любил и понимал стихи. Это такая редкость среди художников!

Данте он мне никогда не читал. Быть может потому, что я тогда не знала еще итальянского языка.

Как-то раз сказал: «J'ai oublié de vous dire que je suis juif». Что он родом из под Ливорно — сказал сразу, и что ему двадцать четыре года, а было ему — двадцать шесть.

Говорил, что его интересовали авиаторы (по-теперешнему — летчики), но когда он с кем-то из них познакомился, то разочаровался: они оказались просто спортсменами (чего он ждал?).

В это время ранние легкие *) и, как всякому известно, похожие на этажерки, аэропланы кружились над моей

---

*) См. Гумилев: На т я ж е лых и гулких машинах
Грозовые пронзать облака.

162

ржавой и кривоватой современницей (1889) Эйфелевой башней.

Она казалась мне похожей на гигантский подсвечник, забытый великаном среди столицы карликов. Но это уже нечто гулливеровское.

✻ ✻ ✻

... а вокруг бушевал недавно победивший кубизм, оставшийся чуждым Модильяни.

Марк Шагал уже привез в Париж свой волшебный Витебск, а по парижским бульварам разгуливало в качестве неизвестного молодого человека еще не взошедшее светило — Чарли Чаплин («Великий Немой», как тогда называли кино, еще красноречиво безмолствовал).

✻ ✻ ✻

«А далеко на севере» ... в России умерли Лев Толстой, Врубель, Вера Комиссаржевская, символисты объявили себя в состоянии кризиса, и Александр Блок пророчествовал:

> О, если б знали, дети, вы
> Холод и мрак грядущих дней ...
> · · · · · · · · · · · · · ·

Три кита, на которых ныне покоится XX в. — Пруст, Джойс и Кафка—еще не существовали как мифы, хотя и были живы как люди.

✻ ✻ ✻

В следующие годы, когда я, уверенная, что такой человек должен просиять, спрашивала о Модильяни у приезжающих из Парижа, ответ был всегда одним и тем же: не знаем, не слыхали.*)

---

*) Его не знали ни А. Экстер (художница, из школы которой вышли все «левые» художники Киева), ни Б. Анреп (известный мозаичист), ни Н. Альтман, который в эти годы — 1914-1915 — писал мой портрет.

Только раз Н. С. Гумилев, когда мы в последний раз вместе ехали к сыну в Бежецк (в мае 1918 г.) и я упомянула имя Модильяни, назвал его «пьяным чудовищем» или чем-то в этом роде и сказал, что в Париже у них было столкновение из-за того, что Гумилев в какой-то компании говорил по-русски, а Модильяни протестовал. А жить им обоим оставалось примерно по три года...

К путешественникам Модильяни относился пренебрежительно. Он считал, что путешествия это — подмена истинного действия. «Les chants de Maldoror» постоянно носил в кармане; тогда эта книга была библиографической редкостью. Рассказывал, как пошел в русскую церковь к Пасхальной Заутрене, чтобы видеть крестный ход, так как любил пышные церемонии. И как некий «вероятно очень важный господин» (надо думать из посольства) похристосовался с ним. Модильяни, кажется, толком не разобрал, что это значит...

Мне долго казалось, что я никогда больше о нем ничего не услышу... А я услышала о нем очень много...

***

В начале НЭП'а, когда я была членом правления тогдашнего Союза Писателей, мы обычно заседали в кабинете Александра Николаевича Тихонова (Ленинград, Моховая 36, издательство «Всемирная Литература»). Тогда снова наладились почтовые сношения с заграницей, и Тихонов получал много иностранных книг и журналов. Кто-то (во время заседания) передал мне номер французского художественного журнала. Я открыла — фотография Модильяни... Крестик... Большая статья типа некролога; из нее я узнала, что он — великий художник XX века (помнится, там его сравнивали с Боттичелли), что о нем уже есть монографии по-английски и по-итальянски. Потом, в тридцатых годах, мне много рассказывал о нем Эренбург, который посвятил ему стихи в книге «Стихи о канунах» и знал его в Париже позже, чем я. Читала я о Модильяни и у Карко, в книге «От Монмартра до Латинского квартала», и в бульварном романе, где автор соединил его с Утрилло. С уверенностью могу сказать, что этот гибрид на Модильяни десятого-одиннадцатого годов совершенно не похож, а то, что сделал автор, относится к разряду запрещенных приемов.

Но и совсем недавно Модильяни стал героем достаточно пошлого французского фильма «Монпарнас 19». Это очень горько!

Болшево 1958 —
Москва 1964.

МАНДЕЛЬШТАМ

(Листки из дневника)

...И смерть Лозинского каким-то образом оборвала нить моих воспоминаний. Я больше не смею вспоминать что-то, что он уже не может потвердить (о Цехе Поэтов, акмеизме, журнале «Гиперборей» и т .д.). Последние годы, из-за его болезни, мы очень редко встречались, и я не успела договорить с ним чего-то очень важного и прочесть ему мои стихи 30-х годов (т.е. «Реквием»). От этого он в какой-то мере продолжал считать меня такой, какой он знал меня когда-то в Царском. Это я выяснила, когда в 1940 году мы смотрели вместе корректуру сборника «Из шести книг»...

Что-то в этом роде было и с Мандельштамом (который, конечно, все мои стихи знал), но по другому. Он вспоминать не умел, вернее, это был у него какой-то иной процесс, названия которому сейчас не подберу, но который несомненно близок к творчеству (пример — Петербург в «Шуме времени», увиденный сияющими глазами пятилетнего ребенка).

Мандельштам был одним из самых блестящих собеседников: он слушал не самого себя и отвечал не самому себе, как сейчас делают почти все. В беседе был учтив, находчив и бесконечно разнообразен. Я никогда не слышала, чтобы он повторялся или пускал заигранные пластинки. С необычайной легкостью Осип Эмильевич выучивал языки. «Божественную комедию» читал наизусть страницами по-итальянски. Незадолго до смерти просил Надю выучить его английскому языку, которого совсем не знал. О стихах говорил ослепительно, пристрастно и иногда бывал чудовищно несправедлив, например к Блоку. О Пастернаке говорил: «Я так много думал о нем, что даже устал» и «Я уверен, что он не прочел ни одной моей строчки».*)

---

*) Будущее показало, что он был прав. Смотреть «Автобиографию».

166

Его огорчением были читатели. Ему постоянно казалось, что его любят не те, кто надо. Он хорошо знал и помнил чужие стихи, часто влюблялся в отдельные строчки, легко запоминал прочитанное ему. Любил говорить про что-то, что называл своим «истуканством». Иногда, желая меня потешить, рассказывал какие-то милые пустяки. Смешили мы друг друга так, что падали на поющий всеми пружинами диван на «Тучке», и хохотали так до обморочного состояния, как кодатерские девушки в «Улиссе» Джойса.

Я познакомилась с Осипом Мандельштамом на башне Вячеслава Иванова весной 1911 года. Тогда он был худощавым мальчиком, с ландышем в петлице, с высоко закинутой головой, с ресницами в полщеки. Второй раз я видела его у Толстых на Старо-Невском, он не узнал меня, и Алексей Николаевич стал его расспрашивать, какая жена у Гумилева, и он показал руками, какая на мне была большая шляпа. Я испугалась, что произойдет что-то непоправимое, и назвала себя.

Это был мой первый «Мандельштам», автор зеленого «Камня» (изд. «Акмэ»), подаренного мне с такой надписью: «Анне Ахматовой вспышки сознания в беспамятстве дней. Почтительно — автор».

Со свойственной ему прелестной самоиронией, Осип любил рассказывать, как старый еврей, хозяин типографии, где печатался «Камень», поздравляя его с выходом книги, пожал ему руку и сказал: «Молодой человек, вы будете писать все лучше и лучше».

Я вижу его как бы сквозь редкий дым-туман Васильевского Острова и в ресторане бывшего Кинши (угол Второй Линии и Большого Проспекта; теперь там парикмахерская), где когда-то, по легенде, Ломоносов пропил казенные часы и куда мы (Гумилев и я) иногда ходили завтракать с «Тучки». Никаких собраний на «Тучке» не бывало и быть не могло. Это была просто студенческая комната, где и сидеть-то было не на чем. Описание five o'clock на «Тучке» (Георгий Иванов — Поэты) выдумано от первого до последнего слова. Иванов не переступил порога «Тучки». Этот Мандельштам был щедрым сотрудником, если не соавтором «Антологии Античной Глупости», которую члены Цеха Поэтов сочиняли (почти все, кроме меня) за ужином.

Лесбия, где ты была...
Сын Леонида был скуп...

Странник, откуда идешь? Я был в гостях у Шилейки.
Дивно живет человек, за обедом кушает гуся,
Кнопки коснется рукой, сам зажигается свет.
Если такие живут на Четвертой Рождественской люди,
Странник, ответствуй, молю, кто же живет на Восьмой?

Помнится, это работа Осипа. Зенкевич того же мнения.

Эпиграмма на Осипа:

Пепел на левом плече и молчи —
Ужас друзей — Златозуб.

Это, может быть, даже Гумилев сочинил. Куря, Осип всегда стряхивал пепел как бы за плечо, однако, на плече обычно наростала горка пепла.

Вот стихи о пятницах (кажется, В. В. Гиппиуса):

По пятницам в Гиперборее,
Расцвет литературных роз...
Выходит Михаил Лозинский, покуривая и шутя,
Рукой лаская исполинской свое журнальное дитя.

У Николая Гумилева высоко задрана нога,
Для романтического сева разбрасывая жемчуга.
Пусть в Царском громко плачет Лева,
У Николая Гумилева высоко задрана нога.

Печальным взором и манящим
Глядит Ахматова на всех,
Был выхухолем настоящим
Ее благоуханный мех.
Глядит в глаза гостей молчащих...
Мандельштам, Иосиф, в акмеистическое ландо...
Сев...

Недавно найдены письма Осипа Эмильевича к Вячеславу Иванову (1909). Эти письма участника Проакадемии (по Башне). Это Мандельштам — символист. Следов того, что Вячеслав Иванов ему отвечал, пока нет. Их писал мальчик 18 лет, но можно поклясться, что автору этих писем 40 лет. Там же множество стихов. Они хороши, но в них нет того, что мы называем Мандельштамом.

Воспоминания сестры Аделаиды Герцык утверждают, что Вячеслав Иванов не признавал нас всех. В 1911 году никакого пиетета к Вячеславу Иванову в Мандельштаме не было.

В десятые годы мы, естественно, всюду встречались: в редакциях, у знакомых, на пятницах в Гиперборее, т. е. у Лозинского, в «Бродячей Собаке», где он, между прочим, представил мне Маяковского. Как-то раз в Собаке, когда все ужинали и гремели посудой, Маяковский вздумал читать стихи. Осип Эмильевич подошел к нему и сказал: «Маяковский, перестаньте читать стихи. Вы не румынский оркестр». Это было при мне. Остроумный Маяковский не нашелся, что ответить, о чем потешно рассказывал Харджиеву. В «Академии Стиха» (Общество Ревнителей Художественного Слова, где царил Вячеслав Иванов) и на враждебных этой Академии собраниях Цеха Поэтов, где Мандельштам очень скоро стал первой скрипкой. Тогда же он написал таинственное (и не очень удачное) стихотворение про «Черного ангела на снегу». Надя утверждает, что оно относится ко мне. С этим черным ангелом дело обстоит, мне думается, довольно сложно. Стихотворение для тогдашнего Мандельштама слабое и невнятное. Оно, кажется, никогда не было напечатано. Повидимому, это результат бесед с В. К. Шилейко, который тогда нечто подобное говорил обо мне. Но Осип тогда еще «не умел (его выражение) писать стихи „женщине и о женщине"». «Черный ангел», вероятно, первая проба, и этим объясняется его близость к моим строчкам:

> Черных ангелов крылья остры,
> Скоро будет последний суд,
> И малиновые костры
> Словно розы в снегу растут.   (Четки)

Мне эти стихи Мандельштам никогда не читал. Известно, что беседы с Шилейко вдохновили его на стихотворение «Египтянин».

Гумилев рано и хорошо оценил Мандельштама. Они познакомились в Париже. См. конец стихотворения Осипа о Гумилеве. Там говорилось, что Николай Степанович был напудрен и в цилиндре:

> Но в Петербурге акмеист мне ближе,
> Чем романтический Пьеро в Париже.

Символисты никогда его не приняли.

Приезжал Осип Эмильевич в Царское. Когда он влюблялся, что происходило довольно часто, я несколько раз была его конфиденткой. Первой на моей памяти была Анна Михайловна Зельманова-Чудовская, красавица художница. Она написала его на синем фоне с закинутой головой (1914? — на Алексеевской улице). Анне Михайловне он стихов не писал, на что сам горько жаловался — еще не умел писать любовные стихи. Второй была Цветаева, к которой обращены крымские и московские стихи, третьей Саломея Андроникова (Андреева, теперь Гальперн, которую Мандельштам обессмертил в книге «Тристия» — «Когда Соломинка...»). Я помню эту великолепную спальню Саломеи на Васильевском Острове.

В Варшаву Осип Эмильевич действительно ездил и его там поразило гетто (это помнит и М. А. З.), но о попытке самоубийства его, о которой сообщает Георгий Иванов, даже Надя не слыхивала, как и о дочке Липочке, которую она якобы родила. В начале революции (1920), в то время, когда я жила в полном уединении и даже с ним не встречалась, он был одно время влюблен в актрису Александринского театра Ольгу Арбенину, ставшую женой Ю. Юркуна, и писал ей стихи («За то, что я руки твои», и т.д.). Рукописи якобы пропали во время блокады, однако я недавно видела их у X. Всех этих дореволюционных дам (боюсь, что между прочим и меня) он через много лет назвал «нежными европеянками»:

И от красавиц тогдашних,
От тех европеянок нежных,
Сколько я принял смущенья,
Надсады и горя.

Замечательные стихи обращены к Ольге Ваксель и к ее тени «в холодной стокгольмской могиле»... Там был стих: Что знает женщина одна о смертном часе... (Сравнить мое: Не смертного ль часа жду). Ей же: — Хочешь, валенки сниму.

В 1933-34 г.г. Осип Эмильевич был бурно, коротко и безответно влюблен в Марью Сергеевну Петровых. Ей посвящено, вернее к ней обращено стихотворение «Турчанка» (заглавие мое), любовное, на мой взгляд лучшее любовное стихотворение 20 века («Мастерица виноватых взоров»). Марья Сергеевна говорит, что было еще одно совершенно волшебное стихотвовение о белом цвете. Рукопись, повидимому, пропала. Несколько строк Марья Сергеевна знает на память.

Надеюсь, можно не напоминать, что этот донжуанский список не означает перечня женщин, с которыми Мандельштам был близок.

Дама, которая через «плечо поглядела» — это, так называемая Бяка (Вера Артуровна), тогда подруга жизни С. Ю. Судейкина, а ныне супруга Игоря Стравинского.

В Воронеже Осип дружил с Наташей Штампель. Легенда о его увлечении Анной Радловой ни на чем не основана.

«Архистратиг вошел в иконостас,
В ночной тиши запахло валерьяном.

Архистратиг мне задает вопросы,
К чему тебе косы
И плеч твоих сияющий атлас...»

Осип сочинил из веселого зловредства, а не par dépit и с притворным ужасом где-то шепнул мне: «Архистратиг дошел» , т. е. Радловой кто-то сообщил об этом стихотворении.

Десятые годы — время очень важное в творческом пути Мандельштама, и об этом еще будут много думать и писать. (Виллон, Чаадаев, католичество). О его контакте с группой «Гилея» смотреть воспоминания Зенкевича.

Мандельштам довольно усердно посещал собрания Цеха, но в зиму 1913-14 (после разгрома акмеизма) мы стали тяготиться Цехом и даже дали Городецкому составленное Осипом и мною прошение о закрытии Цеха. Сергей Городецкий наложил резолюцию: «Всех повесить, а Ахматову заточить». Было это в редакции «Северных Записок».

Как воспоминание о пребывании Осипа в Петербурге в 1920 г., кроме изумительных стихов [к] О. Арбениной, остались еще живые, выцветшие, как наполеоновские знамена, афиши того времени — о вечерах поэзии, где имя Мандельштама стоит рядом с Гумилевым и Блоком. Все старые петербургские вывески были еще на своих местах, но за ними, кроме пыли, мрака и зияющей пустоты, ничего не было. Сыпняк, голод, расстрелы, темнота в квартирах, сырые дрова, опухшие до неузнаваемости люди.В Гостином Дворе можно было собрать большой букет полевых цветов. Догнивали знаменитые петербургские торцы. Из подвальных окон «Крафта» еще пахло шоколадом. Все кладбища были разгромлены. Город не просто изменился, а решительно превратился в свою противоположность. Но стихи любили (главным образом молодежь), почти так же как сейчас (т. е. в 1964 году).

В Царском, тогда «Детское имени товарища Урицкого», почти у всех были козы; их почему-то звали Тамарами.

Набросок с натуры

Что же касается стихотворения «В пол-оборота», история его такова: в январе 1914 г. Пронин устроил большой вечер «Бродячей Собаки», не в подвале у себя, а в каком-то большом зале на Конюшенной. Обычные посетители терялись там среди множества «чужих» (т. е. чуждых всякому искусству) людей. Было жарко, людно, шумно и довольно бестолково. Нам это наконец надоело, и мы (человек 20-30) пошли в «Собаку» на Михайловской площади. Там было темно и прохладно. Я стояла на эстраде и с кем-то разговаривала. Несколько человек из залы стали просить меня почитать стихи. Не меняя позы, я что-то прочла. Подошел Осип: «Как вы стояли, как вы читали», и еще что-то про шаль (см. Осип Мандельштам в воспоминаниях В. С. Срезневской). Таким же наброском с натуры было четверостишие «Черты лица искажены». Я была с Мандельштамом на Царскосельском вокзале (10-ые годы). Он смотрел, как я говорю по телефону, через стекло кабины. Когда я вышла, он прочел мне эти четыре строки.

О Цехе Поэтов

Собрания Цеха Поэтов с ноября 1911 по апрель 1912 (т. е. наш отъезд в Италию): приблизительно 15 собраний (по три в месяц). С октября 1912 по апрель 1913 — приблизительно десять собраний, по два в месяц. Не плохая пожива для «Трудов и Дней», которыми, кстати сказать, кажется, никто не занимается. Повестки рассылала я (секретарь); Лозинский сделал для меня список адресов членов Цеха. Этот список я давала японцу Наруми в 30 годах. На каждой повестке было изображение лиры. Она же на обложке моего «Вечера», «Дикой Порфиры» Зенкевича и «Скифских Черепков» Елены Юрьевны Кузьминой-Караваевой.

Цех Поэтов 1911-1914 г.г.

Гумилев, Городецкий — синдики; Дмитрий Кузьмин-Караваев — стряпчий; Анна Ахматова — секретарь; Осип Мандельштам, Владимир Нарбут, М. Зенкевич, Н. Бруни, Георгий Иванов, Георгий Адамович, В. В.

Гиппиус, М. Моравская, Елена Кузьмина-Караваева, Чернявский, М. Лозинский. Первое собрание у Городецких на Фонтанке; был Блок, французы...! второе у Лизы на Манежной площади, потом у нас в Царском (Малая 63), у Лозинского на Васильевском Острове, у Бруни в Академии Художеств. Акмеизм был решен у нас в Царском Селе (Малая 63).

Революцию Мандельштам встретил вполне сложившимся и уже, хотя и в узком кругу, известным поэтом.

Мандельштам одним из первых стал писать стихи на гражданские темы. Революция была для него огромным событием, и слово народ не случайно фигурирует в его стихах.

Особенно часто я встречалась с Мандельштамом в 1917-18 г.г., когда жила на Выборгской у Срезневских (Боткинская 9) — не в сумасшедшем доме, а в квартире старшего врача Вячеслава Срезневского, мужа моей подруги Валерии Сергеевны.

Мандельштам часто заходил за мной, и мы ездили на извозчике по невероятным ухабам революционной зимы, среди знаменитых костров, которые горели чуть ли не до мая, слушая неизвестно откуда несущуюся ружейную трескотню. Так мы ездили на выступления в Академию Художеств, где происходили вечера в пользу раненых и где мы оба несколько раз выступали. Был со мной Осип Эмильевич и на концерте Бутомо-Названовой в консерватории, где она пела Шуберта (см. «Нам пели Шуберта»...). К этому времени относятся все обращенные ко мне стихи... «Я не искал в цветущие мгновенья» (декабрь 1917 г.). «Твое чудесное произношенье». Кроме того, ко мне в разное время обращены четыре четверостишия:

1. «Вы хотите быть игрушечной» (1911 г.),
2. «Черты лица искажены» (10-ые годы),
3. «Привыкают к пчеловоду пчелы» (30-ые годы),
4. «Знакомства нашего на склоне» (30-ые годы).

и это, отчасти сбывшееся предсказание:

Когда-нибудь в столице шалой,
На диком празднике у берега Невы,
Под звуки омерзительного бала
Сорвут платок с прекрасной головы...

После некоторых колебаний, решаюсь вспомнить в этих записках, что мне пришлось объяснить Осипу, что нам не следует так часто встречаться, что может дать людям материал для превратного толкования характера наших отношений. После этого, примерно, в марте, Мандельштам исчез. Тогда все исчезали и появлялись, и никто этому не удивлялся.

В Москве Мандельштам становится постоянным сотрудником «Знамени Труда». Таинственное стихотворение «Телефон», возможно, относится к этому времени.

ТЕЛЕФОН

На этом диком страшном свете
Ты, друг полночный похорон,
В высоком строгом кабинете
Самоубийцы — телефон!

Асфальта черные озера
Изрыты яростью копыт,
И скоро будет солнце: скоро
Безумный петел прокричит.

А там дубовая Валгала
И старый пиршественный сон;
Судьба велела, ночь решала,
Когда проснулся телефон.

Весь воздух выпили тяжелые портьеры,
На театральной площади темно.
Звонок — и закружились сферы:
Самоубийство решено.

Куда бежать от жизни гулкой,
От этой каменной уйти?
Молчи, проклятая шкатулка!
На дне морском цветет: прости!

И только голос, голос — птица
Летит на пиршественный сон.
Ты — избавленье и зарница
Самоубийства — телефон!

Снова и совершенно мельком я видела Мандельштама в Москве 1918 г. В 1920 году он раз или два приходил ко мне на Сергиевскую (в Петербурге), когда я работала в библиотеке Агрономического Института и там жила. Тогда я узнала, что в Крыму он был арестован белыми, в Тифлисе — меньшевиками.

Летом 1924 года Осип Мандельштам привел ко мне (Фонтанка 2) свою молодую жену. Надюша была то, что французы называют laide, mais charmante. С этого дня началась моя дружба с Надюшей, и продолжается она и по сей день.

Осип любил Надю невероятно, неправдоподобно. Когда ей резали аппендикс в Киеве, он не выходил из больницы и все время жил в каморке у больничного швейцара. Он не отпускал Надю от себя ни на шаг, не позволял ей работать, бешено ревновал, просил ее советов о каждом слове в стихах. Вообще я ничего подобного в своей жизни не видела. Сохранившиеся письма Мандельштама к жене полностью подтверждают это мое впечатление.

В 1925 году я жила с Мандельштамами в одном коридоре в пансионе Зайцева в Царском Селе. И Надя и я были тяжело больны, лежали, мерили температуру, которая была неизменно повышенной и, кажется, так и не гуляли ни разу в парке, который был рядом. Осип Эмильевич каждый день уезжал в Ленинград, пытаясь наладить работу, получить за что-то деньги. Там он прочел мне совершенно по секрету стихи к О. Ваксель, которые я запомнила и также по секрету записала («Хочешь, валенки сниму»). Там он диктовал мне свои воспоминания о Гумилеве.

Одну зиму Мандельштамы (из-за Надиного здоровья) жили в Царском Селе, в Лицее. Я была у них несколько раз — приезжала кататься на лыжах. Жить они хотели в полу-циркуле Большого Дворца, но там дымили

С фотографии 1926 г.
(Фонтанный дом)

печки и текли крыши. Таким образом возник Лицей. Жить там Осипу не нравилось. Он люто ненавидел так называемых царскосельских сюсюк, Голлербаха и Рождественского, и спекуляцию на имени Пушкина.

К Пушкину у Мандельштама было какое-то небывалое, почти грозное отношение — в нем мне чудится какой-то венец сверх-человеческого целомудрия. Всякий пушкинизм был ему противен. О том, что «Вчерашнее солнце на черных носилках несут» — Пушкин, ни я, ни даже Надя не знали, и это выяснилось только теперь из черновиков (50-е годы). Мою «Последнюю сказку» — статью о «Золотом Петушке» — он сам взял у меня на столе, прочел и сказал: «Прямо — шахматная партия».

«Сияло солнце Александра,
Сто лет тому назад сияло всем» (декабрь 1917 г.) —
конечно, тоже Пушкин.

Была я у Мандельштамов и летом в Китайской Деревне, где они жили с Лившицами. В комнатах абсолютно не было никакой мебели, и зияли дыры прогнивших полов. Для Осипа Эмильевича нисколько не было интересно, что там когда-то жили и Жуковский и Карамзин. Уверена, он нарочно, приглашая меня вместе с ними идти покупать папиросы или сахар, говорил: «Пойдем в европейскую часть города», будто это Бахчисарай или что-то столь же экзотическое. То же подчеркнутое невнимание в строке — «Там улыбаются уланы». В Царском сроду улан не было, а были гусары, желтые кирасиры и конвой.

В 1928 году Мандельштамы были в Крыму. Вот письмо Осипа от 25 августа — день смерти Николая Степановича:

Дорогая Анна Андреевна,
Пишем Вам с П. Н. Лукницким из Ялты, где все трое ведем суровую трудовую жизнь.
Хочется домой, хочется видеть Вас. Знайте, что я обладаю способностью вести воображаемую беседу толь-

ко с двумя людьми: с Николаем Степановичем и с Вами. Беседа с Колей не прервалась и никогда не прервется. В Петербург мы вернемся ненадолго в октябре. Зимовать там Наде не велено. Мы уговорили П. Н. остаться в Ялте из эгоистических соображений. Напишите нам.

Ваш О. Мандельштам.

Юг и море были ему почти так же необходимы, как Надя.

> «На вершок бы мне синего моря,
> На игольное только ушко».

Попытки устроиться в Ленинграде были неудачными. Надя не любила все, связанное с этим городом, и тянулась в Москву, где жил ее любимый брат Евгений Яковлевич Хазин. Осипу казалось, что его кто-то знает, кто-то ценит в Москве, а было как раз наоборот. В его биографии поражает одна частность: в то время (1933 г.) Осипа Эмильевича встречали в Ленинграде, как великого поэта, persona grata, и т. п., к нему в Европейскую гостиницу на поклон пошел весь литературный Ленинград (Тынянов, Эйхенбаум, Гуковский — Григорий Александрович Гуковский был у Мандельштамов в Москве), и его приезд и вечера были событием, о котором вспоминали много лет и вспоминают еще и сейчас (1962 год); из ленинградских литературоведов всегда хранили верность Мандельштаму — Лидия Яковлевна Гинзбург и Борис Яковлевич Бухштаб — великие знатоки поэзии Мандельштама. Следует в этой связи не забывать и Цезаря Вольпе...

Из писателей-современников Мандельштам высоко ценил Бабеля и Зощенко, который знал это и очень этим гордился. Больше всего Мандельштам почему-то ненавидел Леонова. Кто-то сказал, что Н. Ч-й написал роман. Осип отнесся к этому недоверчиво. Он сказал, что для романа нужна по крайней мере каторга Достоевского или десятины Льва Толстого.

В Москве Мандельштама никто не хотел знать, и, кроме двух-трех молодых ученых-естественников,

Осип Эмильевич ни с кем не дружил. (Знакомство с Белым было коктебельского происхождения). Пастернак как-то мялся, уклонялся, любил только грузин и их «красавиц жен». Союзное начальство вело себя подозрительно и сдержанно.

Осенью 1933 года Мандельштам наконец получил (воспетую им)квартиру (две комнаты, пятый этаж, без лифта; газовой плиты и ванны еще не было) в Нащокинском переулке («Квартира бела, как бумага»), и бродячая жизнь как будто бы кончилась. У Осипа завелись книги, главным образом, старинные издания итальянских поэтов (Данте, Петрарка). На самом деле ничего не кончилось: все время надо было куда-то звонить, чего-то ждать, на что-то надеяться. И никогда из всего этого ничего не выходило. Осип Эмильевич был врагом стихотворных переводов. Он при мне на Нащокинском говорил Пастернаку: — «Ваше полное собрание сочинений будет состоять из двенадцати томов переводов и одного тома ваших собственных стихотворений». Мандельштам знал, что в переводах утекает творческая энергия, и заставить его переводить было почти невозможно. Кругом завелось много людей, часто довольно мутных и почти всегда ненужных. Несмотря на то, что время было сравнительно вегетарианское, тень неблагополучия и обреченности лежала на этом доме. Мы шли по Пречистенке (февраль 1934г.), о чем говорили — не помню. Свернули на Гоголевский бульвар, и Осип сказал: «Я к смерти готов». Вот уже 28 лет я вспоминаю эту минуту, когда проезжаю мимо этого места.

Я довольно долго не видела Осипа и Надю. В 1933 году Мандельштамы приехали в Ленинград, по чьему-то приглашению. Они остановились в Европейской гостинице. У Осипа было два вечера. Он только что выучил итальянский язык и бредил Дантом, читая наизусть страницами. Мы стали говорить о «Чистилище». Я прочла кусок из XXX песни (явление Беатриче):

Sopra candido vel cinta d'uliva
Donna m'apparve sotto verde manto
Vestita di colordi fiamme viva.

E lo spirito mio che già cotando
Tempo era floto che alla sua prefenza
Non era di stupor, tramando affracto... *)

Осип заплакал. Я испугалась — «Что такое?» — «Нет, ничего, только эти слова и вашим голосом». Не моя очередь вспоминать об этом. Если Надя хочет, пусть вспоминает.

Осип читал мне на память отрывки стихотворения Н. Клюева «Хулители Искусства» — причину гибели несчастного Николая Алексеевича. Я своими глазами видела у Варвары Клычковой заявление Клюева (из лагеря о помиловании): «Я, осужденный за мое стихотворение „Хулители Искусства” и за безумные строки моих черновиков». Оттуда я взяла два стиха как эпиграф — «Решка», а когда я что-то неодобрительно говорила о Есенине — Осип возражал, что можно простить Есенину что угодно за строчку: «Не расстреливал несчастных по темницам».

Жить в общем было не на что: какие-то полупереводы, полурецензии, полуобещания. Несмотря на запрещение цензуры, Осип напечатал в «Звезде» конец «Путешествия в Армению» (подражание древнему армянскому). Пенсии едва хватало, чтобы заплатить за квартиру и выкупить паек. К этому времени Мандельштам внешне очень изменился: отяжелел, поседел, стал плохо дышать — производил впечатление старика (ему было 42 года), но глаза по-прежнему сверкали. Стихи стано-

---

*) В венке олив, под белым покрывалом,
Предстала женщина, облачена
В зеленый плащ и в платье огнеалом.

И дух мой — хоть умчались времена,
Когда его ввергала в содроганье
Одним своим присутствием она...

(Перевод М. Лозинского).

вились все лучше, проза тоже. Эта проза, такая неуслышанная, забытая, только сейчас начинает доходить до читателя, но зато я постоянно слышу, главным образом от молодежи, которая от нее с ума сходит, что во всем 20 веке не было такой прозы. Это так называемая «Четвертая проза».

Я очень запомнила один из наших тогдашних разговоров о поэзии. Осип Эмильевич, который очень болезненно переносил то, что сейчас называют культом личности, сказал мне: «Стихи сейчас должны быть гражданскими», и прочел «Под собой мы не чуем». Примерно тогда же возникла его теория «знакомства слов». Много позже он утверждал, что стихи пишутся только как результат сильных потрясений, как радостных, так и трагических. О своих стихах, где он хвалит Сталина: «Мне хочется сказать не Сталин — Джугашвили» (1935 ?), он сказал мне: «Я теперь понимаю, что это была болезнь». Когда я прочла Осипу мое стихотворение «Уводили тебя на рассвете» (1935), он сказал: «Благодарю вас». Стихи эти в «Реквиеме» и относятся к аресту Н. Н. П. в 1935 году. На свой счет Мандельштам принял (справедливо) и последний стих в стихотворении «Немного географии» («Не столицею европейской»):

> Он, воспетый первым поэтом,
> Нами грешными и тобой.

13-го мая 1934 года его арестовали. В этот самый день я после града телеграмм и телефонных звонков приехала к Мандельштамам из Ленинграда, где незадолго до этого произошло его столкновение с Толстым. Мы все были тогда такими бедными, что для того, чтобы купить билет обратно, я взяла с собой мой орденский знак Обезьяньей Палаты, последний данный Ремизовым в России (мне принесли его уже после бегства Ремизова) (1921), и статуэтку (работы Данько, мой портрет, 1924), для продажи. Их купила С. Толстая для Музея Союза Писателей.

Ордер на арест был подписан самим Ягодой. Обыск продолжался всю ночь. Искали стихи, ходили по выброшенным из сундучка рукописям. Мы все сидели в одной комнате. Было очень тихо. За стеной, у Кирсанова, играла гавайская гитара. Следователь при мне нашел «Волка» и показал Осипу Эмильевичу. Он молча кивнул. Прощаясь, поцеловал меня. Его увели в 7 утра. Было совсем светло. Надя пошла к брату и к Чулковым на Смоленский бульвар — мы условились где-то встретиться. Вернувшись домой вместе, убрали квартиру, сели завтракать. Опять стук, опять они, опять обыск. Евгений Яковлевич Хазин сказал: «Если они придут еще раз, то уведут вас с собой». Пастернак, у которого я была в тот же день, пошел просить за Мандельштама в «Известия», к Бухарину, я в Кремль к Енукидзе. Тогда проникнуть в Кремль было почти чудом. Это устроил актер Русланов, через секретаря Енукидзе. Енукидзе был довольно вежлив, но сразу спросил: «А, может быть, какие-нибудь стихи?» Этим мы ускорили и, вероятно, смягчили развязку. Приговор — три года в Чердыни, где Осип выбросился из окна больницы, потому что ему казалось, что за ним пришли (см. Стансы), и сломал себе руку. Надя послала телеграмму в ЦК. Сталин велел пересмотреть дело и позволил выбрать другое место, потом звонил Пастернаку. Все связанное с этим звонком требует особого рассмотрения. Об этом пишут обе вдовы, и Надя и Зина, и существует бесконечный фольклор. Какая-то Триолешка даже осмелилась написать (конечно, в пастернаковские дни), что Борис погубил Осипа. Мы с Надей считаем ,что Пастернак вел себя на крепкую четверку. Остальное слишком известно. Вместе с Пастернаком я была и у Усиевича, где мы застали и союзное начальство и много тогдашней марксистской молодежи. Была я у Пильняка, где видала Балтрушайтиса, Шпетта и С. Прокофьева. Навестить Надю из мужчин пришел один Перец Маркиш.

А в это время бывший синдик Цеха Поэтов, бывший Сергей Городецкий, выступая где-то, произнес следующую бессмертную фразу: «Это строчки той Ахматовой, которая ушла в контрреволюцию», так что даже в Литературной Газете, которая напечатала отчет об этом собрании, подлинные слова оратора были смягчены. (См. «Литературную Газету» 1934 года, май).

Бухарин в конце своего письма к Сталину написал: «И Пастернак тоже волнуется». Сталин сообщил, что отдано распоряжение, что с Мандельштамом будет все в порядке. Он спросил Пастернака, почему тот не хлопотал. «Если бы мой друг поэт попал в беду, я бы лез на стену, чтобы его спасти». Пастернак ответил, что если бы он не хлопотал, то Сталин бы не узнал об этом деле. «Почему вы не обратились ко мне или в писательские организации?» — «Писательские организации не занимаются этим с 1927 года». — «Но ведь он ваш друг?» Пастернак замялся, и Сталин после недолгой паузы продолжил вопрос: «Но ведь он же мастер, мастер?» Пастернак ответил: «Это не имеет значения». Борис Леонидович думал, что Сталин его проверяет, знает ли он про стих, и этим он объяснил свои шаткие ответы. «Почему мы всё говорим о Мандельштаме и Мандельштаме, я так давно хотел с вами поговорить». — «О чем?» — «О жизни и смерти». Сталин повесил трубку.

Еще более поразительными сведениями о Мандельштаме обладает в книге о Пастернаке X: там чудовищно описана внешность и история с телефонным звонком Сталина. Все это припахивает информацией Зинаиды Николаевны Пастернак, которая люто ненавидела Мандельштамов и считала, что они компрометируют ее «лояльного мужа». Надя никогда не ходила к Борису Леонидовичу и ни о чем его не молила, как пишет Роберт Пейн. Эти сведения идут от Зины, которой принадлежит знаменитая бессмертная фраза: «Мои мальчики (сыновья) больше всего любят Сталина — потом маму».

Женщин приходило много. Мне запомнилось, что они были красивые и очень нарядные, в свежих платьях: еще не тронутая бедствиями Сима Нарбут; красавица пленная турчанка (как мы ее прозвали), жена Зенкевича; ясноокая, стройная и необыкновенно спокойная Нина Ольшевская. А мы с Надей сидели в мятых вязаных кофтах, желтые и одеревеневшие. С нами была Эмма Герштейн и брат Нади.

Через 15 дней рано утром Наде позвонили и предложили, если она хочет ехать с мужем, быть на Казанском вокзале. Все было кончено. Нина Ольшевская и я пошли собирать деньги на отъезд. Давали много. Елена Сергеевна Булгакова заплакала и сунула мне в руку все содержимое своей сумочки. На вокзал мы поехали с Надей вдвоем. Заехали на Лубянку за документами. День был ясный и светлый. Из каждого окна на нас глядели тараканьи усища «виновника торжества». Осипа очень долго не везли. Он был в таком состоянии, что даже они не могли посадить его в тюремную карету. Мой поезд с Ленинградского вокзала уходил, и я не дождалась. Братья, т.е. Евгений Яковлевич Хазин и Александр Эмильевич Мандельштам, проводили меня, вернулись на Казанский вокзал и только тогда привезли Осипа, с которым уже не было разрешено общаться. Очень плохо, что я его не дождалась и он меня не видел, потому что от этого ему в Чердыни стало казаться, что я непременно погибла. Ехали они под конвоем читавших Пушкина «славных ребят из железных ворот ГПУ».

В это время шла подготовка к первому съезду писателей (1934 г.), и мне тоже прислали анкету для заполнения. Арест Осипа произвел на меня такое впечатление, что у меня рука не поднялась, чтобы заполнить анкету. На этом съезде Бухарин объявил первым поэтом Пастернака (к ужасу Демьяна Бедного), обругал меня и, вероятно, не сказал ни слова об Осипе.

В феврале 1936 года я была у Мандельштамов в Воронеже и узнала все подробности его «дела». Он рассказал мне, как в припадке умоисступления бегал по Чердыни и разыскивал мой расстрелянный труп, о чем громко говорил кому попало, а арки в честь челюскинцев считал поставленными в честь своего приезда.

Пастернак и я ходили к очередному верховному прокурору просить за Мандельштама, но тогда уже начался террор, и все было напрасно. Поразительно, что простор, широта, глубокое дыхание появились в стихах Мандельштама именно в Воронеже, когда он был совсем не свободен.

«И в голосе моем после удушья
Звучит земля — последнее оружье».

Вернувшись от Мандельштамов, я написала стихотворение «Воронеж». Вот его конец:

«А в комнате опального поэта
Дежурят страх и муза в свой черед,
И ночь идет,
Которая не ведает рассвета».

О себе в Воронеже Осип говорил: «Я по природе ожидальщик. Оттого мне здесь еще труднее».

В начале 20-х годов (1922) Мандельштам дважды очень резко нападал на мои стихи в печати («Русское Искусство», №№ 1, 2-3). Этого мы с ним никогда не обсуждали. Но и о своем славословии моих стихов он тоже не говорил, и я прочла его только теперь (рецензии на «Альманах Муз» и «Письмо о Русской Поэзии», 1922, Харьков).

Там, в Воронеже, его, с не очень чистыми побуждениями, заставили прочесть доклад об акмеизме. Не должно быть забыто, что̀ он сказал в 1937 году: «Я не отрекаюсь ни от живых, ни от мертвых». На вопрос, что такое акмеизм, Мандельштам ответил: «Тоска по мировой культуре». В Воронеже при Мандельштаме был Сергей Борисович Рудаков, который, к сожалению, оказался совсем не таким хорошим, как мы думали. Он очевидно страдал какой-то разновидностью мании величия, если ему казалось, что стихи пишет не Осип, а он — Рудаков. Рудаков убит на войне, и не хочется подробно описывать его поведение в Воронеже. Однако, все идущее от него надо принимать с великой осторожностью. Все, что пишет о Мандельштаме в своих бульварных мемуарах «Петербургские зимы» Георгий Иванов, который уехал из России в самом начале 20-х годов и зрелого Мандельштама вовсе не знал, — мелко, пусто и несущественно. Сочинение таких мемуаров дело немудреное. Не надо ни памяти, ни внимания, ни любви, ни чувства эпохи. Все годится и все приемлется с благодарностью невзыскательными потребителями. Хуже, конечно, что это иногда попадает в серьезные литературоведческие труды. Вот что сделал Леонид Шацкий (Страховский) с Мандельштамом: у автора под рукой две-три книги достаточно «пикантных» мемуаров («Петербургские зимы» Георгия Иванова, «Полутораглазый Стрелец» Бенедикта Лившица, «Портреты русских поэтов» Эренбурга, 1922). Эти книги использованы полностью. Материальная часть черпается из очень раннего справочника Козьмина, «Писатели современной эпохи», Москва, 1928. Затем, из сборника Мандельштама «Стихотворения» (1928) извлекается стихотворение «Музыка на вокзале» — даже не последнее по времени в этой книге. Оно объявляется вообще последним произведением поэта. Дата смерти устанавливается произвольно — 1945 (на семь лет позже действительной смерти — 27 декабря 1938 года). То, что в ряде журналов и газет печатались стихи Мандельштама, хотя бы великолепный цикл «Армения» в «Новом Мире» в 1930 г., Шацкого нисколько не интересует. Он очень развязно объявляет, что на стихотворении «Музыка на вокзале» Мандельштам кончился, перестал быть поэтом, сделался жалким переводчиком, опустился, бродил по кабакам и т. д. Это уже, вероятно, устная информация какого-нибудь парижского Георгия Иванова. И вместо трагической фигуры редкостного поэта, который и в годы воронежской ссылки продолжал писать вещи неизреченной красоты и мощи, мы имеем «городского сумасшедшего», проходимца, опустившееся существо. И все это в книге, вышедшей под эгидой лучшего, старейшего и т.п. университета Америки (Гарвардского), с чем и поздрав-

ляем от всей души лучший, старейший университет
Америки.

Чудак? Конечно, чудак. Он, например, выгнал молодого поэта, который пришел жаловаться ,что его не печатают. Смущенный юноша спускался по лестнице, а
Осип стоял на верхней площадке и кричал вслед: «А
Андрея Шенье печатали? А Сафо печатали? а Иисуса
Христа печатали?» С. Липкин и А. Тарковский и по-
сейчас охотно повествуют, как Мандельштам ругал их
юные стихи.

Артур Сергеевич Лурье, который близко знал Мандельштама и который очень достойно написал об отношении Осипа Мандельштама к музыке, рассказывал
мне (10-ые годы), что как-то шел с Мандельштамом по
Невскому, и они встретили невероятно великолепную
даму. Осип находчиво предложил своему спутнику:
«Отнимем у нее все это и отдадим Анне Андреевне».
(Точность можно еще проверить у Лурье).

СЛОВО О ЛОЗИНСКОМ

С Михаилом Леонидовичем Лозинским я познакомилась в 1911 году, когда он пришел на одно из первых заседаний «Цеха поэтов». Тогда же я в первый раз услышала прочитанные им стихи. Я горда тем, что на мою долю выпала горькая радость принести и мою лепту памяти этого неповторимого, изумительного человека, который сочетал в себе сказочную выносливость, самое изящное остроумие, благородство и верность дружбе. В труде Лозинский был неутомим. Пораженный тяжелой болезнью, которая неизбежно сломила бы кого угодно, он продолжал работать и помогал другим. Когда я еще в 30-х годах навестила его в больнице, он показал мне фото своего разросшегося гипофиза и совершенно спокойно сказал: «Здесь мне скажут, когда я умру».

Он не умер тогда, и ужасная, измучившая его болезнь оказалась бессильной перед его сверхчеловеческой волей. Страшно подумать, именно тогда он предпринял подвиг своей жизни — перевод «Божественной комедии» Данте. Михаил Леонидович говорил мне: «Я хотел бы видеть 'Божественную комедию' с совсем особыми иллюстрациями, чтоб изображены были знаменитые дантовские развернутые сравнения, например возвращение счастливого игрока, окруженного толпой льстецов». Наверно, когда он переводил, все эти сцены проходили перед его умственным взором, пленяя своей бессмертной живостью и великолепием, ему было жалко, что они не в полной мере доходят до читателя. Я думаю, что не все присутствующие здесь отдают себе отчет, что значит переводить терцины. Может быть, это наиболее трудная из переводческих работ. Когда я говорила об этом Лозинскому, он ответил: «Надо сразу, смотря на страницу, понять, как сложится перевод. Это единственный способ одолеть терцины, а переводить по строчкам — просто невозможно».

Из советов Лозинского-переводчика мне хочется привести еще один, очень для него характерный. Он сказал мне: «Если вы не первая переводите что-нибудь, не читайте работу своего предшественника, пока вы не закончите свою, а то память может сыграть с вами злую шутку».

Только совсем не понимающие Лозинского люди могут повторять, что перевод «Гамлета» темен, тяжел, непонятен. Задачей Михаила Леонидовича в данном случае было желание передать возраст шекспировского языка, его непростоту, на которую жалуются сами англичане.

Одновременно с «Гамлетом» и «Макбетом» Лозинский переводит испанцев, и перевод его легок и чист. Когда мы вместе смотрели «Валенсианскую вдову», я только ахнула: «Михаил Леонидович, ведь это чудо! Ни одной банальной рифмы!» Он только улыбнулся и сказал: «Кажется, да». И невозможно отделаться от ощущения, что в русском языке больше рифм, чем казалось раньше.

В трудном и благородном искусстве перевода Лозинский был для XX века тем же, чем был Жуковский для века XIX-го. Друзьям своим Михаил Леонидович был всю жизнь бесконечно предан. Он всегда и во всем был готов помогать людям, верность была самой характерной для Лозинского чертою.

Когда зарождался акмеизм и ближе Михаила Леонидовича у нас никого не было, он все же не захотел отречься от символизма, оставаясь редактором нашего журнала «Гиперборей», одним из основных членов «Цеха поэтов» и другом нас всех.

Кончая, выражаю надежду, что сегодняшний вечер станет этапом в изучении великого наследия того, кем мы вправе гордиться как человеком, другом, учителем, помощником и несравненным поэтом-переводчиком.

Когда весной сорокового года Михаил Леонидович держал корректуру моего сборника «Из шести книг», я написала ему стихи, в которых все это уже сказано:

М. Л. Лозинскому

Почти от залетейской тени
В тот час, как рушатся миры,
Примите этот дар весенний
В ответ на лучшие дары, —
Чтоб та, над временами года
Несокрушима и верна,
Души высокая свобода,
Что дружбою наречена,
Мне улыбнулась так же кротко,
Как тридцать лет тому назад . . .
И сада Летнего решетка
И оснеженный Петроград
Возникли снова в книге этой
Из мглы магических зеркал.
И над задумчивою Летой
Тростник оживший зазвучал.

ВОСПОМИНАНИЯ ОБ АЛ. БЛОКЕ

В Петербурге осенью 1913 года, в день чествования в каком-то ресторане приехавшего в Россию Верхарна, на Бестужевских курсах был большой закрытый (то есть только для курсисток) вечер. Кому-то из устроительниц пришло в голову пригласить меня. Мне предстояло чествовать Верхарна, которого я нежно любила не за его прославленный урбанизм, а за одно маленькое стихотворение «На деревянном мостике у края света».

Но я представила себе пышное петербургское ресторанное чествование, почему-то всегда похожее на поминки, фраки, хорошее шампанское, и плохой французский язык, и тосты и предпочла курсисток.

На этот вечер приехали и дамы-патронессы, посвятившие свою жизнь борьбе за равноправие женщин. Одна из них, писательница Ариадна Владимировна Тыркова-Вергежская, знавшая меня с детства, сказала после моего выступления: «Вот Аничка для себя добилась равноправия».

В артистической я встретила Блока.

Я спросила его, почему он не на чествовании Верхарна. Поэт ответил с подкупающим прямодушием: ««Оттого, что там будут просить выступать, а я не умею говорить по-французски».

К нам подошла курсистка со списком и сказала, что мое выступление после блоковского. Я взмолилась: «Александр Александрович, я не могу читать после вас». Он — с упреком — в ответ: «Анна Андреевна, мы не тенора». В это время он уже был известнейшим поэтом России. Я уже два года довольно часто читала мои стихи в Цехе Поэтов, и в Обществе Ревнителей Художественного Слова, и на Башне Вячеслава Иванова, но здесь все было совершенно по-другому.

Насколько скрывает человека сцена, настолько его беспощадно обнажает эстрада. Эстрада что-то вроде плахи. Может быть, тогда я почувствовала это в первый раз. Все присутствующие начинают казаться выступающему какой-то многоголовой гидрой. Владеть залой очень трудно — гением этого дела был Зощенко. Хорош на эстраде был и Пастернак.

Меня никто не знал, и, когда я вышла, раздался возглас: «Кто это?» Блок посоветовал мне прочесть «Все мы бражники здесь». Я стала отказываться: «Когда я читаю 'Я надела узкую юбку', смеются». Он ответил: «Когда я читаю 'И пьяницы с глазами кроликов' — тоже смеются».

Кажется, не там, но на каком-то литературном вечере Блок прослушал Игоря Северянина, вернулся в артистическую и сказал: «У него жирный адвокатский голос».

В одно из последних воскресений тринадцатого года я принесла Блоку его книги, чтобы он их надписал. На каждой он написал просто: «Ахматовой — Блок». Вот «Стихи о Прекрасной Даме»*. А на третьем томе поэт написал посвященный мне мадригал: «Красота страшна, вам скажут...» У меня никогда не было испанской шали, в которой я там изображена, но в это время Блок бредил Кармен и испанизировал и меня. Я и красной розы, разумеется, никогда в волосах не носила. Не случайно это стихотворение написано испанской строфой романсеро. И в последнюю нашу встречу за кулисами Большого Драматического театра весной 1921 года Блок подошел и спросил меня: «А где испанская шаль?» Это последние слова, которые я слышала от него.

---

* При звукозаписи выступления А. А. Ахматова показала присуствовавшим экземпляр «Стихов о Прекрасной Даме» с дарственной надписью Блока.

Рисунок Нины Коган
(30-е годы)

В тот единственный раз, когда я была у Блока, я между прочим упомянула ему, что поэт Бенедикт Лившиц жалуется на то, что он, Блок, одним своим существованием мешает ему писать стихи. Блок не засмеялся, а ответил вполне серьезно: «Я понимаю это. Мне мешает писать Лев Толстой».

Летом 1914 года я была у мамы в Дарнице, под Киевом. В начале июля я поехала к себе домой, в деревню Слепнево, через Москву. В Москве сажусь в первый попавшийся почтовый поезд. Курю на открытой площадке. Где-то, у какой-то пустой платформы, паровоз тормозит, бросают мешок с письмами. Перед моим изумленным взором неожиданно вырастает Блок. Я вскрикиваю: «Александр Александрович!» Он оглядывается и, так как он был не только великим поэтом, но и мастером тактичных вопросов, спрашивает: «С кем вы едете?» Я успеваю ответить: «Одна». Поезд трогается.

Сегодня, через 51 год, открываю Записную книжку Блока и под 9 июля 1914 года читаю: «Мы с мамой ездили осматривать санаторию за Подсолнечной. — Меня бес дразнит. — Анна Ахматова в почтовом поезде».

Блок записывает в другом месте, что я вместе с Дельмас и Е. Ю. Кузьминой-Караваевой измучила его по телефону. Кажется, я могу дать по этому поводу кое-какие показания.

Я позвонила Блоку. Александр Александрович со свойственной ему прямотой и манерой думать вслух спросил: «Вы наверное звоните, потому что Ариадна Владимировна Тыркова передала вам, что я сказал о вас?» Умирая от любопытства, я поехала к Ариадне Владимировне на какой-то ее приемный день и спросила, что сказал Блок. Но она была неумолима: «Аничка, я никогда не говорю одним моим гостям, что о них сказали другие».

«Записная книжка» Блока дарит мелкие подарки, извлекая из бездны забвения и возвращая даты полузабытым событиям: и снова деревянный Исаакиевский мост пылая плывет к устью Невы, а я с моим спутником с ужасом глядим на это невиданное зрелище, и у этого дня есть дата — 11 июля 1916 г., отмеченная Блоком.

И снова я уже после революции (21 января 1919 г.) встречаю в театральной столовой исхудалого Блока с сумасшедшими глазами, и он говорит мне: «Здесь все встречаются, как на том свете».

А вот мы втроем (Блок, Гумилев и я) обедаем (5 августа 1914 г.) на Царскосельском вокзале в первые дни войны (Гумилев уже в солдатской форме). Блок в это время ходит по семьям мобилизованных для оказания им помощи. Когда мы остались вдвоем, Коля сказал: «Неужели и его пошлют на фронт? Ведь это то же самое, что жарить соловьев».

А через четверть века все в том же Драматическом театре — вечер памяти Блока (1946), и я читаю только что написанные мною стихи:

Он прав — опять фонарь, аптека,
Нева, безмолвие, гранит . . . .
Как памятник началу века,
Там этот человек стоит —
Когда он Пушкинскому дому,
Прощаясь, помахал рукой
И принял смертную истому
Как незаслуженный покой.

Октябрь 1965.

194

СТАТЬИ О ПУШКИНЕ

ПОСЛЕДНЯЯ СКАЗКА ПУШКИНА

I.

«Сказка о Золотом Петушке» Пушкина сравнительно мало привлекала внимание исследователей.

В историко-литературных статьях и комментариях мы находим очень скупые и неточные сведения о последней сказке Пушкина (1834 г.).

Отсутствие фабулы «Сказки о Золотом Петушке» в русском и иностранном фольклорах привело к мысли, что эта сказка имеет литературный источник.

Однако все поиски в течение последних 20-30 лет не увенчались успехом.[1])

Попытки найти источник «Сказки о Золотом Петушке» в сказках «Тысяча и одной ночи» также кончились неудачей.

Мне удалось найти источник «Сказки о Золотом Петушке». Это — «Легенда об арабском звездочете» Вашингтона Ирвинга из книги «Альгамбра».

Книга Вашингтона Ирвинга «The Alhambra» вышла в 1832 году в Париже.[2])

Одновременно в Париже был издан и французский, довольно точный, перевод этой книги.[3])

---

[1]) Указание В. Сиповского на сказку Клингера «Le coq d'or» как на источник «Сказки о Золотом Петушке» — совершенно неосновательно.

[2]) The Alhambra, or the New Sketch Book by Washington Irving. 1832. (W. Galignani.)

[3]) Les contes de l'Alhambra, précédés d'un voyage dans la province de Grenade; traduit de Washington Irving, par m-lle A. Sobry. Paris 1832 (H. Fournier). T. I-II.

В числе семи книг Ирвинга в библиотеке Пушкина находится и французское двухтомное издание «Альгамбрских сказок».[4])

Еще при жизни Пушкина критика отмечала воздействие Вашингтона Ирвинга на автора «Повестей Белкина» (Н. Полевой в «Московском Телеграфе» и анонимный рецензент в «Литературных прибавлениях к Русскому Инвалиду» в 1831 г.).

Вопрос о непосредственном влиянии Ирвинга на Пушкина до сих пор остается открытым.[5])

Сам Пушкин упоминает об Ирвинге только один раз — в своем пересказе биографии Джона Теннера (1836 г.).

II.

В 20-30 годах XIX века Вашингтон Ирвинг был очень популярен в России. Многочисленные переводы его произведений находятся во всех наиболее известных журналах того времени: «Московском Телеграфе», «Вестнике Европы», «Атенее», «Сыне Отечества», «Телескопе» и «Литературной Газете». Поэтому «Альгамбрские сказки», вскоре после того как были изданы в Париже, сделались предметом обсуждения русских журналов.

Уже в июльском № «Московского Телеграфа», вышедшем в октябре 1832 года, появилась первая рецензия на «Les contes de l'Alhambra».

> «...В. Ирвинг написал уже: Историю Коломба, Историю завоевания Гренады. Теперь он описывает нам свое путешествие в Гренаду, видит в Альгамбре символ владычества и бытия мавров в Испании и рассказывает

---

[4]) № 1019, «разрезан, помет нет». (См. Б. Модзалевский, Библиотека Пушкина.)

[5]) М. П. Алексеев доказал, что «История села Горюхина» Пушкина и «История Нью-Йорка» Ирвинга — вещи одного жанра. (См. «К истории села Горюхина» Пушкин. Статьи и материалы. Вып. II. Одесса, 1926.)

суеверные предания, какие воображение Испанцев вывело из развалин Дворца Мавританского. Вы читаете сначала путешествие В. Ирвинга по Южной Испании; потом подробное описание Альгамбры. Автор поселяется на время в Альгамбре, и разные случаи, разные встречи, подают повод к рассказам старых преданий, или лучше сказать, сказок об Альгамбре. Всех сказок семь: Арабский звездочет; История о трех прекрасных принцессах; История о принце Ахмеде-Аль-Камеле, или Пилигриме любви; Наследство Мавра; Альгамбрская роза или паж и сокол; Губернатор Манко и солдат; Две статуи. — Что сказать об них? Они все остроумны, и многие занимательны: но все равно, если бы наши Русские сказки начал рассказывать француз: так и В. Ирвинг рассказывает сказки Мавританские. Одна из них была переведена в Телескопе, но очень некрасиво, и при том это самая плохая. Лучшие по нашему мнению: Арабский звездочет, Пилигрим любви, Две статуи, Паж и сокол и Наследство Мавра. Постараемся перевести которую-нибудь из них для читателей Телеграфа, с Английского подлинника» (стр. 250-251).

Перевод одной из «Альгамбрских сказок», о котором рецензент «Московского Телеграфа» дал неодобрительный отзыв, был помещен в IX части «Телескопа» (сентябрь): «Губернатор Манко из Альгамбры, нового сочинения Вашингтона Ирвинга».

В особом примечании издатель характеризует эту вещь как «народную испанскую сказку, обработанную В. Ирвингом».

Обещанный рецензентом «Московского Телеграфа» перевод одной из цикла «Альгамбрских сказок» был напечатан в №№ 21 и 22 (ноябрь). Это перевод «Истории о принце Ахмеде-аль-Камеле», со следующим примечанием:

«Мы получили повесть сию при письме, в котором г-н переводчик говорит, между прочим, следующее: „в 14-м № Московского Телеграфа упоминаете вы, что намерены перевести для читателей своих одну из Альгамбрских Повестей. Не угодно ли будет вам поместить в Телеграфе посылаемую мной повесть из сей книги, которую перевел я уже всю, вполне, и хотел бы знать предварительно, стоит ли перевод мой печатания?"»

Таким образом «Альгамбрские сказки» были полностью переведены на русский язык вскоре после появления английского и французского изданий. Однако, по неизвестным нам причинам, этот перевод остался ненапечатанным.[6])

Наконец, в «Библиотеке для Чтения» 1835 г., в IX томе, где впервые была напечатана «Сказка о Золотом Петушке», появилась статья «Вашингтон Ирвинг», представляющая собой перевод из «Revue Britannique».

Здесь дана следующая характеристика «Альгамбрских сказок»:

> «Альгамбрские повести» непосредственнее принадлежат вымыслу [автор статьи сравнивает «Альгамбру» с «Летописями покорения Гренады»], но с романтическими преданиями там смешаны путевые воспоминания, в которых и та же свежесть и та же прелесть, что в описаниях sketch book».

Большая часть «Альгамбрских сказок» — это новеллы о мавританских кладах.

В письмах Ирвинга из Альгамбры он неоднократно упоминает о своем проводнике Матео Хименесе, рассказы которого он записал.[7])

___

[6]) Из цикла «Альгамбрских сказок» были напечатаны: в 1835 г. в Сыне Отечества» (№ 70) — «Альгамбрская роза», в 1836 г. «Губернатор Манко» («Сорок одна повесть лучших иностранных писателей», ч. IX). Полный перевод «Альгамбры» был издан в 1879 г.: Вашингтон Ирвинг. Путевые очерки и картины, пер. с англ. А. Глазунов. М. 1879. См. также: Наследство Мавра и Арабский Астролог. Испанские легенды. Соч. В. Ирвинга. Изд. «Народной Библиотеки». М. 1889 г. (стр. 71, ц. 10 к.).

[7]) Письмо Ирвинга из Альгамбры, от 15 марта 1828 г.: «...я получил от моего проводника много весьма любопытных подробностей о суевериях, которые существуют среди бедного народа, населяющего Альгамбру, и которые касаются ее старых разрушающихся башен. Я записал эти забавные маленькие истории, и он обещал мне сообщить еще другие. Они преимущественно относятся к маврам и богатствам, которые те схоронили в Альгамбре, и к появлению их потревоженных духов среди башен и развалин, где спрятано их золото». (The Life and Letters of Washington Irving. London. 1862 г., т. I, стр. 435.).

Один из «рассказов» Хименеса (с ссылкой на Ирвинга), в ка-

200

Впрочем сам Ирвинг разоблачает свой метод «воссоздания» народных легенд:

«Познакомив читателя с местностью Альгамбры, я теперь перейду к области чудесных легенд,... которые я усердно собирал, пользуясь всевозможными рассказами и малейшими намеками, как пользуется археолог несколькими уцелевшими буквами почти стертой надписи, чтобы восстановить какой-нибудь исторический документ» (гл. «Местные предания»).[8])

Кроме цикла новелл о кладах в книге находятся: легенда «История о трех прекраснейших принцессах» и две пародийные волшебные сказки — «Легенда о принце Ахмеде-аль-Камеле» и «Легенда об арабском звездочете».

III.

Сюжет пародийной «Легенды об арабском звездочете» чрезвычайно сложен, с чудесными происшествиями и со всеми аксессуарами псевдоарабской фанта-

---

честве «народного», мы находим в «Письмах об Испании» В. П. Боткина (стр. 412). Ср. В. Ирвинг. Путевые очерки и картины. М. 1879 (стр. 266).

[8]) 19 октября 1830 г. Ирвинг писал из Лондона: «...Я закончил три сказки из «Альгамбры» и работал над тремя другими. Долгоруков, прочитавший законченные, очень одобрительно о них отзывается, а он по своему знанию страны, тех мест и народа может судить о верности местного колорита этих произведений». (The Life and Letters of Washington Irving. т. I, стр. 521.). Кн. Дмитрий Иванович Долгоруков (1797-1867), сын поэта И. М. Долгорукова, был в это время секретарем русского посольства в Лондоне. С Ирвингом Долгоруков подружился в Мадриде, где был атташе русского посольства. До своей дипломатической карьеры Д. писал стихи и был членом общества «Зеленая лампа», где он встречался с Пушкиным. С 4 апреля 1820 г. Долгоруков — чиновник русского посольства в Константинополе (вместе с С. И. Тургеневым и Д. В. Дашковым). В 1821 г. он вернулся в Петербург. В письме Пушкина к С. И. Тургеневу (из Кишинева, от 21 августа 1821 г.) есть упоминание о Долгорукове: «...Кланяюсь Чу [Д. В. Дашков], если Чу меня помнит — а Долгорукой меня забыл».

стики, которую сам Ирвинг характеризует как «Гарун-аль-Рашидовский стиль».

Легенда довольно длинна, и поэтому я ограничусь здесь самым кратким пересказом.

На старого мавританского короля Абен-Габуза нападают враги.

Арабский звездочет Ибрагим, ставший советником короля, рассказывает ему о талисмане, предупреждающем о нападении врагов (петух и баран из меди), и сооружает другой талисман с тем же назначением (медного всадника).[9])

Враги Абен-Габуза уничтожены.

Талисман снова начинает действовать.

Разведчики находят в горах готскую принцессу.

Король влюбляется в принцессу.

Звездочет требует девицу в награду за все оказанные королю услуги.

Король, давший слово наградить звездочета, отказывается.

Происходит ссора звездочета с королем.

Звездочет и принцесса проваливаются в подземное жилище звездочета.

Талисман перестает действовать и превращается в простой флюгер.

Враги снова нападают на «отставного завоевателя»[10]) Абен-Габуза.

В этой легенде Ирвинг использовал материал своих исторических сочинений, над которыми он работал во время своего пребывания в Альгамбре. Эти сочинения: «История покорения Гренады» (изд. в 1829 г.), «Завоевание Испании» (изд. в 1835 г.) и «Магомет и его преемники» (изд. в 1850 г.).

---

[9]) Магический всадник из меди есть и в сказках «Тысячи и одной ночи», но там он имеет иное назначение (см. «Рассказ о носильщике и трех девушках»). Этим указанием я обязана акад. И. Ю. Крачковскому.

[10]) Точнее: «удалившийся от дел завоеватель».

Вашингтон Ирвинг был известен своим современникам как литературный мистификатор, продолжатель традиций «Великого Незнакомца» — Вальтер Скотта.

За три года до выхода «Альгамбрских сказок» он выпустил «Историю покорения Гренады«. Эта книга принадлежит к распространенному в то время жанру исторических хроник. Повествование ведется от имени вымышленного циклизатора, монаха Антонио Агапида.

Не касаясь сложного и требующего особого исследования вопроса о близости «Легенды об арабском звездочете» к испанскому фольклору и так называемым пограничным романсам,[11]) отмечу только, что из этой хроники взяты главные персонажи «Легенды об арабском звездочете». Биография Абен-Габуза во многом повторяет биографию Мулей-Абен-Гассана, отца Боабдила, последнего мавританского короля. Звездочет — безымянный араб-волшебник, принимавший участие в защите Малаги. Готская принцесса — пленная христианская девушка, одна из жен короля Мулей-Абен-Гассана.

Знакомство Пушкина с «Альгамбрскими сказками» Ирвинга можно датировать 1833 годом.

К этому времени относится черновой набросок «Царь увидел пред собой...»[12]) Первые десять строчек этого наброска, до сих пор не поддававшегося никакому комментарию, представляют собой, как нами установлено, стиховой «пересказ» куска «Легенды об арабском звездочете», не использованного Пушкиным в «Сказке о Золотом Петушке».

---

[11]) По сообщению проф. Мадридского Университета Азин-Палациоса источниками «Альгамбры» Ирвинга в Испании никто не занимался.

[12]) В Пушкинских черновиках этот набросок находится между «Езерским» и началом перевода «Одиссеи» (тетрадь № 2374, л. 7). Впервые был напечатан под заглавием «Опыт детского стихотворения» (Русский Архив, 1881, III, стр. 473). Наиболее полный текст напечатан в полн. собр. соч. А. С. Пушкина, М.—Л. 1931 ,т. II, стр. 257.

Приведу параллельные тексты:

Царь увидел пред собой
Столик с шахматной доской.
Вот на шахматную доску
Рать солдатиков из воску
В стройный ряд расставил он.
Грозно куколки стоят, —
Подбоченясь на лошадках.
В коленкоровых перчатках,
В оперенных шишачках,
С палашами на плечах ...

... Devant chacune de ces fenêtres était une table sur laquelle on avait rangé, comme des échecs, une petite armée, infanterie et cavalerie ... le tout sculpté en bois. ... Le roi ... s'approcha de l'échiquier sur lequel les petites figures de bois étaient rangées et vit ... qu'elles étaient toutes en mouvement. Les chevaux caracolaient et battaient du pied, les guerriers brandissaient leurs armes, on entendait ... le son des trompettes et des tambours ...[13]

Эти фигурки — магические изображения вражеских войск, которые при прикосновении волшебного шила либо обращались в бегство, либо начинали вести междоусобную войну и уничтожали друг друга. И тогда та же участь постигала наступающего неприятеля.

Насколько близка фабула «простонародной» сказки Пушкина к легенде Ирвинга, становится ясным при параллельном сличении:

Негде, в тридевятом царстве,
В тридесятом государстве
Жил был славный царь Дадон.
С молоду был грозен он
И соседям то-и-дело
Наносил обиды смело.
Но под старость захотел
Отдохнуть от ратных дел
И покой себе устроить:
Тут соседи беспокоить

Il était une fois ... un roi maure, nommé Aben Habuz ... C'était un cenquérant retiré des affaires, c'est-à-dire qu'après avoir, dans son jeune temps, mené une vie d'hostilités et de déprédations continuelles, maintenant qu'il devenait vieux et faible, il n'aspirait qu'à rester en paix avec tout le monde ... à jouir en repos des domaines qu'il avait enlevés à ses voisins.

---

[13]) Привожу перевод этого отрывка: «... Перед каждым окном находился стол, на котором была расставлена, как шахматы, миниатюрная армия — пехота и кавалерия, вырезанные из дерева ... Король ... приблизился к шахматному столику, на котором были расставлены деревянные куколки, и увидел ... что все они пришли в движение. Лошади гарцовали и били копытами, воины потрясали оружием, и слышался звук труб и барабанов».
В черновике Пушкина:
[Музыканты] на лошадках,

Стали старого царя,
Страшный вред ему творя.
Чтоб концы своих владений
Охранять от нападений,
Должен был он содержать
Многочисленную рать.
Воеводы не дремали,
Но никак не успевали:
Ждут бывало с юга, глядь —
Ан с востока лезет рать,
Справят здесь, — лихие гости
Идут от моря — со злости
Инда плакал царь Дадон,
Инда забывал и сон,
Что и жизнь в такой тревоге!

Il advint cependant que ce monarque... eut à combattre de jeunes rivaux... Certaines parties éloignées de son territoire qui, dans les jeurs de sa vigueur première n'osaient broncher sous sa main de fer, s'avisèrent... de se révolter... Ainsi attaqué au dedans et au dehors, le malheureux Aben Habuz vivait... dans des alarmes perpétuelles, ne sachant de quel côté commenceraient les hostilités.

Ce fut en vain qu'il bâtit des tours d'observation... et qu'il fit garder tous les passages par des troupes stationnaires... Fut-il jamais conquérant paisible et retiré plus tourmenté que le pauvre Aben Habuz?

Сходство ситуаций полное. «Биографии» царя Дадона и короля Абен-Габуза совпадают. Отмечу, что у героев других пушкинских сказок (Салтан, Елисей и др.) «биографии» отсутствуют.

Вот он с просьбой о помоге
Обратился к мудрецу
Звездочету и скопцу —
. . . .
Вот мудрец перед Дадоном
Стал и вынул из мешка
Золотого петушка.
Посади ты эту птицу,
Молвил он царю, на спицу;
Петушок мой золотой
Будет верный сторож твой:
Коль кругом все будет мирно,
Так сидеть он будет смирно,
Но лишь чуть со стороны
Ожидать тебе войны,
Иль набега силы бранной,
Иль другой беды незванной,
Вмиг тогда мой петушок
Приподымет гребешок,
Закричит и встрепенется,
И в то место обернется.
Царь скопца благодарит,
Горы золота сулит —

... un vieux médecin arabe vint à sa cour... En peu de temps il devint le conseiller intime du roi... Aben Habuz se plaignait... de la vigilance continuelle qu'il était forcé d'observer... L'astrologue lui répondit: «Apprends, ô roi, que... je vis une grande merveille... Sur une montagne... on voyait la figure d'un bélier, sur lequel était un coq, l'un et l'autre en airain et tournant sur un pivot. Toutes les fois que le pays était menacé d'une invasion le bélier se tournait du côté de l'ennemi et le coq chantait, ce qui avertissait les habitants de la ville qu'ils étaient en danger et leur indiquait le point vers lequel devait se diriger leur défense«.

«Dieu est grand!» s'écria... Aben Habuz. «Quel trésor serait pour moi un bélier semblable... et un coq qui m'avertirait en cas de danger... Combien je dormirais plus tranquille... dans mon

За такое одолженье,
Говорит он в восхищеньи,
Волю первую твою
Я исполню, как мою.

palais, si de telles sentinelles veillaient sur mon sommeil!»... «Donne-moi cette bienheureuse sauvegarde, et dispose des richesses de mon trésor».

У Ирвинга о талисмане в виде медного петуха звездочет только рассказывает королю (сооружает же он медного всадника).

Принято считать, что в пушкинской сказке петух — «живой». Однако, стих «Вдруг раздался легкий звон» (полет золотого петушка) как будто противоречит этому.

Петушок с высокой спицы
Стал стеречь его границы —
Чуть опасность где видна,
Верный сторож как со сна
Шевельнется, встрепенется,
К той сторонке обернется
И кричит кири ку ку.
Царствуй лежа на боку!
И соседи присмирели,
Воевать уже не смели.
Таковой им царь Дадон
Дал отпор со всех сторон.

Il insultait ses voisins pour les induire à l'attaquer; mais des malheurs réitérés les rendirent prudens et enfin aucun d'eux n'osa plus envahir son territoire.

У Ирвинга волшебные талисманы не разговаривают (медный петух, медный всадник). У Пушкина золотой петушок иронизирует над царем.

Год, другой проходят мирно,
Петушок сидит все смирно;
Вот однажды царь Дадон
Страшным шумом пробужден.
— Царь ты наш! Отец народа! —
Возглашает воевода, —
Государь! проснись, беда!
Что такое, господа?
Говорит Дадон зевая,
А? Кто там? Беда какая?
Воевода говорит:
Петушок опять кричит,
Страх и шум во всей столице.
Царь к окошку, ан на спице,

Pendant plusieurs mois, la figure de bronze resta sur le pied de la paix...

Un matin de très bonne heure, la sentinelle qui montait la garde sur la tour vint avertir le roi que le visage du cavalier de bronze était tourné vers Elvira...

«Que les tambours et les trompettes sonnent l'alarme dans Grenade», dit le roi; «que chacun prenne les armes».

Видит, бьется петушок,
Обратившись на восток.
Медлить нечего: скорее!
Люди, на конь! Эй живее!
Царь к востоку войско шлет...

Диалог царя с воеводой дан в плане гротеска. В сказке Ирвинга, несмотря на общий иронический тон повествования, аналогичный эпизод не имеет подобной окраски.

Дальше у Пушкина следует вставной эпизод с царскими сыновьями и поход царя, отсутствующие в легенде Ирвинга.

У Ирвинга воины короля отправляются в горы — место, указанное талисманом, где они не встречают ни одного неприятеля, но находят готскую принцессу. Они приводят ее к Абен-Габузу.

...а девица, Шамаханская царица, Вся сияя, как заря, Тихо встретила царя, ... Покорясь ей безусловно, Околдован, восхищен, Пировал у ней Дадон.	On amena donc au vieux roi cette belle personne... Des perles d'une éblouissante blancheur étaient entrelacéses dans ses tresses noires; les diamants qui brillaient sur son front rivalisaient d'éclat avec ses yeux... Les éclairs que lançaient ses yeux noirs et brillants tombèrent comme des étincelles sur le coeur d'Aben Habuz... Aben Habuz se livra sans résistance à sa passion.

У Пушкина ситуация гораздо сложнее, чем у Ирвинга. Царь влюбляется в Шамаханскую царицу над трупами своих сыновей.

Последнее и самое значительное совпадение мы видим в сцене расплаты:

— Помнишь? За мою услугу Обещался мне, как другу, Волю первую мою Ты исполнить, как свою. Подари ж ты мне девицу, Шамаханскую царицу... — Крайне царь был изумлен. — Что ты? — старцу молвил он, — Или бес в тебя ввернулся,	[Король обещает звездочету первое вьючное животное с ношею, которое вступит в волшебные ворота. Этим животным оказывается мул, на котором едет принцесса]. «Voici», dit l'astrologue, «la récompense que vous m'avez promise». Aben Habuz sourit à ce qu'il croyait une plaisanterie du viellard;

Или ты с ума рехнулся.
Что ты в голову забрал?
Я, конечно, обещал,
Но всему же есть граница.
И зачем тебе девица?
Полно, знаешь ли кто я?
Попроси ты от меня
Хоть казну, хоть чин боярской,
Хоть коня с конюшни царской,
Хоть полцарства моего. —
— Не хочу я ничего,
Подари ты мне девицу,
Шамаханскую царицу, —
Говорит мудрец в ответ. —
Ничего ты не получишь.
Сам себя ты, грешник, мучишь —
Убирайся, цел пока;
Оттащите старика! — [14])

mais quand il vit qu'il parlait sé-
rieusement, sa barbe grise trembla
d'indignation. «Fils d'Abou Agib»
dit-il d'un air très grave, «que
veut dire cette équivoque? Tu sais
que j'ai entendu promettre...
...Prends la plus forte mule de
mes écuries; forme sa charge des
objets les plus précieux de mon
trésor, elle est à toi»... «Qu'ai-je
à faire de ton or, de tes richesses?«
dit l'astrologue, avec mépris. «La
princesse m'appartient de droit; ta
parole royale est engagée, je la
réclame comme mon bien»... La
rage du monarque l'emportant sur
sa prudence, il s'écria: «Vil enfant
du désert, tu peux être savant dans
plus d'un art, mais reconnais que
je suis ton maître; ne sois pas assez
téméraire pour te jouer de ton roi».
«Toi, mon maître!» reprit l'astrologue, «mon roi! Le souverain
d'une taupinière voudrait donner
des lois à celui qui possède le livre
de Salomon. Adieu... régne sur
ton petit royaume, et réjouis-toi
dans ton paradis des fous...»

---

[14]) Мне остается еще указать на те места в «Сказке о Золотом Петушке», которые ближе к легенде в рукописях, чем в
печатной редакции:

[И поставь его ты мне]
[Где-нибудь на вышине] (белов.)

Sur une montagne qui domine
une ville considerable... on voyait la figure d'un bélier sur lequel
etait un coq...

Весь, [как] наморщен,
С бородою поседелой (черн.)
Весь [в морщинах],
как лебедь поседелый (белов.)

Une grande barbe lui descendait
jusqu'à la ceinture... et ne put
que perpétuer ses rides et ses che-
veux gris.

Петушок слетел со спицы,
[С крыши] (?) к колеснице
                    (черн.)
Петушок [на кровле царской]
    с высокой спицы
[сторожит] стал стеречь его
        границы. (белов.)

Sur le sommet de la tour était
une figure de bronze attachée sur
un pivot...

(1930-е г. г.)

У Пушкина отказ звездочета от царских милостей и требование Шамаханской царицы ничем не мотивированы. В легенде Ирвинга звездочет — женолюб, и он отказывается от наград, предлагаемых королем, потому что владеет волшебной книгой царя Соломона.

Развязка «Сказки о Золотом Петушке» существенно отличается от источника. Когда Абен-Габуз не исполняет обещания, волшебный флюгер (медный всадник) только перестает предупреждать его о приближении опасности. В пушкинской же сказке талисман (золотой петушок) является орудием казни царя-клятвопреступника и убийцей.[15])

Пушкин как бы сплющил фабулу, заимствованную у Ирвинга, — некоторые звенья выпали и отсюда — фабульные невязки, та «неясность» сюжета, которая отмечена исследователями. Так, например, у Пушкина не перенесены «биографии» звездочета и принцессы.

В отличие от других простонародных сказок Пушкина, в «Сказке о Золотом Петушке» отсутствует традиционный сказочный герой, отсутствуют чудеса и превращения.

Очевидно, что в легенде Ирвинга Пушкина привлек не «Гарун-аль-Рашидовский стиль».

Все мотивировки изменены в сторону приближения к «натуралистичности».

Так, например, если у Ирвинга Абен-Габуз засыпает под звуки волшебной лиры, у Пушкина Дадон спит от лени. Междоусобие в горах в легенде мотивируется действием талисмана, в «Сказке о Золотом Петушке» причиной естественного характера — ревностью и т. д.

У Пушкина все персонажи снижены.

Дадон, как и Абен-Габуз, «отставной завоеватель», но «миролюбивый» король мавров кровожаден, а царь ленивый самодур. (Самое имя царя взято из «Сказки

---

[15]) Следует отметить, что в «Сказке о царе Салтане» развязка тоже не совпадает с развязкой источника, и то, что царь на радостях прощает злых сестер, по замечанию Сумцова, черта «совсем чуждая народным вариантам».

о Бове Королевиче», где Дадон — «злой» царь). В юношеской поэме Пушкина «Бова» Дадон — имя царя «тирана», которого Пушкин сравнивает с Наполеоном.

В сказке Ирвинга главные персонажи, король и звездочет, — пародийны, Пушкин же иронизирует только над царем, образ которого совершенно гротескный.

«Сказка о Золотом Петушке», включенная самим Пушкиным в цикл его «простонародных сказок»[16]) (и обычно рассматриваемая в ряду других пушкинских сказок), носит на себе яркий отпечаток «простонародности».

Сличение черновика и белового автографа «Сказки о Золотом Петушке»[17]) показывает, как Пушкин в процессе работы снижал лексику, приближая ее к просторечию.[18])

Приведем несколько примеров.
Царь к окошку — что ж на спице — ((черн.)
Царь к окошку — ан на спице (оконч. ред.)

Что же? меж высоких гор
И промеж высоких гор

Ты [старик] мудрец с [о] ума сошел
[Видно] Или ты с ума рехнулся?

Вспыхнул царь. Так же нет
Плюнул царь: Так лих же нет!

Крикнул [Царь] и в то же время
Охнул раз — и умер он —

Жанром простонародной сказки мотивирован ввод элементов фольклора: «побитая рать, побоище», «Соро-

---

¹⁶) См. список на обороте последней страницы беловой рукописи.

¹⁷) Черновая рукопись: «Тетрадь» № 2374 (Публ. библ. им. Ленина в Москве); беловой автограф находится в Публ. библ. им. Салтыкова-Щедрина в Ленинграде. Черновики до сих пор не были изучены. Пользуюсь транскрипциями, предоставленными мне С. М. Бонди, которому приношу благодарность.

¹⁸) В 1832 году Н. М. Комовский писал Языкову: «Жуковский как сказочник обрился и приоделся на новый лад, а Пушкин в бороде и армяке». («Исторический Вестник». 1883. № 12, стр. 534.).

чинская шапка»,[19]) «белый шатер», эпитет «Шамаханский» (в народных сказках обычно — « Шамаханский шелк») [20]) и др.

Из фольклора заимствован и традиционный зачин:

Негде в тридевятом царстве...

Бутафория народной сказки служит здесь для маскировки политического смысла.

Так в XVIII веке жанр «арабской» сказки часто служил шифром для политического памфлета или сатиры. Так Державин называет Сенат Диваном.

Ю. Н. Тынянов вскрыл двупланность семантической системы Пушкина: «на «Моцарта и Сальери» благодаря его семантической двупланности обиделся Катенин..., а «Пир во время чумы» написан во время эпидемии. Семантическая структура трагедии костюмов, данная на иноземном материале, была полна современным автобиографическим материалом».[21])

В «Сказке о Золотом Петушке» содержится ряд намеков памфлетного характера.[22]) Но элементы «личной сатиры» зашифрованы с особой тщательностью. Это объясняется тем, что предметным адресатом был сам Николай I.

Ссора звездочета с царем имеет автобиографические черты.

---

[19]) «...В чистом поле стоит человек копьем подпершись, во белой епанче, шляпа на нем сорочинская, и стоячи дремлет» (сказка о Еруслане Лазаревиче); см. также строфу о «Римской папе» в черновике «Сказки о рыбаке и рыбке».

[20]) «...Седлает того доброго коня... и подтягивает двенадцать подпруг шелку шамаханского...» (сказка о Иване Богатыре).

[21]) Ю. Тынянов. Архаисты и новаторы. Стр. 269.

[22]) Эти намеки, а также ироническое отношение к главному персонажу, Царю Дадону, вызвали предположение, что «Сказка о Золотом Петушке» — «затушеванная политическая сатира» (см.: 1) А. Пушкин. Сказки. М.—Л. 1930, ред., вступ. статья и объяснен. А. Слонимского, стр. 25-29 (изд. для детей); 2) А. С. Пушкин. Полное собр. соч. М.—Л. 1931, т. VI, стр. 331 (Путеводитель по Пушкину).

В черновой и даже в беловой рукописях намеки совсем прозрачны.

В черновике:

Но с [Царями] плохо вздорить —

Тут же слово «царями» зачеркнуто и заменено «могучим»:

Но с могучим плохо вздорить — [23])

Однако в беловом списке Пушкин восстанавливает первую редакцию:

Но с Царями плохо вздорить;

В печатной редакции намек снова «зашифрован»:

Но с иным накладно вздорить;

Это в свою очередь вызвало изменение такста «нравоучительной» концовки. Эту концовку Пушкин перенес из «Сказки о мертвой царевне»:

Сказка ложь, да нам урок,
А иному и намек.

При таком сопоставлении намек получался чересчур уж ясным. Поэтому в окончательной редакции текст принял следующий вид:

Сказка ложь, да в ней намек: [24])
Добрым молодцам урок.

Тема «Сказки о Золотом Петушке» — неисполнение царского слова.

Царь, получив от звездочета волшебного петушка, обещает исполнить первую его волю:

За такое одолженье,
Говорит он в восхищеньи,
Волю первую твою
Я исполню, как мою.

---

[23]) Ср.: И новый царь, суровый и могучий.
[24]) Во всех изданиях Пушкина после слова «намек» стоит не двоеточие, как в беловой рукописи, а запятая (по записи в «дневнике» Пушкина) или знак восклицательный.

А когда дошло до расплаты:

> Что ты? — старцу молвил он:
> Или бес в тебя ввернулся?
> Или ты с ума рехнулся?
> Что ты в голову забрал?
> Я, конечно, обещал:
> Но всему же есть граница.

В черновике гораздо резче:

> [От] [от] [моих] [от] [царских] [слов]
> [Отпереться я готов] —

В черновике — звездочет т р е б у е т исполнения данного царем обещания:

> Царь! он молвил — [ты обещанье] дерзновенно
> [Обещал] [ты клялся][мне] [Обеща] [ты] [с] (?) [обещ] (?)
> [Ты мне дал], [что] непременно
> 2) [волю] что первую мою
> 1) [ты] что исполнишь как свою
> Так ли? шлюсь на всю столицу

Любопытная здесь ссылка звездочета на «всю столицу» (общественное мнение).

По первоначальному замыслу скопец, которого Дадон приказывает гнать, упрекает царя:

> [Так то платишь]
> [Молвил старичек] —

В 1834 году Пушкин знал цену царскому слову.

IV

Положение, в котором оказался Пушкин к 1834 году, можно охарактеризовать следующей строкой из «Родословной моего героя»:[25])

> Прощен и милостью окован.

К этому времени окончательно выяснилось, что первая царская милость — освобождение от цензуры, на деле привела к двойной цензуре — царской и общей.

---

[25]) 1833 г. осень.

После запрещения целого ряда произведений, 11 декабря 1833 года, Пушкину был возвращен «Медный Всадник» с замечаниями царя, которые заставили Пушкина расторгнуть договор со Смирдиным.

Другим проявлением царской милости было дарование Пушкину звания камер-юнкера двора его величества (31 декабря 1833 г.).

Можно считать установленным, что своего камер-юнкерства Пушкин не простил царю до самой смерти.[26]

История отношений Пушкина с двором после пожалования ему низшего придворного чина, а также ссора с царем в связи с перлюстрацией письма к жене достаточно освещены в целом ряде работ.

25 июня 1834 г. Пушкин отправил Бенкендорфу письмо с просьбой об отставке.

Прошению об отставке предшествовала перлюстрация письма Пушкина к жене (от 20-22 апреля).

Пушкин писал:

> «...Видел я трех царей: первый велел снять с меня картуз, и пожурил за меня мою няньку; второй меня не жаловал; третий хоть и упек меня в камер-пажи под старость лет, но променять его на четвертого не желаю: от добра добра не ищут. Посмотрим, как то наш Сашка будет ладить с порфирорордным своим тезкой, с моим тезкой я не ладил. Не дай Бог ему итти по моим следам, писать стихи, да ссориться с Царями!»

Здесь Пушкин несомненно вспоминал о своем стихотворении «Моя родословная» (1830 г.):

> Упрямства дух нам всем подгадил:
> В родню свою неукротим,
> С Петром мой пращур не поладил
> И был за то повешен им.
> Его пример будь нам наукой:
> Не любит споров властелин.[27]

---

[26] См. черновики статьи Пушкина о Вольтере (1836 г.), исследованные Ю. Г. Оксманом.

[27] Ср. в «Сказке о Золотом Петушке»:
> Но с царями плохо вздорить.

Историю своих отношений с царями Пушкин связывает с темой о взаимоотношениях рода Пушкина с династией.

Письмо Пушкина было доставлено к царю, который не постыдился в том признаться и дал «ход интриге достойной Видока и Булгарина».

Свою запись в дневнике по этому поводу Пушкин заканчивает очень резким выпадом по адресу Николая: «...что ни говори, мудрено быть самодержавным».

Монарх подтвердил это мнение Пушкина, поручив Бенкендорфу «объяснить ему всю бессмысленность его поведения и чем все это может кончиться...»

Бенкендорф «объяснил», и Пушкин взял обратно прошение об отставке:

> «...На днях хандра меня взяла, подал я в отставку, но получил... от Бенкендорфа такой сухой абшид, что я вструхнул, и Христом и Богом прошу, чтобы мне отставку не давали» (письмо к жене, перв. пол. июня).

Обращаясь к Бенкендорфу с просьбой об отставке, Пушкин в то же время просит не запрещать ему вход в архивы.

То, что Пушкин в минуту наибольшего раздражения против царя все же просит о незапрещении доступа в архивы, доказывает, какое важное значение он этому придавал и каким ударом должен был быть для него отказ.

С начала 30-х гг. на своих исторических работах Пушкин намеревался построить не только свое материальное благополучие, но все отношения с царем и «высшим светом». Ни «Евгений Онегин», ни «Полтава», ни «Борис Годунов» не могли принести ему того общественного положения, без которого жизнь в Петербурге казалась ему неприемлемой.

Еще в 1831 году Пушкин писал Бенкендорфу:

> «...Не смею и не желаю взять на себя звание Историографа после незабвенного Карамзина. Но могу со временем исполнить давнишнее мое желание написать историю Петра Великого и его наследников до государя Петра III».

И смел и желал.

Вспомним, с какой радостью сообщает он ближайшим друзьям, Нащокину и Плетневу, что царь разрешил ему доступ в архивы для написания «Истории Петра Великого».[28]

В биографии Пушкина этот вопрос имеет очень серьезное значение.

30-е годы для Пушкина — это эпоха поисков социального положения. С одной стороны, он пытается стать профессиональным литератором, с другой — осмыслить себя, как представителя родовой аристократии.

Звание историографа должно было разрешить эти противоречия.

Для Пушкина это звание неотделимо было от образа Карамзина — советника царя и вельможи, достигшего высокого придворного положения своими историческими трудами.

Однако Николай I и его приближенные вовсе не предназначали Пушкина для такой высокой роли.

А. Н. Вульф в феврале 1834 г. записал в своем дневнике:

> «...Самого поэта я нашел... сильно негодующим на царя за то, что он одел его в мундир, его, написавшего теперь повествование о бунте Пугачева и несколько новых русских сказок. Он говорит, что он возвращается к оппозиции...»[29]

Эта запись представляет большой интерес, как сообщением о возвращении Пушкина к оппозиции, так и указанием на то, что Пушкин считал себя оскорбленным именно как автор «Истории Пугачева» и русских сказок.

---

[28] Письмо к Плетневу (от 28 июля 1831 г.): «...Царь взял меня на службу, но не в канцелярскую или придворную, или военную, — нет, он дал мне жалование, открыл мне архивы, с тем, чтоб я рылся там и ничего не делал. Это очень мило с его стороны, не правда ли?». (Письмо к Нащокину от 3 сентября 1831 г.): «и... царь... взял меня в службу, т. е. дал мне жалование и позволил рыться в архивах для составления Истории Петра I. Дай Бог здравия Царю!»

[29] Л. Майков. Пушкин. СПБ. 1899, стр. 208.

Описывая в дневнике свою первую встречу с Николаем после пожалования придворного звания, Пушкин отмечает, что говорил с царем о Пугачеве (утверждал себя как историограф),[30]) а за камер-юнкерство его не благодарил (что было ясным нарушением этикета).

После всего сказанного становится понятным, что категорический отказ на просьбу не закрывать архивы мог расцениваться Пушкиным, как жест «самовластного помещика», который хотел таким образом уничтожить все его планы.

Под знаком ссоры с царем прошло все лето 1834 года. Пушкин сдался, но примирение все же не состоялось.[31])

25 августа, за 5 дней до открытия Александровской колонны, Пушкин покинул Петербург, «чтобы не присутствовать на церемонии вместе с камер-юнкерами».

Отъзд Пушкина из столицы, чуть не накануне торжества, несомненно, был демонстрацией.

Запись об этом, сделанная им в дневнике спустя три месяца, свидетельствует о том, что отношение Пушкина к своему положению не изменилось.

Находясь проездом в Москве (8 и 9 сентября), Пушкин в письме к А. И. Тургеневу с иронией отзывается о своей придворной карьере:

> ...Благодарен Полевому за его доброе расположение к историографу Пугачева, камер-юнкеру и проч.

13 сентября Пушкин приехал в Болдино, где он собирался писать.

---

[30]) Описывая свое представление вел. кн. Елене Павловне, Пушкин не забывает отметить: «...говорила со мной о Пугачеве».

[31]) О ссоре с царем Пушкин упоминает еще два раза: 1) В письме к жене от 11 июля: «...на днях я чуть было беды не сделал: с тем чуть было не побранился — и трухнул то я, да и грустно стало. С этим поссорюсь — другого не наживу. А долго на него сердиться не умею, хоть и он не прав»; 2) в дневнике: «22 июля. — Прошедший месяц был бурен. Чуть было не поссорился я со двором — но все перемололось. — Однако это мне не пройдет».

Об этом он сообщает жене (от 15 сент.):

> ...Написать что-нибудь мне бы очень хотелось: не знаю придет ли вдохновение.

Но Болдинская осень 1834 г. была для Пушкина самой бесплодной.

Кроме «Сказки о Золотом Петушке» он ничего не писал.

Беловая рукопись помечена 20 сентября.

А 26 сентября А. Л. Языков, посетивший Пушкина в Болдине, писал:

> ...Он мне показывал историю Пугачева... несколько сказок в стихах, в роде Ершова, и историю рода Пушкиных.[32])

Можно предположить, что Языков был первым слушателем «Сказки о Золотом Петушке».

«Сказка о Золотом Петушке», встреченная молчанием критики, впервые была напечатана в апрельской книжке «Библиотеки для Чтения» 1853 г.

Пушкину не удалось избегнуть подозрения цензуры.

Цензор Никитенко не пропустил три строки.

Приведу запись из дневника Пушкина:

> Цензура не пропустила следующие стихи в сказке моей о золотом петушке:
>
> Царствуй, лежа на боку
>
> Сказка ложь да в ней намек,
> Добрым молодцам урок.
>
> Времена Красовского возвратились. Никитенко глупее Бирукова.

Здесь мы видим обычный выпад Пушкина против цензуры (а быть может, и желание сохранить эти строчки хотя бы в дневнике). Однако, столкновение с цензурой не было для Пушкина неожиданным.

Беловая рукопись носит следы предварительной «авторской» цензуры.

В следующем отрывке

---

[32]) «Исторический Вестник», 1883, т. XIV, стр. 539.

> Царь скликает третью рать
> И ведет ее к востоку
> **Помолясь Илье пророку.**

Последняя строка в печатной редакции приняла такой вид:

> Сам не зная быть ли проку.

Изменена одна строка и в эпизоде ссоры звездочета с царем. Царь в ответ на требование звездочета говорит:

> И зачем тебе девица?
> **Полно сводник, что ли, я?**

Эту строку нельзя было представить ни в какую цензуру.

Окончательная редакция:

> Полно, знаешь ли кто я?

Наконец, в строке, которая представляет собой как бы ключ ко второму смысловому плану «простонародной» сказки:

> **Но с царями плохо вздорить**

слишком явный выпад заменен полунамеком:

> **Но с иным накладно вздорить.**

Так в письмах к жене (1834 года) Пушкин называет царя «тот».

V

Эпизод с царскими сыновьями, вставленный Пушкиным в фабулу, заимствованную у Ирвинга, разбивает «Сказку о Золотом Петушке» на три части. Первая часть — с начала до строки «Шум утих, и царь забылся». Вторая часть — до строки «Пировал у ней Дадон», третья — от «Наконец и в путь обратной» и до конца.

Мы уже видели, что смысловая двупланность сказки о ссоре царя с звездочетом может быть раскрыта только на фоне событий 1834 года.

Но первая часть сказки заставляет предполагать и другое.

Дело в том, что в облике царя подчеркнуты лень, бездеятельность, «желание охранять свои лавры» (см. «Легенду об арабском звездочете»). Далее черты эти совсем исчезают.

Пушкин никогда не считал Николая I ленивым и бездеятельным. Но черты эти он всегда приписывал Александру I: «Наше царское правило: дела не делай, от дела не бегай». (Воображаемый разговор с императором Александром I — 1822.).

И много позднее, в 1830 г.:

> Властитель слабый и лукавый,
> Плешивый щеголь, в р а г т р у д а.

Биография «отставного завоевателя»[33]) Дадона вполне подходит к этому образу. Известно, что мистически настроенный Александр общался с масонами, а также прорицателями и ясновидцами,[34]) и в конце жизни мечтал о том, чтобы удалиться на покой.

> С молоду был грозен он
> .   .   .   .
> Но под старость захотел
> Отдохнуть от ратных дел
> И покой себе устроить;

Характеристика короля в «Легенде об арабском звездочете» — un conquérant retiré des affaires — могла поразить Пушкина как полное совпадение с его представлением об Александре I.

Смешение характерных черт двух царствований несомненно имело целью затруднить раскрытие политического смысла «Сказки о Золотом Петушке». Никто не стал бы искать в Дадоне — стареющем царе — «отстав-

---

[33]) См. «К бюсту завоевателя». 1829.

[34]) Голицын, Татаринова, Крюденер и др. Накануне Аустерлицкого сражения Александр I имел продолжительную беседу со скопцом Кондратием Селивановым, который, как говорили в Петербурге, предсказал ему поражение.

ном завоевателе» — подчеркнуто «бодрого» и еще далеко не старого Николая I.

Состояние рукописи никак не противоречит нашему предположению. Черновик начала сказки (до строки: «Шлет к нему гонца с поклоном») не сохранился. Следующие шесть строк записаны на обороте обложки тетради (№ 2374) и датировке не поддаются.[35]) Затем идут строки от «Петушок мой золотой» до «Царствуй, лежа на боку». Они были написаны на листе пятнадцатом в той же тетради среди произведений 1833 года и через семь листов от наброска «Царь увидел пред собой», который по первоначальному замыслу, может быть, входил в «Сказку о Золотом Петушке». Зато несомненно относится к осени 1834 года черновая рукопись сказки от строки: «Целый год проходит мирно» и до конца.[36])

Возможно предположить, что последняя сказка Пушкина написана не сразу. Пушкин неоднократно оставлял свои сказки незаконченными («Сказка об Илье-Муромце», «Как весенней теплою порою») или несколько раз возвращался к одному сюжету («Бова»). Часть «Сказки о Золотом Петушке» с начала до строки «Год, другой проходит мирно» могла быть написана до 1834 года и в замысел ее могла входить сатира на Александра I.

В черновиках звездочет все время называется шамаханским скопцом и шамаханским мудрецом.[37])

---

[35]) Нахождение этих строк на обложке тетради само по себе говорит за то, что вещь создавалась с перерывами.

[36]) Она написана после стихотворения: «Он между нами жил», датированного 10 августа 1834.

[37]) В беловике видна попытка окончательно отделаться от Шамахи:

Распахнулся ... и девица
[Черноброва, круглолица],
[Шамаханская Царица]

Последняя строка была заменена «Черноброва, круглолица», но затем снова восстановлена.

Шамаха в 1820 году была присоединена к России. Поэтому месть шамаханского скопца царю-завоевателю, возможно, ассоциативными нитями связана с этим событием.

В 1834 году схема заполнилась «автобиографическим материалом».

Итак, в образе Дадона могли отразиться два царя, из которых один Пушкина «не жаловал», а другой — «под старость лет упек в камер-пажи».

20/III. 1931 — 20/I. 1933.

«АДОЛЬФ» БЕНЖАМЕНА КОНСТАНА В ТВОРЧЕСТВЕ ПУШКИНА

I

Вопрос о влиянии на творчество Пушкина знаменитого романа Бенжамена Констана «Адольф» уже обсуждался в пушкинской литературе.[1]) Известно, что романтический герой Б. Констана был одним из прототипов Онегина. Необходимо, однако, отметить, что роман Б. Констана имел на творчество Пушкина значительно большее и, что особенно важно подчеркнуть, более разнообразное влияние, чем обычно думают.

Особое значение «Адольфа» для Пушкина заключается в том, что Пушкин связал с этим романом ряд литературных проблем, разрешение которых стояло перед ним в конце 20-х годов.

«Адольф» был написан в 1807 г. и долго оставался ненапечатанным. Только в 1815 г. появилось первое (лондонское) издание «Адольфа», второе (парижское) вышло в 1816 г.

Роман Б. Констана сразу обратил на себя внимание читателей. В 1817 г. Стендаль назвал «Адольфа» «необыкновенным романом». Сент-Бев, рассказывая о впечатлении, произведенном «Адольфом» на современников, сравнивает этот роман с «Ренэ» Шатобриана.[2]) Сисмонди в письме (от 14 октября 1816 г.), которое, по словам Сент-Бева, стало неотделимым от «Адольфа» комментарием этого романа, пишет между прочим следующее: «в „Адольфе" анализ всех чувств человеческого сердца так восхитителен, столько *истины* (курсив мой. *А. А.*) в слабости героя, столько ума в наблюдениях, силы и чистоты в слоге, что книга читается с бесконеч-

---

[1]) Н. П. Дашкевич (сб. «Памяти Пушкина», Киев, 1899, стр. 184-195); Н. О. Лернер (газета «Речь», 12 янв. 1915 г.); Н. Виноградов («Пушкин и его современники», вып. XXIX, стр. 9-15).
[2]) См. «Causeries du Lundi», т. XI.

ным удовольствием. Мне кажется, что она доставляет мне тем более удовольствия, что я узнаю автора на каждой странице ...»

Как мы видим, автобиографичность «Адольфа» с одной стороны, с другой — верность и глубина психологического анализа в произведении, впоследствии получившем название «отца психологического романа», были отмечены сразу же. 29 июля 1816 г. Байрон писал своему другу поэту Роджерсу: «Я просмотрел „Адольфа” и предисловие к нему, в котором отвергаются действительные персонажи. Это произведение оставляет тягостное впечатление, но гармонирует с тем состоянием, когда более не способен любить — состоянием, может быть, самым неприятным в мире, за исключением влюбленности».[3])

Успех «Адольфа» был длителен. Еще в конце 30-х годов Густав Планш написал к «Адольфу» обширное предисловие; Бальзак в 40-х годах упоминает об «Адольфе» в ряде своих романов («Записки новобрачных», «Погибшие мечтания», «Беатриса»).

«Адольф» очень скоро стал известен и русским читателям. Уже 26 октября 1816 г. Вяземский писал из Москвы А. И. Тургеневу: «Я послал к тебе *Адольфа* с молодым Апостолом-Муравьевым.»[4])

Первый русский перевод «Адольфа» появился в 1818 году под заглавием: «Адольф и Елеонора, или опасности любовных связей, истинное происшествие», и был напечатан в Орловской губернской типографии.

Принимая во внимание значительное идеологическое воздействие Б. Констана, как политического писателя и публициста, на передовых людей того времени,[5]) мож-

---

[3]) «The Life, Letters and Journals of Lord Byron», by Thomas Moore. London, 1830, p. 309.

[4]) «Остафьевский Архив», т. I, стр. 60.

[5]) В 70-х годах Вяземский, вспоминая это время, писал: «Мы были учениками и последователями преподавания, которое оглашалось с трибуны и в политической полемике такими учителями, каковы были Бенжамен Констан, Ройе-Коллар и многие другие сподвижники их». (Полн. собр. соч., т. X, стр.

fre. Près de vous, loin de vous, je suis
également malheureux. Pendant les
heures qui nous séparent, j'erre au
hasard, courbé sous le fardeau d'une
existence que je ne sais comment supporter. La société m'importune, la
solitude m'accable. Ces indifférents
qui m'observent, qui ne connaissent
rien de ce qui m'occupe, qui me re-
gardent avec une curiosité sans inté-
rêt, avec un étonnement sans pitié,
ces hommes qui osent me parler d'autre chose que de vous, portent dans
mon sein une douleur mortelle. Je les
fuis; mais, seul, je cherche en vain un
air qui pénètre dans ma poitrine op-
pressée. Je me précipite sur cette terre
qui devrait s'entr'ouvrir pour m'engloutir à jamais; je pose ma tête sur

Страница «Адольфа» с пушкинской пометкой

но предположить, что Пушкин прочел «Адольфа» вскоре по выходе романа в свет.

Как известно, современники Пушкина узнавали в героине «Адольфа» мадам де Сталь.[6]) Широкая популярность этого имени в России, конечно, должна была повысить интерес читателей к роману Б. Констана. В частности Пушкин, так высоко ценивший произведения де Сталь, упоминавший о ее книгах: «Dix années d'exile» и «De l'Allemagne» в I-й главе «Онегина», выступавший в защиту автора «Дельфины» и «Коринны» в 1825 г. и еще в 1831 г. изобразивший мадам де Сталь в «Рославлеве», должен был с особым вниманием отнестись к «Адольфу».

В письме к Каролине Собаньской (янв.-февр. 1830 г.) Пушкин пишет, что имя героини «Адольфа» Элленоры напоминает ему «жгучие чтения его юных лет и милый призрак, который соблазнял его тогда»[7]) (в его одесский период жизни).

291-292). Карамзин, Тургеневы, Вяземский читали «La Minerve Française», политический журнал Б. Констана. О влиянии на Пушкина политических взглядов Б. Констана см. в статьях Б. В. Томашевского: «Французские дела 1830-1831 гг.» («Письма Пушкина к Е. М. Хитрово»), «Из Пушкинских рукописей» («Лит. Наследство», 1934, № 16-18, стр. 284, 286, 288). В предисловии к своему переводу «Адольфа» Вяземский делает попытку связать роман с политическими трактатами Б. Констана. Вяземский говорит о Констане следующее: «Автор „Адольфа" силен, красноречив, язвителен, трогателен. Как в создании, так и в выражении, как в соображениях, так и в слоге вся сила, все могущество его — в истине. Таков он в „Адольфе", таков на ораторской трибуне, таков в современной истории, в литературной критике, в высших соображениях, духовных умозрениях и в пылу политических памфлетов». О влиянии на декабристов политических трактатов Б. Констана см. в книге В. И. Семевского: «Политические и общественные идеи декабристов», СПб., 1909, по указателю.

[6]) Вяземский в предисловии «От переводчика» пишет, что в автобиографической исповеди Констана видели «отпечаток связи автора с славной женщиной, обратившей на труды свои внимание целого света».

[7]) «Рукою Пушкина», 1935, стр. 184.

Интерес Пушкина к «Адольфу» был столь же длительным, как у его современников.

20 декабря 1829 г., т. е. еще до выхода перевода Вяземского, Баратынский писал Вяземскому: «для меня чрезвычайно любопытен перевод светского, метафизического, тонко-чувственного „Адольфа" на наш необработанный язык».[8]) Вяземский, восторженное отношение которого к роману Б. Констана засвидетельствовано его предисловием[9]) к сделанному им переводу «Адольфа», посылая свой перевод Е. М. Хитрово, писал ей: «Вы любите этот роман, вы будете довольны тем, что я посвятил его имени для вас дорогому» /т. е. имени Пушкина/;[10]) а в 1832 г. сообщил жене: „намедни на бале Завадовская сказале мне, что она три раза прочла моего „Адольфа"»[11]) Приблизительно к тому же времени относится отзыв об «Адольфе» в дневнике Никитенки [12]) и перевод «Адольфа», сделанный

---

[8]) «Старина и Новизна», кн. 5, стр. 47. Очевидно сходство этого отзыва об «Адольфе» с определением языка «Адольфа» в пушкинской заметке о предстоящем выходе перевода «Адольфа». Вероятно, Вяземский сообщил Баратынскому содержание этой заметки (тогда еще не вышедшей).

[9]) В этом предисловии Вяземский пишет: «Любовь моя к „Адольфу" оправдана общим мнением». Последний абзац предисловия Б. Констана к III изд. «Адольфа» Вяземский вовсе не перевел. Вероятно, он поступил так потому, что в этом месте Б. Констан, отрекаясь от «Адольфа», пишет: «публика, вероятно, его забыла, если когда-нибудь знала». Эта фраза Б. Констана противоречит утверждению Вяземского об «Адольфе» как о повести «так сильно подействовавшей на общее мнение», кроме того она могла повредить «Адольфу» в глазах русских читателей.

[10]) «Русский Архив», 1895, кн. II, стр. 110. По экземпляру «Адольфа», принадлежавшему Е. М. Хитрово, Плетнев сверял перевод Вяземского.

[11]) «Звенья», кн. III, стр. 175.

[12]) «На днях я с удовольствием прочел роман знаменитого Б. Констана: «Адольф». В нем разобраны сплетения человеческого сердца и изображен человек нынешнего века с его эгоистическими чувствами, приправленными гордостью и слабостью; высокими душевными порывами и ничтожными поступками» (стр. 210).

Полевым.[13]) Установленное исследователями влияние «Адольфа» на «Героя нашего времени» свидетельствует о впечатлении, произведенном романом Б. Констана на Лермонтова.[14]) Человек другого поколения, И. С. Аксаков, для которого «Адольф» был только старым французским романом, в письме к отцу от 1845 г. сообщает об отношении к этому роману А. О. Смирновой: «. . . я, не говоря об этом ничего А. О., взял у нее один старый французский роман Benjamin Constant «Adolphe», который она ставит превыше небес».[15])

В личной библиотеке Пушкина хранится экземпляр 3-го издания «Адольфа» (1824) с многими карандашными отметками.[16]) Как мне удалось установить, на стр. 61 и 104 находятся замечания рукою Пушкина, что позволяет предположить, что и другие отметки сделаны им же.

II

Первое, известное нам упоминание Пушкина об «Адольфе» находится в черновом тексте 9-го стиха XXXVIII строфы («Как Child Harold угрюмый, томный»), где вместо имени Child Harold Пушкин написал «Как Адольф». Затем встречается это имя в XXII строфе VIII главы «Евгения Онегина». «Адольф» был одним из романов, которые Татьяна прочла в доме Онегина и по отметкам на страницах которого она угадала

[13]) «Московский Телеграф», 1831, №№ 1-4. Судя по рецензии («Московский Телеграф», 1831, ч. 41, стр. 231-244) на перевод Вяземского, Полевой был знаком с французскими критическими статьями об «Адольфе». В рецензии на перевод «Адольфа» Булгарин писал: «Достоинство Адольфа давно уже оценено, как самим автором, так и всеми людьми с очищенным вкусом» («Северная Пчела», 1831, № 273).

[14]) См. С. И. Родзевич, «Предшественники Печорина во французской литературе». Киев, 1913.

[15]) И. С. Аксаков, Письма, т. I, стр. 307-308.

[16]) Б. Л. Модзалевский. «Библиотека Пушкина», СПб., 1910, № 813.

истинный характер своего героя. Таким образом Пушкин сам указал на Адольфа, как на один из прототипов Онегина.[17])

В до сих пор неопубликованном черновике этой строфы (тетр. 2371, л. 67.) чрезвычайно интересен тот ряд, в который Пушкин включает «Адольфа». Привожу транскрипцию:

[Хотя] мы знаем что Евгений
Издавно чтенья разлюбил
[С собою] [Однако] несколько творений
Лишь [он] [С собой] [по привычке лишь] возил —
[Листки в которых отразились] [творцы]
[Корину Сталь] [два три] [романа]
Весь В. Скотт /нрзб./   Адольф
[Мельмот] [Рене] [Адольф] Констана
В. Скотт два три
Рене еще два три романа
в которых отразился век
И современный человек
Изображон [печально] довольно верно ...

Таким образом выясняется, что по первоначальному замыслу Пушкина «два три романа» XXII строфы «Евгения Онегина» — это «Мельмот» Матюрена, «Рене» Шатобриана и «Адольф»[18]) При следующей переработке этих стихов Пушкин заменил Сталь Байроном, а «два, три романа» не названы.

В «Заметке» о предстоящем выходе перевода «Адольфа», сделанного Вяземским, Пушкин вторично сопо-

---

[17]) Пушкин упоминает имя Б. Констана также в черновике V строфы I главы «Онегина». Онегин мог вести спор: «О Байроне и Benjamin ...» Тургенев и Вяземский в 1817-1818 гг. часто называют Констана просто Benjamin («Остафьевский Архив», т. I).

[18]) Воздействие Шатобриана на Пушкина факт установленный. «Мельмота» Пушкин назвал «гениальным произведением Матюрена». На поиски имени Констана в черновиках «Евгения Онегина» навел меня Д. П. Якубович.

ставляет имя Б. Констана с именем Байрона: «Бенж. Констан первый вывел на сцену сей характер, впоследствии обнародованный гением лорда Байрона».[19] Эту мысль Пушкина повторил и Вяземский: «Характер Адольфа верный отпечаток времени своего. Он прототип Чайльд-Гарольда и многочисленных его потомков».[20] Сопоставление Адольфа с характерами героев Байрона имело для Пушкина очень важный принципиальный смысл.

Вяземский в посвящении Пушкину сделанного им перевода «Адольфа» писал: «Прими перевод нашего любимого романа» и «Мы так часто говорили с тобой о превосходстве творения сего». Хотя это «Посвящение», как выясняется из писем Вяземского к Плетневу, было написано в январе 1831 г., но это не значит, что беседы об «Адольфе» происходили в связи с переводом Вяземского. Вернее предположить, что именно эти беседы подали Вяземскому мысль заняться переводом романа Б. Констана.

Вяземский переводил «Адольфа» con amore, придавал чрезвычайно важное значение своему переводу и рабо-

---

[19] «Литературная Газета», 1830, т. I, № 1, стр. 8.
[20] «Предисловие» к переводу «Адольфа». Это, однако, неверно: «Адольф» вышел в 1815 г., т. е. после двух песен «Чайльд-Гарольда» (1812), «Гяура» (1813), «Абидосской Невесты» (1813) и «Лары» (1814), и Байрон прочел «Адольфа» только летом 1816 г. Заблуждение Пушкина и Вяземского объясняется, вероятно, тем, что они прочли «Адольфа» раньше, чем узнали Байрона. Впрочем, они могли знать из журналов или от лиц, знавших Констана, что «Адольф» написан задолго до выхода его в свет. Полевой в крайне враждебном отзыве («Московский Телеграф», 1831, ч. 41, стр. 231-244) о переводе Вяземского, отмечая эту хронологическую ошибку, говорит, что она доказывает неверность «истин услышанных, а не почувствованных». Этим, он, конечно, намекает на то, что Вяземский повторил слова Пушкина. Как известно, Пушкин узнал Байрона около 1820 г. Первое упоминание о Байроне в переписке Тургенева с Вяземским относится к 1819 г.

тал над такой сравнительно небольшой вещью очень долго.[21])

20 декабря 1829 г. Баратынский благодарит Вяземского за присланную на просмотр рукопись перевода.[22]) И только 12 января 1831 г. Вяземский обратился к Плетневу с просьбой отдать в цензуру оставленный в Петербурге у Жуковского и Дельвига перевод «Адольфа», обещая прислать на днях посвящение («Письмо к Пушкину») и предисловие «Несколько слов от переводчика».[23])

17 января 1831 г. Вяземский послал Пушкину из Остафьева в Москву свое предисловие (а может быть и посвящение) со следующей просьбой: «Сделай милость, прочитай и перечитай с бдительным и строжайшим вниманием *посылаемое тебе* (курсив мой. А. А.) и укажи на все сомнительные места. Мне хочется, по крайней мере в предисловии, не поддать боков критике. Покажи после и Баратынскому, да возврати поско-

---

[21]) «А я между тем пришлю Вам на днях два приложения к переводу моему: письмо к Пушкину и несколько слов от переводчика», писал Вяземский Плетневу 12 января 1831 г. («Известия Отд. русск. яз. и слов. Ак. Наук», 1897, т. II, кн. I, стр. 92). Посвящение помечено: «Село Мещерское (Саратовской губ.) 1829 года». Этой пометой Вяземский, повидимому, хотел установить первенство своего перевода.

[22]) В «Старой записной книжке» Вяземского отмечено: 16 июня 1830 г.: «То ли бы дело пересмотреть моего „Адольфа", написать предисловие к переводу». 22 июня: «Перечитывал несколько глав Адольфа». 25 июня: «Сегодня кончал мой пересмотр Адольфа». 24 декабря: «Вот и Benjamin Constant умер; а я думал послать ему при письме мой перевод „Адольфа". Впрочем Тургенев сказывал ему, что я его переводчик».

[23]) В цитированном выше письме Вяземский торопит Плетнева: «Мой Адольф пропал без вести, а между тем Полевой, всегда готовый на какую-нибудь пакость, печатает своего Адольфа в Телеграфе. Была ли моя рукопись в цензуре?» До какой степени Вяземский был раздражен поведением Полевого, доказывает следующая странная его просьба: «поверьте с моим переводом перевод Телеграфа. Помилуй Боже и спаси нас, если будет сходство. Я рад все переменить, хоть испортить — только не сходиться с ним». В письме от 31 января Вяземский повторяет эту просьбу.

230

рее... Нужно отослать в Петерб. к Плетневу, которому я уже писал о начатии печатания Адольфа».

Очевидно, Пушкин полагал необходимым внести некоторые поправки в предисловие Вяземского, потому что через три дня он ответил: «Оставь Адольфа у меня — на днях перешлю тебе нужные замечания».[24]) Поэтому мы имеем право предположить редактуру, если не сотрудничество Пушкина, а самое предисловие рассматривать, как итог бесед Пушкина и Вяземского об «Адольфе». Это тем вероятнее, что, как уже отмечалось, некоторые мысли, высказанные Вяземским в предисловии, — повторение заметки Пушкина об «Адольфе».[25])

В своем предисловии Вяземский говорит, что, переводя «Адольфа», он имел желание «познакомить» русских писателей с этим романом.[26]) Конечно, Вяземский знал, что русские писатели могли прочесть роман Б. Констана в подлиннике и вовсе не с романом Б. Констана хотел их познакомить, а показать на примере своего перевода, каким языком должен быть написан русский психологический роман.

---

[24]) 20 января 1831 (в записке с известием о смерти Дельвига). Пушкин мог и лично передать Вяземскому свои замечания. Они виделись 25 и 26 января 1831 г. (см. Н. О. Лернер, «Труды и дни Пушкина». СПб., 1910 ,стр. 235). 31 января Вяземский послал Плетневу с Толмачевым «Посвящение» и «Предисловие», переписанные рукой В. Ф. Вяземской и получившие санкцию Пушкина («Несколько писем кн. П. А. Вяземского к П. А. Плетневу». Изв. Отд. русск. яз. и слов. Ак. Наук. 1897, т. II, кн. 1). В комментарии Н. К. Козмина к заметке Пушкина об «Адольфе» (Сочинения Пушкина, изд. Акад. Наук, т. IX, ч. II, Л., 1929, стр. 163 прим.) ошибочно указано, что Вяземский послал Пушкину на просмотр весь перевод романа Б. Констана.

[25]) Упомянутый комментарий к заметке об «Адольфе» (акад. изд. т. IX, ч. II ,стр. 163).

[26]) Булгарин, цитируя это место, иронически прибавил: «вероятно не знающих французского языка» («Северная Пчела», 1831, № 274).

Говоря о языке психологической прозы, мы имеем в виду тот язык, который Пушкин называл «метафизическим».[27]

Пушкин считал Вяземского способным содействовать развитию этого языка («У кн. Вяземского есть свой слог») и 1 сентября 1823 г. советовал Вяземскому заняться прозой и «образовать русский метафизический язык». А еще 18 ноября 1822 г. Вяземский писал А. И. Тургеневу: «Я сижу теперь на прозаических переводах с французской прозы. Во-первых, есть тут и для себя занятие полезное».[28] Очевидно прозаические переводы уже тогда казались Вяземскому способом обогащения русского литературного языка и в частности создания русской прозы, еще не очень самостоятельной и мало разработанной. Известны жалобы Пушкина на отсутствие русской прозы и на отставание прозы от стихов.[29]

Посылая Баратынскому на просмотр свой перевод «Адольфа», Вяземский очевидно высказал свои соображения о трудности передать по-русски все оттенки «Адольфа», потому что Баратынский ответил ему следующее: «Чувствую, как трудно переводить *светского* Адольфа на язык, которым не говорят в свете, но надобно вспомнить, что им будут когда-нибудь говорить и что выражения, которые нам теперь кажутся изысканными, рано или поздно будут обыкновенными. Мне кажется, что не должно пугаться неупотребитель-

---

[27] Известно, что «метафизическим» Пушкин называл язык, способный выражать отвлеченные мисли. Однако, когда Пушкин говорит о метафизике характера Нины Баратынского или о метафизическом языке «Адольфа» — то, очевидно, имеет в виду психологизм этих произведений. В таком же смысле Вяземский называет «Адольфа» представителем «светской так сказать практической метафизики века нашего» (Предисловие к «Адольфу»).

[28] «Остафьевский Архив», т. II, стр. 280.

[29] «У нас не то, что в Европе — повестей в диковинку» писал Пушкин Погодину 31 августа 1827 г. И еще в 1831 г.: «В прозе мы имеем только «Историю Карамзина». Первые два или три романа появились два или три года тому назад» («Рославлев»).

ных выражений. Со временем они будут приняты и войдут в ежедневный язык. Вспомним, что те из них, которые говорят по русски, говорят языком Пушкина, Жуковского и вашим, языком поэтов, из чего следует, что не публика нас учит, а нам учить публику».[30])

За год до того, как было написано предисловие Вяземского, Пушкин в заметке о предстоящем выходе «Адольфа» писал: «Любопытно видеть, каким образом острое и опытное перо кн. Вяземского победило трудность *метафизического языка* (курсив мой. *А. А.*), всегда стройного, *светского*, (курсив мой. *А. А.*), часто вдохновенного. В сем отношении, перевод будет истинным созданием и важным событием в истории нашей литературы». Здесь Пушкин, уже знавший перевод Вяземского или, во всяком случае, методы его перевода,[31])

---

[30]) «Старина и Новизна», кн. 5, стр. 50. Курсив мой. *А. А.*

[31]) Вяземский писал, что «хотел изучивать, ощупывать язык наш, производить над ним попытки, если не пытки, и выведать, сколько может он приблизиться в языку иностранному» (Предисловие). На необработанность русского языка жалобы очень часто встречаются в «Записной книжке» Вяземского, напр., «У нас жалуются по справедливости на водворение иностранных слов в русском языке. Но что же делать, когда наш ум, заимствовавший некоторые понятия и оттенки у чужих языков, не находит дома нужных слов для их выражения. Как напр. выразить по русски понятия, которые возбуждают в нас слова: Naive, serieux. Чистосердечный, простосердечный, откровенный, все это не выражает значения первого слова; важный, степенный, не выражает понятия свойственного другому; а потому и должны мы поневоле говорить наивный, серьезный. Последнее слово вошло в общее употребление. Нельзя терять из виду, что западные языки наследники древних языков и их литератур, которые достигли высшей степени образованности и должны усвоить все краски, все оттенки утонченного общежития. Наш язык происходит, пожалуй, от благородных, но бедных родителей, которые не могли оставить наследнику своему... литературы утонченного общества, которого они не знали. Славянский язык хорош для церковного богослужения. Молиться на нем можно, но нельзя писать романы, политические и философские рассуждения». Приблизительно в то же время (1830) Пушкин называет метафизическими стихи Вяземского: «Вы столь же легко угадаете Глинку в элегическом его псалме,

высказывал ту же мысль, что и Вяземский в «Предисловии», а Баратынский в приведенных письмах. Говоря о метафизическом языке «Адольфа», Пушкин имеет в виду создание языка, раскрывающего душевную жизнь человека. Самое выражение «метафизический язык» Пушкин вероятно заимствовал у мадам де Сталь. Оно встречается в «Коринне», в главе «De la littérature italienne», без сомнения внимательно прочитанной Пушкиным: «les sentiments refléchis exigent des expressions plus métaphisiques».[32])

Конечно, возникает вопрос, чем же отличается психологизм «Адольфа», так сильно поражавший читателей, от психологизма романов, современных «Адольфу», как первоклассных (Сталь, Шатобриан), так и второстепенных (Коттен, Криденер, Жанлис). Дело в том, что Б. Констан первый показал в «Адольфе» раздвоенность человеческой психики,[33]) соотношение сознательного и и подсознательного,[34]) роль подавляемых чувств[35]) и разоблачил истинные побуждения человече-

---

как *узнаете кн. Вяземского в станцах метафизических*» (курсив мой. *А. А.* См. «Карелия или заточение Марфы Иоанновны Романовой»).

[32]) «Corinne», livre VII, ch, I. «De la littérature italienne». Об отсутствии у русских языка, способного выражать отвлеченные идеи, де Сталь писала в книге «Dix années d'exille». См. об этом в статье Б. В. Томашевского: «„Кинжал” и m-me de Staël» («Пушкин и его современники», вып. XXXVI).

[33]) Например: «Почти всегда когда мы хотим быть в ладу с собою мы обращаем в расчеты и правила свое бессилие и свои недостатки. Такая уловка удовлетворяет в нас т у п о л о в и н у, к о т о р а я, т а к с к а з а т ь, е с т ь з р и т е л ь д р у г о й (стр. 12).

[34]) «В этой потребности было несомненно много суетности; но не одна была в ней суетность: может статься было ее и менее нежели я сам полагал» (стр. 7).

[35]) «Я успел приневолить себя и заключил в своей груди малейшие признаки неудовольствия и все способы ума моего стремились создать себе искусственную веселость. Сия работа имела надо мной действие неожиданное. Мы существа столь зыбкие, что под конец ощущаем те самые чувства, которые сначала выказывали из притворства» (стр. 42).

ских действий. Поэтому «Адольф» и получил впоследствии название «отца психологического романа».

Все эти черты «Адольфа», как известно, указали путь целому ряду романистов, в числе которых одним из первых был Стендаль. Уже в 1817 г. Стендаль писал: «Данте понял бы без сомнения тонкие чувства, наполняющие необыкновенный роман Бенжамен Константа "Адольф", если бы в его время были такие же слабые и несчастные люди, как Адольф; но чтобы выразить эти чувства, он должен бы был обогатить свой язык. Таким, как он нам его оставил, он не годится ... для перевода Адольфа».[36]

В связи с высказыванием Пушкина о метафизическом языке «Адольфа», особый интерес представляют его собственные пометки на полях романа Б. Константа. Против отчеркнутых слов (в письме Адольфа к Элленоре): «Je me précipite sur cette terre qui devrait s'entr'ouvrir pour m'engloutir à jamais, je pose ma tête sur la pierre froide qui devrait calmer la fièvre ardente qui me dévore»[37] (стр. 61), Пушкин написал: *Вранье*.

Гиперболическая риторика этой фразы воспринималась Пушкиным как нарушение «стройности» метафизического языка, и эти ламентации в духе «Новой Элоизы» Руссо должны были казаться фальшивыми в устах светского соблазнителя.

Второй пример любопытен, как случай редактирования Пушкиным романа Б. Константа, и относится к одному из рассуждений Адольфа о раздвоенности человеческой личности, о которых я говорила выше. В от-

---

[36] Stendhal. «Rome, Naples et Florence». Запись 4 января. Этот отзыв Стендаля об «Адольфе» был вероятно известен Вяземскому, который в 1833 г. писал А. И. Тургеневу: «Я Стендаля полюбил с „Жизни Россини"» («Остафьевский Архив», т. III, стр. 233). «La vie de Rossini» появилась в 1823 г., III изд. «Rôme, Naples ...» — в 1826 г.

[37] «Кидаюсь на землю; желаю, чтобы она расступилась и поглотила меня навсегда; опираюсь головою на холодный камень, чтобы утолил он знойный недуг меня пожирающий ...» («Полн. собр. сочин. П. А. Вяземского», т. X, стр. 21).

черкнутой фразе: «et telle est la bizarrerie de notre coeur misérable que nous quittons avec un déchirement horrible ceux près de qui nous demeurions sans plaisir»,[38]) слово «plaisir» зачеркнуто и на полях написано «bonheur». Эта поправка свидетельствует о требовании точности оттенков смысла.

III

Противопоставление Адольфа героям романов XVIII века, находящееся в предисловии Вяземского («Адольф в прошлом столетии был бы просто безумец, которому никто бы не сочувствовал»), было уже сделано Пушкиным и в «Романе в письмах» (1829), не напечатанном при жизни Пушкина, но вероятно известном Вяземскому: «Чтение Ричардсона дало мне повод к размышлениям. Какая ужасная разница между идеалами бабушки и внучек! Что есть общего между Ловласом и Адольфом?»[39]) Таким образом, Пушкин трижды в конце 20-х годов говорит о современности Адольфа: в VII главе «Онегина» (1828), в «Романе в письмах» (1829) и в заметке об «Адольфе» (1830). Вяземский повторяет это утверждение в предисловии к своему переводу.

---

[38]) «Таково своенравие нашего немощного сердца, что мы с ужасным терзанием покидаем тех, при которых пребывали без удовольствия» (там же, стр. 36).

[39]) Это говорит представительница высшего петербургского общества, из чего следует, что ее идеалом был Адольф. В том же «Романе в письмах» сцена встречи влюбленных среди многочисленного общества очень напоминает такое же описание в «Адольфе» (гл. II). В «Дубровском» (1832) описание поведения «светского человека» кн. Верейского в гостях у Троекурова также восходит к «Адольфу»: «...князь был оживлен ее присутствием, был весел и успел несколько раз привлечь ее внимание любопытными своими рассказами». Ср. в «Адольфе»: «Я... испытывал тысячу средств привлечь внимание ее. Я наводил разговор на предметы для нее занимательные... я был вдохновен ее присутствием: я добился до внимания ее...» (перевод Вяземского).

Еще одно совпадение мыслей Пушкина и Вяземского об «Адольфе» относится к определению ими жанра и стиля этого романа. Пушкин назвал язык «Адольфа» «светским». Ср. в предисловии Вяземского: «творение сие не только роман сегодняшний (roman du jour) подобно новейшим или гостиным романам...»[40]) Как мы видим, Баратынский также назвал роман Констана «светским».

В это время мысль о создании современного «светского» романа или повести очень занимала Пушкина.

В «Романе в письмах», представляющем собою как бы свод литературно-полемических (и политических) высказываний Пушкина, розданных им всем четырем корреспондентам, автор от лица одной из героинь говорит следующее о романах XVIII в.: «Умный человек мог бы взять готовый план, характеры, исправить слог и бессмыслицы, дополнить недомолвки — и вышел бы прекрасный, оригинальный роман. Скажи это от меня моему неблагодарному Р*... Пусть он по старой канве вышьет новые узоры и представит нам в маленькой раме картину света и людей, которых он так хорошо знает». В этом мы узнаем тот метод, которым иногда пользовался сам Пушкин («Рославлев», «Барышня-крестьянка», «Русский Пелам»). Итак, мы видим, что задача создания «светской» повести заключалась для Пушкина (в 1829 г.) в том, чтобы превратить готовую сюжетную схему в конкретное произведение с определенным реальным материалом.

---

[40]) Можно указать, какие романы Вяземский называл «гостиными». «Прочел я „Le Moqueur amoureux" S. Gay: слабо, жидко, но довольно хорошо, роман гостинный» (Вяземский. Старая записная книжка, т. IX, стр. 126: 5 июля 1830 г.). «Прочел „Granby, roman fashionable". В самом деле, читая этот роман думаешь, что переходишь из гостиной в гостиную» (Собр. соч., т. IX, стр. 142). Полевой в уничтожающем разборе перевода Вяземского писал, что «роман Б. Констана верный список с невымышленной сцены света — не боле» («Моск. Телеграф», 1831, т. XLI, стр. 535).

Несомненно, материалом светских повестей Пушкина и были его наблюдения над бытом и нравами того общества, в котором он жил после возвращения из Михайловского. Напомню, что в пушкинской литературе существуют указания на автобиографичность «светских» повестей Пушкина 1828-1829 гг.[41] Но это конечно, не исключает литературных реминисценций.

Самая тема повести «На углу маленькой площади» — адюльтер, и судьба женщины, открыто нарушившей законы света — несомненно указывает на французские традиции.[42]

В заметке о предстоящем выходе перевода «Адольфа» Пушкин, характеризуя героя Б. Констана, приводит XXII строфу (тогда еще ненапечатанную) VII главы своего «Онегина» и относит Адольфа к двум, трем романам

> В которых отразился век,
> И современный человек
> Изображен довольно верно
> С его безнравственной душой,
> Себялюбивой и сухой,
> Мечтанью преданной безмерно,

---

[41] «Путеводитель по Пушкину», стр. 103-104, 252.

[42] Датировка этого отрывка представляет некоторые затруднения; план повести (т. 2282, л. 23 об.) находится среди черновиков «Гасуба» и рядом со стихотворением «Поедем, я готов» (24 дек. 1829 г.). Черновик начала первой главы находится в бывш. «Онегинском собрании». Он написан на двух листах с жандармскими цифрами (64 и 76). Как установлено Л. Б. Модзалевским, эти листы вырваны самим Пушкиным из тетр. 2371, в которой находится (почти примыкающее к Онегинскому черновику) продолжение первой главы и известная нам часть второй главы (лл. 86, 87, 88, 89). Они не могли быть написаны раньше лета 1830 г. (См. Б. В. Томашевский. «Пушкин и романы французских романтиков». «Лит. Наследство», № 16-18, стр. 947). В тетр. 2386 находится (лл. 13 и 50) перебеленный текст первой главы с пометой 24 февраля, как указал мне Г. О. Винокур. Обе рукописи носят на себе следы нескольких слоев работы. Все это говорит за то, что Пушкин писал этот отрывок с перерывами; начал его в 1830 г. (или даже в последние дни 1829), а в 1832 (24 февр.) переписал (поправляя), очевидно намереваясь продолжать его.

С его озлобленным умом,
Кипящим в действии пустом.

Таким же «сыном свого века» сделал Пушкин и героя отрывка «На углу маленькой площади». Это явствует из следующих сравнений. В плане повести: «Он сатирический, рассеянный». Адольф говорит о себе: «Рассеянный, невнимательный, скучающий». И в другом месте: «Я распустил о себе славу человека легкомысленного и злобного» (т. е. сатирического). Далее, Пушкин так характеризует Валериана Волоцкого, в первоначальном наброске названного просто Алексеем: «Он не любил скуки, боялся всяких обязанностей и выше всего ценил свою себялюбивую независимость». Здесь Пушкин имеет в виду также высказывания Адольфа: «Я сравнивал *жизнь свою независимую* и спокойную с жизнью тревог, торопливости и волнений, на которую обрекала меня страсть ее».[43]) К этому следует добавить, что обе эти характеристики относятся к одной и той же ситуации.

Создавая современного героя — «сына века своего» — светского человека, столь же тщеславного и эгоистического как Адольф,[44]) Пушкин заимствовал готовый характер, по своему объяснив, снизив и разоблачив его, согласно с характеристикой героя Б. Констана, данной в VII главе «Евгения Онегина». Не случайно на такую

---

[43]) «Я находил в этом роде успехов наслаждение самолюбия» («Адольф», стр. 65). Адольф говорит о своих светских успехах: «Вы увидите его в обстоятельствах различных и всегда жертвою сей смеси *эгоизма* и чувствительности, которые сливались в нем» (стр. 81). В 1836 г. Пушкин писал: «Нынешние /писатели/ любят выставлять порок всегда и везде торжествующим и в сердце человеческом обретают только две струны: *эгоизм и тщеславие*». Отсюда понятно почему в конце 20-х годов Пушкин считал Адольфа современным героем.

[44]) Эпиграф первой главы: «Ваше сердце губка, напитанная желчью и уксусом», — конечно, служит дополнительной характеристикой героя. Примечательно также, что фраза: «в эти минуты надобно мне сидеть дома...» имела первоначально такой вид: «В эти минуты надобно мне сидеть дома и не досаждать тебе моей хандрой».

возможность намекает Вяземский в предисловии к «Адольфу», как мы видели, редактированном Пушкиным: «Автор так верно обозначил нам с одной точки зрения характеристические черты Адольфа, что, применяя их к другим обстоятельствам, к другому возрасту, мы легко можем вынуть весь жребий его, на какую бы сцену действия ни был он кинут. Вследствие того можно (разумеется с дарованием Б. Констана) написать еще несколько Адольфов в разных летах и костюмах».

Но Пушкин не только перенес в свою повесть характер Адольфа, но и поставил Алексея в то же положение, в котором находился герой Б. Констана. Мы знаем, что в ту пору (и никогда ни раньше, ни позже), вероятно, в связи с личными обстоятельствами его собственной жизни проблема Адольфа живо интересовала Пушкина. Памятник этого интереса: лирическое стихотворение 1829-1830 гг. — «Когда твои младые лета», столь близкое по теме и по тону к Адольфу, а по ситуации к отрывку «На углу маленькой площади».

То немногое, что известно нам из этого произведения, позволяет утверждать, что при создании этой повести Пушкин использовал сюжетную схему романа «Адольф» и ряд его психологических мотивировок. Показательна, например, разница лет любовников. Она та же в повести Пушкина, что и в романе Б. Констана: Волоцкому — 26 лет, Зинаиде — 36 л. Ср. в «Адольфе»: «Она десятью годами вас старее. Вам 26 лет». Описывая внешность Элленоры, Б. Констан пишет: «Прославленная своей красотой, хотя уже не первой молодости».[45] В первоначальном наброске I главы пушкинского отрывка: «прекрасная, хотя уже не молодая». Так же, как Элленора, Зинаида из-за открытой связи с любимым человеком теряет принадлежавшее ей прежде общественное положение. Эта тема проходит через

_____

[45] Предшественница Зинаиды в творчестве Пушкина — гр. Леонора Д. в «Арапе Петра Великого», которая: «была не в первом цвете лет, но славилась еще своею красотою».

весь роман Б. Констана; в отрывке повести Пушкина она намечается одной фразой: «Я так давно не выезжала, что совсем раззнакомилась с вашим высшим обществом». Следует отметить, что в пушкинском экземпляре «Адольфа» слова :«но я слишком страдала, я уже не молода и мнение света мало владычествует надо мною» — подчеркнуты. Элленора просит Адольфа позволения принимать его «в убежище сокровенном посреди большого города». Именно такова ситуация, открывающая повесть Пушкина.

Изложение предыстории, кратко данной во второй главе пушкинского отрывка,[46]) очень близко к развитию действия в «Адольфе»: «Граф П. скоро заметил сношения мои с Элленорой» («Адольф»), «** скоро удостоверился в неверности своей жены» («На углу маленькой площади»).

Но наиболее близкое сходство находится в описании разрыва Зинаиды с мужем. Адольф надеется, что Элленора не порвет с графом П., с которым она должна иметь решительное объяснение; далее следует фраза близкая пушкинскому тексту: «как вдруг женщина принесла мне записку (un billet), в которой Элленора просила меня быть к ней в такой-то улице, в таком-то доме, в третьем этаже». Адольф идет к Элленоре. «Все расторгнуто, сказала она мне...» В пушкинском отрывке Зинаида тоже после объяснения с мужем «в тот же день переехала с Английской набережной в Коломну[47]) и в *короткой записочке*[48]) уведомила обо всем Волоцкого, ничего тому подобного не ожидавше-

---

[46]) В рукописи II глава начинается зачеркнутой фразой: «Зинаида им овладела». Очевидно Пушкин первоначально предполагал более подробно изложить предысторию. В «Адольфе» приведенной фразе соответствуют следующие места: «Я был только человек слабый, признательный, и порабощенный...» «Я покорился ее воле».

[47]) Первоначально было: «На Васил/ьевский/ Остров». То и и другое соответствует третьему этажу в «Адольфе».

[48]) Первоначально было: оттуда послала Вол/оцкому/ страничку. У Констана: billet, т.е. листик, письмецо, записка.

го». Непосредственно за этим и в романе Б. Констана и в отрывке повести Пушкина следует весьма важное для объяснения характера обоих героев описание их растерянности по получении этого известия: «я принял ее жертву, благодарил за нее» (Адольф); «Он притворился благодарным» («На углу маленькой площади»). О самочувствии своих героев Б. Констан и Пушкин говорят почти одно и то же: «Никогда не думал он связать себя такими узами» (Пушкин); «Узы мои с Элленорой», «Ибо узы, которые я влачил так давно» (Б. Констан). В пушкинском экземпляре «Адольфа» отчеркнут конец фразы: «уверенность в будущем, которое должно разлучить нас, может быть *неведомое возмущение против уз, которые я расторгнуть не мог, меня внутренне снедали*».

Самая ситуация в первой главе пушкинского отрывка может быть объяснена следующей цитатой из романа Б. Констана: «Мы проводили однообразные вечера между молчанием и досадами». Ср. в отрывке повести Пушкина: «Ты молчишь, не знаешь, чем заняться, перевертываешь книги, придираешься ко мне, чтоб со мной побраниться ...»[49])

Итак, мы видим, что Пушкин в отрывке повести «На углу маленькой площади» воспроизвел сюжетную схему «Адольфа» (начиная с IV главы романа Б. Констана), окрасив своим отношением характер центрального героя. Волоцкий, во всяком случае, лишен той «декламационной сантиментальности», которая, по выражению одного из французских критиков, характерна для Б. Констана.

Не забудем, что для Пушкина Адольф был байроническим героем («Бенж. Констан первый вывел на сцену сей характер впоследствии обнародованный гением лорда Байрона»). Следовательно разоблачая и сатири-

---

[49]) См. также: «Она никогда не отпускала меня не старавшись удержать» («Адольф»). «„Ты уж едешь?" — сказала дама с беспокойством. — „Ты не хочешь здесь отобедать?" —„Нет, я дал слово". —„Обедай со мною", продолжала она ласковым и робким голосом» («На углу маленькой площади»).

чески интерпретируя Адольфа, Пушкин тем самым преодолевал байронизм в своих прозаических опытах так же, как в «Евгении Онегине».

Сатирическая оценка психологии центрального героя, конечно, связана у Пушкина с оценкой его социального положения. Это тем более важно отметить, что аналогичные сатирические оценки в романе Б. Констана имеют лишь побочное значение. Социальный смысл сатирической направленности пушкинского отрывка («На углу маленькой площади») вскрывается в теме спора Зинаиды с Волоцким. Тема этого спора — излюбленные пушкинские размышления о новой знати («Аристокрация, прервала бледная дама, что ты зовешь аристокрацией...»),[50]) почти дословно повторяющиеся в двух других светских повестях Пушкина. «Что такое русская аристократия?» — спрашивает испанец Минского («Гости съезжались на дачу»); «Ты знаешь что такое наша аристокрация», — пишет Лиза подруге («Роман в письмах»). В Волоцком Пушкин изобразил «потомка Рюрика»,[51]) который требует уважения от новой знати.

---

[50]) Тетрадь 2371, л. 68.

[51]) Самая фамилия героя пушкинского отрывка раскрывает его социальную позицию. Кн. Волоцкие — угасший в пушкинское время род, ведший свое происхождение от Рюрика и владевший гор. Волоком Камским или просто Волоком. Пушкин, так живо интересовавшийся своей родословной, конечно, знал древние русские роды и в том же 1830 г. упоминает о прекращении многих из них: «Смотря около себя и читая старые наши летописи, я сожалел, видя как древние дворянские роды уничтожались...» (см. также: «Мне жаль, что нет князей Пожарских / Что о других пропал и слух. «Езерский»). В подготовительных заметках к «Борису Годунову» рюриковичи выписаны из Карамзина: «Князья Рюр. пл. Шуйский, Сицкий, Воротынский, Ростовский, Телятевский и пр.»; некоторые из них названы в самой трагедии: Шуйский, Воротынский, Сицкий, Шастуновы (также Курбский — «великородный витязь». Ср. в X главе «Евгения Онегина»: «Но виршеплет великородный» о кн. Долгорукове); фамилия Сицких повторена в «Езерском»: «И умер, Сицких пересев». В «Арапе Петра Великого» Ржевский, про которого сказа-

Поэтому Волоцкий и говорит с такой пренебрежительностью о «дочери того певчего». Под «дочерью певчего» надо подразумевать, конечно, не дочь какого-нибудь церковного певчего, а представительницу новой знати, столь ненавидимой Пушкиным. Стих «Моей родословной» (1830) «Не пел на клиросе с дьячками», как известно, метит в Разумовских. Их же, между прочим, Пушкин имеет в виду в перечислении: «Смешно только видеть в ничтожных внуках пирожника, деньщика, певчего и беглого /солдата/ — спесь /герцогов/ Монморанси /и/ Клермон Тонера, первого христианского барона» («Гости съезжались на дачу»). Титул «первого христианского барона» имел глава дома Монморанси. Ср. в «Записках» Вигеля: «Все сыновья... Кирилла Григорьевича /Разумовского/ были ... спесивы и недо-

но, что он происходил от древнего боярского рода, его тесть Лыков; предполагаемые женихи Ржевской — Львов, Долгоруков, Троекуров. Елецкий (о происхождении Елецких Пушкин писал в отрывке «Несмотря на великие преимущества», 1830). Снова Ржевская в плане повести «О стрельце и боярской дочери». Конечно не случайно многие герои пушкинских и не исторических произведений 1829-1834 гг. носят фамилии рюриковичей, в XIX в. уже не существовавшие или которые можно было назвать, не задевая никого, как напр. Елецкий. Минский, гусар-аристократ («Станционный смотритель») и Минский («Гости съезжались на дачу»), сам рекомендующийся рюриковичем, разоряющийся англоман Муромский («Барышня крестьянка»), кн. Горский (черновик «На углу маленькой площади»), снова Троекуров («Дубровский»), о котором сказано, что он был знатного рода, и кн. Верейский (там же) и кн. Елецкая («Пиковая Дама») переименованы в «Российской родословной книге» Долгорукова, как ведущие род от Рюрика. Упоминает Пушкин и фамилии, произошедшие от его пращура Радши — см. пушкинскую «Родословную Пушкиных и Ганнибалов»: Бутурлин — один из гостей Шуйского, и Бутурлин, оспаривающий вместе с Долгоруким Петра в сенате («Арап Петра Великого») и московская барыня Поводова («Роман на кавказских водах»). От Радши — и упоминаемый в «Борисе Годунове» московский дворянин Рожнов. Таким образом, мы видим, что семантика этих фамилий дает дополнительный материал для постановки вопроса об отношении Пушкина к старой знати.

ступны... и почитали себя русскими Монморанси» (т. I, стр. 303). Несмотря на всю эскизность портрета, в графине Фуфлыгиной можно узнать другую представительницу новой аристократии, законодательницу петербургского света гр. М. Д. Нессельроде.[52]) Она была личным врагом Пушкина за приписываемую поэту эпиграмму на отца Нессельроде, министра Гурьева. Характеристика, данная Пушкиным гр. Фуфлыгиной, очень близка к отзывам современников о гр. Нессельроде.

Волоцкий называет аристократами «тех, которые протягивают руку графине Фуфлыгиной». См. в мемуарах М. А. Корфа: «Салон графини Нессельроде... был неоспоримо первым в С.-Петербурге; попасть в него, при его исключительности, представляло трудную задачу... но кто водворился в нем, тому это служило открытым пропуском во весь высший круг». Фуфлыгина — толста. П. А. Вяземский писал А. Я. Булгакову о Нессельроде: «...и плечиста, и грудиста, и брюшиста». Фуфлыгина — взяточница и наглая дура. Впоследствии П. В. Долгоруков вспоминает о Нессельроде: «женщина ума недальнего... взяточница, сплетница... но отличавшаяся необыкновенной энергиею, дерзостью, нахальством и... посредством этого нахальства державшая в безмолвном и покорном решпекте петербугский придворный люд».

Элементы «злословия», присущие жанру светской повести (см., например, «Пелам» Бульвера), в незаконченных повестях Пушкина функционально изменяются, приобретая резко-публицистическую направленность. Таким образом, эти повести могут рассматри-

---

[52]) Ни в черновике б. Онегинского собрания, ни в продолжении пушкинского отрывка в тетради № 2371 Фуфлыгина не упоминается. Вероятно этот персонаж введен Пушкиным только в 1832 г. при переписке повести (тетрадь 2386): за это говорят и помарки в этом месте рукописи. В 1832 г. Пушкин жил в Петербурге, и его отношение к гр. Нессельроде уже определилось. О столкновении Пушкина с Нессельроде рассказывает Нащокин. Столкновение это, повидимому, относится к началу 30-х гг. (см. П. И. Бартенев, «Рассказы о Пушкине», стр. 42 и 111)

ваться как иллюстрация программных высказываний Пушкина в его статьях того времени.

Что же касается указаний на автобиографичность «светских» повестей Пушкина и, в частности, отрывка «На углу маленькой площади», то при известной способности Пушкина перевоплощаться в любимого писателя очень легко допустить, что во второй половине 20-х годов светская ипостась Пушкина (которую он с таким старанием отделял от своей творческой личности) воплотилась в светского, скучающего и стремящегося к независимости Адольфа. Ср. например пушкинский отрывок «Участь моя решена. Я женюсь...» с «Адольфом».[53]) Поэтому, если в Онегине и Волоцком есть Адольф, то этот Адольф — Пушкин. Этому, конечно, способствовала в особенности автобиографичность самого «Адольфа», которая подобно автобиографичности «Вертера» должна была наталкивать на мысль о создании произведений автобиографического характера. Сам Б. Констан в предисловии к третьему изданию своего романа писал: «то придает некоторую истину рассказу моему, что почти все люди его читавшие говорили мне о себе, как о действующих лицах, бывавших в положении моего героя».

IV

Итак, мы видим, что Пушкин, в конце 20-х годов решая проблему создания не байронической характеристики современного героя, отчасти опирается на «Адольфа».

Изменение отношения Пушкина к байроническому герою должно быть отмечено уже в «Евгении Онегине».

---

[53]) Через один абзац от написанного Пушкиным на полях «Адольфа» слова «bonheur» следуют рассуждения Адольфа о своей независимости и сожаление о предстоящей потере ее: «Я сравнивал жизнь свою независимую и спокойную с жизнью тревог и волнений. Мне так любо было чувствовать себя свободным, идти, придти, отлучиться, возвратиться не озабочивая никого». У Пушкина (1830): «...я жертвую независимостию, моей беспечной, прихотливой независимостию... Утром встаю, когда хочу, принимаю кого хочу...»

В пушкинской литературе неоднократно указывалось на сходство Онегина с Адольфом. Из всех убеждающих нас сопоставлений Онегина с Адольфом можно сделать один вывод: «Адольф» был одним из произведений, давших Пушкину скептические и реалистические позиции против Байрона.

Следует отметить, что сходство Онегина с Адольфом возрастает к концу пушкинского романа, и в особенности явственно в VIII главе (1830). Теперь, когда мы знаем ряд фактов, по новому освещающих отношение Пушкина к Адольфу, можно с большей уверенностью указать еще несколько довольно существенных совпадений VIII главы «Онегина» с романом Б. Констана.

Начну с черновых вариантов: «Свой дикий нрав преодолев» — ср. Адольф: «ce caractère qu'on dit bizarre et sauvage...» Последний стих XII строфы имел первоначально такой вид:

> Заняться чем нибудь хотел.

Адольф тоже мечтает о деятельности.[54]) Кроме того, при сопоставлении VIII главы с Адольфом можно найти более близкие примеры, чем это было сделано до сих пор: барон Т. говорит Адольфу: «Вам 26 лет, вы достигнете половины жизни вашей ничего не начав, ничего не свершив». В VIII главе «Онегина»:

> Дожив без цели, без трудов
> До двадцати шести годов,
> *Томясь в бездействии досуга...*

Далее Адольф говорит: «Я кинул долгий и грустный взгляд на время, протекшее без возврата: я припомнил надежды молодости... *мое бездействие давило меня...*» Ср. VIII главу: «Но грустно думать, что напрасно / Была нам молодость дана...» Есть сходство и в самой ситуации, которую представляет нам VIII глава, с началом романа Б. Констана.

---

[54]) «Я сетовал не об одном поприще: не покусившись ни на одно, я сетовал о всех поприщах». «Я ощущал в себе живейшее нетерпение приобресть вновь в отечестве и в сообществе мне равных место, принадлежавшее мне по праву».

Родственник героя, граф П., в подругу которого влюблен Адольф, приглашает его на вечер. Князь N, муж Татьяны, приглашает Онегина на вечер.

Адольф, желая увидет Элленору, поминутно смотрит на часы — «Онегин вновь часы считает, вновь не дождаться дню конца!»

«Наконец пробил час, когда Адольфу нужно было ехать к графу».

«Но десять бьет...»

Адольф чувствует трепет, приближаясь к Элленоре.

«Он с трепетом к княгине входит».

Но всего примечательнее то, что в VIII главе светский дэнди Онегин неожиданно становится таким же застенчивым и робким, как Адольф, когда он оставался наедине с Элленорой.

> Татьяну он одну находит
> И вместе несколько минут
> Они сидят. *Слова нейдут*
> *Из уст Онегина.* Угрюмый,
> Неловкий, он едва, едва
> Ей отвечает.

Здесь Пушкин очень близко повторяет Б. Констана: «tous mes discours expiraient sur mes lévres» (все мои речи замирали на моих устах).

Онегин так же, как Адольф, не решается на объяснение и посылает письмо. Для этого письма Пушкин черпает из «Адольфа» целый ряд формул и таким образом прибегает к «Адольфу» для *создания языка любовных переживаний*:

> Я знаю: век уж мой измерен;
> Но чтоб продлилась жизнь моя,
> Я утром должен быть уверен,
> Что с вами днем увижусь я...

Ср. у Констана: «Je n'ai plus le courage de supporter un si long malheur, mais je dois vous voir s'il faut que je vive».

Адольф, пославший первое любовное письмо Элленоре, боялся угадать в ее улыбке след какого-то презрения к нему. Ср. в письме Онегина:

248

Какое горькое презренье
Ваш гордый взгляд изобразит!

«Чего хочу?», восклицает Онегин. «Qu'est-ce que j'exige?» спрашивает Адольф в объяснении с Элленорой (гл. III). В том же объяснении с Элленорой Адольф говорит: «напряжение, которым одолеваю себя, чтобы говорить с вами несколько спокойно, есть свидетельство *чувства для вас оскорбительного*» и просит Элленору не наказывать его за то, что она узнала тайну (т. е. его любовь). Это место отчеркнуто в пушкинском экземпляре «Адольфа». Ср. в «Письме Онегина»:

Предвижу все: вас оскорбит
Печальной *тайны* объясненье.

Выражение «милая привычка», дважды употребленное Пушкиным в любовных объяснениях [55] и между прочим в «Письме Онегина» — «Привычке милой не дал ходу» — находится все в том же объяснении Адольфа с Элленорой (Vous avez laissé naître et se former cette douce habitude).[56]

И, наконец, письмо Адольфа к Элленоре (гл. III), вторая половина которого в пушкинском экземпляре «Адольфа» перечеркнута карандашной линией (от слов «Tout près de vous» и до конца), содержит одно место, очень близкое к «Письму Онегина», написанному 3 октября 1831 г.[57]

---

[55] Н. П. Дашкевич отметил, что «Письмо Онегина к Татьяне напоминает некоторыми мыслями объяснение Адольфа с Элленорой (см. гл. III)», но не привел примеров этого сходства, важного, как мы дальше увидим, в связи с «Каменным Гостем».

[56] Ср. в «Метели»: «Я поступил неосторожно, предаваясь милой привычке видеть и слышать вас ежедневно». Пушкин отсылает читателя к «Новой Элоизе» Руссо («Мария Гавриловна вспомнила 1-е письмо St. Preux»). Однако в первом письме St. Preux нет выражения «милая привычка».

[57] Незадолго до этого, повидимому в сентябре, вышел «Адольф» Вяземского. В «Трудах и днях» Пушкина ошибочно указано Н. О. Лернером, что перевод Вяземского вышел в марте 1931 г. (Н. О. Лернер, назв. соч., стр. 238).

Желать обнять у вас колени,
И, зарыдав, у ваших ног
Излить мольбы, признанья, пени,
Все, все, что выразить бы мог,
А между тем притворным хладом
Вооружать и речь и взор...

lorsque j'aurai un tel besoin de me
reposer de tant d'angoisse, de po-
ser ma tête sur vos genoux, de
donner un libre cours à mes larmes
il faut que je me contraigne...
(гл. III).

Все эти сопоставления должны рассматриваться, как перенесение Пушкиным из «Адольфа» в «Евгения Онегина» психологической терминологии любовных переживаний.

V

Жанровые эксперименты, характеризующие работу Пушкина в конце 20-х годов, идут по самым разным линиям.

Теперь уже можно говорить, что именно в конце 20-х годов Пушкин работал над жанром своих маленьких романтических трагедий. И очень примечательно, что параллельное использование Байрона и Б. Констана мы находим также и в одной из этих трагедий — в «Каменном госте». Таким образом «Адольф» был использован Пушкиным еще по одной линии его жанровых исканий. С одной стороны сатирический роман «Евгений Онегин», с другой — психологическая повесть «На углу маленькой площади», с третьей — романтическая трагедия «Каменный гость».

Выше отмечено совпадение письма Онегина («Я знаю, век уж мой измерен...») с текстом «Адольфа». Тот же текст был заимствован Пушкиным и для «Каменного гостя». Любопытна и не очень обычна для Пушкина форма этого заимствования. Обыкновенно в пушкинских заимствованиях источник подвергается некоторой переработке и дальнейшему развитию. Здесь же мы видим почти дословный перевод. Пушкин вкрапливает цитату из «Адольфа» в текст своей трагедии. Эта цитата находится в III сцене «Каменного гостя, в объяснении в любви Дон Гуана; уже начало реплики Дон Гуана на слова Донны Анны: «Я слушать вас боюсь» —
Я замолчу; лишь не гоните прочь
Того, кому ваш вид *одна отрада*

— довольно близко к «Адольфу»: «чем заслужил я лишения сей *единственной отрады*» (Адольф говорит о запрещении видеть Элленору).[58]) Затем в «Каменном госте» следует цитата из «Адольфа»:

Я не питаю дерзостных надежд, Je n'éspère rien, je ne demande rien,
Я ничего не требую, но видеть je ne veux que vous voir; mais je
Вас должен я, когда уже на жизнь dois vous voir s'il faut que je
Я осужден. vive.[2] «Я ни на что не надеюсь,
ничего не прошу, хочу только
вас видеть, но мне необходимо вас видеть, если я должен жить.»

Лучший комментарий к этому месту дал сам Пушкин в «Арапе Петра Великого» (1827): «что ни говори, *а любовь без надежд и требований трогает женское сердце вернее всех расчетов обольщения*». Ср. с этой авторской ремаркой в «Арапе Петра Великого» следующее место в той же III сцене «Каменного гостя».

Когда б я был безумец, я б хотел
В живых остаться, я б *имел надежду*
Любовью нежной *тронуть ваше сердце*...

После этого понятно, что тронутая любовью без надежд и требований Донна Анна отвечает:

... Завтра,
Ко мне придите. Если вы клянетесь
Хранить ко мне такое ж уваженье,[60])
Я вас приму — но вечером — позднее.

---

[58]) Ср. в «Барышне-крестьянке»: Алексей заклинает Лизу «н е л и ш а т ь е г о о д н о й о т р а д ы — видеться с нею...» Напомню, что Вяземский закончил пересмотр своего перевода «Адольфа» летом 1830 г. В августе он видался с Пушкиным и вместе с ним ехал из Петербурга в Москву, оставив свой перевод на попечение Жуковского и Дельвига. Вероятно тогда Вяземский и дал Пушкину на просмотр свой перевод «Адольфа».

[59]) Ср. письмо Пушкина к неизвестной (1823): «je ne veux rien, je ne demande rien»; там же о любви без надежд: «Si j'avais des espérances»; ср. также лирическое стихотворение «Признание» (1824): «Не смею требовать любви».

[60]) Адольф говорит, что расточал Элленоре, согласившейся видеться с ним наедине, «тысячу уверений в нежности, в преданности, в уважении вечном» (стр. 20).

Эти слова перенесены Пушкиным из предыдущей (II) главы «Адольфа», где на требование Адольфа принять его «завтра в 11 часов» Элленора отвечает« «Je vous receverai demain mais je vous conjure...» (Я вас приму завтра, но заклинаю вас...). Элленора не кончает фразы, потому что боится быть услышанной присутствующими, но по смыслу фраза ее не могла иметь иного окончания. Пушкин договаривает за Констана.

Столь же несомненна близость к «Адольфу» слов Дон Гуана о тайне (т. е. любви своей), которую он нечаянно выдал:

> Случай, Донна Анна, случай
> Увлек меня, не то б вы никогда
> Моей *печальной тайны не узнали.*

Адольф просит Элленору «удалить воспоминание о минуте исступления: не наказывать меня за то что *вы знаете тайну,* которую должен был заключить я во глубине души...» Эта фраза, как было отмечено выше в связи с «Письмом Онегина», отчеркнута в пушкинском экземпляре «Адольфа»[61])

Дон Гуан так же, как Адольф, начинает с угрозы самоубийства: «О пусть умру *сейчас у ваших ног»* («Кам. гость»); «Я *сейчас* еду ... пойду искать конца жизни» («Адольф»).

В начале IV сцены Дон Гуан говорит:

> Наслаждаюсь молча,
> Глубоко мыслью быть наедине
> С прелестной Донной Анной...

Все в той же III главе «Адольфа» читаем: «Потребность видеть ту, которую любил, наслаждаться ее присутствием владела мной исключительно». Перед этим Адольф говорит, что в его «душе уже не было места ни рассчетам, ни соображениям», и он «признавал себя влюбленным добросовестно, истинно» (гл. III).

---

[61]) Она находится рядом с той, в которой дана характеристика Адольфа: «Вам известно мое положение, сей характер, который почитают странным и диким...» (Напечатанные курсивом слова — отчеркнуты в пушкинском экземпляре «Адольфа»). Ср. «Евг. Онегин», гл. VIII, после стр. XXX (в ркп.): «Свой дикий нрав преодолев».

А в письме Адольфа к Элленоре, цитированном выше в связи с письмом Онегина, читаем: «*А если бы я встретил вас ранее, вы могли бы быть моею.*» Ср. IV сцену «Каменного гостя»: «*Если б я прежде вас узнал...*» Самое отношение Дон Гуана к Донне Анне, ни в коем случае не восходящее к традициям классических Дон Жуанов, обычно истолковывается двояко: либо Дон Гуан романтически влюблен в Донну Анну, но в таком случае психологически мало правдоподобен тот цинический и слегка пренебрежительный тон, которым он говорит о Донне Анне в ее отсутствии; либо вдохновенная искренность его слов лишь умелая игра, но этому толкованию в свою очередь противоречат слова Дон Гуана («Я гибну — кончено — о Донна Анна!»), произсимые им в момент гибели, когда притворяться было уже незачем.

Поведение Дон Гуана, как мне кажется, находит свое психологическое обоснование, если мы сопоставим Дон Гуана, соблазняющего Донну Анну, с Адольфом, соблазняющим Элленору. Адольф говорит о себе: «Кто бы стал читать в сердце моем в ее отсутствии, почел бы меня соблазнителем холодным и мало чувствительным. Но кто бы увидел меня близ нея, — тот признал бы меня за любовного новичка, смятенного и страстного».

Таким образом, исторический персонаж пушкинской трагедии приобретает психологический облик современного светского соблазнителя Адольфа,[62] героя того романа, о котором Пушкин в 1830 г. вспоминает в связи с «жгучими чтениями своих юных лет» и с героиней которого Пушкин сравнивает свою корреспондентку.

---

[62] В начале романа Адольф сам характеризует себя, как соблазнителя. См. напр.: «В доме моего родителя я составил себе о женщинах образ мыслей довольно безнравственный...»; «Мое сердце требовало любви, а чувство суетных успехов. Элленора показалась мне достойной моих искусительных усилий...»; «Я не думал, что люблю Элленору, но уже не мог отказаться от мысли ей нравиться... вымышляя тысячи средств к победе... мое воображение, мои желания, какая-то наука светского самохвальства восставала во мне».

В связи с модернизацией характера Дон Гуана в «Каменном госте» интересно отметить, что один важный исторический эпизод пушкинской трагедии тоже имеет источник не исторического характера. Я имею в виду воспоминания Дон Гуана о своей ссылке. Место ссылки Дон Гуана на основании текста Пушкина не может быть указано хоть сколько нибудь точно. Вопрос проясняется лишь из сопоставления с источником: «Дон Жуаном» Байрона. У Байрона — Жуан приезжает в Англию (песнь X). Первое, что он замечает, это дым, окутывающий Лондон: «The sun went down, the smoke rose up» (Солнце опускалось, дым поднимался). Ср. в «Каменном госте»: «а небо точно дым». В XII песне Байрон называет Англию: «the shore of white cliffs, white necks, blue eyes» (т. е. страной белых утесов, *белых шей, синих глаз*). Чужестранки в «Каменном госте» *сначала* нравились Дон Гуану: *«Глазами синими, да белизною».* Жуану они *сначала* не нравились (At first he did not think the women pretty), потому что *новинки* меньше нравятся, чем впечатляют («That novelties please less than they impress). Ср. в «Каменном госте»: «а пуще новизною». Есть в той же песне байроновского «Дон Жуана» и сравнение англичанки с андалузской девушкой: «She cannot step as does an Arab barb / Or Andalusian girl from mass returning». Ср. в. «Каменном госте»:

> *А, женщины, да я не променяю*
> Последней в Андалузии крестьянки
> На первых тамошних красавиц, право.

Эта строфа «Дон Жуана» находится через одну от той, где Байрон говорит о русских, бросающихся из горячей бани прямо в снег. К этому месту Байрон сделал следующее примечание: «Русские, как общеизвестно, бегут из горячей бани, чтобы окунуться в Неву ...» Об упоминаниях в байроновских поэмах о русских обычаях Пушкин писал в «Отрывках из писем, мыслях и замечаниях»: «В своих поэмах он часто говорит о России, о наших обычаях» («,,Северные Цветы'' на 1828 г.»).

После всех этих сопоставлений трудно расматривать «Каменного гостя», как историческую трагедию. Она не может рассматриваться и только как решение проблемы изображения общечеловеческих страстей. Выясняется автобиографичность и современные ноты «Каменного гостя».

Итак, мы видим, что Пушкин, решая совершенно разные литературные задачи («Евгений Онегин», «Каменный гость», «На углу маленькой площади»), несколько раз обращался к «Адольфу», но всякий раз для того, чтобы психологизировать свои произведения и придать им ту истинность (правдоподобие), которую отмечали в «Адольфе» все его читатели, начиная с Сисмонди и кончая Полевым. Здесь я еще раз приведу цитаты из «Предисловия» Вяземского (как мы видели, редактированного Пушкиным), проясняющие взгляд Пушкина и его современников на «Адольфа», как на произведение, в котором они узнавали подлинную жизнь: «Вся драма в человеке, *все искусство в истине* . . . Во всех наблюдениях автора *так много истины* . . . Женщины вообще не любят Адольфа, т.е. характера его и это порука *в истине* его изображения . . . Романист не может идти По следам Платона и импровизировать республику . . . Каковы отношения мужчин и женщин в обществе, таковы должны они быть в картине его. Пора Малек-Аделей и Густавов миновалась.[63]) . . . Трудно в таком тесном очерке, в таком ограниченном и так сказать одиноком действии более выказать сердце человеческое, переворотить его на все стороны, выворотить до дна и обнажить наголо во всей жалости и во всем ужасе холодной *истины*».

То, о чем говорит Вяземский, конечно, еще не реализм в смысле литературной школы; но уже то, что

---

[63]) Эта фраза звучит, как цитата. Ср. «Евгений Онегин» (глава III, строфа IX): «Малек Адель и де-Линар», а также примечание Пушкина: «Малек Адель, герой посредственного романа M-me Cottin. Густав-де-Линар, герой прелестной повести баронессы Крюднер». О неправдоподобии романов Коттен Пушкин говорил дважды: в III главе «Онегина» (строфа XI, характеристика героя старых романов) и в статье «Мнение М. Е. Лобанова о духе словесности» (1836).

в «Адольфе» узнавали действительность и противопоставляли его истинность, т. е. правдоподобие, «мечтательной Аркадии романов» баронессы Криденер и романов, написанных почти одновременно с «Адольфом» («Валерия» Криденер 1803 г. и «Матильда» Коттен 1805 год), доказывает, что для Пушкина роман Б. Констана уже подступ к реализму.[64])

Поэтому сопоставление «Адольфа» с произведениями Пушкина вплотную подводит к принципиальным вопросам, связанным с проблемой реализма в творчестве Пушкина.

---

[64]) В том же самом отрывке повести («На углу маленькой площади»), который воспроизводит сюжетную схему «Адольфа», несомненно влияние и Бальзака. Я имею в виду рассуждения о том, как должен себя вести обманутый муж. В декабре 1829 г. вышла (анонимно) знаменитая «Физиология брака» Бальзака, о которой Пушкин упоминает в «Египетских Ночах». В этой книге вопрос о поведении обманутого мужа трактуется чрезвычайно подробно. Напр., «Quelle doit être la conduite d'un mari en s'appercevant d'un dernier symptôme, qui ne lui laisse aucun doute sur l'infidelité de sa femme» (стр. 287, изд. 1868 г.). Ср. в пушкинском отрывке: «** скоро удостоверился в неверности своей жены. Он не знал на что решиться: притвориться ничего не замечающим казалось ему глупым» ... Ср. с «Физиологией брака»: «Paraître instruit de la passion de sa femme est d'un sot; mais feindre d'ignorer tout est d'un homme d'esprit» (стр. 229). Там же: «Le grand écueil est le ridicule». Бальзак также дает ряд примеров мужей, смеющихся «над несчастием столь обыкновенным» (стр. 288), что Пушкин называет «презрительным». В пушкинском отрывке одно сравнение взято из той же книги Бальзака: «Он вышел из комнаты, как школьник из класса» (черн.). «Elle s'évada comme un écolier qui vient d'achever une pénitence». Ср. также в «Станционном смотрителе»: «Дуня, одетая со всей роскошью моды, сидела на ручке его кресел, как наездница на своем английском седле». Ср. у Бальзака: «J'aperçus une jolie dame assise sur le bras d'un fauteuil, comme si elle eût monté un cheval anglais» (стр. 115). В письме от 12 апреля 1831 г. В. С. Голицын, которого Пушкин ссужал книгами, писал: «Посылаю Вам развратительную книгу (Physiologie du mariage) ...» («Литературное Наследство», № 16—18, стр. 610).

«КАМЕННЫЙ ГОСТЬ» ПУШКИНА

1

Известно, что в первый период своего творческого пути (когда вышли «Кавказский пленник», «Бахчисарайский фонтан» и ранняя лирика) Пушкин был любим своими современниками, литературный путь его был прям и блистателен. И вот где-то около 1830 года читатели и критика отшатнулись от Пушкина. Причина этого лежит прежде всего в самом Пушкине. Он изменился. Вместо «Кавказского пленника» он пишет «Домик в Коломне», вместо «Бахчисарайского фонтана» — «Маленькие трагедии», затем «Золотого петушка», «Медного всадника». Современники недоумевали, враги и завистники ликовали. Друзья отмалчивались. Сам Пушкин в 1830 году пишет:

> И альманахи, и журналы,
> Где поученья нам твердят,
> Где нынче так меня бранят,
> А где такие мадригалы
> Себе встречал я иногда . . .

(VI, 183).[1])

В чем же и как изменился Пушкин?

В предисловии, предполагавшемся к VIII и IX главам «Онегина» (1830), Пушкин полемизирует с критикой: «Век может идти себе вперед», но «поэзия остается на одном месте . . . Цель ее одна, средства те же» (VI, 540, 541).

Однако в том же году в набросках статьи о Баратынском Пушкин совершенно иначе рисует отношения поэта с читателем: «Понятия, чувства 18-летнего поэта еще близки и сродны всякому, молодые читатели понимают его и с восхищением в его произведениях узнают собственные чувства и мысли, выраженные ясно, живо и гармонически. Но лета идут — юный поэт мужает, талант

---

[1]) Здесь и в дальнейшем цитируется по изданию: П у ш к и н, Полное собрание сочинений, тт. I—XVI, Изд. Академии Наук СССР, 1937—1949.

его растет, понятия становятся выше, чувства изменяются. Песни его уже не те. А читатели те же и разве только сделались холоднее сердцем и равнодушнее к поэзии жизни. Поэт отделяется от них, и мало-по-малу уединяется совершенно. Он творит — для самого себя и если изредка еще обнародывает свои произведения, то встречает холодность, невнимание и находит отголосок своим звукам только в сердцах некоторых поклонников поэзии, как он уединенных, затерянных в свете» (Х1, 185).

Странно, что до сих пор нигде не отмечено, что эту мысль подсказал Пушкину сам Баратынский в письме 1828 года, где он так объясняет неудачу «Онегина»: «Я думаю, что у нас в России поэт только в первых, незрелых своих опытах может надеяться на большой успех. За него все молодые люди, находящие в нем почти свои чувства, почти свои мысли, облеченные в блистательные краски. Поэт развивается, пишет с большою обдуманностью, с большим глубокомыслием: он скучен офицерам, а бригадиры с ним не мирятся, потому что стихи его все-таки не проза. Не принимай на свой счет этих размышлений: они общие» (Пушкин, ХIV, 6).

Из сравнения этих двух цитат видно, как Пушкин развил мысль Баратынского.

Итак, не поэзия неподвижна, а читатель не поспевает за поэтом.

В герое «Кавказского пленника» с восторгом узнавали себя все современники Пушкина, но кто бы согласился узнать себя в Евгении «Медного всадника»?

2

К числу зрелых произведений Пушкина, не услышанных не только современниками, но и друзьями поэта,[2])

---

[2]) В дневниковой записи Вяземский холодно перечисляет «Маленькие трагедии», как новости, привезенные Пушкиным из Болдина (П. А. Вяземский. Полное собрание сочинений, т. 9, СПб., 1884, стр. 152), а Жуковский в 1831 году пишет Пушкину: «Напрасно сердишься на Чуму: она едва ли не лучше Каменного гостя» (ХIV, 203). Восторги Белинского относятся уже к 1841 году

относятся его «Маленькие трагедии». Быть может, ни в одном из созданий мировой поэзии грозные вопросы морали не поставлены так резко и сложно, как в «Маленьких трагедиях» Пушкина. Сложность эта бывает иногда столь велика, что в связи с головокружительным лаконизмом даже как будто затемняет смысл и ведет к различным толкованиям (например, развязка «Каменного гостя»). Мне кажется, объяснение этому дает сам Пушкин в заметке о Мюссе (24 октября 1830 года), где он хвалит автора «Contes d'Espagne et d'Italie» за отсутствие морализирования и вообще не советует «ко всякой всячине приклеивать нравоучения» (XI, 175—176). Это наблюдение дает отчасти ключ к пониманию якобы шутливой концовки «Домика в Коломне» (9 октября 1830 г.):

> Да нет ли хоть у вас нравоученья?
> Нет... или есть: минуточку терпенья...
> Вот вам мораль...
>
> (V, 93)

и далее следует явно вызывающая пародия на нравоучительную концовку («Больше ничего Не выжмешь из рассказа моего»).

Понятно, что для поэта, так поставившего вопрос о морализировании, многие обычные пути изображения страстей были закрыты. Все сказанное выше в особенности относится к «Каменному гостю», который все же является обработкой мировой темы возмездия, а у предшественников Пушкина, касавшихся этой темы, не было недостатка в прямом морализировании.

Пушкин идет другим путем. Ему надо, с первых же строк и не прибегая к морализированию, убедить читателя в необходимости гибели его героя. Что и для Пушкина «Каменный гость» — трагедия возмездия, доказывает уже само выбранное им заглавие («Каменный гость», а не «Дон Жуан»). Поэтому все действующие лица — Лаура, Лепорелло, Дон Карлос и Донна Анна —

(«величайшее создание Пушкина — его „Каменный гость'» — В. Г. Б е л и н с к и й, Полное собрание сочинений, т. IV, Изд. Академии наук СССР, М., 1954, стр. 424).

только и делают, что готовят и торопят гибель Дон Гуана. О том же неустанно хлопочет и сам герой:

> Все к л у ч ш е м у : нечаянно убив
> Дон Карлоса, отшельником смиренным
> Я скрылся здесь ...
>
> (VII, 153).

А Лепорелло говорит:

> ... Ну, развеселились мы.
> Н е д о л г о нас покойницы тревожат.
>
> (VII, 140).

После проделанной пушкинистами работы мы знаем, чем похож пушкинский Дон Гуан на своих предшественников. И теперь имеет смысл определить, в чем он самобытен.

Характерно для Пушкина, что о богатстве Дон Гуана упомянуто только раз и вскользь, в то время как для Дапонте и для Мольера это существенная тема. Пушкинский Гуан и не дапонтовский богач, который хочет «наслаждаться за свои деньги», и не мольеровский унылый резонер, обманывающий кредиторов. Пушкинский Гуан — испанский гранд, которого при встрече на улице не мог не узнать король. Внимательно читая «Каменного гостя», мы делаем неожиданное открытие: Дон Гуан — поэт. Его стихи, положенные на музыку, поет Лаура, а сам Гуан называет себя «Импровизатором любовной песни» (VII, 153).

Это приближает его к основному пушкинскому герою: «Наши поэты не пользуются покровительством господ; наши поэты сами господа ...», — говорит в «Египетских ночах» Чарский, повторяя излюбленную мысль Пушкина (VIII, 1, 266). Насколько знаю, никому не приходило в голову делать своего Дон Жуана поэтом.

Сама ситуация завязки трагедии очень близка Пушкину. Тайное возвращение из ссылки — мучительная мечта Пушкина 20-х годов. Оттого-то Пушкин и перенес действие из Севильи (как было еще в черновике — Севилья извечный город Дон Жуана) в Мадрид: ему была нужна столица. О короле Пушкин, устами Дон Гуана, говорит:

Пошлет назад.
Уж верно головы мне не отрубят.
Ведь я не государственный преступник.

(VII, 138).

Читай — политический преступник, которому за самовольное возвращение из ссылки полагается смертная казнь. Нечто подобное говорили друзья самому Пушкину, когда он хотел вернуться в Петербург из Михайловского.[3]) А Пушкинский Лепорелло по этому поводу восклицает, обращаясь к своему барину: «С и д е л и б в ы с е б е   с п о к о й н о   там» (VII, 138).

Пушкин, правда, не ставит своего Дон Гуана в самое смешное и постыдное положение всякого Дон Жуана — его не преследует никакая влюбленная Эльвира и не собирается бить никакой ревнивый Мазетто; он даже не переодевается слугой, чтобы соблазнять горничную (как в опере Моцарта); он герой до конца, но эта смесь холодной жестокости с детской беспечностью производит потрясающее впечатление. Поэтому пушкинский Гуан, несмотря на свое изящество[4]) и свои светские манеры, гораздо страшнее своих предшественников.

Обе героини, каждая по-своему, говорят об этом: Дона Анна — «Вы сущий демон»; Лаура — «Повеса, дьявол».

Если Лаура, может быть, просто бранится, то «демон» в устах Доны Анны точно передает впечатление, которое Дон Гуан должен был производить по замыслу автора.

---

[3]) «Сиди смирно, пиши, пиши стихи» (П. А. Вяземский — Пушкину, 10 мая 1826 года; XIII, 276); «Всего благоразумнее для тебя остаться п о к о й н о в деревне» (В. А. Жуковский — Пушкину, 12 апреля 1826 года; XIII, 271).

[4]) Если естественно, что вся речь Лепорелло и Лауры построена на просторечии, то выражения вдовы Командора — «Я страх как любопытна» и «Нет, отроду его я не видала» — объясняются много раз высказанным убеждением Пушкина, что просторечие — отсутствие жеманства и признак хорошего воспитания. Напомним, что в заметке «Изо всех родов сочинений» Пушкин отмечает в романтической трагедии «смешение родов комического и трагического — напряжение, изысканность необходимых иногда простонародных выражений» (XI, 39).

В отличие от других Дон Жуанов, которые совершенно одинаково относятся ко всем женщинам, у пушкинского Гуана находятся для каждой из трех, таких разных женщин, разные слова.

Герой «Каменного гостя» так же ругается со своим слугой, как и Дон Жуаны Моцарта и Мольера; но, например, буффонская сцена финала оперы — обжорство слуги и хозяина — совершенно невозможна в трагедии Пушкина.

Первоначально Пушкин хотел подчеркнуть то обстоятельство, что Гуан предполагает встречаться с вдовой Командора около его памятника, но затем возмущенная реплика Лепорелло: «Над гробом мужа... Бессовестный; н е с д о б р о в а т ь е м у ! » (VII, 308, 309) показалась Пушкину слишком нравоучительной, и он предоставил читателю самому догадаться, где происходят эти встречи.

В «Каменном госте» ни в окончательном тексте, ни в черновиках нигде ни одним словом не объяснена причина дуэли Дон Гуана с Командором. Это странно. Я полагаю, что причина этого необъяснимого умолчания такова: у всех предшественников Пушкина, кроме Мольера, где, в противоположность «Каменному гостю», Командор дан как совершенно отвлеченная фигура, ничем не связанная с действием, Командор гибнет, защищая честь своей дочери Доны Анны. Пушкин сделал Дону Анну не дочерью, а женой Командора, и сам сообщает, что Гуан ее прежде никогда не видел. Прежняя причина отпала, а придумывать новую, которая могла бы отвлечь внимание читателя от самого главного, Пушкин не захотел. Он только подчеркивает, что Командор был убит на дуэли,

Когда за Эскурьялом[5]) мы сошлись...

(VII, 153)

---

[5]) Эскуриал — королевский дворец — едва ли подходящее место для дуэли. Пушкин, вероятно, намекает на то, что ссора произошла во дворце, чем еще раз подчеркивается близость Гуана ко двору. Ведь так же вскользь Гуан говорит про короля: «Меня он удалил, меня ж любя» (VII, 138).

а не в ночной безобразной драке (в которой принимает участие и Дона Анна),[6] что не соответствовало бы характеру его Гуана.

Если сцена объяснения Гуана с Доной Анной и восходит к «Ричарду III» Шекспира, то ведь Ричард — законченный злодей, а не профессиональный соблазнитель, и действует он из соображений политических, а отнюдь не любовных, что он тут же и разъясняет зрителям.

Этим Пушкин хотел сказать, что его Гуан может действовать по легкомыслию как злодей, хотя он только великосветский повеса.

Второе, никем до сих пор не отмеченное и, по-моему, более значительное восхождение к Шекспиру находится в заключительной сцене трагедии «Каменный гость»:

> Дона Анна
> ...Но как могли придти
> Сюда вы; здесь узнать могли бы вас,
> И ваша смерть была бы неизбежна.

В черновике:

> узнать могли бы люди.
>
> (VII, 169, 314)

> Juliet
> How cam'st thou hither, tell me, and wherefore? ..
> And the place death, considering who thou art,
> If any of my kinsmen find thee here.
>
> («Romeo and Juliet», act II, sc, 2)[7]

---

[6] Уже обсуждавшийся вопрос о том, был ли Дон Карлос братом Командора, как мне кажется, надо решить положительно: трудно себе представить, чтобы Гуан имел две дуэли с двумя испанскими грандами и убил обоих, но почему-то боится мести семьи только одного из них и гнева короля только за одно из этих убийств. Здесь та же пушкинская лаконичность создает некоторую недоговоренность. Кроме того, всякое уточнение повело бы к дополнительной исповеди Дон Гуана в заключительной сцене с Доной Анной, которая в это время должна была бы оплакивать гибель своего деверя.

[7]

> Как ты пришел сюда, скажи мне, и каким путем? ..
> И это место для тебя — смерть, потому что это ты,
> Если кто-либо из моих родичей найдет тебя здесь.
>
> («Ромео и Джульетта», акт. II, сц. 2).

Даже сцена приглашения статуи, единственная совпадающая с традицией, открывает настоящую бездну между пушкинским Дон Гуаном и его прототипами. Неуместная шутка моцартовского и мольеровского Дон Жуанов, вызванная и мотивированная тем, что он прочел на памятнике оскорбительную для себя надпись,[8]) превращена Пушкиным в демоническую браваду. Вместо нелепого и традиционного приглашения статуи к себе на ужин, мы видим нечто беспримерное:

> Я, командор, прошу тебя придти
> К твоей вдове,[9]) где завтра буду я,
> И стать на стороже в дверях. Что? будешь?
> (VII, 162).

т.е. Гуан говорит со статуей, как счастливый соперник.

Пушкин оставил своему герою репутацию безбожника, идущую от Ateista fulminado (героя духовной драмы, которая представлялась в церквах и монастырях).

> Бессовестным, б е з б о ж н ы м Дон Гуаном (монах)
> Твой Дон Гуан б е з б о ж н и к и мерзавец (Дон Карлос)
> ... Я вам представлен... без совести, б е з в е р ы
> (сам Гуан)
> Вы, говорят, б е з б о ж н ы й развратитель (Дона Анна)
> (VII, 141, 145, 315, 169).

Обвинения в атеизме были привычным аккомпаниментом в жизни молодого Пушкина.

Зато другую характерную черту всех Дон Жуанов — странствия — Пушкин совершенно изгнал из своей трагедии. Вспомним хотя бы Дон Жуана Моцарта и знаменитую арию Лепорелло — каталог побед (в Италии — 641, в Германии — 231, сто во Франции, 91 в Турции,

---

[8]) См. у Дапонте:
Dell'empio che mi trasse al passo estremo
Qui attendo la vendetta.
(«Здесь ожидаю отмщения нечестивцу, который убил меня»). Дон Жуан Дапонте (так же, как и Лепорелло) говорит статуе «вы». Пушкинский Гуан сразу обращается к статуе на «ты». Это не высокий стиль, а остаток их прижизненных добрых отношений.
[9]) В черновике еще страшнее: «К жене твоей» (VII, 312).

а вот в Испании — так тысяча и три). Пушкинский гранд ведет (кроме, разумеется, своей ссылки) совершенно оседлый столичный образ жизни в Мадриде, где его могут узнать каждая «Гитана (было: цыганка) или пьяный музыкант» (VII, 137).[10])

3

Пушкинский Дон Гуан не делает и не говорит ничего такого, чего бы не сделал и не сказал современник Пушкина, кроме необходимого для сохранения испанского местного колорита («вынесу его под епанчою и положу на перекрестке»; VII, 151). Точно так же поступает Дальти, герой «Portia» Мюссе, с трупом соперника, которого находят на другой день «le front sur le pavé» («лицом на мостовой»).

Гости Лауры (очевидно, мадридская золотая молодежь — друзья Дон Гуана) больше похожи на членов «Зеленой лампы», ужинающих у какой-нибудь тогдашней знаменитости, вроде Колосовой, и беседующих об искусстве, чем на знатных испанцев какого бы то ни было века. Но автор «Каменного гостя» знает, что это ему совсем не опасно. Он уверен, что коротким описанием ночи он создаст яркое и навеки неизгладимое ощущение того, что это Испания, Мадрид, юг:

> Приди — открой балкон. Как небо тихо;
> Недвижим теплый воздух — ночь лимоном
> И лавром пахнет, яркая луна
> Блестит на синеве густой и темной . . .
>
> (VII, 148).

Гуан резвится с Лаурой, как любой петербургский повеса с актрисой, меланхолично вспоминает погубленную им Инесу, хвалит суровый дух убитого им Командора и соблазняет Дону Анну по всем правилам «адольфовской» светской стратегии. Однако затем случается нечто

---

[10]) «Пьяный музыкант» потому, что музыкантов нанимали заказчики серенад, а затем было принято поить музыкантов (см. «Le Diable boiteux» Лесажа).

таинственное и до конца не осмысленное. Последнее восклицание Дон Гуана, когда о притворстве не могло быть и речи:

Я гибну — кончено — о Дона Анна!
(VII, 171)

убеждает нас, что он действительно переродился во время свидания с Доной Анной и вся трагедия в том и заключается, что в этот миг он любил и был счастлив, а вместо спасения, на шаг от которого он находился, пришла гибель. Заметим еще одну подробность: «Брось ее», — говорит статуя. Значит, Гуан кинулся к Доне Анне, значит, он только ее и видит в этот страшный миг.

В самом деле, ведь если бы Дон Гуана убил Дон Карлос, никакой трагедии бы не было, а было бы нечто вроде «Les Marrons du feu» Мюссе, которыми Пушкин так восхищался в 1830 году за отсутствие нравоучения и где донжуановский герой («Mais c'est du don Juan») гибнет случайно и бессмысленно. Пушкинский Дон Гуан гибнет не случайно и не бессмысленно. Статуя Командора — символ возмездия, но если бы еще на кладбище она увлекла с собой Дон Гуана, то тоже еще не было бы трагедии, а скорее театр ужасов или l'Ateista fulminado средневековой мистерии. Гуан не боится смерти. Мы видим, что он нисколько не испугался шпаги Дона Карлоса и даже не подумал о своей возможной гибели. Потому-то Пушкину и нужен поединок с Доном Карлосом, чтобы показать Гуана в деле. Совсем не таким мы видим его в финале трагедии. И вопрос вовсе не в том, что статуя — потустороннее явление: кивок в сцене на кладбище тоже потустороннее явление, на которое, однако, Дон Гуан не обращает должного внимания. Гуан не смерти и не посмертной кары испугался, а потери счастья. Оттого-то его последнее слово: «о Дона Анна!». И Пушкин ставит его в то единственное (по Пушкину) положение, когда гибель ужасает его героя. И вдруг мы узнаем в этом нечто очень хорошо нам известное. Пушкин сам дает мотивированное и исчерпывающее объяснение развязки трагедии. «Каменный гость» помечен 4 ноября 1830 года, а в середине октября Пушкин написал «Выстрел», автобиографичность которого никто не оспаривает. Герой «Выстрела» Сильвио говорит: «Что пользы мне, подумал я, лишить его жизни, когда он ею вовсе не дорожит? Злобная мысль мелькнула в уме моем . . . Посмотрим, так ли равнодушно примет он смерть перед своей свадьбой, как некогда ждал ее за черешнями!» (VIII, 1, 70).

Из этого можно заключить, что Пушкин считал гибель только тогда страшной, когда есть счастье. То же говорит Гуан на вопрос Доны Анны — «И любите давно уж вы меня?»:

> Давно или недавно, сам не знаю,
> *Но с той поры лишь только знаю цену*
> *Мгновенной жизни, только с той поры*
> *И понял я, что значит слово Счастье —*

(VII, 157)

т.е. с тех пор, как он счастлив, он узнал цену мгновенной жизни. И в «Выстреле», и в «Каменном госте» при расплате присутствует любимая женщина, что противоречит донжуановской традиции. У Моцарта, например, там находится только буффонящий Лепорелло, у Мольера — Сганарель.

В то время (1830) проблема счастья очень волновала Пушкина: «В вопросе счастья я атеист; я не верую в в него», — пишет он П. А. Осиповой на другой день по окончании «Каменного гостя» (XIV, 123; подлинник по-французски); «Чорт меня догадал бредить о счастии, как будто я для него создан», — Плетневу (XIV, 110); «Ах, что за проклятая штука счастье!» — Вяземской (XIV, 110; подлинник по-французски). Легко привести еще ряд подобных цитат и можно даже, рискуя показаться парадоксальным, сказать, что Пушкин так же боялся счастья, как другие боятся горя. И насколько он всегда был готов ко всяким огорчениям, настолько же он трепетал перед счастьем, т.е., разумеется, перед перспективой потери счастья.

4

Однако это еще не все. Кроме аналогий с автобиографическим «Выстрелом», необходимо привести цитаты из переписки Пушкина. Первая — из письма к будущей теще, Н. И. Гончаровой (5 апреля 1830 года): «Заблуждения моей ранней молодости представились моему воображению; они были слишком тяжки и сами по себе, а клевета их еще усилила; молва о них, к несчастию, широко распространилась» (XIV, 75—76; подлинник по-французски). Как это близко к признанию Дон Гуана:

> Молва, быть может, не совсем неправа,
> На совести усталой много зла,
> Быть может, тяготеет... Так, Разврата
> Я долго был покорный ученик...
>
> (VII, 168).

А также: «Бедная! Она так молода, так невинна, а он такой ветреный, такой *безнравственный* (VIII, 1, 408; автобиографический отрывок, 13 мая 1830 года). Здесь «безнравственный», — конечно, смягчение «развратный». А это как раз передает голос молвы.

В тот же год Пушкин говорит то же самое в ненапечатанном при жизни стихотворении «Когда в объятия мои...»:

> Прилежно в памяти храня
> Измен печальные преданья...
> Кляну коварные старанья
> Преступной юности моей...
>
> (III, 1, 222).

В этом стихотворении подразумеваются все реплики Доны Анны. Только что женившийся Пушкин пишет Плетневу: «Я... счастлив... Это состояние для меня так ново, что кажется, я переродился» (XIV, 154—155); ср. с «Каменным гостем»:

> Мне кажется, я весь переродился.
>
> (VII, 168).

Про Командора Гуан говорит: «Вкусил он *райское* блаженство!» (VII, 164); ср. с письмом к А. П. Керн: «Как можно быть вашим мужем? Этого я так же не могу себе вообразить, как не могу вообразить рая?» (XIII, 208; подлинник по-французски).

В «Онегине» Пушкин обещает, что когда будет описывать любовные объяснения, то вспомнит

> ... речи неги страстной,
> Слова тоскующей любви,
> Которые в минувши дни
> У ног любовницы прекрасной
> Мне приходили на язык ...
>
> (VI, 57).

Сходство этих цитат говорит не столько об автобиографичности «Каменного гостя», сколько о лирическом начале этой трагедии.

5

Если «Скупого рыцаря» Пушкин не печатал шесть лет, боясь, как тогда говорили, «применений», то что же подумать о «Каменном госте», которого он вовсе не напечатал (в скобках замечу, что «Пир во время чумы» был напечатан в 1832 году, т.е. почти сразу по написании — и не потому ли, что «Пир» — простой перевод). Как бы то ни было, «Каменный гость» — единственная из «Маленьких трагедий», не напечатанная при жизни Пушкина. Действительно, можно легко себе представить, что то, что мы теперь раскапываем с превеликими трудностями, для самого Пушкина плавало на поверхности. Он вложил в «Каменного гостя» слишком много самого себя и относился к нему, как к некоторым своим лирическим стихотворениям, которые оставались в рукописи независимо от их качества. Пушкин в зрелый свой период был вовсе не склонен обнажать «раны своей совести» перед миром (на что, в какой то степени, обречен каждый лирический поэт),[11] и я полагаю, что «Каменный гость» не был на-

---

[11] Несмотря на это, тема уязвленной совести возникает в лирике Пушкина в конце 20-х годов: грандиозное «Воспоминание» (1828) и написанная через несколько дней «Грузинская песня» («Не пой, красавица, при мне ...»), где «роковой» образ «далекой бедной девы» напоминает бедную Инесу.

печатан потому же, почему современники Пушкина при его жизни не прочли окончания «Воспоминания», «Нет, я не дорожу . . .» и «Когда в объятия мои . . .», а не потому, почему остался в рукописи «Медный всадник».

Кроме всех приведенных мною сопоставлений, лирическое начало «Каменного гостя» устанавливается связью, с одной стороны, с «Выстрелом» (проблема счастья), с другой — с «Русалкой», которая вкратце (как и подобает предыстории) рассказана в воспоминаниях Гуана об Инесе. Свидания Гуана с Инесой происходили на кладбище Антониева монастыря (что явствует из черновика):

Постойте: вот Антоньев монастырь —
А это монастырское кладбище . . .
О, помню все. Езжали вы сюда . . .

(VII, 307).

Гуан так же, как князь в «Русалке», узнает место, вспоминает погубленную им женщину. И там и тут это дочь мельника. И Гуан не случайно говорит своему слуге: «Ступай же ты в деревню, знаешь в ту, Где мельница» (VII, 309). Затем он называет это место проклятой *вентой*. Окончательная редакция стихов отчасти стерла это сходство, но теперь, когда черновики разобраны, для нас нет сомнения, что трагедия Пушкина начинается с глухого упоминания о преступлении героя, которого рок приводит на то самое место, где это преступление было совершено и где он совершает новое преступление. Этим предрешено все, и призрак бедной Инесы играет в «Каменном госте» гораздо бо́льшую роль, чем это было принято думать.

6

Всё сказанное выше относится к донжуановской линии трагедии «Каменный гость». Но в этой вещи есть, очевидно, и другая линия — линия Командора. Здесь у Пушкина тоже полный разрыв с традицией. У Моцарта - Дапонте Дон Жуан так не хочет вспоминать о Командоре, что когда Лепорелло просит разрешения что-то сказать, его хозяин отвечает: «Хорошо, если ты не будешь говорить о Командоре».

А пушкинский герой сам почти непрерывно говорит о Командоре.

Но что всего существеннее, так это то, что и в легенде, и во всех ее литературных обработках статуя является усовещивать Жуана, чтобы он раскаялся в грехах. В трагедии Пушкина это бы не имело смысла, потому что Гуан без всякого принуждения сам только что покаялся:

> Вас полюбя, люблю я добродетель
> И в первый раз смиренно перед ней
> Дрожащие колена преклоняю.

(VII, 168).

Командор приходит в момент «холодного, мирного» поцелуя, чтобы отнять у Гуана свою жену. Везде у других авторов Командор — ветхий старик, оскорбленный отец. У Пушкина он ревнивый муж («А я слыхал, покойник был ревнивец. Он Дону Анну взаперти держал»; VII, 307—308), и ни из чего не следует, что он старик. Гуан говорит:

> Не мучьте сердца
> Мне, Дона Анна, страстным поминаньем
> Супруга —

(VII, 312)

на что Дона Анна возражает: «Так вы ревнивы» (VII, 163).

Мы имеем все основания рассматривать Командора как одно из действующих лиц трагедии «Каменный гость». У него есть биография, характер, он действует. Мы даже знаем его внешность: он «мал был, худощав» (VII, 310). Он женился на не любившей его красавице и сумел своей любовью заслужить ее расположение и благодарность. Из всего этого нет ни слова в донжуановской традиции. С первой минуты мысль о его ревности приходит в голову Дон Гуану (в черновике — даже когда он еще не знает Дону Анну; и тогда-то Лепорелло и говорит о своем господине: «Над гробом мужа... Бессовестный; не сдобровать ему!» (VII, 308, 309).

И пушкинский Командор больше похож на «разгневанного ревнивца» юношеского стихотворения Пушкина «К молодой вдове», где мертвый муж чудится неверной его памяти вдове (и где покойник тоже называется счастливцем, как в «Каменном госте»), чем на загробное виденье, призывающее героя отречься от нечестивой жизни.

Темы загробной ревности касается Пушкин в седьмой главе «Онегина» в связи с могилой Ленского и изменой Ольги:

> Смутился ли певец унылый
> Измены вестью роковой...

(VI, 143)

> По крайней мере, из могилы
> Не вышла в сей печальный день
> Его ревнующая Тень.
> И в поздний час, Гимену милый,
> Не испугали молодых
> Следы явлений гробовых —

(VI, 422)

как бы разочарованно говорит Пушкин и ищет сюжет, где бы разгневанная и ревнующая тень могла явиться. Для этого он изменяет сюжет Дон Гуана и делает Командора не отцом Доны Анны, а ее мужем.

Трогательная невеста-вдова Ксения Годунова, плачущая над портретом мертвого жениха, которого она никогда в жизни не видела, говорит: «я и мертвому буду ему верна» (VII, 42).

Знаменитая отповедь Татьяны:

> Но я другому отдана;
> Я буду век ему верна —

(VI, 188)

только бледное отражение того, что утверждают Ксения Годунова и Дона Анна («Вдова должна и гробу быть верна»; VII, 164).

Но что всего удивительнее, это то, что в цитированном выше письме к матери Н. Н. Гончаровой от 5 апреля 1830 года Пушкин пишет: «Бог мне свидетель, что я готов умереть за нее; но умереть для того, чтобы оставить ее

272

Рисунок А. Тышлера
1943

блестящей вдовой, вольной на другой день выбрать себе нового мужа, — эта мысль для меня — ад». И еще разительнее: «... если она согласится отдать мне свою руку, я увижу в этом лишь доказательство спокойного безразличия ее сердца» (XIV, 76; подлинник по-французски).[12]) Ср. в «Каменном госте»:

>   Нет, мать моя
> Велела мне дать руку Дон Альвару —
>   (VII, 164)

и дальше вся ситуация — как в письме, так и в трагедии.

Итак, в трагедии «Каменный гость» Пушкин карает самого себя — молодого, беспечного и грешного, а тема загробной ревности (т.е. боязни ее) звучит так же громко, как и тема возмездия.

Так, внимательный анализ «Каменного гостя» приводит нас к твердому убеждению, что за внешне заимствованными именами и положениями мы, в сущности, имеем не просто новую обработку мировой легенды о Дон Жуане, а глубоко личное, самобытное произведение Пушкина, основная черта которого определяется не сюжетом легенды, а собственными лирическими переживаниями Пушкина, неразрывно связанными с его жизненным опытом.

Перед нами — драматическое воплощение внутренней личности Пушкина, художественное обнаружение того, что мучило и увлекало поэта. В отличие от Байрона, который (по оценке Пушкина) «бросил односторонний взгляд на мир и природу человечества, потом отвратился от них и погрузился в самого себя» (XI, 51), Пушкин, исходя из личного опыта, создает законченные и объек-

---

[12]) Напомним, что это письмо Пушкин написал сразу после получения согласия родителей невесты на его брак с Н. Н. Гончаровой, когда эти слова звучали, по крайней мере, неожиданно. Ими Пушкин совершенно точно предсказал свою судьбу: он, действительно, умер из-за Наталии Николаевны и оставил ее молодой, блистательной вдовой, свободной выбирать нового мужа.

тивные характеры: он не замыкается от мира, а идет к миру.

Вот почему самопризнания в его произведениях так незаметны, и обнаружить их можно лишь в результате тщательного анализа. Откликаясь «на каждый звук», Пушкин вобрал в себя опыт всего своего поколения. Это лирическое богатство Пушкина позволило ему избежать той ошибки, которую он заметил в драматургии Байрона, раздавшего «по одной из составных частей» своего характера своим персонажам и, таким образом, раздробившего свое создание «на несколько лиц мелких и незначительных». (XI, 51)

1947.

СЛОВО О ПУШКИНЕ

Мой предшественик П. Е. Щеголев кончает свой труд о дуэли и смерти Пушкина рядом соображений, почему высший свет, его представители ненавидели поэта и извергли его как инородное тело из своей среды. Теперь настало время вывернуть эту проблему наизнанку и громко сказать не о том, что *они* сделали с ним, а о том, что *он* сделал с ними.

После этого океана грязи, измен, лжи, равнодушия друзей и просто глупости полетик и не-полетик, родственничков Строгановых, идиотов-кавалергардов, сделавших из дантесовской истории une affaire de régiment (вопрос чести полка), ханжеских салонов Нессельроде и пр., высочайшего двора, заглядывавшего во все замочные скважины, величавых тайных советников — членов Государственного Совета, не постеснявшихся установить тайный полицейский надзор над гениальным поэтом, — после всего этого как торжественно и прекрасно увидеть, как этот чопорный, бессердечный («свинский», как говаривал сам Александр Сергеевич) и, уж конечно, безграмотный Петербург стал свидетелем того, что, услышав роковую весть, тысячи людей бросились к дому поэта и навсегда вместе со всей Россией там остались.

«Il faut que j'arrange ma maison», — сказал умирающий Пушкин.

Через два дня его дом стал святыней для всей его Родины, и более полной, более лучезарной победы свет не видел.

Вся эпоха (не без скрипа, конечно) мало-помалу стала называться пушкинской. Все красавицы, фрейлины, хозяйки салонов, кавалерственные дамы, члены высочайшего двора, министры, аншефы и не аншефы постепенно начали именоваться пушкинскими современниками, а затем просто опочили в картотеках и именных указателях (с перевранными датами рождения и смерти) пушкинских изданий.

Он победил и время и пространство.

Говорят: пушкинская эпоха, пушкинский Петербург. И это уже к литературе прямого отношения не имеет, это что-то совсем другое. В дворцовых залах, где они танцевали и сплетничали о поэте, висят его портреты и хранятся его книги, а их бедные тени изгнаны оттуда навсегда. Про их великолепные дворцы и особняки говорят: здесь бывал Пушкин, или: здесь не бывал Пушкин. Все остальное никому не интересно. Государь император Николай Павлович в белых лосинах очень величественно красуется на стене Пушкинского музея; рукописи, дневники и письма начинают цениться, если там появляется магическое слово «Пушкин», и, что самое для них страшное, — они могли бы услышать от поэта:

> За меня не будете в ответе.
> Можете пока спокойно спать.
> Сила — право, только ваши дети
> За меня вас будут проклинать.

И напрасно люди думают, что десятки рукотворных памятников могут заменить тот один нерукотворный aere perennius.

СТАТЬИ О ЛИТЕРАТУРЕ. РЕЦЕНЗИИ

О СТИХАХ Н. ЛЬВОВОЙ

Тяжело, когда умирает поэт, но когда умирает молодой поэт, еще тяжелее. С мучительным вниманием вчитываешься в немногие, оставшиеся после него строки, жадно ловишь в еще неокрепшем голосе и так по молодому скупых образах тайну смерти, которая скрыта от нас, живых. Эту горькую радость дает нам книга недавно умершей поэтессы Надежды Львовой.

Ее стихи, такие неумелые и трогательные, не достигают той степени просветленной ясности, когда они могли бы быть близки каждому, но им просто веришь, как человеку, который плачет. Главная и почти единственная тема книги «Старая сказка»[1] — любовь. Но странно: такие сильные в жизни, такие чуткие ко всем любовным очарованиям женщины, когда начинают писать, знают только одну любовь, мучительную, болезненную, прозорливую и безнадежную.

> О пусть будет больно, мучительно больно!
> Улыбкою счастья встречаю все муки.
> Покорная падаю ниц богомольно
> Пред реющим призраком вечной разлуки.

Эта покорность, почти безволье, особенно характерна для всего творчества Н. Львовой. Ее страдание ищет выхода в мечте, не романтической, которую можно завоевать подвигом воли, но остро-лирической, преображающей для нее все мгновения жизни. Она уверена, что слышит «шаг снов», видит «призрак вечной разлуки», прикасающейся к ее устам, чувствует, «будто кто-то злобно-мстительный глядит из туч».

---

[1] Н. Львова. Старая сказка. Предисловие Вал. Брюсова, Москва, Кн-во «Альциона», 1913.

Лучший отдел книги «Старая сказка» — Ad mortem. Все девять стихотворений, заключенных в нем, представляются мне заклинанием смерти.

Значительно первое стихотворение, которое начинается словами:

> Ты, кто славил тайны страсти в безднах лет, —
> Славь со мною — смерть несущий вечный свет.

И та, которая с такой горькой печалью поведала нам свою любовь, таким задыхающимся голосом припоминала о встречах и разлуках, говорит совсем просто и уверенно, когда почувствовала дыхание смерти:

> Я нынче светлая. Я нынче спокойная.

И ни одного лишнего слова нет в ясных и страшных стихах, где поэт предсказывает свою смерть:

> Чтò мне до ласк и поцелуя!
> Чтò мне до запоздалых слов.
> Взгляни, взгляни, как тихо сплю я
> И не могу и не хочу я
> Тебе ответный бросить зов.

Мне кажется, что Н. Львова ломала свое нежное дарование, заставляя себя писать рондо, газеллы, сонеты. Конечно, и женщинам доступно высокое мастерство формы, пример — Каролина Павлова, но их сила не в этом, а в умении полно выразить самое интимное и чудесно-простое в себе и окружающем мире. А все, что связывает свободное развитие лирического чувства, все, что заставляет предугадывать дальнейшее там, где должна быть одна неожиданность, — очень опасно для молодого поэта. Оно или пригнетает его мысль или искушает возможностью обойтись совсем без мысли. В книге «Старая сказка» — это наименее удачные страницы.

Слова еще не были покорны Н. Львовой, но так как она была покорна словам, глубоко веря в значительность каждого из них, дух музыки реет над ее стихами. [1913]

280

ЗАМЕТКА НА ПОЛЯХ

Я уезжала из СССР в самый разгар лермонтовских торжеств, и когда в последние дни шекспировского и лермонтовского 1964 года вернулась на Родину, меня ждал очень приятный сюрприз — наконец-то вышла в свет книга Эммы Герштейн «Судьба Лермонтова».[1]) Я читала эту книгу с карандашом в руках, потому что мой интерес к Лермонтову граничит с наваждением. И вот я собрала часть моих заметок, которые ни в какой мере не претендуют на научную критику, но, смею надеяться, отразят чувства и мысли многих читателей этой замечательной книги.

А она не только замечательная, но и нужная нам всем. В ней очень твердо доказаны вещи, которым нельзя не радоваться, — даже когда они печальны или страшны, потому что они несут в себе то, что жаждут наши души, то есть истину.

Лермонтов уже давно стилизован — кинжал, Тамара, бурка, бретерство... Эмма Герштейн отходит от этой стилизации и совсем свободно и просто рассказывает о живом — спорящем, думающем, страдающем — человеке, который не перестает от этого быть великим поэтом.

Во всей книге остро соблюдается принцип критического отбора мемуарного наследия. Книга — меньше всего перечисление фактов (пусть новых), что так часто, к сожалению, мы встречаем в литературоведении. Если вводится новый персонаж или новый материал, это всегда служит для характеристики действующего лица в описываемой драме. (А ведь каждая глава книги — драматургическое построение. Да и вся книга, — несомненно, художественная литература.)

Известно, например, что последние недели жизни Лермонтов проводил в Пятигорске в обществе князя Голи-

---

[1]) Э. Герштейн, Судьба Лермонтова. Издательство «Советский Писатель, М. 1964.

цына. Тут иной литературовед занялся бы печальной отраслью науки, которую шутя называют «Голицыноведением» (их, Голицыных, как мужчин, так и дам, было видимо-невидимо). Э. Герштейн идет другим путем. Вместо того чтобы узнавать, кто с кем в родстве, она, скрупулезно используя архивные документы, создает живой портрет. Таковы сведения о князе В. С. Голицыне, который не только слыл при дворе Александра I опытным донжуаном, но впоследствии был прекрасным боевым офицером, ермоловцем. Это он представлял Лермонтова к «золотому оружию», и он первый описал страшную картину убийства Лермонтова. Герштейн правильно говорит, что нет никаких оснований подвергать сомнению достоверность его рассказа.

Мне как пушкинисту были особенно интересны новые наблюдения Эммы Герштейн над тем, как претворялись в поздней поэзии Лермонтова стихи Пушкина. Так, в стихотворениях «Оправдание» и «Сон» как подтекст звучит тема Ленского.

Блестящи доказательства Э. Герштейн, когда она дает новую датировку «Валерика» и «Пленного рыцаря», причисляя эти шедевры лермонтовского гения к предсмертному циклу.

Никем до Герштейн не было замечено, что «гусарские» стихи Лермонтова («Послание к Н. И. Бухарову», некоторые строфы «Тамбовской казначейши») восходят к рукописной «Моей родословной» и «Езерскому», напечатанному в «Современнике» при жизни Пушкина. Таким образом сочувствие поэту в лейб-гусарском полку устанавливается исследовательницей не по родственным или дружеским связям гусаров, а по откликам в стихах Лермонтова.

Проникая в психологию творчества поэта, автор делает это очень тактично. Как неприятно бывает, когда в результате глубокомысленных рассуждений критика поэт неожиданно для себя узнает, что в таком-то своем стихотворении он хотел сказать такое, о чем никогда и не помышлял. Потому что, бывает, поэт пишет и сам не знает, что побудило его, а впоследствии уже обнаруживаются многочисленные подтверждения жизненности созданного образа. Как нельзя более кстати звучит это по отношению к Лермонтову. В этом одно из проявлений его колдовства.

С некоторою опаской отнеслась я только к заявлению Герштейн, что у Вяземского «уход в свободный, непринужденный эпистолярный жанр сопровождался . . . оскудением его поэтической деятельности». Кто знает, чем объясняется изобилие, или оскудение деятельности поэта?

Я бы очень советовала читателям этой книги заглянуть в примечания. В них скрыта огромная исследовательская работа. Обилие в книге впервые публикуемых архивных документов не мешает легкости чтения. Не мешает этому и густота мыслей. Книга все время «пружинит». Интерес читателя поддерживается не нарочитой популяризацией, а страстью исследователя, изяществом и строгостью прозы, цельностью сюжета.

ВСЕ БЫЛО ПОДВЛАСТНО ЕМУ

...В Кисловодске все вокруг читали Лермонтова. Казалось, самый воздух был пропитан его стихами. Много позже я пыталась передать это странное ощущение в четверостишии о Демоне:

> Словно Врубель наш вдохновенный,
> Лунный луч тот профиль чертил.
> И расскажет ветер блаженный
> То, что Лермонтов утаил.

Это было странное, загадочное существо — царскосельский лейб-гусар, живший на Колпинской улице и ездивший в Петербург верхом, потому что бабушке казалась опасной железная дорога, хотя не казались опасными передовые позиции, где, кстати говоря, поручик Лермонтов за свою ледяную храбрость был представлен к золотому оружию. Он не увидел царскосельские парки с их растреллиями, камеронами и лжеготикой, зато заметил, как «сквозь туман кремнистый путь блестит». Он оставил без внимания знаменитые петергофские фонтаны, чтобы, глядя на Маркизову лужу, задумчиво произнести: «Белеет парус одинокий...»

Он, может быть, много и недослушал, но твердо запомнил, что «пела русалка над тихой рекой, полна непонятной тоской...»

Он подражал в стихах Пушкину и Байрону, зато всем уже целый век хочется подражать ему. Но совершенно очевидно, что это невозможно, ибо он владеет тем, что у актера называют «сотой интонацией». Слово слушается его, как змея заклинателя: от почти площадной эпиграммы до молитвы. Слова, сказанные им о влюбленности, не имеют себе равных ни в какой из поэзий мира.

Это так просто, так неожиданно и так бездонно:

> Есть речи — значенье
> Темно иль ничтожно,
> Но им без волненья
> Внимать невозможно.

Если бы он написал только это стихотворение, он был бы уже великим поэтом.

Я уже не говорю о его прозе. Здесь он обогнал самого себя на сто лет и в каждой вещи разрушает миф о том, что проза — достояние лишь зрелого возраста. И даже то, что принято считать недоступным для больших лириков — театр, — ему было подвластно.

Этот молодой человек умер с репутацией злого насмешника, хотя не он ли в 1829 году написал следующие простые, добрые, трогательные и совсем не детские, несмотря на пятнадцатилетний возраст автора, слова о дружбе:

> Я думал: в свете нет друзей,
> Нет дружбы нежно-постоянной
> И бескорыстной и простой;
> Но ты явился, гость незванный,
> И вновь мне возвратил покой!
> С тобою чувствами сливаюсь,
> В речах веселых счастье пью...

После смерти поэта имя его и биография были окружены милым сердцу мещан сумраком.

Но до сих пор не только могила, но и место его гибели полны высокой памяти о нем. Кажется, что над Кавказом витает его дух, перекликаясь с духом другого поэта:

> Здесь Пушкина изгнанье началось
> И Лермонтова кончилось изгнанье...

ПРИЛОЖЕНИЕ ПЕРВОЕ

ОТРЫВОК ИЗ ВОСПОМИНАНИЙ

РАДИОПЕРЕДАЧА ВЫСТУПЛЕНИЯ
А. А. АХМАТОВОЙ

О СЕБЕ И О СВОЕМ ТВОРЧЕСТВЕ

[ОТРЫВОК ИЗ ВОСПОМИНАНИЙ]

Общеизвестно, что каждый уехавший из России увез с собой свой последний день. Недавно мне пришлось проверить это, читая статью di Sarra обо мне. Он пишет, что мои стихи целиком выходят из поэзии М. Кузмина. Так никто не думает уже 45 лет. Но Вячеслав Иванов, который навсегда уехал из Петербурга в 1912 г., увез представление обо мне, как-то связанное с Кузминым, и только потому, что Кузмин писал предисловие к моему «Вечеру» (1912). Это было последнее, что Вяч. Иванов мог вспомнить, и, конечно, когда его за границей спрашивали обо мне, он рекомендовал меня ученицей Кузмина. Таким образом, у меня склубился не то двойник, не то оборотень, который мирно прожил в чьем-то представлении все эти десятилетия, не вступая ни в какой контакт со мной, с моей и с т и н н о й с у д ь б о й и.т.д.

Невольно напрашивается вопрос, сколько таких двойников или оборотней бродит по свету и какова будет их окончательная роль.

[ВЫСТУПЛЕНИЕ А. А. АХМАТОВОЙ В РАДИОПЕРЕДАЧЕ «ГОВОРИТ ЛЕНИНГРАД» В КОНЦЕ СЕНТЯБРЯ 1941 Г.]

Мои дорогие согражданки, матери, жены и сестры Ленинграда. Вот уже больше месяца, как враг грозит нашему городу пленом, наносит ему тяжелые раны. Городу Петра, городу Ленина, городу Пушкина, Достоевского и Блока, городу великой культуры и труда враг грозит смертью и позором. Я, как и все ленинградцы, замираю при одной мысли о том, что наш город, мой город может быть растоптан. Вся жизнь моя связана с Ленинградом

— в Ленинграде я стала поэтом, Ленинград стал для моих стихов их дыханием... Я, как и все вы сейчас, живу одной непоколебимой верой в то, что Ленинград никогда не будет фашистским. Эта вера крепнет во мне, когда я вижу ленинградских женщин, которые просто и мужественно защищают Ленинград и поддерживают его обычную, человеческую жизнь... Наши потомки отдадут должное каждой матери эпохи Отечественной войны, но с особой силой взоры их прикует ленинградская женщина, стоявшая во время бомбежки на крыше с багром и щипцами в руках, чтобы защитить город от огня; ленинградская дружинница, оказывающая помощь раненым среди еще горящих обломков здания... Нет, город, взрастивший таких женщин, — не может быть побежден. Мы, ленинградцы, переживаем тяжелые дни, но мы знаем, что вместе с нами — вся наша земля, все ее люди. Мы чувствуем их тревогу за нас, их любовь и помощь. Мы благодарны им, и мы обещаем, что мы будем все время стойки и мужественны...

1941

[О СЕБЕ]

Недавно в Государственном издательстве художественной литературы вышел сборник моих переводов классической корейской поэзии — «Неувядаемые слова страны зеленых гор». Это — произведения корейских поэтов XV—XVIII веков. Все они переведены на русский язык впервые. В сборник вошла поэма Юн Сон До «Времена года рыбака», сюжет и общее настроение которой неожиданно напоминает повесть Хемингуэя «Старик и море».

Стихи корейских поэтов очень близки к живописи, в них отсутствует рифма, и это обстоятельство дает переводчику большую свободу и в то же время позволяет сделать перевод особенно точным. Известно, если в соб-

ственных стихах рифмы — крылья, то при переводе
они превращаются в гири.

Я перевела поэму Рабиндраната Тагора «Африка». Работаю также над переводами древнекитайских поэтов.
В Ростовском театре идет драма Виктора Гюго «Марион
Делорм» в моем переводе. Собираюсь в скором времени
познакомить советских читателей с творчеством сербских и чешских поэтов.

Меня давно привлекала мысль поглубже заглянуть в
творческую лабораторию Пушкина. Мною уже закончена
одна из работ такого рода — о «Каменном госте»; другая
— о некоторых моментах биографии Пушкина, об обстоятельствах и причине гибели поэта находится в стадии
завершения.

Что касается поэтического моего творчества, то в сентябре прошлого года вышел сборник «День Поэзии»,
включающий произведения свыше ста советских поэтов,
в том числе и одно из моих стихотворений — «Есть три
эпохи у воспоминаний» ... К сороковой годовщине
Октябрьской революции выйдет двухтомная антология
советской поэзии. Там будет помещено свыше двадцати
моих стихотворений разных лет.

И, наконец, в этом году Гослитиздат наметил выпустить книгу моих произведений — «Избранное». В сборник войдут стихи 1910—1956 годов, а также отрывки из
новой поэмы — «Тысяча девятьсот тринадцатый год».
Над этой поэмой я продолжаю работать и сейчас.

1957.

_____

[ЗАМЕТКА «ОТ АВТОРА» ПРИ ПОДБОРКЕ СТИХОВ]

Последнее время я все чаще получаю из разных городов письма почти одинакового содержания. Эти письма от
читателей, которые просят меня прислать им «хотя бы
одну мою книгу». Очевидно, они полагают, что я обладаю
какими-то запасами собственных произведений. На са-

мом же деле у меня давным-давно нет ни одного экземпляра моих собственных сборников. Поэтому я с особой охотой соглашаюсь на предложение «Юности» напечатать несколько страниц моих стихов разных лет. Их я дарю авторам этих писем. Стихи выбирала я сама.

Ленинград.

1965.

───────

«ТАЙНЫ РЕМЕСЛА»

Беседа с А. А. Ахматовой критика Д. Хренкова

— Сегодня получила два подарка.

Анна Ахматова положила на стол изящный том с рисунком Модильяни на суперобложке. Это экземпляр ее книги «Бег времени», только что вышедшей.

— Удивительное совпадение, — продолжает хозяйка дома. — Ровно сорок восемь лет назад, именно в эти дни, я получила сигнал книги своих стихов «Белая стая» . . .

Книг тогда издавалось мало: не хватало бумаги. «Белая стая» была напечатана на отходах тиражом в две тысячи экземпляров. Молодой поэтессе такой тираж казался космическим.

«Бег времени» издан тиражом в 50 тысяч. В этой книге — стихи, давно ставшие хрестоматийными, известные всем любителям поэзии, и стихи новые, которые читатель прочтет впервые.

— Анна Андреевна, а второй подарок?

На столе появляется газета башкирских комсомольцев «Ленинец». 14 августа этого года на ее литературной странице напечатана удивительная фотография: на бересте нацарапаны знакомые стихи Ахматовой. Под снимком подпись: «Тираж этой книги — один экземпляр. И ''отпечатана'' она не на бумаге, а на березовой коре».

. . . Анна Андреевна не слишком охотно говорит о том, что ею сделано. Может быть, потому, что она полна но-

292

вых замыслов, что работа над новыми произведениями идет по-молодому горячо.

Поэтесса берет в руки тетрадь в твердом переплете. Все страницы ее густо испещрены записями. Часто попадаются стихи. Нет, не те, что вошли в «Бег времени». Конечно, есть среди них и написанные давно, лет двадцать, пожалуй, назад. К ним поэтесса возвращается снова и снова, что-то дописывает, переделывает. А рядом — совсем новые. О них не знают, наверное, даже самые близкие люди. Иные из этих стихов уже объединены в циклы «Сожженная тетрадь», «Тайны ремесла». Впрочем, названия циклов могут измениться ...

Я спрашиваю у Анны Андреевны, можно ли сообщить читателям об этих стихах. Она соглашается.

— Уже ведутся переговоры об издании их отдельной книгой. В эту книгу, по всей вероятности, кроме стихов, войдет проза. Наверное, у каждого поэта приходит пора, когда ему хочется взяться за «презренную прозу». Но то, что я пишу, вовсе не будет «прозой поэта». Меня издавна увлекает исследовательская работа в бесценных и необозримых владениях Пушкина. С частью ее почитатели Александра Сергеевича уже имели возможность познакомиться. Едва закончив работу о «Каменном госте», я захотела написать о Пушкине и Невском взморье. Почти одновременно легли на бумагу воспоминания о художнике А. Модильяни. Недавно читала и перечитывала записные книжки Блока. Они как бы возвратили мне многие дни и события. Чувствую: об этом нужно написать! Это будут автобиографические заметки ...

— В «Беге времени» напечатаны отрывки из трагедии «Пролог». Скоро ли читатели познакомятся с этой вашей работой?

— Над трагедией «Пролог, или Сон во сне» работаю все время. У меня в «заделе» всегда несколько вещей.

— Не труден ли вам переход от одного жанра к другому?

— Трудности вовсе не в «переключении» с одного жанра на другой. Писать всегда трудно. Бояться надо «простоев», хотя это, конечно, вовсе не значит, что все написанное нужно сразу же выносить на суд читателя. В «Беге времени» есть стихи, которые, как мне кажется, точно определяют условия работы поэта и в какой-то мере технологию ее. Эти стихи были написаны недавно на побережье Финского залива.

Земля хотя и не родная,
Но памятная навсегда,
И в море нежно-ледяная
И несоленая вода.

На дне песок белее мела,
А воздух пьяный, как вино,
И сосен розовое тело
В закатный час обнажено.

А сам закат в волнах эфира
Такой, что мне не разобрать,
Конец ли дня, конец ли мира,
Иль тайна тайн во мне опять.

Анна Андреевна рассказывает о том, что «Поэму без героя» писала совсем не так, как лирику. Трудно ей точно сказать, что послужило тому причиной. Может быть, то, что, оказавшись во время эвакуации в Ташкенте, она ближе познакомилась с читателем.

— Читатель стал тогда для меня чем-то вроде соавтора. Его волнение помогало мне, было очень дорого.

Я не писала, как обычно, записывая и перечеркивая строки, а словно бы под диктовку — так ложилась на бумагу строфа за строфой. И почти каждая строфа приходила уже с запевом, кульминацией, концовкой ...

— Не потому ли «Поэму без героя» трудно втиснуть в жанровые рамки?

— Может быть. Находились люди, которые уверяли меня, что это вовсе не поэма. Я в какой-то мере понимала их заблуждение: в представлении многих поэма как жанр очень канонизирована. А с поэмой происходят вещи поразительные.

Вспомним первую русскую поэму «Евгений Онегин». Пусть нас не смущает, что автор назвал ее романом.

294

Пушкин нашел для нее особую 14-строчную строфу, особую интонацию. Казалось бы, и строфа, и интонация, так счастливо найденные, должны были укорениться в русской поэзии. А вышел «Евгений Онегин» и вслед за собой опустил шлагбаум. Кто ни пытался воспользоваться пушкинской «разработкой», терпел неудачу. Даже Лермонтов, не говоря уже о Баратынском. Даже позднее Блок — в «Возмездии». И только Некрасов понял, что нужно искать новые пути. Тогда появился «Мороз Красный Нос». Понял это и Блок, услыхав на улицах революционного Петрограда новые ритмы, новые слова. Мы сразу увидели это в его поэме «Двенадцать». Это же следует сказать о поэмах Маяковского . . . Я убеждена, что хорошую поэму нельзя написать, следуя закону жанра. Скорее вопреки ему . . .

Я возвращаюсь к разговору о стихах Анны Андреевны и замечаю, что последние лирические стихи, в частности, вошедшие в цикл «Полночные стихи» (1963), существенно отличаются от ранней лирики. Анна Андреевна не возражает, хотя и не говорит об этом подробно.

— Кто внимательно прочтет эти стихи, тот поймет сам. Другому поможет критика. Кстати, о критике. Я не обижена ее вниманием. Тем не менее у меня есть свой счет к критике. Всем известны успехи нашей советской поэзии. А критика уж очень часто ограничивает свою роль посредничеством или популяризаторством. Между тем сама критика должна быть, как стихи, увлекательной, неожиданной, острой не только в выводах, но и в мысли, способной помочь и автору, и читателю . . .

Ленинград, ноябрь 1965.

У АННЫ АХМАТОВОЙ

Беседа, критика В. Балуашвили с А. А. Ахматовой

Недавно в сицилийском городе Катания, на вечере, который транслировался по итальянскому телевидению, прозвучали строки, напомнившие миллионам людей о суровых днях Великой Отечественной войны.

Стихотворение называлось «Мужество» и принадлежало перу поэтессы Анны Ахматовой.

Высокое поэтическое мастерство Анны Ахматовой было отмечено в декабре 1964 года литературной премией Таормина, ежегодно присуждаемой жюри, состоящим из крупнейших итальянских литераторов, лучшим поэтам Италии и других стран. В связи с вручением поэтессе премии и было прочитано на торжественном вечере в Катании ее стихотворение «Мужество», переведеное, как и многие другие ее произведения, на итальянский язык.

Читая в газете сообщение об этом выдающемся событии литературного года, я вспоминала нашу недавнюю встречу с поэтессой в Ленинграде.

Высокая, полная женщина с седыми волосами, спокойная и неторопливая в движениях — такова поэтесса, чья лирика поражает своим необычайным диапазоном, широтой и глубиной душевных раскрытий: «от еле внятного шепота до пламенной ораторской речи, от скромно потупленных глаз до — грома и молнии», как справедливо подметил один из критиков.

Мы беседовали в небольшом уютном кабинете Анны Андреевны. Лицо ее время от времени светилось доброй приветливой улыбкой, от которой большие глаза становились какими-то особенно теплыми и выразительными.

Но вот в разговоре я задала несколько необдуманный вопрос:

— Работаете вы над чем-нибудь в последнее время?

Поэтесса удивленно посмотрела на меня:

— Дня не проходит, чтобы я над чем-нибудь не работала.

Действительно, как можно было ставить так вопрос! Ведь сама поэтесса писала в автобиографии, что даже в самые тяжелые для нее годы она не переставала писать стихи, потому что в них была связь со временем, с жизнью народа, потому что, работая над ними, она жила теми ритмами, которые звучали в героической истории страны.

Тут же в кабинете, где мы беседовали, внучка Анны Андреевны — тоненькая, изящная, полная неотразимого обаяния, кажущаяся при первой встрече совсем еще девочкой, а в действительности — уже студентка, будущий искусствовед, и к тому же «личный секретарь» поэтессы, — подбирала материалы для издающегося в Ленинграде нового сборника стихов Анны Ахматовой. Она-то и рассказала мне несколько позже, что день Анны Андреевны расписан буквально по часам. Время распределяется так, чтобы его хватило и для собственного творчества, и для работы над переводами, и для многочисленных встреч с сотрудниками редакций и издательств, с молодыми поэтами, жаждущими услышать мнение поэтессы о своих стихах. Трудно бывает предвидеть, сколько еще дел, помимо «запланированных», принесет каждый начавшийся новый день. А поэтессе уже 75 лет и позади — тяжелые болезни, суровые жизненные испытания.

Вместе с Анной Андреевной мы смотрим итальянский журнал, в котором опубликованы ее литературные воспоминания. Прекрасное издание, прекрасные иллюстрации — фото из жизни поэтессы. Потом Анна Андреевна показывает мне объемистую папку посвященных ей стихотворений, и я убеждаюсь, что она и ее поэзия пользуются искренней любовью не только у читателей, но и у собратьев по поэтическому творчеству. И тут я спрашиваю, известно ли ей стихотворение, опубликованное в 1922 году в одном из грузинских журналов — «Письмо Анне Ахматовой» за подписью Елены Дариани. Я напоминаю в подстрочном переводе строки, убеждавшие ее непременно побывать в Тбилиси:

Приезжай ко мне, я думаю
Мы будем сестрами.

. . . . . .

Доброта и красота Тбилиси
Тебе помогут, знаю.

. . . . . .

Наше солнце, наша лазурная сторона
Зарумянят твои щеки.

Об этом стихотворении, оказывается, Анна Андреевна знала от Паоло Яшвили.

Мы заговорили о грузинских поэтах, с которыми Анна Андреевна знакома лично, — о Паоло Яшвили и Тициане Табидзе, Симоне Чиковани и Георгии Леонидзе, об Иосифе Гришашвили, чьи стихи она переводила.

— С Тицианом и Паоло, — рассказала она, — я познакомилась в начале 30-х годов у Бориса Пастернака. Оба они представляли в то время для нас, русских поэтов, Грузию. Оба они часто приезжали в Москву и Ленинград вместе.

Анне Андреевне запомнились отдельные моменты встреч у Бориса Леонидовича Пастернака, у поэта-переводчика М. Л. Лозинского, на банкете, устроенном в честь дня рождения Тициана; запомнились нескончаемые разговоры о поэзии и проблемах литературы, чтение стихов и переводов.

С улыбкой рассказала Анна Андреевна, как на одном вечере Паоло Яшвили прочел свое новое стихотворение «Нита-капитан», посвященное дочери Тициана — Танит Табидзе, после чего завязался оживленный разговор о желании девочки стать штурманом дальнего плавания.

Поинтересовавшись судьбой Ниты Табидзе, Анна Андреевна продолжала рассказывать:

— Однажды Борис Пастернак привел Тициана и Паоло ко мне, на Фонтанку 34, где я тогда жила. По моей просьбе Тициан прочел много стихотворений по-грузински; мне хотелось глубже вникнуть в музыку грузинского стиха, постичь его звучание...

Встреча и беседа с поэтессой, — подумалось мне тогда, — оставили глубокий след и в душе Тициана. Недаром в письме к Валериану Гаприндашвили из Ленинграда он писал: «Необычайной была встреча с Анной Ахматовой», а по приезде много и восхищенно рассказывал о ней.

Вспоминая Тициана, Анна Андреевна говорила:

— Мы все, ленинградские поэты, его очень любили. Это был необычайно теплый, искренний человек, всей душой преданный поэзии, живший в искусстве; к тому же он обладал редким умением держать себя в обществе.

Встречи и беседы с грузинскими поэтами несомненно помогли Анне Андреевне во время работы над переводами грузинских стихов. Тепло и проникновенно звучит в ее переводе на русский язык удивительно лиричный, исполненный чистоты и свежести большого чувства «Сонет к Элли» Паоло Яшвили; проникнув в тайны грузинской силлабики и образной выразительности языка и, наряду с этим, прекрасно владея искусством возвышенного, героического, трагедийного слова и жеста, — поэтесса переводит стихотворения Иосифа Гришашвили «Грузника-мать», «Осиротелым детям», «Когда пишу стихи», «Фронтовая сестра» и другие.

Перечитывая сейчас эти переводы, я невольно вспоминаю слова, сказанные Анной Ахматовой одному из корреспондентов, что в наше время «люди стали глубже и мудрее и научились больше помогать друг другу». И я думаю о том, что своей работой над переводами произведений народов СССР, корейской поэзии и сербского народного эпоса, так же как и лучшими творениями собственной лирики, поэтесса делает большое и важное дело, помогая миллионам читателей постичь глубину и подлинную красоту народной поэзии. Присвоение ей премии Таормина и почетной степени доктора филологии Оксфордского университета — вполне заслуженная ею награда.

1965.

ПРИЛОЖЕНИЕ ВТОРОЕ

ПИСЬМА

КОЛЛЕКТИВНЫЕ ПИСЬМА
В РЕДАКЦИЮ

ИЗ ПИСЬМА NN., Киев, 13 марта 1907.

...Зачем Гумилев взялся за «Сириус»? Это меня удивляет и приводит в необычайно веселое настроение. Сколько несчастиев наш Микола перенес и все понапрасну! Вы заметили, что сотрудники почти все так же известны и почтенны, как я? Я думаю, что нашло на Гумилева затмение от Господа. Бывает...

————

ПИСЬМО В РЕДАКЦИЮ ЖУРНАЛА «ЛИТЕРАТУРНЫЕ ЗАПИСКИ»

В литературном приложении к газете «Накануне» от 30 апреля с.г. были напечатаны мои стихотворения: «Как мог ты...» и «Земной отрадой сердце не томи» со следующим примечанием: «Печатаемые здесь два новых стихотворения Анны Ахматовой должны появиться в России в альманахах "Утренники" и "Парфенон". Оба стихотворения доставлены редакции «Накануне» без моего согласия и ведома.

А. Ахматова. 1922.

————

ТРИ ПИСЬМА АННЫ АХМАТОВОЙ
АЛЕКСИСУ РАННИТУ

*С ответами на анкету и библиографическим
приложением*

I

Многоуважаемый господин Раннит,

Благодарю Вас за стихи (жаль, что Вы прислали только перевод) и милое письмо.

Трудно понять, зачем кому-то понадобилось тревожить мой прах и сообщать бредовые легенды о моем пребывании в Париже в 1938 году. На Западе после 1912 года я не была, а в 1938 году дальше Москвы не ездила.

Я совершенно уверена, что Ваша работа будет интересной и нужной, но меня несколько беспокоит ее биографическая часть. Во всяком случае я предупреждаю Вас, что писаниями Георгия Иванова и Л. Страховского пользоваться нельзя. В них нет ни одного слова правды.

Простите, что не сразу отвечаю Вам — я все еще очень слабая после болезни и сейчас живу за городом.

18 февраля 1962   Анна Ахматова
Комарово

II

Многоуважаемый господин Раннит!

Пишу Вам сегодня только для того, чтобы Вы знали, что Ваше письмо от 8 марта мной получено.

Позвольте мне в свою очередь задать Вам несколько вопросов: отчего мои стихи кажутся Вам синими, когда они уже полвека всем кажутся белыми? Почему Вы не прислали мне оригинала своего стихотворения? — Я свободно читаю по-английски.

Анна Ахматова
60-е г. г.

Видели ли Вы мое «Слово о Пушкине» в «Литературной газете» в юбилейные дни?

Мне было приятно узнать, что Вы держитесь того же мнения, что и я, относительно Георгия Иванова и Страховского. И следовательно, мне не придется, прочтя Вашу работу, еще раз испытывать ощущение, описанное в последней главе «Процесса» Кафки, когда героя ведут по ярко освещенной и вполне благоустроенной Праге, чтобы зарезать в темном сарае.

Все, что Вы пишете о моих стихах, очень любезно. Но мне раз навсегда не дано верить похвалам. Зато всякой брани я верю слепо.

Посылаю Вам список стихотворений, напечатанных после книги 1961 г. в разных изданиях, и несколько ответов на Вашу анкету.

Желаю Вам успеха.

24 мая 1962   Анна Ахматова
Москва.

―――――――

ПРИЛОЖЕНИЕ К ПИСЬМУ А. РАННИТУ
24 мая 1962

Чтобы не задерживать Вас, посылаю Вам несколько ответов на Ваши вопросы:

2. Первые стихотворения написала 11 лет. Печатаюсь с весны 1911 года. Например: «Аполлон» № 4, 1911 г.
3. Дома никто не поощрял мои первые попытки, а все скорее недоумевали, зачем мне это нужно.
4. Пушкин (и то, и другое)
5. Учитель — Анненский
8. Никакими учебниками никогда не пользовалась — слушала обсуждение стихов в «Цехе Поэтов» 1911—1914.

Из перечисленных Вами лиц покойный Борис Викторович Томашевский был моим учителем по линии пушкиноведения, а Георгий Аркадьевич Шенгели, с которым я часто встречалась и дружила, иногда для

своих изысканий просил меня произнести какую-нибудь мою строку.
9. Сколько длится процесс создания стихотворения, не знаю, и все об этом см. в моем стихотворении (стр. 287) «Одно, словно кем-то разбуженный гром»
10. Внесла ли что-нибудь в русскую поэзию — не мне судить.

Ахм[атова]

———

ПРИЛОЖЕНИЕ К ПИСЬМУ А. РАННИТУ
(24 мая 1962) Москва

Список стихотворений, опубликованных в разных изданиях после выхода книги 1961 года

«Мелхола» (из библейского цикла)	
«Песенки» — «Лишняя»	«Звезда» 1962, июль
«Последняя»	
«Конец Демона»	«Наш современник»
«Ночные видения» (открывок)	1961 № 6, декабрь
Эпиграмма	«День поэзии» 1961 (Ленинград)
«Смерть Софокла» (1 марта 61 г.)	
«И когда друг друга проклинали . . . »	«Звезда» 1961,
«Молюсь оконному лучу . . . »	№ 5.
(Из первой Киевской тетради)	
«Александр у Фив» (октябрь 61 г.)	«Литературная газета»
«Комаровские кроки»	16 января 1962
Четвертая главка поэмы «1913 год»	
Посвящение («И так как мне бумаги не хватило . . . »	«Новый мир» 1962 №
(С предисловием К. Чуковского)	

III

Многоуважаемый господин Раннит,

Письмо Ваше уже давно догнало меня в Москве.

Вероятно, я не очень точно выразилась, и Вы меня не поняли. Я слепо верю всему дурному, что говорили о моих стихах, не оттого, что их много бранили, а оттого, что мне это вообще свойственно — такой я была и в самом начале, когда меня еще никто не бранил. И тогда я похвалам совершенно не верила.

Благодарю Вас за Ваши стихи. Они сейчас не при мне, но у меня осталось впечатление *высокого* строя души и *необычайно* бережного отношения к слову.

Сборник «В пути» я получила. Он не всем одинаково нравится, но меня *пленяет* каким-то своим, очень необычным и трогательным *видением* природы.

В следующем письме пришлю фотографию, которую Вы просите.

Как подвигается Ваша работа, про которую Вы писали мне в Вашем первом письме?

С Новым Годом!

2 декабря 1962
Москва

Анна Ахматова

ПИСЬМО К ДЖАНКАРЛО ВИГОРЕЛЛИ (1964)

Caro Giancarlo, la Sua lettera, con la quale sono stata informata che mi viene assegnato il Premio Taormina, mi ha arrecato una vivida gioia.

Non voglio a questo proposito né brillare per arguzia, né celarmi dietro una falsa modestia, ma questa notizia, che mi giunge dal paese che ho amato teneramente per tutta la mia vita, ha gettato un raggio di luce sul mio lavoro. La prego, caro Giancarlo, di participare la mia gratitudine agli amici che mi hanno prescelta e di ricordarsi che mi ha fatto particularmente piacere ricevere questa notizia proprio da Lei.

In questi ultimi tempi, i miei pensieri sono rivolti all'Italia, poiche ho intrapreso a tradurre in russo l'intero volume delle poesie di Leopardi e ho una gran voglia di visitare di nuovo la

307

Sua Patria per immergermi nell'elemento della lingua italiana
e vedere la casa in cui visse e creó il Grande Poeta.*)

В РЕДАКЦИЮ «НОВОГО МИРА»

В февральском номере Вашего журнала опубликована статья Эммы Герштейн «Вокруг гибели Пушкина». Из дневников и писем жены царя Николая I установлены некоторые новые обстоятельства, новые факты, характеризующие ту светскую чернь, «жадною толпой стоящую у трона», которая так злобно и целеустремленно преследовала поэта.

Разумеется, можно оспаривать те или иные оценки и выводы автора, но совершенно бесспорно, что статья в целом — плод серьезной, добросовестной и компетентной научно-исследовательской работы и что такие исследования полезны и необходимы для истории литературы.

Между тем в майском номере журнала «Октябрь» помещен фельетон «В покоях императрицы», который в тоне чрезвычайно развязного, пошлого зубоскальства попросту отвергает и статью Э. Герштейн и вообще исследования такого рода.

Все, кому дороги честь и достоинство нашей словесности, должны решительно осудить такое злоупотребление страницами журнала, органа Союза писателей.

АННА АХМАТОВА, ВС. ИВАНОВ
С. БОНДИ, С. МАРШАК
[июнь 1962]

---

*) П е р е в о д. Дорогой Джанкарло, Ваше письмо, уведомляющее меня о том, что мне присуждена премия Таормины, доставило мне живейшую радость. Я не хочу ни блистать остроумием по этому случаю, ни прикрываться ложной скромностью, но это известие, пришедшее ко мне из страны, которую я нежно любила всю жизнь, пролило луч света на мою работу. Прошу Вас, дорогой Джанкарло, передать мою благодарность друзьям, остановившим свой выбор на мне, и помнить, что мне было особенно приятно получить это известие именно от Вас.

В последнее время мои мысли обращались к Италии, поскольку я задумала перевести на русский язык в полном объеме стихи Леопарди, и у меня большое желание побывать снова у Вас на родине, чтобы погрузиться в стихию итальянского языка и увидеть дом, в котором жил и творил великий поэт.

ЗАПОВЕДНИК ИЛИ ТУРБАЗА?
Письмо в редакцию

Государственный Пушкинский заповедник по своей культурной ценности стоит в одном ряду с Эрмитажем, Русским музеем, Ясной Поляной, Третьяковской галереей.

В чем же очарование этих мест? Дом-музей Пушкина? Но он несколько раз перестраивался, разрушался, восстанавливался. И домик няни во время войны был разрушен фашистами. Оба дома неподлинные.

Подлинно другое. Сквозь сто сорок лет нетронутой прошла природа. Та же река Сороть, те же холмы и поля за рекой, то же озеро Кучане, те же вековые деревья парка, те же михайловские рощи, в которых гулял поэт.

Это и создает неповторимую пушкинскую атмосферу. Благодаря ей и восстановленный Дом-музей кажется настоящим, и оживает экспозиция, оживают и становятся почти реальностью рассказы экскурсовода.

Следовательно, надо прежде всего беречь и охранять эту подлинность и нетронутость реки, озера, леса. Вроде бы все так несомненно . . .

Но, к сожалению, не все и не для всех.

С некоторых пор в отношениях к заповеднику появились странные и опасные тенденции.

Первое, что видит человек, подъезжая к Михайловскому, — целый комплекс построек, расположенных буквально в нескольких метрах от усадьбы, — контора проката, фотография, аптечный ларек, почта, кафе. Неужели нельзя было все это расположить, ну, скажем, подальше от заповедника?

От усадьбы открывается прекрасный вид на озеро Кучане, по берегу которого поэт ходил и ездил в Петровское. Человек сегодня смотрит на озеро и видит на берегу палатки, легковые и грузовые автомашины. Это место туристского лагеря. На заповедной земле, на берегу заповедного озера.

Как уже говорилось, заповедник посещают сотни тысяч людей ежегодно. Так, в 1964 году в нем побывало двести сорок тысяч. Многие хотят задержаться в этих местах на несколько дней, а то и дольше. И, конечно, людям надо создавать максимально благоприятные условия, чтоб бытовые неудобства не омрачали их впечатления от пушкинских мест. Но делать это надо разумно, тактично.

Сейчас разрабатываются планы дальнейшего благоустройства Пушкинских Гор — там собираются строить еще одну гостиницу, организовать большой кемпинг, перестроить автобусную станцию. Все это, разумеется, очень хорошо.

Уже несколько лет псковские товарищи совместно с дирекцией заповедника обдумывают вопрос о создании в районе заповедника большой благоустроенной, современной турбазы. (Небольшая турбаза в трех с половиной километрах от Михайловского существует с тридцатых годов.) Новая турбаза безусловно нужна. Псковские архитекторы разработали очень интересный проект. Вроде бы все как нельзя лучше ... Но именно — вроде бы.

Место для турбазы выбрали над озером Кучане, в километре двухстах метрах от дома Пушкина. А ведь турбаза эта должна быть целым туристским городком. Пятиэтажный жилой корпус, дом для обслуживающего персонала, хозяйственные постройки и т.д.

Строительную площадку от пушкинской усадьбы отделяют трехсотметровая поляна и полоса леса шириной меньше километра. Пятиэтажного здания турбазы из-за леса, действительно, видно, не будет. Зато слышно будет прекрасно!

Далее — турбаза, если ее там построят, разместится на самой опушке заповедного леса. «Пропускать» она будет до двадцати пяти тысяч человек в год. Через пять лет количество туристов перевалит за сотню тысяч. Даже если это будут идеально воспитанные люди, которые не сломают ни веточки, ни кустика, — все равно они, сами того не желая, погубят лес. Они его попросту вытопчут.

Надо сказать, что работники Псковского облисполкома, которые настаивают на постройке базы именно в этом месте, — это хорошие люди, энтузиасты. Они выхлопатывали деньги на строительство, планировали его, создали интересный проект. Они затратили на это немало сил. Но, к сожалению, не все они понимают своеобразие заповедника, его коренное отличие от обычных мест отдыха.

Можно было бы понять настойчивость защитников нынешнего проекта, если б положение было безвыходным, — нет другого места, и все тут! Но это же не так. Вокруг заповедника можно найти сколько угодно подходящих мест.

Самое удобное место, по мнению сотрудников заповедника, — вниз по реке Сороть, ниже Тригорского. В четырех километрах от Михайловского, на другой стороне реки, есть красивые и благоприятные для строительства базы площадки. Проигрыша никакого. А вместе с тем отпадает катастрофическая для заповедника близость туристского городка.

А пока что заповеднику грозит серьезная опасность.

Вряд ли наши дети поблагодарят нас, если мы оставим им вместо Пушкинского заповедника — Михайловское — обычную турбазу. Мы не вправе лишать их этого бесценного, уникального музея, этого средоточия памяти о национальном гении.

А. АХМАТОВА, П. АНТОКОЛЬСКИЙ, М. ДУДИН, В. КАВЕРИН, В. КАТАЕВ, В. ПАНОВА, Л. ПАНТЕЛЕЕВ, Л. РАХМАНОВ, В. ШКЛОВСКИЙ, Я. ГОРДИН.

ПРИЛОЖЕНИЕ ТРЕТЬЕ

НЕКРАСОВ И МЫ

ОТВЕТЫ

А. Ахматовой, А. Белого, А. Блока, З. Гиппиус, С. Городецкого, М. Горького, Н. Гумилева, Вяч. Иванова, М. Кузмина, В. Маяковского и Д. Мережковского на анкету К. Чуковского.

НЕКРАСОВ И МЫ

Одно время в литературных кругах полагали, будто бы ценителям поэзии не подобает восхищаться Некрасовым. Было принято называть его поэзию прозой. Говорили, что, если бы он не писал на социально-политические темы, он давно был бы забыт, как поэт, что его нельзя поставить рядом с большими поэтами, что даже такие, как Щербина и Мей, значительно выше его. За исключением радикальных кругов, все остальные относились к Некрасову в 60-х, 70-х и 80-х гг. если не враждебно, то холодно.

Когда в 80-х и 90-х годах революционные чувства в русском обществе временно пошли на убыль, слава Некрасова параллельно с этим затмилась.

Вообще тут была параллель: судьба Некрасова и судьба революции. Его любили только те, кто любил революцию. Повышалась волна революции, повышалась и волна его славы.

Всем это казалось естественным, так что, когда в самом начале XX века в России возник модернизм, все были уверены, что это течение, порвавшее с русской революционной традицией, отказавшееся от революционного «наследия отцов», одновременно отвергнет Некрасова. И многие сочли необходимым заранее встать на защиту поэта. И. Е. Репин, напр., в самый разгар модернизма писал: «Сколько бы ни иронизировали эстеты, скептически гримасничая над поэзией Некрасова, значение поэта-гражданина велико и вечно».[1])

Якубович-Мельшин, не жаловавший модернистов за их отказ от революционного наследия отцов, писал о

---

[1]) «Новости Дня», 1902, дек. Эта и следующие цитаты заимствованы из моей книги «Лица и маски». *Примеч. К. Чуковского.*

поэзии Некрасова: «Никто, кроме ошалелых декадентов, не решится назвать эту поэзию . . . явлением фальшивым и дутым» (П. Я. «Некрасов». СПб, 1907).

Другие в таком же воинственном тоне твердили, что «поэт мести и печали отнюдь не так похоронен, как думают современные эстеты и эстетики«.

Михайловский, Скабичевский, Протопопов и даже проф. А. Кауфман грудью защищали Некрасова, будучи в полной уверенности, что Некрасов вне революции немыслим, что те, кто равнодушны к революции, равнодушны и к поэзии Некрасова.

А между тем это было не так. Именно модернисты первые оценили по достоинству поэтический гений Некрасова и вознесли его на ту высоту, на которой он находится теперь. Для них было несомненно, что Некрасова можно любить независимо от русской революции, просто потому, что он великий поэт. Они первые порвали ту нить, которая связывала его судьбу с революцией —

> . . . и стал он возмужалый
> Держаться сам собой.

Модернисты не только никогда не *хоронили* Некрасова, но первые *воскресили* его, как поэта, первые внедрили в сознание общества мысль, что его поэзия есть поэзия.

Еще в девяностых годах предтеча модернистов Д. С. Мережковский писал, что Некрасов «бессмертный русский поэт», «такой же вечный поэт, как Пушкин или Лермонтов», и что «мы имеем право, мы должны гордиться Некрасовым перед Европой».

Вскоре к этому мнению присоединился и один из зачинателей модернизма, Бальмонт. В 1903 году, в третьей книге журнала «Новый Путь», он торжественно причислил Некрасова к лику величайших поэтов России.

Валерий Брюсов воздал Некрасову ту же хвалу.

Вслед за старшими богатырями модернизма перед Некрасовым преклонились и младшие.

316

Андрей Белый, кажется, в 1909 году, заявил о своем «повороте к Некрасову» и написал даже целую книгу стихов под влиянием поэзии Некрасова («Пепел»).

Постепенно, в последние годы, русское общество привыкло воспринимать эту поэзию эстетически и в самой грубости некрасовских стихов ощущать своеобразную прелесть. Такие требовательные мастера поэтической речи, как Александр Блок, Вячеслав Иванов, Анна Ахматова, З. Гиппиус, Н. Гумилев говорили о нем, как о великом поэте. Когда года два назад я обратился к этим поэтам, а также к М. Горькому, Д. С. Мережковскому, М. Кузмину, Вл. Маяковскому и С. Городецкому с предложением высказать свое мнение о личности и поэзии Некрасова, они дали о нем следующие отзывы, равно ценные как для характеристики Некрасова, так и для характеристики самих участников этой анкеты.

К сожалению, ответы Андрея Белого я могу напечатать в неполном виде. М. Горький ответил далеко не на все вопросы.

I

Любите ли вы стихотворения Некрасова?

АННА АХМАТОВА. Люблю.

АЛ. БЛОК. Да.

АНДРЕЙ БЕЛЫЙ. Да.

З. ГИППИУС. Те, которые люблю.

С. ГОРОДЕЦКИЙ. В гимназии я был первым учеником, в литературе первое время — под властью салонных теорий, потому и Некрасова не читал, как следует. Но то немногое, что я из него знаю, я любил и люблю.

М. ГОРЬКИЙ. Не думаю, чтобы любил.

Н. ГУМИЛЕВ. Да. Очень.

М. КУЗМИН. Не особенно.

ВЯЧ. ИВАНОВ. Нет!

Д. С. МЕРЕЖКОВСКИЙ. Люблю его, но так, как мы все теперь любим русский народ — сквозь боль, сквозь стыд, сквозь ненависть — почти проклятие. Проклятие от той лжи, в которой повинны мы вместе с Некрасовым и за которую теперь так ужасно расплачиваемся. Ложь в идеализации данного состояния народа, как должного, в обожествлении народа, в поклонении народу, как Богу.

II

Какие стихотворения Некрасова вы считаете лучшими?

АННА АХМАТОВА. «Влас», «Внимая ужасам войны», «Арина мать солдатская».

АЛ. БЛОК. «Еду ли ночью по улице темной». «Умолкни, муза». «Рыцарь на час» и многие другие. «Внимая ужасам».

З. ГИППИУС. Я люблю не лучшие и затрудняюсь называть «лучшие». С какой точки зрения? С эстетической или с какой иной?

С. ГОРОДЕЦКИЙ. Про деревню.

М. ГОРЬКИЙ. «На Волге», «Рыцарь на час», «Ликует враг», «Русским детям», «Уныние». Остальное забыл.

Н. ГУМИЛЕВ. Эпически монументального типа: «Дядя Влас», «Адмирал вдовец», «Генерал Федор Карлыч фон Штубе», описание Таргабатая в «Дедушке», «Княгиня Трубецкая» и др.

ВЯЧ. ИВАНОВ. «Власа» люблю и ценю особенно и с детства, следовательно не за Достоевским. «Ой, полна, полна, коробушка» — удивительная песня.

ВЛ. МАЯКОВСКИЙ. В детстве очень нравились (лет 9) строки: безмятежней аркадской идиллии. Нравились по непонятности.

М. КУЗМИН. «Кому на Руси жить хорошо».

Д. С. МЕРЕЖКОВСКИЙ. Покаянные и особенно предсмертные стихи. Вообще вся песня его о Родине Матери.

III

Как вы относитесь к стихотворной технике Некрасова?

АННА АХМАТОВА. Некрасов несомненно обладал искусством писать стихи, что доказывают особенно ярко его слабые вещи, которые все же никогда не бывают ни вялыми, ни бесцветными.

АЛ. БЛОК. Не занимался ею. Люблю.

З. ГИППИУС. Его техника в целом гармонирует с духом его произведений, и они были бы *хуже*, если бы она была «совершеннее».

М. ГОРЬКИЙ. Он рифмовал: «лесок — легок». «Петрополь — соболь» и т.д.

Н. ГУМИЛЕВ. Замечательно глубокое дыхание, власть над выбранным образом, замечательная фонетика, продолжающая Державина через голову Пушкина.

ВЯЧ. ИВАНОВ. С большим уважением; его искусство не пленяет, но порой обнаруживает силача.

М. КУЗМИН. Не знаю.

ВЛАД. МАЯКОВСКИЙ. Мне нравится, что мог писать все, главным образом, водевили. Хорош бы был в «Роста».

Д. С. МЕРЕЖКОВСКИЙ. Техника Некрасова неравномерна: то взлеты, то падения; музыка и скрежет гвоздя по стеклу. Но так и должно быть: неравномерность техники выражает неуравновешенность личности. Более совершенная была бы менее выразительной.

IV

Не было ли в вашей жизни периода, когда его поэзия была для вас дороже поэзии Пушкина и Лермонтова?

АННА АХМАТОВА. Нет.

АЛ. БЛОК. Нет.

АНДРЕЙ БЕЛЫЙ. Нет.

З. ГИППИУС. В юности Некрасов мне казался значительнее и *нужнее* Пушкина и Лермонтова, потому что его поэзия действовала на волю, входила в жизнь, не переставая быть поэзией. Пушкин и Лермонтов нравились, но бесцельно баюкали волю.

Н. ГУМИЛЕВ. Юность: от 14 до 16 лет.

М. ГОРЬКИЙ. Нет, не было. Пользовался им для агитации, но редко читал.

ВЯЧ. ИВАНОВ. Никогда.

М. КУЗМИН. Никогда.

ВЛАД. МАЯКОВСКИЙ. Не сравнивал, по полному неинтересу к двум вышеупомянутым.

Д. С. МЕРЕЖКОВСКИЙ. Нет, не было. Некрасов до такой степени в иной категории, чем Лермонтов и Пушкин, что их нельзя сравнивать. Тут не может быть выше и ниже. Кто сравнивает, тот ничего не понимает в них.

V

Как вы относились к Некрасову в детстве?

АННА АХМАТОВА. Некрасов был первый поэт, которого я прочла и полюбила.

АЛ. БЛОК. Очень большую роль он играл.

Н. ГУМИЛЕВ. Не знал почти, а что знал, то презирал из-за эстетизма.

ВЯЧ. ИВАНОВ. «Власа» узнал и полюбил я на восьмом году жизни. Какой-то довольно ранний сборник его стихов попал мне в руки, когда я был лет 10—11. Я испытал живое ощущение ненастного унылого дня, когда моросит дождь, защемило сердце. Сильно врезались в душу: «Я жил как многие в глуши», «Пахарь», «Право, не клуб ли вороньего рода», «Не гулял с кистенем», «Заунывный ветер гонит» ... Но не как ц е л ь н ы е произведения и замыслы, а частностями, иногда отдельными строфами.

Анне Андреевне
Ахматовой,
началу тонкости и очаровательности,

потому, что меня всегда
ободряло и радовало,
тому, что мне *дорого*
и *близко* и что *выше*
и *больше* меня.

Б. Пастернак
10 мая 1952 г.

Посвящение Б. Л. Пастернака
Из собрания Н. А. Струве

М. КУЗМИН. Никак.

ВЛАД. МАЯКОВСКИЙ. Пробовал читать во втором классе на вечере «Размышления у парадного подъезда». Классный наставник Филатов не позволил.

Д. С. МЕРЕЖКОВСКИЙ. Никак.

VI

Как вы относились к Некрасову в юности?

АННА АХМАТОВА. Скорее отрицательно.

АЛ. БЛОК. Безразличнее, чем в детстве и «старости».

Н. ГУМИЛЕВ. Некрасов пробудил во мне мысль о возможности активного отношения личности к обществу. Пробудил интерес к революции.

ВЯЧ. ИВАНОВ. Как-то забыл, что меня удивляет, так как сам в юности был поэтом-народником. (Эти Juvenilia не напечатаны и растеряны).

М. КУЗМИН. Никак.

ВЛАД. МАЯКОВСКИЙ. Эстеты меня запугали строчкой: «На диво слаженный возок».

Д. С. МЕРЕЖКОВСКИЙ. Скорее враждебно.

VII

Не оказал ли Некрасов влияния на ваше творчество?

АННА АХМАТОВА. В некоторых стихотворениях.

АЛ. БЛОК. Оказал большое.

З. ГИППИУС. Нет, ибо мой путь был иным.

М. ГОРЬКИЙ. Не думаю.

Н. ГУМИЛЕВ. К несчастью, нет.

ВЯЧ. ИВАНОВ. Не думаю.

М. КУЗМИН. Не думаю.

ВЛАД. МАЯКОВСКИЙ. Неизвестно.

Д. С. МЕРЕЖКОВСКИЙ. Большое. По Некрасову я понял религиозную сущность русской общественности.

Как вы относитесь к известному утверждению Тургенева, будто в стихах Некрасова «поэзия и не ночевала»?

АННА АХМАТОВА. Мне кажется, что Тургенев говорил это о тех стихах Некрасова, где действительно нет поэзии.

АЛ. БЛОК. Тургенев относился к стихам, как иногда относились старые тетушки. А сам, однако, сочинил «Утро туманное».

З. ГИППИУС. Сожалею, что Тургенев это сказал.

М. ГОРЬКИЙ. Это не вполне правда, но близко к ней.

Н. ГУМИЛЕВ. Прозаик не судья поэту.

ВЯЧ. ИВАНОВ. Может быть, и не ночевала, но во всяком случае приходила к нему по ночам, иногда на минуту, чтобы взглянуть на него безумными глазами, как будто полными укора, и уйти в ночь и ненастье на осеннюю улицу. Некрасов был по своему проклятым поэтом, поэтом во всяком случае, но таким, у которого отнята благодать.

М. КУЗМИН. Преувеличено, конечно.

Таково отношение к Некрасову современных писателей. Жаль, что у меня нет отзывов таких поэтов, как Бунин, Минский, Бальмонт, Сологуб и др.

Комментировать эту анкету не буду. Скажу только, что когда Вяч. Иванов, на мой вопрос, любит ли он стихотворения Некрасова, ответил лаконически: нет! — и поставил при этом восклицательный знак, я ожидал, что в дальнейших ответах он отнесется к Некрасову столь же сурово. Но к моему удивлению, чем больше мы говорили о Некрасове, тем восторженнее отзывался о нем Вяч. Иванов, и, наконец, вспомнив «Власа», «Коробейников» и другие стихи, достал с нижней полки «Стихотворения» Некрасова и стал декламировать их с большим восхищением. Это восхищение и сказалось в его дальнейших ответах. Сообщаю этот эпизод для того, чтобы лаконическое н е т Вячеслава Иванова не ввело никого в заблуждение.

К. ЧУКОВСКИЙ.

НИКИТА СТРУВЕ

ВОСЕМЬ ЧАСОВ С АННОЙ АХМАТОВОЙ

Как известно, в последних числах мая 1965 года, Ахматова, в сопровождении своей внучки par alliance, Ани Каминской, приехала в Англию для получения в Оксфорде звания доктора honoris causa. На обратном пути ей было разрешено остановиться на два дня в Париже, куда она приехала в четверг 17-го июня вечером. Так как на воскресенье все места в московском поезде были уже заняты, то Ахматовой поневоле разрешили остаться в Париже лишний день. Помимо Ани Каминской, из Лондона в Париж Ахматову сопровождала студентка из Америки, Аманда Хэйт.

За эти дни у меня было с Ахматовой три встречи, продолжавшиеся в общей сложности более восьми часов. После отъезда Анны Андреевны я сразу же записал содержание наших бесед, причем старался как можно точнее воспроизвести слова Анны Андреевны, сохранить ее интонации. Старался также представить наши беседы возможно полнее, но, разумеется, память не все сохранила, а кое-что, более личное или относящееся к людям еще живым, опущено сознательно.

Как было условлено, в субботу 19-го июня, ровно в 2 часа пополудни, я был в гостинице «Наполеон», в которой остановилась Ахматова.[1] Прошу обо мне доложить. В этот момент раздается телефонный звонок. Служащий передает мне трубку: «Это вам». И слышу медленный, густой, глубинный голос: «Здесь Ахматова. Вы уже приехали? Простите, я задержалась в городе, сажусь в машину».

Отвечаю нелепо, оробев: «Вас можно подождать?» Тот же голос, возмущенно-ласковый: «Ну конечно, я для этого и звоню, сейчас еду».

---

[1] Возле Триумфальной Арки. Владельцем гостиницы оказался сын С. Маковского, который, когда узнал о приезде Ахматовой, немедленно предоставил ей бесплатную комнату.

Имя Ахматовой по телефону, голосом самой Ахматовой! Тут было от чего смутиться ... Ведь Ахматова была для меня прежде всего представительницей серебряного века, навсегда ушедшего в прошлое, женой давно погибшего, с детства еще любимого, поэта, «предметом» литературного изучения. В Сорбонне читал лекции о Гумилеве, в стихах которого вставал таинственный образ «враждующей» подруги:

> Из города Киева,
> Из логова змиева,
> Я взял не жену, а колдунью.

Читал и о самой Ахматовой, составив небольшую антологию ее стихов, вышедшую на ротаторе, в издательстве Имка-Пресс, под названием *«Пятьдесят стихотворений»*. Правда, за последние годы образ Ахматовой из туманной литературной дали приблизился. Зазвучал с пластинки ее живой голос, такой исключительный, такой неповторимый: кто хоть раз его слышал, тот уже не может отделить его от ее поэзии. Магнитофонная запись передала непринужденную беседу Ахматовой с одной из моих студенток ... Но встреча с Ахматовой казалась попрежнему недостижимой, немыслимой.

И вдруг, в телефонную трубку: «Здесь Ахматова».

Минут через двадцать подъезжает машина, подхожу, лицо Ахматовой озаряется приветливой улыбкой, глаза сияют весельем и добротой — это то мягкое, простое, оживленное лицо Ахматовой, для меня незабываемое, но которое совершенно не передают фотографии. — Не случайно Анна Андреевна не любила сниматься, чувствуется, что перед фотографом она всегда позировала, каменела, и на пленке запечатлевался лишь внешний ее облик, часто на нее совсем не похожий (эта окаменелость отчасти передалась и ее портретам).

— «Вы по мою душу, идемте». Идет в сопровождении студентки-американки, под руку, с трудом передвигая тяжелые ноги, величественно и повелительно. «Куда? ... Туда?»

В лифте. Как странно, как невероятно очутиться в парижском лифте с автором *Четок и Реквиема!*

— «Была точь-в-точь такая же прекрасная погода 50 лет назад, когда я уезжала из Парижа». На мой вопрос: узнаваем ли Париж? — «Нет, совсем неузнаваем, это не тот город».

Входя в комнату, где, по-русски, всюду что-то валялось:

— «Боже, какой беспорядок!». Садится, спиной к окну, в кресло, на котором так и будет сидеть, не вставая даже на звонки, отвечать на которые придется самим посетителям.

«Ну, садитесь ближе, я глухая. Спрашивайте, я, как Ларусс, отвечаю. Впрочем, вас больше интересует Мандельштам» (Анна Андреевна прослышала от моих студентов, что я большой поклонник Мандельштама и собираю о нем материалы). Но о Мандельштаме Анна Андреевна рассказала немного, зная, что я читал ее воспоминания о нем в *Воздушных Путях.*

— «Жена Осипа Эмильевича, Надежда Яковлевна, до сих пор мой ближайший друг, лучшее, что есть во мне.[2]) С оттенком задумчивости и грусти: «Это был на редкость счастливый брак». «Правда, Мандельштам влюблялся часто, но быстро забывал. Успеха у дам не имел никакого. В меня он был влюблен три раза. Любил говорить: Наденька, наши стихи любят только твоя мама да Анна Андреевна... Умер он в лагере голодной смертью, боялся, что его отравят, от того же умер и Зощенко, превратившийся перед смертью в собственную тень».

Но скоро разговор перешел на творчество самой Анны Андреевны. Я ей сказал, что читал в Сорбонне лекции почти о всех главных поэтах XX-го века, но труднее всего мне было читать именно о ней. Ахматова ответила:

---

[2]) Ср. такое же замечательное определение дружбы в стихотворении 1964 года памяти В. И. Срезневской, друга всей жизни:

И мнится, что души отъяли половину —
Ту, что была тобой — в ней знала я причину
Чего-то главного...

— «Да, это простительно не понимать моей поэзии, ведь главное еще не напечатано».

Но что́ это главное, не пояснила. В дальнейшем ходе беседы она часто упоминала трагедию *Сон во сне*, цикл *Черенки*, близкий к *Реквиему*, цикл *Черные песни*. Перепутав оба названия, я как-то переспросил: «Черные песни, это то, что близко к Реквиему?», на что она ответила — «C'est tout le contraire ...» ...

— «Но вот, как бывает, продолжала она, недавно, в связи с моим семидесятипятилетием, в *Новом Мире* разрешили что-то пикнуть, поручили написать заметку Синявскому. Он знал всю мою поэзию, но так меня и не понял, а вот Н. В. Недоброво знал только первые мои две книжки, а понял меня насквозь, ответил заранее всем моим критикам, до Жданова включительно. Его статья, напечатанная в одной из книжек *Русской Мысли* за 1915 год, лучшее, что обо мне было написано. Это ваш дед, Петр Бернгардович, ее заказал. А с Синявским я встречалась в Москве, говорила ему, но как его ругать, ведь он такой хороший, его так молодежь любит ...»

Ахматова тяготилась тем, что для многих она осталась поэтом *Четок и Белой стаи*, и винила в этом эмигрантских критиков: — «Откуда это они взяли, не понимаю, всюду это пишут, что я 18 лет молчала? По какой это арифметике они учились? Ведь вот я только что записала: у меня 9 стихотворений 1936 года, уж не говоря о *Реквиеме*, начатом в 1935 году; есть стихи и в 1924 году, и в 1929 году. А вот что меня не печатали, это верно! Как было в 1925 г. постановление Центрального Комитета Партии — я тогда еще толком не знала, что такое Центральный Комитет, в голову не приходило — постановление Ахматову не печатать, а потом уж пошло, как у вас говорится: "comme sur des roulettes", но из этого совершенно не следует, что я молчала. Надеюсь, прибавила она, я вас достаточно убедила».[3])

---

[3]) См. на ту же тему, со слов Ахматовой, в книге Льва Озерова, *Работа поэта*, стр. 193. Слово «молчала» Ахматова понимала в буквальном смысле, тогда как часто критики имели в виду отсутствие печатных произведений.

— «Целых пять раз меня печатали, но не издавали: когда книга была набрана, приходило распоряжение сжечь ее или извести на бумагу ... Но некоторые экземпляры сохранились, недавно мне Сурков один такой экземпляр принес, из архива Еголина, кажется».

Насколько помню, речь шла об издании сборника Ахматовой в 1946 г., перед самым постановлением Жданова.

Анна Андреевна держала в руках небольшую книжечку в сафьяновом переплете, подаренную ей в Англии; в ней были записаны разные имена, поручения и ряд неизданных стихов, записанных на память:

— «Вот видите эту книжечку? Завтра перед отъездом я ее сожгу ...»

— «Что вы, что вы, оставьте ее здесь».

— «Ну, это нет! — Вот этими руками два раза я сжигала свои архивы. Когда я написала трагедию *Сон во сне* в Ташкенте, а потом вернулась в Петербург, вскоре после конца блокады (в июне 1944 г.) — между прочим, это был страшный город, покрытый толстым слоем битого стекла, его убирали, но его столько было, что все равно ходили по стеклу — я сразу поняла, какое было настроение, и сожгла трагедию».

— «Представьте только себе, в течение 15 лет я ни разу не вошла в свой дом без того, чтобы сразу за мной не вошло два человека ... Мне не верили, когда я это рассказывала, а сын одной моей подруги даже решил проверить и как-то со мной пошел, ну и убедился на деле ...»

Меня интересовали судьбы некоторых писателей. Я позволил себе спросить Анну Андреевну, известно ли что-нибудь о судьбе «голубоглазого гимназистика» Сережи Соловьева, поэта-символиста, ставшего в 1917 году священником. Ахматова задумалась, переспросила:

— «А вам это действительно интересно? Рассказать? Это страшная история ... Его взяли в 1937 году, в тюрьме он сошел с ума, как почти все у нас, жил на попечении дочерей, в каждом стуке ему казалось, что для него готовят виселицу ... А раз как-то он выбежал полуодетый на улицу и спросил первого попавшегося милиционера: — Я знаю, что меня должны расстрелять, но не знаю, куда нужно идти. — А тот ему ответил: — Не беспокойтесь, товарищ, когда нужно будет, за вами пришлют. — Ну, а потом он умер, что называется, своею смертью».

Спросил я и о судьбе другого поэта-символиста, В. Пяста, о котором, с чьих-то слов, А. М. Ремизов мне рассказывал, что он покончил с собой.

— «Что вы, зачем, — удивилась Анна Андреевна, — ведь он был совсем сумасшедший, настоящий шизофреник, зачем ему было кончать с собой, он умер своею смертью».

Зашел разговор о Марине Цветаевой, а с ней и о других злополучных возвращенцах. Ахматова стала вспоминать о своей встрече с Цветаевой в 1940 году, в Москве:

— «Шли мы как-то вместе по Марьиной роще, а за нами два человека шло, и я все думала, за кем это они следят, за мной или за ней?...» Я спросил: — «После этой встречи вы и написали ”Невидимка, двойник, пересмешник?” (стихотворение, посвященное возвращению Цветаевой и трагедии, постигшей ее семью).

— «Нет, это было уже написано, но я не посмела тогда ей это прочесть. Вас это наверное удивляет? — Некоторые считают, что ее гибели были и творческие причины, говорят, она написала поэму, совсем заумную, всю из отдельных, вылитых строк, но без всякой связи... Конечно, такую поэму можно написать только одну, второй не напишешь».

— «Но я слышал, что и сын ее сыграл роковую роль своими упреками?»

— «Да, — подтвердила Анна Андреевна, — это верно, так обыкновенно бывает, когда безумна родительская любовь, балуют, ну а потом так оборачивается, — он даже на похороны не пошел... Я его хорошо знала в Ташкенте. Он там жил в том же доме, что и я. Я ему на полке хлеб оставляла, а он приходил брать; этот ташкентский хлеб, тяжелый как камень, я есть не могла. Как он умер, осталось неизвестным; никакого официального сообщения о том, что он пал смертью храбрых, — не было. Он такой был, что мог быть убит и как дезертир или еще как-нибудь».[4])

Об известном литературоведе, князе Дмитрии Святополк-Мирском, вернувшемся в Россию в начале 30-х годов, Ахматова выразилась так:

— «И зачем он только вернулся, такой был красивый, умный... Умер он не сразу, но страшной, ужасной смертью, где-то на Колыме... Вот и он очень хорошо обо мне написал, всего несколько фраз в своей маленькой истории русской литературы на английском языке».

Говорила Анна Андреевна и о трагической судьбе Гаяны, дочери поэтессы матери Марии Скобцовой.

— «У Алексея Толстого, который соблазнил ее вернуться, ей было очень плохо, она должна была от него выехать и через несколько дней умерла в больнице, якобы от тифа, но ведь от тифа так быстро не умирают... Алексей Толстой был на все способен».

Во время этой первой беседы с Ахматовой зашел ее старый знакомый, Сергей Ростиславович Эрнст. Ахматова уже успела с ним повидаться и сказала мне властно:

— «Уходить не надо».

С. Р. Эрнст, знавший хорошо Кузмина, спросил о его судьбе:

— «Ну, Кузмин умер собственной смертью, у него было несколько сердечных припадков, его отвезли в госпиталь, там его ко всему еще и простудили. Умер он без свидетелей. Его друг Юркун, к тому времени уже женившийся, был при нем, но в момент смерти не был, куда-то вышел. Смерть его в 1936 году была благословением, иначе он умер бы еще более страшной смертью, чем Юркун, который был расстрелян в 1938 году. Единственный раз, когда меня вызывали в прокуратуру, это

---

[4]) Есть версия, согласно которой сын Цветаевой был отправлен в штрафной батальон.

было не так давно, для "закрытия дела" Бенедикта Лившица, растрелянного в 1938 году. Вам наверное не
очень ясно, что значит «закрыть дело», и для чего я
им понадобилась? Дело в том, что им непременно нужен
кто-нибудь не из своих, чтобы свидетельствовать о не-
виновности растрелянных. Если к своим обращаться, то
уж наверняка какое-нибудь новое дело откроется. Вызывали на пятый этаж без лифта. Я им говорю: "Высоко
очень, мне трудно". А они отвечают: "Ничего, медленно
пойдете . . ." Так там, в этом деле, было много разных
имен, среди них и имя Кузмина».

Эрнст интересовался портретами Ахматовой, старался,
вместе с ней, их все перечислить. А Ахматова ком-
ментировала:

— «Фаворского ужасен, Сорина — прямо конфетная
коробка . . ., у меня висит только один — Модильяни».

Эрнст стал вспоминать, кто писал Ахматовой в альбом:

— «Да мне многие в альбом писали, а потом я этот
альбом в музее увидела. Страшно это неприятно видеть свои вещи в музее, ничего нельзя изменить уже,
ни одной запятой . . . Все мы это так перед грозой отда-
вали свои альбомы Бонч-Бруевичу, а он их скупал для
государственного архива».[5]

Ахматова показала нам переводы своих стихов на
иностранные языки: «Вот смотрите, целых три издания
на итальянском языке. Как вы думаете, к чему бы это?
Мне кажется это все неспроста». Вероятно, она наме-
кала на возможность получения Нобелевской премии . . .

Несколько раз Анна Андреевна вспоминала Окс-
фордское торжество:

— «А Вознесенский, который в то время был в Англии, даже не удосужился приехать. Зато Райкин был.
Как? вы не знаете, кто такой Аркадий Райкин? Самый
знаменитый человек в России . . . Он потом пришел меня
поздравить, и, показав большим и указательным паль-

_____

[5] Согласно *Путеводителю* по Центральному Архиву, альбом
Ахматовой поступил в 1933 г.

цем размер яйца, добавила: «Вот какие слезы у него были на глазах!»

Я обмолвился, что у меня в кармане был билет в Англию, но, что в последнюю минуту поехать я не смог.

— «Что вы!»

— «Знаете, у нас это все легко, рукой подать».

— «Да, ответила Анна Андреевна задумчиво-грустно, у вас все рукой подать. А у нас отняли пространство, время, все отняли, ничего не осталось . . . ». Но на следующий день: «У нас молодежь хорошая, читающая, и критики будут, все будет».

Потом, как-то неожиданно Анна Андреевна сама предложила нам почитать стихи. С. Р. Эрнст сказал: «Прочтите нам что-нибудь из *Четок*». Но Ахматова поморщилась и ответила:

— «Зачем? Это вы сами можете прочесть. Лучше я вам прочту то, чего вы не знаете. Какая у вас память?»

Несколько растерявшись, я ответил: «Посредственная».

— «Ну, тогда можно. А то у нас в России у всех память баснословная. Вот я как-то прочла кому-то одну песенку, а на следующий день ее вся Москва уже распевала».

И Анна Андреевна начала читать . . . Описать словами волшебство ее чтения невозможно. Добродушно-насмешливая улыбка, не покидавшая ее во время разговора, исчезла. Лицо сделалось еще сосредоточеннее, еще серьезнее. Стихи как-бы росли изнутри, рождались заново. Сначала Анна Андреевна прочла нам до сих пор неизданное маленькое стихотворение *Немного географии*, посвященное местам ссылки сына и, если не ошибаюсь, Мандельштама: «Только не запоминайте!» Прочтя, пояснила: «А вы заметили, как оно построено, — целиком на одной фразе».

На следующий день я спросил, нельзя ли записать на ленту. Анна Андреевна отказалась наотрез:

— «Вам будет немного географии, а мне премного неприятностей». Перед тем, как прочесть стихотворение *Мелхола*, она спросила, знаем ли мы эту любовную историю из *Книги Царств*. Мы должны были признаться, что не имеем о ней никакого понятия. И Анна Андреевна нам подробно передала библейский рассказ. Прочтя стихи, спросила: — «Она похожа на двух моих других библейских жен?» Я ответил, что первые две, Лотова жена и Рахиль, похожи, а что эта третья несколько иная. Анна Андреевна не возразила:

— «Может быть».

Читала она и из *Трагедии* и в нескольких словах коснулась ее содержания:

— «Там у меня свой театр на сцене, и свои зрители ... Очень этой моей трагедией интересуется Дюссельдорфский театр, шлет телеграммы, просит выслать рукопись для постановки, даже не зная, в чем там дело. Перед самым отъездом получила телеграмму, не остановлюсь ли я в Дюссельдорфе, обещали целиком оплатить пребывание ... вообще, прямо как пятьдесят лет назад».

Но, может быть, самое сильное впечатление в тот день осталось от ее чтения *Третьей Северной элегии:*

> Меня, как реку,
> Суровая эпоха повернула.
> Мне подменили жизнь ...
> — — — — — —
>
> Сколько я друзей
> Своих ни разу в жизни не встречала,
> И сколько очертаний городов
> Из глаз моих могли бы вызвать слезы.

В Париже, где вновь Ахматова встречала друзей после полувековой разлуки, эти стихи звучали с удвоенной силой.

После чтения стихов разговор уже не возобновлялся. Вскоре послышался стук в дверь. Вошел посетитель, граф З., близкий друг Анны Андреевны по Петербургу, с которым она не виделась около 50 лет. На прощание Анна Андреевна мне сказала: «Позвоните мне еще». Перед тем как выйти из комнаты я еще раз обернулся. Анна Андреевна пристально и ласково смотрела на своего, совсем уже старенького на вид, посетителя и сказала:

— «Ну вот, привел Господь еще раз нам свидеться ...»

*   *
   *

На следующий день, в воскресенье 20-го июня, мне было назначено быть в гостинице в восемь часов вечера. Шел я в этот раз на свиданье «со страхом и трепетом». Анна Андреевна сидела на том же месте, более нарядная, чем накануне, в синем платье с белой вышивкой, купленном, как мне потом сказали, в Лондоне. Аня Каминская и Аманда шли в театр и просили меня сидеть как можно дольше, до их возвращения, чтобы Анна Андреевна не беспокоилась. Я не мог не признаться в своем страхе остаться наедине с Ахматовой. Хотя я и сказал это вполголоса, Анна Андреевна услышала. Тогда я ей объяснил: «Вчера я не боялся, а сегодня боюсь!» — «Почему так?». — «Потому что вчера не знал, а теперь знаю...» — «Интересно». Тут вступилась Аня Каминская: — «Вот видите, бабушка, какой вы страх на всех наводите. Да, это со всеми так, все боятся». В этот момент кто-то прислал анонимно — «классическую» шаль. Анна Андреевна посмотрела на нее как-то грустно-безучастно: — «У меня такая ужасная черта, я все подарки передариваю. И мои друзья это знают и больше ничего не дарят. Все это пойдет кому-то...»

Когда «девки», как Ахматова шутя называла своих спутниц, стали уходить, Анна Андреевна обратилась ко мне: — «Я вам прочту *Стансы*». Но тут ей напомнили, что я принес магнитофон и что, может быть, она не откажется записать стихи на ленту. Я стал отнекиваться, мол, «Не хочу неволить». Ахматова рассмеялась: «Ничего себе получается!». Но так *Стансов* я и не услышал...

Ахматова, несмотря на усталость, согласилась наговорить на ленту свои стихи. Несколько раз, по моей вине, начинала чтение сначала. Но разговор записать не позволила: — «Знаете, на одном обеде в Москве, я как-то разразилась гневной тирадой против Натальи Николаевны Пушкиной, а хозяин тайком записал на ленту мое красноречие. Представляете себе, какая подлость!» Записав пять стихотворений: «Теперь хватит, я устала».

335

Я сказал, что все эти парижские встречи вероятно не проходят даром. «Да, это просто какой-то бред, сама себе не верю». — «А я тут еще отнимаю у вас время . . . »

— «Что вы, что вы, это совсем другое. Вы себе не представляете вашего преимущества. Вы же новый человек».

В комнате стемнело. Наступила тишина. Я спросил, всегда ли Анна Андреевна летом живет в Комарове. Она ответила задумчиво: — «Да, там кукушка поет и сосны шумят».

На столе лежал номер *Воздушных Путей* с ее воспоминаниями о Модильяни и Мандельштаме:

— «Я еще не видела, что они там напечатали, ну оскоромлюсь, посмотрю».

— «Там, говорю я, полный, как будто, текст, все инициалы раскрыты, очень Городецкому достается».

— «Ну, этот еще не такого заслуживает». Смотрит книжку: — «Нет, ничего, главное не напечатано». Увидя рядом напечатанные воспоминания Е. Тагер: — «Я вижу, вы меня тут разбавляете. Тагер была очень хороший человек, но Мандельштама знала мало».

Анна Андреевна спросила мое мнение о воспоминаниях. Я ответил:

— «Это просто музыка». — «Да? проза поэта?». Я пояснил свое впечатление: «Да, но это прежде всего проза». Анне Андреевне этот отзыв очень пришелся по сердцу.

— «А правда ли, спросила она меня, что вы в Россию кому-то написали о моих воспоминаниях: ”Je possède les feuillers du journal de Sappho”»?

— «Никогда в жизни такого не писал . . . »

— «Ну вот, верь потом людям».

Я осведомился, скоро ли будут перепечатаны ее три статьи о Пушкине. — «Валяются в ногах, чтобы их издать, но у меня нет времени, все переводить надо».

— «А разве они не кончены?»

— «С Пушкиным никогда ничего не кончено».

— «А как обстоит дело с вашей книгой *Гибель Пушкина?*»

— «Мне не хватает одного документа, письма Николая I к послу X (к сожалению, я не запомнил имени

Лондон, 1965
Из собрания В. С. Франка

посла. Насколько помню, речь шла не о Геккерне). Оно было послано с кем-то, из боязни цензуры! До чего дошли, даже царские письма перлюстрировали! Я Николая I не люблю, не за что его любить ... Всё красотки, мундиры ... Так вот, это письмо у голландцев, а они его не выдают. Мне даже фотокопия не нужна, только бы заглянуть ... Да, в своей книге я дошла до любопытного заключения, что главные виновники гибели Пушкина — его же друзья, которые тогда составляли то, что называется bande joyeuse, ни о чем не заботящиеся ...»

— «Ваша книга была написана до Нижне-Тагильской находки. Подтверждает ли эта находка ваше заключение?»»

— «Да, это одновременно и лестно и горько. То, что я предвосхитила, подтверждается письмами Карамзиных. Так что теперь мне только расставить цитаты. Какие безответственные друзья! Никому таких не пожелаю. Меня даже не умиляет, когда Карамзина благословляет умирающего Пушкина. Ей бы все показать, как незаслуженно хорошо относился Государь к Пушкину, мол, не чета ее мужу. А Софья, которая больше заботится о Дантесе ... »

— «Я слышал, что ваш редактор требовал от вас каких-то изменений, и что вы чуть ли не спустили его с лестницы?»

— «Нет, такого не было. Но контракт на эту книгу я не подписываю, боюсь — дадут деньги, а издать не издадут».

Заговорили о переводах. Себя Анна Андреевна считала непереводимой. — «Мандельштама, по-моему, еще можно переводить, а меня уж совсем нельзя». В то время Анна Андреевна переводила Леопарди. Я должен был признать, что совершенно его не знаю, ее это удивило.

— «Не кажется ли вам, что переводить страшно легко? Мне даже кажется иногда, что я как-бы кого-то обманываю, так это легко получается». В другой беседе Ахматова жаловалась, что ей приходится переводить поэтесс, которые ей же подражают: «Омерзительнейшая работа».

К 10 часам вечера к Ахматовой пришел А. С. Б., много потрудившийся, чтобы найти Анне Андреевне комнату в переполненном Париже.

Это был «обычный» посетитель, уходить не надо было. А. С. Б. упомянул об инциденте, происшедшем накануне: один из знакомых Анны Андреевны обозвал Аню Каминскую «не русской» за ее польское происхождение и принадлежность к комсомолу. Анна Андреевна спокойно и твердо ответила: — «Мне кажется, что пока живы, мы должны друг другу помогать, подбодрять друг друга, а такими словами делу не поможешь ... И это Аня не русская! Она, которая в 1941 году все сосала пустую соску, ехала с родителями дорогою смерти через Ладожское озеро, а когда ехали, от бомбежки на ней три раза загоралась шубка ... »

Говорили о возможно скором возвращении Анны Андреевны в Париж, о чем она очень мечтала, — «на этот раз не инкогнито, а официально». Намечалось приглашение от французского правительства. Сурков обещал взять Анну Андреевну на переговоры с Пен-Клубом. Возможностей, как будто было много, но, перебирая их, Ахматова делалась грустной: она знала, что все эти поездки висели на волоске из-за ее здоровья. С собой в Россию она везла целую библиотеку, главным образом, английских книг: — «Особенно горю нетерпением прочесть дневник Кафки, у меня он по-английски, так как по-немецки мне читать трудно».

О той или иной книге Анна Андреевна спрашивала: — «Как вы думаете, можно везти? Не отберут?» Мы отвечали — «Уж вас осматривать не будут».

— «Может быть ... Когда я ехала из Италии, меня не только не осматривали, но на таможне служащие попросили надписать им книги. Я сказала, что у меня своих книг нет, а они откуда-то сами достали».

Я показал Анне Андреевне ротаторное издание 50 стихотворений, объяснив, что это было сделано для нужд студентов:

— «А то мы в Москве не понимали, что же это вы в Париже докатились до ротаторных изданий».

Постепенно разговор перешел снова на литературные темы. — «Да, Иннокентий Анненский грандиозный поэт, из него все вышли. Из Блока никто не мог выйти, слишком он был совершенен. А из Анненского — все: дожди предвещают Пастернака, его — ливни, *Диди-Ладо* — Хлебникова, *Шарики детские* — Маяковского...»

Я тут опрометчиво перебил: — «*Диди-Ладо, Шарики детские* — далеко не лучшее, что Аненский написал». Анна Андреевна нахмурилась: — «Дело не в том, что лучше и что хуже, а во влиянии; я вам сейчас свои мысли говорю, об этом еще мало знают».

А. С. Б. спросил, издают ли теперь Анненского? — «Что значит — издают? Издали в 1959 году однотомник, но книга не сразу распродалась, они и не переиздают. Варвары! Они не понимают, что хорошая книга должна полежать...»

— «Совсем не мы с Гумилевым, — продолжала Анна Андреевна, — вытянули Анненского. Мы тогда были слишком молоды, у нас было то, что называется «богатая личная жизнь», мы не о том думали. И чего только мы не вытворяли. Помню, как я лазала по карнизам, это уж когда у меня ребенок был. Теперь я совершенно не понимаю, для чего это было нужно... Нет, Анненский попал в "Аполлон" через Вячеслава Иванова, который знал его, как переводчика греков. Но Иванов и Маковский побаивались Анненского и приставили к нему Гумилева, чтобы контролировать его, но просчитались... А ценили стихи его мало... Вот Маковский даже выкинул из номера за 1909 год "Аполлона" стихи Анненского и заменил их этой непристойной мистификацией — Черубиной де Габриак.[6]) Анненский очень остро

---

[6]) Поэтесса Елизавета Ивановна Димитриева была превращена в таинственную Черубину де Габриак М. Волошиным. Жертвой мистификации оказался Маковский, влюбившийся заочно в свою корреспондентку. См. С. Маковский, *Портреты современников*, Нью-Йорк, 1955, стр. 333—358.

пережил это непонимание, у меня хранятся письма Анненского к Маковскому. Тогда же он написал свое, всем нам известное, стихотворение Тоска ... Про "детей", которых "перевязали", "ослепили", — это про стихи свои, совсем тут не любовь, как кто-то придумал. И умер ... У меня об этом готовы страницы».

К Маковскому Ахматова относилась отрицательно, кажется, всю свою жизнь. Она его считала недоброжелательным и неправдивым критиком: — «Был покровителем "молодых", а они стали поэтами, на которых молятся, а он остался не при чем, все от этого». К Георгию Иванову Ахматова относилась, пожалуй, еще более отрицательно. К Ирине Одоевцевой много мягче.

— «Волошин, Кузмин, Вячеслав Иванов — все они для нас больше не существуют.[7]) Недавно я взяла Cor Ardens и нашла, что нечитаемо. В нем гораздо больше Бальмонта, чем мы думаем ... » Я стал протестовать: «Все же не Бальмонта!» Но Ахматова была категорична: — «Да, да, именно Бальмонта. Даже удивительно, всеобъемлющий ум, а теперь читать трудно. Конечно, некоторые вещи — ничего. А вот, как они называются, да, *Зимние сонеты*, это — да».

Я предложил объяснение превосходства *Зимних сонетов* над остальными стихами Иванова: — «Не думаете ли вы, что это потому, что они пережиты, а не надуманы». Но Анну Андреевну это объяснение не удовлетворило: — «Пережить, возразила она, это недостаточно, а вот что он мог в 1919 году, когда мы все молчали, претворить свои чувства в искусство, вот это что-то значит».

У нас с А. С. Б., не помню по какому поводу, завязался спор о Брюсове. А. С. Б. утверждал, что во время его молодости, в 10-х годах, Брюсовым зачитывались, его поэзией увлекались, жили, значит — Брюсов все же настоящий поэт. Мы с Анной Андреевной поочередно

---

[7]) Это не совсем верно. В Сов. России среди молодых есть и поклонники Вячеслава Иванова.

нападали на А. С. Б., доказывая, что Брюсов не поэт: — «И Бенедиктова предпочитали Пушкину, воскликнула Анна Андреевна, и что из этого? Брюсов был отрицательная личность, я читала его дневник: он его вел, когда приход превышал расход, а потом бросил. Это страшный документ по ничтожеству и плоскости... Какое себялюбие, какая невежественность! Его невежество особенно сказалось в его изданиях — пушкинистам это очевидно. Поэт? Шумел, как шумят теперь Вознесенский и Евтушенко. А какая у него иссушающая, мертвящая критика... Ведь он проглядел Анненского!» А. С. Б. возразил: — «Но ведь и Блок проглядел Анненского...»[8]) Анна Андреевна отпарировала: — «Что́ Блок, это не его дело, он не этим был занят». По поводу Блока я сказал: — «Странно, что Мандельштам так отбрасывал Блока в XIX век». Анна Андреевна ответила: — «Да, к Блоку Мандельштам был несправедлив. Мне, собственно, Блок теперь не нужен, но когда начнешь читать...» Заговорили о *Возмездии.*

— «Да, там есть хорошие места, по ведь в целом это заранее обреченная поэма. *Евгений Онегин* убил русскую поэму своим совершенством, и Баратынского и других, так уж было нельзя писать».

А. С. Б. вернулся к Брюсову: «Но ведь и Гумилев ученик Брюсова, посвятил ему *Жемчуга!*» Анна Андреевна возмутилась: «Это вы уж меня спрашивайте, это при мне было. Это страшная Колина глупость, я ему уже тогда говорила. Но он обязательно хотел поступить как Бодлер, который посвятил Теофилю Готье свои *Fleurs du Mal.* Вот и Коля так сделал... Но чтобы он был учеником Брюсова, сидел подле него, это нет. Все суют Leconte de Lisle'я, Брюсова, но этим не объяснишь поэта *Памяти и Заблудившегося трамвая.*»

Заговорили о Пастернаке. Я признался, что принимаю его наполовину. О поэзии Пастернака Анна Андреевна

---

[8]) Не совсем точно, что Блок проглядел Анненского: см. его рецензию на *Тихие песни.*

ничего не сказала, но о человеке выразилась несколько загадочно: — «Я до сих пор думала, что я одна понимаю Пастернака. А вот в Англии я встретила человека, который понял его тоже до конца. Пастернак — «божественный лицемер», как выразился обо мне мой соавтор по переводам».[9])

— «А Цветаеву вы любите?» — обратилась ко мне Анна Андреевна. Я ответил, что люблю ее ранние, юношеские стихи, до фокусов.

— «У нас, — сказала она, — сейчас страшно увлекаются Цветаевой, но я считаю, что это отчасти потому, что у нас совершенно не знают Белого, а у Цветаевой очень много от Белого».

Вся эта «беседа о стихах», как назвала ее Анна Андреевна в надписи на моем экземпляре ее сборника, изданного Чеховским издательством, шла очень оживленно, я бы сказал, с вдохновением. После нее Анна Андреевна снова стала читать стихи, сама предложила их записать на ленту. В частности, она прочна таинственное *Зазеркалье* из *Полночных стихов*: «Красотка очень молода», которое не было пропущено цензурой при напечатании всего цикла в *Дне Поэзии* за 1964 год.[10]) — «По-моему, сказала она, *Полночные стихи* — лучшее, что я написала . . . Но даже такой замечательный знаток нашей поэзии, как Лидия Гинзбург, недоумевает, кому они посвящены». В связи с этим Анна Андреевна упомянула, что у ней имеется читатель номер 1, которому первому читаются ее произведения, но этого таинственного читателя она не назвала.

Было уже совсем поздно. Разговор иногда замирал. В одно из молчаний Анна Андреевна вздохнула: — «Ну, что это со мной мои девки делают! Куда они исчезли!» Но вскоре беседа снова полилась оживленно. Анна Ан-

---

[9]) Вероятно, Нейман. В применении к Ахматовой, это выражение относится не к человеку, а к переводчику.

[10]) В беседе с другим человеком Анна Андреевна про *«Зазеркалье»* сказала: «Вам не кажется, что это очень страшная вещь. Мне всегда страшно, когда я ее читаю».

дреевна меня спросила: — «Вы любите Паустовского?» Я ответила, что его воспоминания мне кажутся интересными, как документальная повесть. О них Анна Андреевна ничего не сказала, но заметила: — «Вел и ведет он себя безупречно, но писатель он не особенный». Я согласился: «Да, это не то что Солженицын». Ахматова подхватила: — «Да. Когда вышла его большая вещь (*Один день Ивана Денисовича*), я сказала: это должны прочесть все 200 миллионов. А когда я читала *Матренин двор*, я плакала, а я редко плачу. А вот его маленькие поэмы в прозе мне что-то не очень нравятся. Человек он очень хороший, очень порядочный. Он был у меня, читал мне поэму, длинную-предлинную, в 10.000 стихов, которая ему спасла жизнь в лагерях. Он, кажется, ее потом, уже на свободе, всю по памяти записал. Я сказала: Не печатайте. Пишите прозой, в прозе вы неуязвимы, а в стихах ваших мало тайны. А он ответил: А в ваших стихах, не слишком ли много тайны? Но, в общем, он принял это хорошо, однако, больше не вернулся. Но две вещи мне в нем не понравились. Во-первых, он сказал, что Реквием не то, потому что там только мать и сын, а нужно другое, не частное, а общее. Во-вторых, он удивился названию — неужели Реквием можно служить по простым людям, он думал, что Реквием это только для царей и епископов».

Я удивился: «Как это так?»

— «Да он в прошлом инженер-химик, прошел советскую школу, это не то что вас тут всему учили...»

Из молодых поэтов Анна Андреевна выделяла особо Бродского. С некоторым опасением она нас спросила: — «А вам не нравятся его стихи? Ведь это настоящий вундеркинд. На процессе он держал себя замечательно: все девчонки в него влюбились.» И процитировала задумчиво-грустно:

Ни земли, ни погоста
Не хочу выбирать:
На Васильевский остров
Я приду умирать...

«А теперь он на каторге...»

— «Но, говорят, в своем совхозе он на свободе?» — «Да, ответила Анна Андреевна, но на этом его свобода кончается. Нам перед отъездом сказали опять, что его освободят, ну понятно, для чего сказали. Мы звонили в Москву, но там ни слуху, ни духу...»[11]) Из поэтесс Ахматова высокую оценку дала Марии Петровых. Ее имя, как и ряд других, мало известных на Западе, она указала в интервью, данном «Таймсу»: «Многих я думаю этим спасти, ведь некоторые буквально сходят с ума, оттого что их не печатают».

Беседа наша не умолкала несмотря на то, что было уже далеко за полночь, когда в комнату ворвалась bande joyeuse, — Аня, Аманда и еще чета французских студентов, встречавшихся с Ахматовой уже в России. Они наполнили комнату молодостью, весельем, шумом, но нарушили мирное, исполненное поэзии настроение, царившее до них. Мне показалось, что Анна Андреевна взгрустнула, может быть, просто от усталости. Я стал прощаться. Анна Андреевна предложила, чтобы магнитофон переночевал у нее до следующего утра. Я понял это, как разрешение приехать еще раз проститься перед отъездом.

* *

*

На следующее утро я прибыл в гостиницу часам к десяти. У Ахматовой были уже посетители. Она сидела на прежнем месте, но на вчерашнюю Ахматову, полную силы и вдохновения, не была похожа. Ею овладело свойственное ей предпутешественное беспокойство: — «У меня ужасная черта, — объяснила она мне, — перед отъездом я не могу успокоиться, пока не сяду в поезд... Нет, — засмеялась она, — чтобы поезд шел, мне не нужно, просто усесться в вагоне». Анна Андреевна боялась сердечного припадка, но заблаговременно приняла лекарство, чтобы предотвратить его. Выражение ее лица было совсем простое, удивительно доброе. Насколько помню, она

---

[11]) Как известно, Бродский был освобожден осенью 1965 года.

была в платке, и это придавало ей еще больше простоты. Видно было, что все силы ее уходили на то, чтобы сохранить самообладание: все, что было в ней царственного, величественного, как-то исчезло, заменилось беспомощностью. Вести разговор было нелегко, в комнату все время входили люди. В какой-то момент, по ее просьбе, я подсел к ней. Она вынула из сумки фотографию и рукопись: — «Смотрите, мне только что принесли». Это была семейная фотография 1916 года: слева Гумилев в форме, перед отъездом на фронт, «с одним Георгием», как пояснила она мне, справа Ахматова, посередине сын[12]) Чувствуется отчужденность и вместе с тем какой-то мир. Я это сказал Анне Андреевне. Она отнеслась недоверчиво: — «Мир? Не знаю». Рукопись была написана рукой Гумилева: шуточное стихотворение и рисунок в красках.

Я спросил Анну Андреевну, считает ли она целесообразным, чтобы я писал о Мандельштаме, выразив при этом скептический взгляд на литературную критику, стоит ли, мол, облеплять поэзию скучной прозой. Но Ахматова была другого мнения о критике: — «Это ведь тоже творчество. Конечно, пишите о Мандельштаме, а я вас благославляю писать о *Полночных стихах*». Анна Андреевна стала собираться в путь. Но внизу, в приемной гостиницы, ей пришлось еще некоторое время подождать — посольская машина запаздывала. Одно время она оказалась одна, и меня попросили к ней подсесть, занять ее разговором, чтобы успокоить ее волнение. Мы поговорили о стихах Мандельштама, ей посвященных, о его стихах, посвященных О. Ваксель — «Возможна ли женщине мертвой хвала». — «Не правда ли, — сказала Анна Андреевна, — дивные стихи?» Тут подъехала машина, и Анна Андреевна сказала мне на прощанье: «Да хранит вас Господь», а, обернувшись, к подходящим к ней молодчикам из посольства, с оттенком удивления, но не без добродушия: «Это и есть посольство?»

---

[12]) Эта фотография была затем напечатана в *Русской Мысли* от 23-го апреля Петром Анненковым.

Как-то, во время первой беседы, Ахматова обратилась ко мне и с веселым любопытством спросила: — «А вы думали, Ахматова такая?» — Я ответил совсем искренно: «Да, такая». Но, может быть, я был бы еще правдивее, если бы сказал: «Нет, такого я не ожидал». Да, я знал, что встречу в первый и, вероятно, в последний раз в жизни, великого поэта. Но из Англии писали, что Ахматова уже не та, надломленная, больная . . . Там ее видели на пьедестале, надменной, неприступной. А передо мной предстал не только великий поэт, но и замечательный, необыкновенный, великий человек. Великий в своей простоте. Тут, в Париже, она со своего пьедестала сошла и была, быть может, благодаря многочисленным встречам со старыми друзьями, совсем простой, я бы сказал, домашней. Оживленная, добродушно-насмешливая, то веселая, то задумчиво-грустная, ласковая и щедрая, хотя и суровая в некоторых суждениях, Ахматова поражала своим твердым умом, своей взыскательной совестью и неподдельной добротой. Той добротой, о которой она сама сказала, что она «ненужный дар» ее «жестокой жизни».

Но, конечно, сверх всего и прежде всего, Ахматова поражала и покоряла той музыкой, той божественной гармонией, которая исходила из нее и все вокруг преображала. Не только в стихах, но всем существом своим, — и не в этом ли ее необычайность? Ахматова была самой поэзией, высшим и чистейшим ее воплощением.

ПРИЛОЖЕНИЕ ПЯТОЕ

ОТКЛИКИ НА СМЕРТЬ А. А. АХМАТОВОЙ

Мы печатаем ниже доставленные нам выдержки из двух писем из России — от двух разных лиц. Первое письмо, из Москвы, написанное совсем юной советской девушкой, описывает проводы тела Анны Ахматовой в Москве и в тонкой и проникновенной форме выражает пережитое русской молодежью чувство глубокой и скорбной утраты от ухода из жизни большого русского поэта. Для молодого автора письма эта смерть, как он говорит, «не только завершение какого-то большого пути русской культуры, но и крушение неких надежд».

Второе письмо, из Ленинграда, служит как бы продолжением первого: в нем описывается подробно отпевание А. А. Ахматовой в Никольском соборе и погребение ее в Комарове..., где А. А. последние годы обычно проводила лето. Автор этого письма, повидимому, человек более зрелый, но тоже сравнительно молодой — иначе он едва ли бы говорил о Л. Н. Гумилеве, которому около 55 лет, как о человеке средних лет. В этом письме обращает на себя внимание то, что на отпевании в Никольском соборе была почти исключительно молодежь и почти не было писателей. Показательно и отрадно это преклонение юного советского поколения перед поэтом, о котором их отцы, может быть, даже и не слыхали: ведь между 1925 и 1940 гг. и снова между 1946 и 1951 гг. Ахматова была изгнана из литературы. Нельзя не отметить и того, что авторы писем, так преклонявшиеся перед А. А. Ахматовой, впервые увидели ее в гробу.

Редакция (ВРСХД)

ВЫДЕРЖКИ ИЗ ПИСЕМ О ПОХОРОНАХ АННЫ АХМАТОВОЙ

1

Москва, 9 марта

... Я задержала ответ на Ваше письмо в связи с очень печальным событием, о котором Вы уже верно знаете. 5-го марта скончалась Анна Андреевна Ахматова. Сегодня утром, девятого, москвичи прощались с ней, сегодня же самолет с ее прахом будет в Ленинграде, где ее похоронят — в Комарове, за городом.*)

Я видала ее сегодня впервые. Она была прекрасна в гробу. Я боялась взглянуть на ее лицо, мне казалось, что смерть не щадит никого. И еще раз я убедилась в том, что она — это не все, и смерть ее — иная. Прозрачное бледное лицо было прекрасно, и выражение его — спокойно-величественное и усталое — было человеческим. Это не была покойница, но очень уставший человек. Было очень много людей, цветов, слез.

Два с лишним месяца она лежала в больнице с инфарктом — третьим по счету! После больницы она была несколько дней в Москве, потом ее увезли в санаторий, где она скончалась от сердечного приступа пятого марта утром. То, что чувствовали люди, прощаясь с ней, трудно передать. Невозможно.

Не было таких поэтов. Не было таких женщин. Не было таких стихов — прямо от Пушкина — и дальше, дальше. Вспоминали над гробом стихи Цветаевой о ней. Была там и сестра М. Ц[ветаевой].

Для меня эта смерть значит очень много. Не только завершение какого-то большого пути русской культуры, но и крушение неких надежд — именно я смутно надеялась, что она бессмертна. Все другие наши большие потери были — или когда меня еще не было, или я была слишком мала. А эта смерть резко меняет многое . . .

Пятого же марта сняли посмертную маску с ее необыкновенного, прекрасного лица. Хотели снять слепок и с руки, но рука отекла, деформировалась. С этим поэтом, с этой женщиной ушло так много, столько теней, которые окружали ее . . .

---

*) К этим сведениям можно добавить, из другого источника, что 8-го и, вероятно, и в предыдущие дни, служились панихиды в разных церквах Москвы. Тело Ахматовой оставалось там долго в морге из-за гражданского праздника «День женщины», падающего на 8 марта. Ред. (ВРСХД).

2

Ленинград, 15 марта

Кончина Анны Андреевны Ахматовой, вероятно, взволновала и Вас, высоко ценящего ее замечательный, неповторимый талант. Умерла она 5-го марта по приезде в один из московских санаториев. По дошедшим до нас слухам, матушка Москва (конечно, официальная) так и не удостоила ее торжественными проводами в последний путь. Зачем лишние волнения и беспокойства: прописана в Ленинграде, пусть Ленинград и провожает. Но все же несколько десятков ее почитателей успели проститься с ней в морге*). А 9-го марта к 5 часам вечера гроб был доставлен на самолете в Ленинград и установлен в Никольском соборе.

С этого момента я был непосредственным свидетелем всего того, что происходило, и обо всем этом хочу поделиться с Вами, пока еще свежо в памяти.

9-го марта к 6 часам вечера я был в соборе. Шла обычная служба по случаю Великого поста, молящихся было много, и, конечно, никому из них не было дела до умершей поэтессы. А гроб ее, открытый, весь в цветах, уже стоял в правой полуосвещенной стороне храма, и около него уже стояло в скорбном молчании несколько десятков человек. Эти первые минуты оставили особенно сильное впечатление. Я стоял в двух шагах от гроба и долго смотрел на красивое, не искаженное смертью, скорбное лицо с весьма характерным профилем, сразу же напомнившим прекрасный портрет работы Н. Альтмана. При жизни мне ни разу не пришлось увидеть Ахматову, и это было первое мое свидание с ней . . .

Сразу же была отслужена панихида, через час — вторая.

После первой панихиды прошел сквозь толпу и стал у гроба Лев Николаевич Гумилев — среднего роста,

---

*) Из другого письма: «В крошечном морге больницы Склифасовского была людская лавина; а официально — кроме газетных сообщений — молчок». *Ред. ВРСХД.*

средних лет, с заметно седеющими волосами, с чертами лица, очень похожими на мать... Ко второй панихиде было уже порядочно народу, хотя никаких сообщений не делалось.

На следующий день, к 11 часам, я снова был в соборе. Шла обычная служба. Теперь гроб стоял в центре собора, перед алтарем. Народу было уже так много, что пробраться к гробу было трудно. Так же стоял у гроба Гумилев. Братьев-писателей никого не было, а если кто и был из мало известных, то держались в стороне. Через каких-нибудь полчаса собор был до отказа наполнен людьми, так что трудно было повернуться. Народ стоял на улице, у входа. И что это был за народ! — Почти исключительно молодежь, студенчество.*)

В 12 часов началось отпевание. Для священника (настоятеля собора)**) и дьякона, одетых в белые ризы, была, хотя и привычная, но трудная работа. Вряд ли им приходилось когда-нибудь отпевать при таком огромном скоплении в основном не верящего в Бога народа...

После отпевания все находившиеся в соборе медленно прошли мимо открытого гроба, прощаясь.

К 14 часам гроб был доставлен в Союз Писателей, где была гражданская панихида. Я был и там. Народу было сколько смогло вместить сравнительно небольшое здание, а остальные ждали на улице. У гроба выступили писатели М. Дудин, О. Берггольц, академик М. П. Алексеев, М. Борисова и Н. Рыленков (от Москвы). Выступлений их мне почти не было слышно.

Похороны, вероятно по ее завещанию, состоялись в тот же день в Комарово. Я приехал туда на поезде за час раньше. По дороге от станции к кладбищу уже шел народ, двигались машины. Кладбище маленькое, лесное, занесенное снегом. В правой стороне, в конце дорожки у ограды, была вырыта могила. К 6 часам привезли гроб, и собралось довольно много народа (человек 150—200),

---

*) Другой источник говорит о толпе в 5000 и более человек.
**) Прот. Алексий Медведский, славящийся в России своим проповедническим даром.

Могила Анны Ахматовой в Комарово
(Фотография из собрания Н. А. Струве)

студентов уже не было, была главным образом интеллигентная публика средних лет и кое-кто из писателей. У открытой могилы выступил первым, от Москвы, Сергей Михалков, потом Г. Макогоненко — от ленинградских писателей, и третьим — переводчик А. Тарковский. Все выступавшие говорили очень хорошо: и о мировой известности великой поэтессы, и о глубокой искренности ее творчества, и о ее красивой, гордой, но трудной и горькой судьбе, и, наконец, о гонителях ее таланта. И все это без налета официальности, глубоко искренно, человечно.

Гроб опустили в могилу, застучала по крышке мерзлая земля, в глубоком молчании все стояли вокруг могилы, пока не вырос над ней холмик с белым деревянным крестом, с венками и с букетами из живых цветов . . .

А потом стали медленно расходиться и разъезжаться.

Видал, между прочим, и в соборе и на похоронах молодого поэта Иосифа Бродского, которому покровительствовала покойница и о котором Вы, вероятно, уже много слышали . . .

Общее впечатление о дне похорон осталось у меня хорошее, остались хорошие воспоминания. Конечно, гонители всячески старались, чтобы событие это прошло незаметно, но их старания не достигли цели. Ленинградцы веско заявили о том, что Анна Ахматова была и останется их лучшей и любимейшей поэтессой.

ПРИЛОЖЕНИЕ ШЕСТОЕ

РАЗНОЧТЕНИЯ

ПРИМЕЧАНИЯ

ПОЭМА БЕЗ ГЕРОЯ

Как указывает сама Ахматова в письме к Н., первые наброски поэмы относятся к осени 1940 г., а «в бессонную ночь 26—27 декабря этот стихотворный отрывок стал расти и превращаться в первый набросок 'Поэмы без героя'». Пометка же в конце поэмы свидетельствует о дате и месте ее окончания: Ташкент, 18 августа 1942. Но поэма и после этой даты дополнялась и перерабатывалась, а начальные ее если не наброски, то замыслы восходят к значительно более раннему времени. Возможно, первым зерном этой поэмы, о чем свидетельствует и автоцитата в первой части триптиха, явилась написанная в 1923 г. «Новогодняя баллада» («И месяц, скучая в облачной мгле») и задуманная в то же время поэма «Русский Трианон» («Воспоминание о войне 1914—1917 гг.»), отрывок из которой, датированный 1923 годом, был впервые опубликован в начале 1946 г. Идея о поэме о кануне революции и о самой революции возникает у Ахматовой, как видим, еще в 1923 г.

> ...А я дописываю «Нечет»
> Опять в предпесенной тоске.
>
> . . . .
>
> До поворота мне видна
> Моя поэма, — в ней прохладно,
>   Как в доме, где душистый мрак
>   И окна заперты от зноя,
>   Где нет ни одного героя,
>   Но крышу кровью залил мак.

Так пишет Ахматова во Вступлении к поэме «Луна в зените» (поэма, видимо, не была написана, а вылилась в одноименный стихотворный цикл) — пишет, очевидно, не только о набросках этой ее «ташкентской поэмы», но и о «Поэме без героя», в значительной мере писавшейся в том же Ташкенте. «В 'Нечет' входят стихи военных лет, главным образом стихи, посвященные Ленинграду, — рассказывает Ахматова о своей будущей (не состоявшейся) книге, и продолжает о поэме: — Продолжаю работать над поэмой 'Триптих', начатой в 1940 году и вчерне законченной в 1942

году. В поэме три части: 'I913 год', 'Решка' ('Интермеццо')
и 'Эпилог'» («Литературная Газета», 24 ноября 1945). В своей
книге «На бесчеловечной земле» польский писатель и художник Юзеф Чапский рассказывает о том, как он слушал
в Ташкенте, на квартире у Ал. Н. Толстого, Ахматову, чи-
тавшую эту поэму. Это было летом 1942 года: «В тот вечер
Ахматова сидела возле лампы, на ней было платье, очень
простого покроя, вроде мешка или монашеской рясы. Слегка
седеющие волосы были гладко причесаны и сдерживались
цветным шарфом. Она наверно была прежде очень красивой, с правильными чертами, классическим овалом лица и
огромными серыми глазами. Ахматова выпила немного вина,
она говорила мало и каким-то странным полу-шутливым
тоном, даже когда касалась очень печальных вещей. ... Анна Андреевна прочла несколько выбранных ею мест из
'Поэмы о Ленинграде', еще не изданной. Я заметил, что все
обращались с Ахматовой с большим вниманием, давая мне
понять, что она очень большой поэт. В строфах, которые
Ахматова нам продекламировала со странным напевом, не
было ни оптимистической пропаганды, ни восхваления советской власти, ни 'праведных и чистых советских героев',
постоянно выводимых даже в писаниях Толстого. Именно
поэтому 'Поэма о Ленинграде' была единственным русским
произведением того времени, тронувшим меня, — на минуту оно вызвало во мне образ защиты героического города,
разрушаемого и голодного. Поэма Ахматовой начиналась с
воспоминания молодости: сложные метафоры, commedia
dell'arte, павлины, фиалки, клены с пожелтевшими листьями
перед Шереметьевским дворцом — поэма кончалась кар-
тиной осажденного Ленинграда под бомбами, среди холода
и голода»... «У меня сохранилось воспоминание об Ахматовой, как о человеке совсем 'особенном'. С ней трудно было
войти в контакт из-за ее странной манеры держаться, при-
нятой ею нарочно, или, может быть, происходящей от того,
что она была совсем 'непохожей' на других. Мне казалось,
что я нахожусь возле раненого человека, желающего скрыть
эту рану и скрыться самой под этими искусственными ма-
нерами. Поэма Ахматовой... в моей памяти связалась с
воспоминаниями о русских символистах и местами с Риль-
ке» (Иосиф Чапский. Облака и голуби. Отрывок из книги
«На бесчеловечной земле». »Kultura«, Paryż, Maj 1960, ll.
42—43).

Один отрывок этой поэмы — из ее эпилога — «Так под кровлей Фонтанного Дома» — был опубликован в журнале «Ленинград», в № 10—11 за 1944 год. С некоторыми разночтениями (все разночтения будут указаны ниже) этот отрывок соответствует строкам 1—21 и 54—62 третьей части поэмы в нашей публикации. Затем отрывок из поэмы, под названием «Тысяча девятьсот тринадцатый», был помещен — с огромными сокращениями, видимо, цензурного характера — в «Ленинградском Альманахе», Лениздат, 1945, в качестве одного из фрагментов поэмы или поэмообразного цикла стихов «Шаг времени». Этот отрывок — строки нашей публикации поэмы 225—239, 241—242, 351—360, 373—378 — первой части поэмы. «Шаг времени» — настолько поэмообразный цикл, что нужно полагать, он был первым замыслом большой поэмы, значительно более расширенной — ее временные рамки включают времена Достоевского, восьмидесятые и девятисотые годы, 1913 год, — чем осуществленная «Поэма без героя». В какой-то мере замысел «Шага времени» напоминает замысел поэмы Блока «Возмездие», также начинающейся в «победоносцевские» времена. Замысел — написать большое эпическое полотно, посвященное России — начиная с эпохи Достоевского, — не оставлял А. А. Ахматову до последних дней ее жизни. И хотя «Шаг времени» не был осуществлен — и отдельные его части вошли не только в «Поэму без героя», но и в «Северные элегии» и другие циклы стихов, — Ахматова продолжала обдумывать эту тему. В начале шестидесятых годов ею «начата работа над обширной по своему замыслу прозаической книгой» (А. Павловский. Анна Ахматова. В его кн. «Поэты-современники», изд. «Советский Писатель», Москва-Ленинград, 1966, стр. 138). Об этой книге говорит Ахматова в интервью («Вечерняя Москва», 1962, 2 марта):

В ней я... хочу написать о людях, с которыми встречалась в течение полувека. Начну с главы, где расскажу о том, как моя крестная мать была у Достоевского. Помню ее рассказ об этом во всех подробностях... Заканчиваю работу о Пушкине — о его трагедии 1836—37 годов. Есть еще одна небольшая работа о сестре жены Пушкина, о ее роли в этой трагедии. Продолжаю работать и над другими произведениями. И, конечно, пишу стихи...

Напомним, что первый отрывок «Шага времени» — Предыстория» — начинается со слов «Россия Достоевского...» — и Достоевскому отведено в П р е д ы с т о р и и очень большое, прямо о п р е д е л я ю щ е е место. А в «Поэме без героя» Петербург определен прилагательным: «достоевский». «...Можно сказать, что из великих русских предшественников Гоголь и Достоевский стоят к А. А. Ахматовой, по-видимому, ближе остальных: первый своей 'чертовщиной', а второй своей способностью многообразно трансформировать ('зеркалить') психологическое состояние. ...'Поэма без героя'... не то чтобы зашифрована, но она, если пользоваться выражением автора, 'зазеркалена'. Поэтесса всматривается в те или иные фигуры, как в своеобразные зеркала, повторяющие безконечное число уходящих вдаль изображений. Этот прием довольно редок в литературе» (А. Павловский, цитир. кн., стр. 130). А. Павловский указывает еще на Горького, использовавшего этот прием. Но характерным является и Блок. Сравни его стихотворение 1904 г.: «День поблек, изящный и невинный»:

> Встала в легкой полутени,
> Заструилась вдоль перил...
> ...Тихо дрогнула портьера.
> Принимала комната шаги
> Голубого кавалера
>   И слуги.
> Услыхала об убийстве —
> Покачнулась — умерла.
> Уронила матовые кисти
> В зеркала.

Характерно, что в рукописи Блока вторая строфа — опять с зеркалами:

> Встала в легкой паутине,
> Заструилась в зеркалах...

(См. Собр. соч. в 8 тт., т. 2, ГИХЛ, Москва-Ленинград, 1960, стр. 158 и 418).

Образ смерти — зеркала и системы зеркал — жениха — рока — «гостя зазеркального» — в «Поэме без героя» все время сопрягается с А. Блоком...

В первом альманахе «Литературная Москва», ГИХЛ, Москва, 1956, стр. 537, помещено стихотворение «Петроград:

1916» («Сучья в иссиня-белом снеге»), являющееся отрывком из главок второй и третьей первой части поэмы (строки нашей публикации 249—255, 257—262, 379—384). Название отрывка «Петроград. 1916» — лишний раз подчеркивает полную условность приурочения первой части поэмы к 1913 году (и ее названия): только внешняя фабула как-то связана с этим годом — даты же — 1913, 1916 — только символы к а н у н о в:

> Приближался не календарный —
> Настоящий Двадцатый Век.

Два больших «Отрывка от поэмы» (под этим именно названием) опубликованы в первом томе «Антологии Русской Советской Поэзии в двух томах. 1917—1957», ГИХЛ, Москва, 1957, стр. 323—324 (строки нашей публикации 229—239, 241—242, 249—255, 257—262, 379—384 из первой части; строки 1—30, 51—62 из части третьей).

В 1958 г. (подписана к печати 18 июля 1958) вышла книга: Анна Ахматова. Стихотворения. ГИХЛ. Москва. В ней помещен «Отрывок» — «Так под кровлей Фонтанного Дома» (строки нашей публикации — третьей части — 1—18, 51—62, 69—74, 81—86, шесть строк «первоначального окончания поэмы» («А за мною, тайной сверкая»), 101—104, 100, 105 и отброшенное в нашей редакции окончание поэмы — шесть строк («И себе же самой навстречу»).

В 1959 году, в 7-й книге журнала «Москва», на стр. 143—144, появились отрывки из поэмы «Триптих»: «Посвящение» (строки 7—12 нашего «Второго посвящения»), «Петербург в тысяча девятьсот тринадцатом году» (строки 351—384 первой части), «Лирическое отступление» (строки 385—398 первой части нашей публикации).

В 1960 г. «Поэма без героя» впервые опубликована — в одной из своих редакций — полностью в альманахе «Воздушные Пути» (редактор-издатель Р. Н. Гринберг), Нью-Йорк, стр. 5—42. В эту первую полную публикацию поэмы входили: «Вместо предисловия» и приписка к нему, датированная ноябрем 1944, первое и второе посвящения, вступление, строки Первой части 1—27, 33—37, 39, 41—54, 61—64, 66—71, 73—74, 76—134, 136—147, 149—152, 157—179, 180—186 (в авторских примечаниях), 198—199, 201—202, 204—205 (тоже в авторских примечаниях), 221—242, 249—255, 257—274,

281—309, 311—317, 321—328, 330-350, 351—367, 373—390, далее следуют шесть строк, отсутствующих в последующих редакциях поэмы (все варианты и разночтения будут даны, как сказано выше, в своде разночтений, ниже), 391—398, далее, как непосредственное продолжение главы третьей, а не четвертая глава первой части, — строки 399—409, 411—417, 428—459; строки Второй части 1—48, 79—102, 115—144; строки Третьей части 1—30, 51—62, 69—92, 100—105 и, в сноске ,«первоначальное окончание поэмы» (шесть строк: «А за мною, тайной сверкая»); примечания автора.

В 1961 году «1913 год (Три фрагмента из поэмы)» опубликовано в книге: Анна Ахматова. Стихотворения (1909—1960). «Библиотека Советской Поэзии», ГИХЛ, Москва (подписано к печати 16 февраля 1961), стр. 236—244. В эту публикацию вошли строки нашего издания 229—239, 241—255, 257—286, 351—384 Первой части; 1—18, 51—74, 81—86, шесть строк «первоначального окончания поэмы» («А за мною, тайной сверкая»), 87—92, 100—105 и отброшенное в нашей редакции окончание поэмы («И себе же самой навстречу») — Третьей части.

В 1961 же году опубликована «Поэма без героя» полностью в более поздней редакции — в «Воздушных Путях», альманахе втором, Нью-Йорк, стр. 111—152. В эту вторую полную публикацию вошли: «Из письма к Н.», «Вместо предисловия» и приписка к нему, датированная ноябрем 1944, все три посвящения, вступление, строки Первой части 1—27, 33—37, 39, 41—54, 61—64, 66—71, 73—74, 76—147, 149—152, 157—179, 180—186 (в авторских примечаниях), 221—239, 241—255, 257—309, 311—328, 330—398, далее, как непосредственное продолжение главы третьей, а не глава четвертая Первой части, как и в первой редакции «Воздушных Путей» без всякого промежуточного прозаического текста, — строки 399—417, 428—459; строки Второй части 1—48, 55—60, 61—66 (в авторских примечаниях), 79—102, 109—144; строки Третьей части 1—30, 51—86; шесть строк «первоначального окончания поэмы» («А за мною, тайной сверкая»), в сноске, 87—105. В этом же втором альманахе «Воздушных Путей» помещены комментирующая поэму статья Б. Филиппова «'Поэма без героя' Анны Ахматовой» (стр. 167—180), текст «Шага времени» Ахматовой (стр.

180—181) и «Заклинание» — музыка Артура Лурье к «Поэме без героя» Ахматовой (стр. 153—165).

В 1962 году опубликован под названием «К поэме» в «Дне Поэзии. 1962», изд. «Советский Писатель», Москва (подписано к печати 24 октября 1962), стр. 43, отрывок из Второй части поэмы: строки 1—42.

В том же 1962 году опубликованы под названием «Тысяча девятьсот тринадцатый год» («Петербургская повесть») отрывки из Первой части поэмы в ленинградском «Дне Поэзии. 1962», изд. «Советский Писатель», Москва-Ленинград (подписано к печати 30 октября 1962), стр. 26—28: строки 1—27, 29, 33—39, 41—49, 61—74, 76—93.

В 1963 году опубликованы большие фрагменты поэмы уже под названием «Поэма без героя. Триптих» в «Дне Поэзии. 1963», изд. «Советский Писатель», Москва, 1963, стр. 84—91, — строки Первой части (по нашей публикации) указаны ниже. В эту публикацию входят: «Вместо предисловия», все три посвящения, Вступление, строки 94—133, 138—194, 196—228, 243—277, 299—350, 399—459.

В 1964 году опубликован — под названием «Отрывок» в конце цикла «Полночные стихи» — в «Дне Поэзии. 1964», изд. «Советский Писатель», Москва, фрагмент из Второй части поэмы — строки 103—108.

В 1965 году вышло собрание стихотворений А. А. Ахматовой: «Бег времени». Стихотворения 1909—1965. Изд. «Советский Писатель», Москва-Ленинград, 1965. В этой книге опубликован наиболее полный и почти не отличающийся от нашей публикации текст Первой части поэмы (стр. 309—335), под названием «Девятьсот тринадцатый год. Петербургская повесть». Публикация включает все три посвящения (третье — с изъятием строк 4—6), Вступление и строки Первой части 1—32, 35—459.

В разговоре с Г. П. Струве в 1965 году А. А. Ахматова сказала, что ей предложили напечатать вторую и третью часть «Поэмы без героя» в «Беге времени» с купюрами, но она отказалась и дала только первую часть.

В 1966 году, в № 80 «Вестника Русского Студенческого Христианского Движения», Париж-Нью-Йорк, янв.-февр. 1966, на стр. 48, в составе статьи Никиты Струве «На смерть Ахматовой», были впервые опубликованы (с незначитательными разночтениями с нашим текстом) строки Третьей части поэмы 31—50. Эта статья — с публикацией этих же строк — перепечатана в парижской газете «Русская Мысль», в номере от 26 марта 1966.

В том же 1966 году в СССР опубликовано — в цитатах — несколько до тех пор не публиковавшихся строк из поэмы. Вернее, не публиковавшихся в Советском Союзе. Так, в книге А. И. Павловского «Анна Ахматова. Очерк творчества», Лениздат, 1966 (подписано к печати 12 сентября 1966), на стр. 161, 160, 154, 163—164 и 173 впервые в СССР опубликованы — в качестве цитат — строки 47—48, 57—58, 92, 97—102, 121—126 (и начало 127-й) Второй части поэмы и строки Третьей части 93—99. В почти одновременно опубликованной статье Е. Добина «'Поэма без героя' Анны Ахматовой» — «Вопросы Литературы», 1966, № 9, на стр. 76, 75 и 77 — в цитатах — приведены строки 121—126 Второй части и строки 31—36 и 96—99 части Третьей.

В 1966 же году в Италии вышло двуязычное издание, в которое кроме полного (но без упомянутых выше, опубликованных Н. Струве строк 30—51 Третьей части) текста «Поэмы без героя» и «Реквиема» входят и «Полночные стихи» и еще ряд стихотворений Ахматовой: Anna Achmátova. Poema senza eroe e altre poesie. (Collezione di poesia 33). Prefazione e traduzione di Carlo Riccio. Torino, Giulio Einaudi editore, 1966, 180 p.p.

В июле 1967 года полный текст «Поэмы без героя» в его последней авторской редакции был опубликован со вступительной заметкой и примечаниями Аманды Хэйт (Haight) в журнале Slavonic and East European Review, XLV, p.p. 474—496. Этот текст — с исправлением явных описок и некоторыми незначительными изменениями, основанными на приведенных в работах Е. Добина и А. Павловского (пользовавшихся при написании ими их работ последними текстами «Поэмы без героя») цитатах, и положен в основу нашей публикации.

В дальнейшем, приводя свод разночтений, мы не будем указывать на пропущенные в той или иной публикации строки поэмы: желающие восстановить состав поэмы в той или иной ее редакции и в той или иной ее публикации могут легко установить его по тем указаниям, которые даны нами выше (и по номерации строк в нашей публика-

364

ции поэмы). Мы будем указывать только разночтения тех или иных строк в разных ее редакциях.

«Поэма без героя» писалась преимущественно в те годы, когда гонения на Ахматову и ее систематическое замалчивание сменились ее относительным признанием: после громадного перерыва (предыдущая книга стихов Ахматовой вышла в самом начале 1923 года) вышел большой сборник стихов «Из шести книг» (1940), стихи Ахматовой начали публиковаться в ряде советских журналов и газет, антологий и альманахов. Но о печатании в те годы такого произведения, как «Поэма без героя», конечно, не могло быть и речи. Потом, в 1946 году, началось знаменитое погромно-черносотенное движение, возглавленное А. А. Ждановым и направленное против литературы, музыки, театра и всех вообще областей художественного и научного творчества. В первую очередь жертвами ждановщины сделались Ахматова и Зощенко.

Н. А. Бердяев писал тогда: «История не знает настоящей литературы и искусства, которые создавались бы по директивам власти с требованием проводить в художественном творчестве принципы определенного и притом официального мировоззрения. Это всегда было смертельно для всякого творчества. И особенно смертельно и даже смехотворно, если вы превратите художественное творчество в утилитарное средство для построения фабрик и изготовления орудий возможной войны. История с Ахматовой и Зощенко со всеми последствиями для союза писателей означает запрещение лирической поэзии и сатирически-юмористической литературы. Так называемая чистка идет по всей линии, даже среди музыкантов. Трудно предположить, что лирическое стихотворение Ахматовой может помешать устройству хоть одной фабрики или изготовлению хоть одного танка, но так же трудно предположить, что она может написать стихотворение, помогающее умножению фабрик и танков. А вот патриотические стихотворения она писала ... Это элементарная истина, что никакое творчество невозможно без свободы. Творчество и есть акт свободы. Творчество духовной культуры никак не может быть организовано по образцу хозяйственной жизни страны или военной казармы. Это было бы смертью творчества. ... История с Ахматовой и Зощенко, с утеснением кинематографа, театра, музыки, превращается в антисоветскую пропаганду со стороны самих Советов, сеет внутреннюю рознь и дает оружие в руки врагов. ... Диктатура над духом, над творчеством, над мыслью и словом есть не необходимость, а зло, вытекающее из ложного мировоззрения и ложного направления воли к властвованию. Так порождается лишь рабство. И в этом главная трагедия России...». Всеобщее возмущение ждановским наскоком на творческие силы России и черносотенным постановлением ЦК ВКП(б) «О журналах 'Звезда' и 'Ленинград'» 1946 года было так сильно, что статью Николая Бердяева «О творческой свободе и фабрикации душ», из которой мы привели эти выдержки, вынужден был опубликовать такой парижский просоветский орган, как газета «Русские Новости» (№ 73, от 4 октября 1946).

Но, как видно, «фабриканты душ» и до сих пор не отваживаются п о л н о с т ь ю опубликовать самое значительное произведение Ахматовой: «Поэма без героя» до сих пор в СССР не издана — кроме первой части и фрагментов второй и третьей.

«В разное время в различных изданиях печатались отрывки из 'Поэмы без героя' Анны Ахматовой, — писал в 1964 году Корней Чуковский. — Я собрал эти отрывки воедино, и появилась возможность составить представление о поэме в целом. И все многолетнее творчество Анны Ахматовой было понято мною по-новому. ... Анна Ахматова — мастер исторической живописи. Определение странное, чрезвычайно далекое от привычных оценок ее мастерства. Едва ли это определение встречалось хоть раз в посвященных ей книгах, статьях и рецензиях — во всей необъятной литературе о ней. И все же мне оно кажется правильным. Здесь самая суть ее творчества. И люди, и предметы, и события почти всегда постигаются ею на том или ином историческом фоне, вне которого она и не мыслит о них. ... Всякому писателю, наделенному подлинным чувством истории, свойственно живое ощущение взаимосвязи отдельных эпох. Отсюда вещие строки Ахматовой:

> Как в прошедшем грядущее зреет,
> Так в грядущем прошлое тлеет.

366

Для нее это не просто афоризм, эту истину она воплотила в живых и осязаемых образах. ... Нужно ли говорить, что наибольшую эмоциональную силу каждому из образов поэмы придает ее тревожный и страстный ритм, органически связанный с ее тревожной и страстной тематикой. Это прихотливое сочетание двух анапестических стоп то с амфибрахием, то с одностопным ямбом может называться а х м а - т о в с к и м : насколько я знаю, такая ритмика (равно как и строфика) до сих пор была русской поэзии неведома. Вообще поэма симфонична, и каждая из трех ее частей имеет свой музыкальный рисунок, свой ритм в пределах одного метра, и казалось бы, одинакового строения строф. Здесь творческая находка Ахматовой: нельзя и представить себе эту поэму в каком-нибудь другом музыкальном звучании» («Читая Ахматову» — «Москва», 1964, № 5, стр. 200, 203).

«В промежутке между 1946 и 1956 годами не было лирических стихов, — свидетельствует хорошо знавший Ахматову и ее творчество Лев Озеров: — В эту пору разворачивалась начатая в конце 1940 года 'Поэма без героя'. Это самое крупное у Ахматовой стихотворное, трагедийного накала повествование посвящено памяти первых его слушателей — друзей и сограждан поэта, погибших в Ленинграде во время осады. ... На рукописи в конце ее неоднократно ставилось: 'Текст поэмы окончательный — ни дополнений, ни сокращений не предвидится' (так было, например, 15 августа 1960 года в Комарове). И всякий раз при встрече в Москве или в Ленинграде Анна Ахматова сообщала еще несколько строк, которые все более украшали и углубляли эту удивительную поэтическую мистерию» («Тайны ремесла», 1958—1962, в книге: Лев Озеров. Работа поэта. Книга статей. Изд. «Советский Писатель», Москва, 1963, стр. 195—196).

Ахматова чуть ли не до самых последних дней продолжала работать над поэмой. В редакционной заметке «Неувядаемость», посвященной 75-летию Ахматовой, говорится: «Только что Анна Андреевна Ахматова закончила 'Поэму без героя', которую писала 22 года. ... Такой неувядаемой энергии нельзя не позавидовать. — Для тех, кто привык трудиться, старости не существует, — говорит поэтесса» («Литературная Газета», 25 июня 1964).

«'Поэма без героя' создавалась на протяжении многих лет ... — пишет А. И. Павловский: 'Поэме без героя' поэтесса придавала принципиальное значение. Это произведение, по замыслу Ахматовой, должно было стать (и стало) своего рода синтезом важнейших тем и образов всего ее творчества. В ней нашли свое выражение некоторые новые художественные принципы, выработанные поэтессой главным образом в годы Великой Отечественной войны, и среди них — главнейший: принцип неукоснительного историзма. Поэма начата в 1940 году. Хотя Ахматова неоднократно и очень настойчиво говорила об импровизаторском, чисто импульсивном характере своего творчества и не любила объяснять те или иные его повороты и неожиданности внешними причинами, все же 1940 год — далеко не случайная дата. ...Именно в этом году она многое пересматривает, в том числе и в своем прошлом... Тогда же был закончен 'Реквием', писавшийся с большими перерывами на протяжении пяти лет. Так или иначе, но к началу работы над Поэмой Ахматова пыталась в различных формах синтезировать большие пласты эпохи. В ее творчество входило историческое понятие Времени.

> Меня, как реку, суровая эпоха
> Повернула ...

...В нагнетании тревоги, смятенности и катастрофичности Ахматова очень настойчива и целеустремленна. В сущности, все ее произведение насквозь пронизано и дышит чувством беспокойства и неотвратимо приближающейся развязки. ...Тут не надо забывать того определяющего обстоятельства, что все это фантасмогорическое создание Ахматовой является П о э м о й П а м я т и, или, еще точнее, П о э м о й С о в е с т и. ...'Неукротимая совесть', являющаяся главным психологическим содержанием многих и многих произведений Ахматовой, в 'Поэме без героя' организовала все действие, весь смысл и все внутренние повороты произведения. Да, она должна была написать эту Поэму: взыскующая совесть, напоминающая муки героев Достоевского, в особенности, может быть, видения Карамазова, и острая от несовершенства мира, переходящая в кошмары, гоголевская боль — все это было ей свойственно в высочайшей степени. ...В стремлении взять на себя грехи мира — величие художественной и нравственной позиции Ахматовой...» (А. И. Павловский. Анна Ахматова. Очерк творчества. Лениздат, 1966, стр. 148, 149, 157, 158, 159).

368

На присуждении почетной докторской степени Оксфордским Университетом 5 июня 1965 года

«Смелый, гибкий, благородный стих сообщает поэме очарование, — так заканчивает свою статью «'Поэма без героя' Анны Ахматовой» Е. Добин: — Происходит поэтическое преображение. Обведенные точным контуром, явления неожиданно открывают вторую, потаенную жизнь. В сегодняшней советской поэзии ведутся настойчивые поиски новых путей обогащения стиха. Нахлынули прозаические ритмы и словесные конструкции. Отрицать ли эти поиски? Нападать на ищущих? В подобном консервативном ворчании ничего хорошего нет. Но вместе с тем хочется, чтобы эти поиски опирались и на опыт поэта, утверждающего нетленные, непреходящие ценности русского классического стиха, показавшего на практике их неисчерпаемость. 'Поэма без героя', без сомнения, одна из вершин современной поэзии» («Вопросы Литературы», 1966, № 9, стр. 79).

Мы уже неоднократно — и в статье, посвященной «Поэме без героя», и в настоящих комментариях к поэме — указывали на роль з е р к а л а в лирике Ахматовой вообще и в «Поэме без героя» в особенности. «Слишком часто появляется этот образ, чтобы быть случайным, — пишет Е. Добин в цитированной уже неоднократно статье: — Сквозь 'Поэму без героя' 'зеркала' проходят своеобразным лейтмотивом. Вспомним знаменитую картину Веласкеса 'Менины' (придворные дамы). Веласкес изобразил свою мастерскую. В ней разместились пятилетняя инфанта Маргарита и ее двор. Рядом с ними художник поместил и себя (у левого края картины). 'Стоя перед холстом', Веласкес 'пишет портрет королевской четы, которая находится за пределами картины, на месте зрителя, и последний видит лишь ее отражение в зеркале, висящем на противоположной стене мастерской'.*) Поместив себя среди персонажей картины, художник оказался как бы в двух мирах одновременно. И вне картины. И внутри ее, рядом со своими созданиями. И в мире реально существующем. И в поэтическом, созданном им самим. 'Зеркалом' стала вся картина. Все, в ней изображенное. В этой зеркальной удвоенности — несомненное живописное очарование. Подобно Веласкесу, Ахматова вписала себя в давнишнюю драму. Стала рядом с героями, чтобы повести с

---

*) Н. Заболотская. В е л а с к е с. «Советский Художник», М.—Л., 1965, стр. 41.

ними непрерывный диалог. В лирику вторглась драматургия: столкновение, спор, обвинения. Автор не стоит безразлично (как в картине Веласкеса) бок о бок со своими героями. Он доискивается, уличает, негодует. Есть особая поэтическая выразительность в этой зеркальной сдвоенности художника и образа. В переплетении монолога и диалога. Душевного излияния и портрета. Давнего воспоминания и сегодняшней тяжбы. ... Но вдруг оказывается, что 'зеркало' в поэме Ахматовой обладает неповторимыми, можно сказать, магическими свойствами. Недаром сказано в одном ее стихотворении: 'Из мглы магических зеркал'. Поэтическое зеркало могущественнее, нежели зеркало живописца. В нем видно не только то, что непосредственно перед ним:

> Словно в зеркале страшной ночи,
> И беснуется и не хочет
> Узнавать себя человек.
> А по набережной легендарной
> Приближался не календарный —
> Настоящий Двадцатый Век.

Раздвигаются стены зала. Расширяются границы улицы, города. И за выстрелом на лестничной площадке послышались угрожающие подземные толчки. Почуялись исторические сдвиги, гигантские смещения жизненных пластов» (там же, стр. 67—68).

«Ахматовская память причудливо переплетается с догадками и предчувствиями. Три времени служат поэтическому образу, делают его трехмерным. Это нетрудно увидеть в стихах, но всего ощутимее это в 'Поэме без героя'» (Лев Озеров. Мелодика. Пластика. Мысль. Портрет писателя. «Литературная Россия», 21 августа 1964, стр. 15).

РАЗНОЧТЕНИЯ И ВАРИАНТЫ

В этом разделе мы не указываем пропущенных в той или иной редакции строк (они ясны из описания состава каждой публикации «Поэмы без героя» или ее фрагментов в приведенном выше перечне публикаций); не указываем разночтений в пунктуации; не указываем и явных опечаток.

Принятые сокращения:

Отр — Отрывок. «Ленинград», 1944, № 10—11.

ШВ — фрагмент «Тысяча девятьсот тринадцатый» из цикла «Шаг времени» — «Ленинградский Альманах», Лениздат, 1945, стр. 211—212.

ЛМ — «Петроград. 1916» — «Литературная Москва». 1956. Сборник (1), ГИХЛ, Москва, 1956, стр. 537.

АРС — Отрывки из поэмы. «Антология Русской Советской Поэзии в 2 томах». 1917—1957. Том 1, ГИХЛ, Москва, 1957, стр. 323—234.

Ст. 58 — Отрывок. В книге: Анна Ахматова. Стихотворения. ГИХЛ, Москва, 1958, стр. 90—92.

Мск — Из поэмы «Триптих» — «Москва», 1959, № 7, стр. 143 —144.

ВП — Поэма без героя. «Воздушные Пути». Альманах (1). Ред.—изд. Р. Н. Гринберг, Нью-Йорк, 1960, стр. 5—42.

Ст. 61 — 1913 год. Три фрагмента из поэмы. В кн.: Анна Ахматова. Стихотворения. (1909—1960). «Библиотека Советской Поэзии», ГИХЛ, Москва, 1961, стр. 236—244.

ВП 2 — Поэма без героя. «Воздушные Пути». Альманах II. Ред.—изд. Р. Н. Гринберг, Нью-Йорк, 1961, стр. 111—152.

ДПоэз — «К поэме» — «День Поэзии. 1962». Изд. «Советский Писатель», Москва, 1962, стр. 43.

ДПоэзЛ — «Тысяча девятьсот тринадцатый год» (отрывки) — «День Поэзии. 1962». Изд. «Советский Писатель», Москва-Ленинград, 1962, стр. 26—28.

ДПоэз 63 — Поэма без героя. Триптих — «День Поэзии. 1963». Изд. «Советский Писатель», Москва, 1963, стр. 84—91.

Бег В — **Д е в я т ь с о т   т р и н а д ц а т ы й   г о д.** Петербургская повесть. В книге: Анна Ахматова. Бег времени. Стихотворения. 1909—1965. Изд. «Советский Писатель», Москва-Ленинград, 1965, стр. 309—335.

ВРСХД — отрывок из третьей части поэмы, опубликованный в статье Н. Струве «На смерть Ахматовой» в парижском журнале «Вестник Русского Студенческого Христианского Движения», № 80, 1966, стр. 48.

Павл. — отрывки из поэмы, приведенные в виде цитат в книге: А. И. Павловский. Анна Ахматова. Очерк творчества. Лениздат, 1966, стр. 154, 160, 161, 163—164, 173.

Итал — **П о э м а   б е з   г е р о я.** Публикация в двуязычном издании, в книге: Anna Achmatova. Poema senza eroe e altre poesie. (Collezione di poesia 33). Prefazione e traduzione di Carlo Riccio. Torino, Giulio Einandi editore, 1966, 180 p. p.

(1967) — **П о э м а   б е з   г е р о я.** — Slavonic and East European Review, XLV, № 105; July 1967; p. p. 474—496.

В настоящем списке сокращений названия текстов, наиболее близких к нашей публикации поэмы, **н а п е ч а т а н ы в р а з р я д к у.**

В м е с т о   п р е д и с л о в и я

Девиз на гербе Фонтанного Дома. Девиз на гербе на воротах дома, в котором я жила, когда писала поэму. В П, В П 2. Девиз на гербе дома, в котором я жила, когда начала писать поэму. Итал.

Первый раз она пришла ко мне в Фонтанный Дом в ночь на 27 декабря... Она пришла ко мне в ночь на 27 декабря... В П, В П 2. Первый раз она пришла ко мне в ночь на 27 декабря... Итал.

Их голоса я слышу и вспоминаю их, когда читаю поэму... Их голоса я слышу и вспоминаю их отзывы теперь, когда читаю поэму... В П, В П 2, Итал.

До меня часто доходят слухи о нелепых толкованиях «Поэмы без героя». До меня часто доходят слухи о превратных и нелепых толкованиях «Поэмы без героя». В П

Первое посвящение

В ряде публикаций просто Посвящение.
Стих   2. ...а так как мне бумаги не хватало,   (1967)
Стих   5. и, как всегда, снежинка на руке   ВП

Третье и последнее

Стих   3. а за нею войдет человек.   ВП 2
Стих   6. что случится Двадцатый век.   ВП 2
Стих   9. с ним горчайшее суждено.   ВП 2
Стих 13. Но запомнит Крещенский вечер,   ВП 2
Стих 16. И не первую ветвь сирени,   ВП 2
Стих 17. не кольцо, не трепет молений —   ВП 2

Часть первая

Глава первая

Первые два эпиграфа в ВП и ВП 2 — отсутствуют; в
Беге В и Итал — первым — эпиграф из Пушкина. Эпиграф из Байрона в Беге В и Итал отсутствует.

Прозаическое вступление в главу в ВП и ВП 2: Новогодний вечер. Фонтанный Дом. К автору, вместо того,
кого ждали, приходят тени прошлого под видом ряженых. Лирическое отступление — «Гость из Будущего».
Маскарад. Поэт. Призрак.
В ДПоэз 63, (1967) небольшое разночтение: ... приходят
тени тринадцатого года ...

Стих   3. И вдвоем с ко мне непришедшим   ВП, ВП 2
Стих   9. Это всплески жестокой беседы,   ДПоэзЛ, (1967)
Стих 13. Я как тень стою на пороге,   ВП, ВП 2
Стих 42. Я еще пожелезней тех ...   Ст. 61, Итал
Стих 48. Не для них здесь готовится ужин,   ВП 2
Стих 50. Прячет что-то под фалдою фрака   ВП, ВП 2
Стих 51. Тот, что хром и любезен ...   ВП, ВП 2
Стих 57. Что лишь Гойя мог передать.   Бег В
Стих 62. Ну, а как же могло случиться,   ВП, ВП 2
Стих 63. Что одна я средь всех жива?   ВП
Стих 64. Завтра утром меня разбудит,   ВП, ВП 2
Стих 68. Но мне страшно: выйду сама я,   ВП, ВП 2
Стих 69. Шаль турецкую не снимая,   ВП
Стих 69. Шаль воспетую не снимая,   ВП 2

Глава вторая

374

Глава третья

Эпиграфа первого нет в Беге В, Итал. Второго эпиграфа нет
в В П. В В П эпиграф Всеволода Князева («Любовь
прошла...»), тот, что у нас перед четвертой главой.

Прозаическое вступление в В П : Петербург 1913 года. Лирическое отступление: «Воспоминание в Царском Селе».

Развязка. В Беге В и Итал — небольшое разночтение:
... последнее воспоминание о Царском Селе...

Стих 355. По Неве или против теченья, —   Итал
Стих 364. Становилось темно в гостиной,   В П
Стих 365. Жар не шел из пасти каминной,   В П
Стих 366. И в кувшинах вяла сирень.   В П
Стих 368. Самодержца град бесноватый   Мск
Стих 369. В свой уже уходил туман,   Мск

Стих 375. Потаенный носился гул...   ШВ
Стих 375. Жил какой-то будущий гул...   Бег В, Павл.

Стих 376. Но тогда он был слышен глуше,   Бег В
Стих 376. И тогда он был слышен глуше,   Итал

Стих 377. Он почти не тревожил души   Бег В, Итал
Стих 383. Приближается не календарный —   ЛМ, АРС, В П
Стих 385. А сейчас бы домой скорее,   Мск, В П, В П 2

Стих 390. Как бывал он когда-то рад,   В П
          Что над юностью встал мятежной,   В П
          Незабвенный мой друг и нежный,   В П
          Только раз приснившийся сон.   В П
          Чья сияла юная сила,   В П
          Чья забыта навек могила,   В П
          Словно вовсе и не жил он.   В П
Стих 391. Здесь за островом, здесь за садом   В П
Стих 394. Разве он мне не скажет снова   В П

Глава четвертая и последняя

В публикациях В П и В П 2 — эта глава является окончанием предыдущей третьей главы и не отделяется от нее даже интервалом. Поэтому отсутствует и прозаическое вступление.

В Итал в прозаическом вступлении небольшое разночтение — или описка (опечатка?): ... На поле за метелью призрак зимнедворцовского бала. ...

Стих 410. Кто лишь смерти молит у Бога   В П 2
Стих 411. И кто будет навеки забыт.   ДПоэз 63, (1967)
Стих 412. Кто за полночь под окнами бродит,   В П
Стих 413. На кого беспощадно наводит   В П

Ч а с т ь в т о р а я

Первый эпиграф — только (1967). В Итал — второй эпиграф: In my beginning is my end. (Девиз Марии Шотландской).

Прозаическое вступление в публикациях В П и В П 2 — иное: Место действия — Фонтанный Дом. Время — январь 1941 года. Автор говорит о поэме «1913 год» и о многом другом, в частности, о романтической поэме начала XIX века («Столетняя чаровница»). Автор ошибочно полагал, что дух этой поэмы ожил в его петербургской повести.

Ч а с т ь т р е т ь я

Второй эпиграф — только в Итал. В ВП и ВП 2 — только
пушкинский эпиграф.
В публикациях ВП и ВП 2 никакого прозаического вступления нет. Начиная со слов «В стороне Кронштадта...» текст — только в Итал.

Стих 84. И над Ладогой и над лесом,

Примечания,
дополняющие авторские примечания
к поэме
и вступительную статью
«Поэма без героя»

Di rider finirai
Pia dell' aurora —

Смеяться перестанешь раньше, чем наступит заря. Из оперы В. А. Моцарта «Дон Жуан» (либретто Да-Понте).
Фонтанный Дом. Бывший дворец Шереметевых: построен на Фонтанке архитектором Саввой Ив. Чевакинским для гр. П. Б. Шереметева в 1749-1750-х гг. В одном из флигелей этого Фонтанного Дома долгое время жила А. А. Ахматова.

Вс. К. Всеволод Князев (покончил самоубийством в 1913) — драгунский корнет, автор книги стихов, вышедшей посмертно: Всеволод Князев. Стихи. Посмертное издание. СПб., Типография Императорских Театров, 1914. XIV + 112 стр., с портретом автора. Тираж — 425 экз. См. вступ. статью о поэме.

Никто, кажется, не отмечал, что у Ахматовой есть стихотворение, написанное в 1913 году (оно датировано: «Ноябрь, 1913»), на тему о самоубийстве очень молодого человека («мальчика») на почве неразделенной любви. Стихотворение это («Высокие своды костела», стр. 106 в первом издании первого тома нашего издания и стр. 110—111 в пересмотренном издании) написано от имени женщины, любовь к которой привела к самоубийству. Схожий мотив мучений юной неразделенной любви, но без самоубийства, налицо в другом стихотворении 1913 года: «Мальчик сказал мне: 'Как это больно!'» (см. стр. 103 в первом издании первого тома и стр. 108—109 во втором издании). Второе стихотворение датировано: «Октябрь, 1913».

О. А. Г.-С. Ольга Афанасьевна Глебова-Судейкина. Артистка Суворинского театра в Петербурге. Ее наиболее известные роли — Путаница, в одноименной пьесе Юрия Беляева, Псиша (Психея) в пьесе под тем же названием того же автора. Муж Ольги Афанасьевны — художник Сергей Юрьевич Судейкин (1882-1946) написал жену в роли Путаницы. Этот портрет упоминается дальше в поэме. Умерла в Париже вскоре после окончания Второй мировой войны. См. о ней во вступительной статье о поэме. См. также Ю. Анненков. Дневник моих встреч. Цикл трагедий. Том 1,, 1966, стр 77, 125—127, 282; А. Лурье. О. А. Глебова-Судейкина. «Воздушные Пути», альманах V, Нью-Йорк, 1967. «...Но тут возникает сошедший из портретной рамы живой и нарядный, блистательный и свежий, греховный и наивный, ничего не знающий о будущем, образ Путаницы-Психеи. Судя по всему..., Ахматова особенно тесно ассоциировала свою молодость с юною Глебовой-Судейкиной. Ее грешная, эгоистически безотчетная, не заглядывающая ни назад, ни вперед жизнь становится в Поэме олицетворением жизни многих из того круга, к какому принадлежала и Ахматова. Она увидела в ней типичность, всеобщность, ту жизненную и художественную многозначность, которые придают индивидуальной судьбе своего рода нарицательность. Для Ахматовой, например, важно даже то, что Глебова-Судейкина 'актерка', что она, следовательно, лицедейка, что ее собственное внутреннее характерное естество как бы отсутствует: это человек-роль, некий персонаж безымянной драмы без героев. Карнавал признаков, вваливающихся к Автору новогодней ночью, — это ведь тоже толпа лицедеев» (А. И. Павловский. Анна Ахматова. Очерк творчества. Лениздат, 1966, стр. 160).

Дапертутто. Псевдоним Всеволода Эмильевича Мейерхольда в редактируемом им литературно-художественном и театральном журнале «Любовь к Трем Апельсинам» (1914—1916). В этом журнале, сотрудниками которого были и

А. А. Ахматова, и А. А. Блок, Вс. Мейерхольд (1874—1940) проповедывал творчески переработанный и обновленный, но все же в о з в р а т от «театра переживаний» к театру импровизаций и маски, к традициям итальянской commedia dell' Arte и русского балагана. Современный актер должен быть, по существу «более совершенным типом 'Петрушки' — комедианта народного ярмарочного балагана». (Ю. Елагин. Темный гений. [Всеволод Мейерхольд]. Изд. им. Чехова, Нью-Йорк, 1955, стр. 170).

Что́ мне поступъ Железной Маски... Опять перекличка с А. А. Блоком — и «дразнение» Блока:

Ты твердишь, что я х о л о д е н, замкнут и сух,
Да, таким я и буду с тобой...
... И у тех, кто не знал, что п р о ш е д ш е е е с т ь,
Что г р я д у щ е г о ночь н е п у с т а, —
Затуманила сердце усталость и м е с т ь...
... Ты — ж е л е з н о ю м а с к о й лицо закрывай,
Поклоняясь священным гробам,
Охраняя железом до времени рай,
Недоступный безумным рабам.   1916.

(Александр Блок. Собр. соч. в 8 томах. Том 3, ГИХЛ, Москва-Ленинград, 1960, стр. 156-157).

Но мне страшно: войду сама я, кружевную шаль не снимая... Вариант: ...шаль воспетую не снимая... Ср. А. Блок. Анне Ахматовой:

«Красота страшна» — Вам скажут, —
Вы накинете лениво
Шаль испанскую на плечи...
... «Не страшна и не проста я;
Я не так проста, чтоб просто
Убивать...»   16 декабря 1913

(Александр Блок. Собр. соч. в 8 томах. Том 3, ГИХЛ, Москва-Ленинград, 1960, стр. 143).

О. Мандельштам. Ахматова:

В полоборота, о печаль,
На равнодушных поглядела.
Спадая с плеч, окаменела
Ложно-классическая шаль.

Зловещий голос — горький хмель —
Душа расковывает недра:
Так — негодующая Федра —
Стояла некогда Рашель.   1914

(О. Мандельштам. Собр. соч. Том 1, Вашингтон, 1964, стр. 37).

Смерти нет — это всем известно.   Ср. Ахматова:
            . . . Но еще ни один не сказал поэт,
         Что мудрости нет, и старости нет.
         А может, и смерти нет.   1944

Или вправду там кто-то снова между печкой и шкафом стоит . . . Ср. сцену самоубийства Кириллова («Бесы»); «У противоположной окнам стены, вправо от двери, стоял шкаф. С правой стороны этого шкафа, в углу, образованном стеною и шкафом, стоял Кириллов, и стоял ужасно странно, — неподвижно, вытянувшись, протянув руки по швам, приподняв голову и плотно прижавшись затылком к стене, в самом углу, казалось, желая весь стушеваться и спрятаться. По всем признакам, он прятался, но как-то нельзя было поверить. . . . Бледность лица . . . была неестественная . . .» (Ф. М. Достоевский. Полн. собр. художеств. произведений, том VII, ГИЗ, Москва-Ленинград, 1927, стр 508—509). На это сходство указывает и Эрге («Читая Поэму без героя» . . . «Воздушные Пути», альманах III, Нью-Йорк, 1963, стр. 298).

Мы отсюда еще в «Собаку» . . . См. вступительную статью о поэме. «Бродячая Собака» — ресторан и клуб писателей, артистов, художников (1912—1917), переименованный в последние годы его существования в «Привал Комедиантов».

Голова Мадам де Ламбаль . . . Ср. Максимилиан Волошин. Голова Мадам де Ламбаль (2 сентября 1792):

       Это гибкое, страстное тело
       Растоптала ногами толпа мне . . .
       . . . Но меня отрубили от тела . . .
       . . . И парижская голь
       Унесла меня в уличной давке . . .

382

... Тогда вся избита, изранена...
... Я на пике взвилась над толпой
Хмельным тирсом...

               Неслась вакханалия...

И тюремною узкою лестницей
В башню Тампля к окну Королевы
Поднялась я народною вестницей.   1906

(Максимилиан Волошин. Демоны глухонемые. 2 изд. Книгоизд. Писателей в Берлине, 1923, стр. 26—27).

Ты — наш лебедь непостижимый... Одним из популярнейших концертно-балетных номеров Анны Павловны Павловой (1881—1931) был поставленный М. М. Фокиным на музыку К. Сен-Санса «Лебедь» (1907), названный впоследствии «Умирающим лебедем».

Коридор Петровких коллегий... Прославленный своей необычайной длиной (около 500 метров) коридор Петербургского — Ленинградского университета. Ранее в этом здании, построенном по проекту Доменико Трезини в 1722—1742 гг. (начато постройкой при Петре Великом), помещались 12 коллегий (министерств). Фасад здания и его кровля были поэтому расчленены на 12 частей — по числу коллегий, причем зданию было придано архитектурное единство при явной расчленности — символ автономии отдельных министерств-коллегий при их большой связанности и единстве государственной идеи.

Петрушкина маска... См. вступительную статью о поэме.

Над дворцом черно-желтый стяг. Императорский штандарт: на желто-шафранном поле в центре большой черный имперский орел.

И в тени заповедного кедра... Вариант... *келломягского кедра...* Кедр в саду Дома Творчества в Комарове. Прежнее название Комарова, поселка, с которым так много связано в жизни и творчестве А. А. Ахматовой, — не Коломяги (поселок близ Удельной и Сестрорецка), а Кел/л/омякки (у Ахматовой — Келломяги) — поселок за Куоккалой и Териоками (ныне — за Репиным и г. Зеленогорском Ленинградской области).

И свиданье в Мальтийской капелле... Мальтийская капелла выстроена в 1798—1800 гг., по распоряжению Павла
Первого, арх. Джакомо Кваренги во внутренний двор
Пажеского корпуса, бывшего дворца гр. Воронцова
(дворец построен Растрелли).

Я крестами домá не мечу... Ср. Б .Пастернак. Метель:
Все в крестиках двери, как в Варфоломееву
Ночь. Распоряженья пурги-заговорщицы:
Заваливай окна и рамы заклеивай...
...Пушинки непрошенно валятся в руки...
Снежинки снуют, как ручные фонарики...
......и по двери мелом — крест-накрест... 1915-1928

(Борис Пастернак. Сочинения. (Том 1). Изд. Мичиганского
университета, Анн-Арбор, 1961, стр. 199).

На Галерной чернела арка... Арка, соединяющая здания
Сената и Синода, построенные Карло Росси в 1829—
1834 гг. Непосредственно под этой аркой начинается
Галерная улица: ср. у Ахматовой же:

Сердце бьется ровно, мерно,
Что мне долгие года!
Ведь под аркой на Галерной
Наши тени навсегда ...   1913

У Осипа Мандельштама («Египетская Марка»): «Места,
в которых петербуржцы назначают друг другу свидания, не столь разнообразны. ...Может они и меня-
ются на протяжении истории, но перед концом, когда
температура эпохи вскочила на тридцать семь и три, и
жизнь пронеслась по обманному вызову, как грохо-
чущий ночью пожарный обоз по белому Невскому, они
были наперечет: ...невзрачная арка в устье Галерной
улицы, даже неспособная дать приют от дождя; ...од-
на боковая дорожка в Летнем саду ...» (Осип Мандельштам. Собр. соч. Том 2, 1966, стр. 47-48). И в «Поэме без героя» сразу же за Галерной следует Летний сад ...

Старый питерщик и гуляка... Типично противопоставление
имперской столицы Петра: «...царицей Авдотьей за-
клятой, достоевской и бесноватой...», с лексикой, от-

ражающей ярко полупренебрежительное отношение народа к Петербургу-Питеру, отталкивание русского простого народа от него: «питерщик — бывалый, натарелый парень, промышлявший в Питере...» (Вл. Даль. Толковый словарь живого великорусского языка. Том 3-й, СПб.-Москва, 1882, стр. 115). И раньше в поэме: «старый город Питер, — что народу бока повытер»... И тут же — стройные, классические архитектурные реалии: Камеронова галерея, арка на Галерной, Фонтанный Дом... И — в прозаическом вступлении — последнее Воспоминание в Царском Селе (пушкинское «Воспоминание в Царском Селе»).

Камероновой галереей... Камеронова галерея в Царском Селе (ныне — г. Пушкин) — построена в 1783—1785 гг. Чарлзом Камероном, с открытой галереей во втором ярусе. С одной стороны здание спускается к парку.

Дом, построенный в начале XIX века братьями Адамини. В этом доме с 1924 по 1926 г. жила А .А. Ахматова.

Спас на Крови. Храм Воскресения на Крови назван так потому, что воздвигнут на Екатерининском канале (ныне — канал Грибоедова) в 1882—1907 гг. по проекту арх. А. А. Парланда на том самом месте, где в 1881 году (1 марта) был убит народовольцами Александр Второй. В западной части храма отгорожено решеткой и каменной открытой сенью то место набережной — с сохраненной с тех дней булыжной мостовой, — где упал смертельно раненый император. Храм, по мысли архитектора, должен был напоминать Храм Василия Блаженного, но как архитектурное сооружение крайне неудачен: неуклюж, тяжеловесен, пестр, в фальшивом русском стиле. Но этот храм играл весьма значительную роль в русской духовной жизни двадцатых годов — он являлся неофициальным центром всей церковной — и частично не только церковной — оппозиции советскому коммунистическому тоталитаризму. Он был центром движения так называемых «иосифлян» — духовенства и мирян, не признавших той робкой попытки «конкордата», какую пытался наладить местоблюститель Патриаршего престола митрополит Сергий. Поэтому А. А. Ахматова, столь чуткая ценительница архитектуры Петербурга, упоминает этот храм, несмотря на его архитектурную несообразность. Кроме того, все п е т е р б у р г с к и е р е а л и и несут в поэме не только декоративную нагрузку: в историософской поэме нельзя было обойти и 1 марта 1881 года. Тут опять некоторая перекличка и с «Возмездием» А. Блока: в главе первой одним из персонажей является София Перовская

> Он смотрит долго и любовно,
> И крепко руку жмет не раз,
> И молвит: «Поздравляю вас
> С побегом, Соня... Софья Львовна!
> Опять — на смертную борьбу!»
>
> . . . .
>
> Прошло два года. Грянул взрыв
> С Екатеринина канала,
> Россию облаком покрыв.
> Все издалека предвещало,
> Что час свершится роковой...

(Александр Блок. Собр. соч. в 8 томах. Том 3, ГИХЛ, Москва-Ленинград, 1960, стр. 312, 327). В этой же поэме герой ее — отец поэта, А. Л. Блок, характеризуется как Дон-Жуан, как Байрон, как демон (характеристики «героического тенора эпохи» в «Поэме без героя»). Из набросков «Возмездия»: «Достоевский, увидав А. Л. Блока на вечере у А. П. Философовой: 'Кто этот красавец? — П о х о ж н а д е м о н а'» (там же, стр. 446). И в первой главе:

> И дамы были в восхищеньи:
> «Он — Байрон, значит — демон...»
>
> (стр. 321)
>
> Он не гордился нравом странным,
> И было знать ему дано,
> Что демоном и Дон-Жуаном
> В тот век вести себя — смешно...
>
> (там же, стр. 326)

В «Возмездии» фигурируют и Достоевский, и Петербург конца века — и начала века двадцатого... Ряд

386

более или менее заметных подводных течений общи для «Возмездия» и «Поэмы без героя». Иногда они отражены только во внешних реалиях поэмы, иногда — в ее историософии.

. . . говорит сама Тишина . . . Определение Бога у некоторых отцов Церкви: «Бог — Начальник Тишины».

Стройная маска на обратном «Пути из Дамаска» . . . Опять многозначность образа: совершенно реальный план: в «Бродячей Собаке», при участии О. А. Глебовой-Судейкиной» шли «миракли»: в том числе и «Путь из Дамаска» — на пути из Дамаска гонителю христиан Савлу явился Христос, и гонитель Савл преобратился в апостола Павла. Обратный путь из Дамаска — возвращение героини со спектакля в «Бродячей Собаке». И другой план: о б р а т н ы й «Пути из Дамаска»: превращение апостола Павла опять в грешника и гонителя Савла — путь обратный . . .

My future is in my past. — «Говорят, что незадолго до своей смерти Ахматова узнала, что слова эти вышила в тюрьме Мария, королева Шотландская. Слова эти в ахматовской рукописи были, однако, первоначально помечены «Т. С. Элиот». Они вызывают в памяти "Time future is contained in Time past" *(Burnt Norton)* («Время грядущее во времени минувшем заключено»), или "In my beginning is my end" (East Coker) («И окончание мое в моих истоках). (Примечание Amanda Haight в лондонской публикации поэмы. *Burnt Norton* и *East Coker* — произведения английского поэта Томаса Стэрнса Элиота (1888—1965). Последний эпиграф — Итал.

И со мною моя «Седьмая» . . . Обычно считается, что речь идет здесь о Седьмой — Ленинградской — симфонии Д. Д. Шостаковича. Однако, любимейшей симфонией А. А. Ахматовой была Седьмая симфония Бетховена. Ахматова считала ее вершиной бетховенского творчества. Кроме того, число семь — символ жизни, — вообще играет большую роль в творчестве Ахматовой. См. вступ. статью к поэме.

Из заветного сна Эль Греко . . . «Необычные приемы изобразительного языка, свойственные Греко, не являются открытием его одного — некоторые аналогии им в той или иной форме обнаруживаются в творчестве позднего Микельанджело и позднего Тинторетто. Но если художественный образ мастеров Возрождения основывался на органическом синтезе реальности и высокого обобщения, то в искусстве Греко возобладало воображаемое, ирреальное начало. Сама среда, в которой художник помещает какую либо сцену, — это фантастический мир, мир чудес и явлений. В беспредельном пространстве стираются грани между землей и небом, произвольно смещены планы. Экстатические образы Греко похожи на бесплотные тени. ... Уже в своей первой из созданных в Мадриде ... картин Греко обратился к теме, необычной для живописи Возрождения. Это изображение с н о в и д е н и я Филиппа II (1580; Эскориал). В иррациональном пространстве совмещается образ рая, земли и ада. Все участники грандиозного мистического действа поклоняются имени Христа, которое возникает на небе». (Т. Каптерева. Искусство Испании. В кн.: Всеобщая история искусств. Том 3, Гос. изд. «Искусство», Москва, 1962, стр. 469).

А за проволокой колючей ...... По которой сына везли ...
В годы особенно напряженного сталинского террора пострадал муж А. А. Ахматовой, искусствовед и литератор Николай Николаевич Пунин (1888—1953). Сын ее, Лев Николаевич Гумилев, был арестован первый раз в 1934 г., после убийства С. М. Кирова. Второй раз был арестован в 1937 г., во время войны освобожден, мобилизован и послан на фронт, вернулся с войны в 1945 г. В 1949 г. вновь арестован и освобожден только в мае 1956 г. В освобождении Л. Н. Гумилева известную роль сыграл и А .А. Фадеев. Вот его письмо, посмертно опубликованное:

В Главную военную прокуратуру
2 марта 1956 года.

Направляю Вам письмо поэта Ахматовой Анны Андреевны по делу ее сына Гумилева Льва Николаевича и прошу ускорить рассмотрение его дела.

388

Я не знал и не знаю Л. Н. Гумилева, но считаю, что ускорить рассмотрение его дела необходимо, поскольку в справедливости его изоляции сомневаются известные круги научной и писательской интеллигенции. Сам он (согласно имеющимся в деле и дополнительно прилагаемым здесь документам крупных советских деятелей науки) является серьезным ученым и притом в той области, которая сейчас, при наших связях со странами Азии, нам особенно нужна: он — историк — востоковед.

Его мать — А. А. Ахматова — после известного постановления ЦК о журналах «Звезда» и «Ленинград» проявила себя как хороший советский патриот: дала решительный отпор всем попыткам западной печати использовать ее имя, и выступила в наших журналах с советскими патриотическими стихами. Она является в настоящее время высоко художественной переводчицей лучших произведений поэзии наших братских республик, а также Запада и Востока. Патриотическое и мужественное поведение старого крупного поэта, после столь сурового постановления, вызвало глубокое уважение к ней в писательской среде, и А. Ахматова была делегатом на 2-м Всесоюзном съезде советских писателей.

При разбирательстве дела Л. Н. Гумилева необходимо также учесть, что (несмотря на то, что ему было всего 9 лет, когда его отца Н. Гумилева не стало) он, Лев Гумилев, как сын Н. Гумилева и А. Ахматовой, всегда мог представить «удобный» материал для всех карьеристских и вражедебных элементов для возведения на него любых обвинений.

Думаю, что есть полная возможность разобраться в его деле объективно.

Депутат Верховного Совета СССР писатель А. Фадеев.

(А. А. Фадеев. Из переписки. «Новый Мир», **1961, № 12, стр. 195**).

СТИХИ РАЗНЫХ ЛЕТ

МНОГИМ. Впервые — «Свирель Пана», 1923, № 1. Перепечатано в журн. «Литературная Грузия», 1967, № 5, стр. 63.

ПРИВОЛЬЕМ ПАХНЕТ ДИКИЙ МЕД. Впервые: «Звезда Востока», Ташкент, 1966, № 6, стр. 41.

ГДЕ-ТО НОЧКА МОЛОДАЯ. Впервые там же, что и предыдущее, стр. 42.

О, ЗНАЛА ЛЬ Я, КОГДА В ОДЕЖДЕ БЕЛОЙ. Впервые: «Литературная Грузия», 1967, № 5, стр. 64.

ПОДРАЖАНИЕ АРМЯНСКОМУ. Впервые: РТ («Радио и Телевидение»), 1966, № 13, стр. 15. Стихотворение об аресте сына. См. последнее примечание к «Поэме без героя».

НЕ ЛИРОЮ ВЛЮБЛЕННОГО. Впервые: «Звезда Востока», 1966, № 6, стр. 41.

ТАК ОТЛЕТАЮТ ТЕМНЫЕ ДУШИ. Впервые: Р Т («Радио и Телевидение»), 1966, № 13, стр. 15.

ПОДВАЛ ПАМЯТИ. Впервые: «Москва», 1966, № 6, стр. 157.

ПАМЯТИ М. Б-ВА. Впервые: «День Поэзии. 1966», изд. «Советский Писатель», Ленинград, 1966, стр. 50. Посвящено памяти драматурга и прозаика Михаила Афанасьевича Булгакова (1891—1940).

КАКАЯ ЕСТЬ. ЖЕЛАЮ ВАМ ДРУГУЮ. Полностью публикуется нами впервые. Начиная со слов «Седой венец достался мне недаром» впервые: «Литературная Грузия», 1967, № 5, стр. 64. «...Как той другой — страдалице Марине» — т. е. Марине Ивановне Цветаевой (1892—1941; удавилась в Елабуге на Каме). В стихах «Памяти Марины Цветаевой» Борис Пастернак писал:

> В молчаньи твоего ухода
> Упрек невысказанный есть.

(Борис Пастернак. Стихотворения и поэмы. Библиотека Поэта. Изд. «Советский Писатель», Москва—Ленинград, 1965, стр. 567).

И ТЫ КО МНЕ ВЕРНУЛАСЬ ЗНАМЕНИТОЙ. Впервые: «Литературная Грузия», 1967, № 5, стр. 64.

...ЗА ЛАНДЫШЕВЫЙ МАЙ. Впервые там же, где и предыдущее, стр. 65. В предваряющей публикацию стихов Ахматовой заметке Л. К. Чуковская пишет: «В каком году написаны строки 'За ландышевый май' и являются ли они отдельным, оконченным стихотворением или частью какого-то другого — мне установить не удалось» (там же, стр. 63).

НАСЛЕДНИЦА. Впервые: «Москва», 1966, № 6, стр.157.

ЕСЛИ Б ВСЕ, КТО ПОМОЩИ ДУШЕВНОЙ. Впервые: «Звезда Востока», Ташкент, 1966, № 6, стр. 41, и, почти одновременно, Р Т («Радио и Телевидение»), 1966, № 13 (сентябрь), стр. 15.

«...богаче всех в Египте»... цитата из «Александрийских песен» (1921) Михаила Алексеевича Кузмина (1875 —1936).

СЛАВА МИРУ

В 1949 году был вновь арестован (третий раз) и осужден на заключение в лагерях МВД сын А. А. Ахматовой, Лев Николаевич Гумилев (освобожден только в мае 1956). (Об этом см. последнее примечание к «Поэме без героя».) А в 1946 году А. А. Ахматова — вместе с М. М. Зощенко и рядом авторов — подверглась гнуснейшей травле и гонению, была объявлена фактически вне закона. Прославившееся своим черносотенством и инквизиционной придирчивостью и свирепостью постановление ЦК ВКП(б) от 14 августа 1946 г. было направлено главным образом против А. А. Ахматовой и М. М. Зощенко, хотя и именовалось «О журналах 'Звезда' и 'Ленинград'»: «Журнал 'Звезда' всячески популяризирует ... произведения писательницы Ахматовой, литературная и общественно-политическая физиономия которой давным-давно известна советской общественности. Ахматова является типичной представительницей чуждой нашему народу пустой и безыдейной поэзии. Ее стихотворения, пропитанные духом пессимизма и упадочничества, выражающие вкусы старой салонной поэзии, застывшей на позициях буржуазно-аристократического эстетства и декадентства, — 'искусства для искусства', не желающей идти в ногу со своим народом, наносят вред делу воспитания нашей молодежи и не могут быть терпимы в советской литературе. ... Советский строй не может терпеть воспитания молодежи в духе безразличия к советской политике, в духе наплевизма и безыдейности ...» («Звезда», 1946, № 7—8, стр. 3—4, 5). 21 сентября 1946 в «Правде» (№ 225) была опубликована сокращенная стенограмма докладов тогдашнего вершителя идеологических и литературных дел А. А. Жданова на собрании партийного актива и на собрании писателей в Ленинграде. Сопричисляя Ахматову к сонму Мережковского, Вячеслава Иванова, Михаила Кузмина, Андрея Белого, Зинаиды Гиппиус, Федора Сологуба и «всех тех, кого наша передовая общественность и литература всегда считали представителями реакционного мракобесия и ренегатства в политике и искусстве,» Жданов обрушивается на А. А. Ахматову, как на писателя, являющегося «одним из представителей этого безыдейного реакционного литературного болота»: «Тематика Ахматовой насквозь индивидуалистическая. До убожества ограничен диапазон ее

392

поэзии, — поэзии взбесившейся барыньки, мечущейся между будуаром и моленной. Основное у нее — это любовно-эротические мотивы, переплетенные с мотивами грусти, тоски, смерти, мистики, обреченности. Чувство обреченности, — чувство, понятное для общественного сознания вымирающей группы, — мрачные тона предсмертной безнадежности, мистические переживания пополам с эротикой — таков духовный мир Ахматовой, одного из осколков безвозвратно канувшего в вечность мира старой дворянской культуры ... Не то монахиня, не то блудница, а вернее блудница и монахиня, у которой блуд смешан с молитвой» (этот доклад Жданова был перепечатан великое множество раз). Травля Ахматовой после этого приняла гомерические размеры. Множество статей, брошюр, книг, клеймящих поэта (Ахматова не терпела слова «поэтесса») и требующих суровой расправы. «Настоящее пусто, будущее не сулит ничего. Этим Ахматова начала, этим она кончает, — писал, например И. Сергиевский: — Ее индивидуалистическая ущербная поэзия не может принести ничего, кроме вреда. ... Мириться с тем, чтобы ʻпреданья всех мертвых поколений тяготели кошмаром над умами живыхʼ — значит, идейно разоружать советский народ в его борьбе и труде. Этого мы не можем допустить» (И. Сергиевский. Об антинародной поэзии А. Ахматовой. «Звезда», 1946, № 9, стр. 194). «Действительность представляется Ахматовой мрачной, зловещей, напоминающей ʻчерный садʼ, ʻосенний пейзажʼ. Звуки города воспринимаются поэтессой, как услышанные ʻс того светаʼ. Симпатии и привязанности Ахматовой на стороне прошлого» (А. И. Еголин, член-корр. Академии Наук СССР. За высокую идейность советской литературы. Изд. «Правда», Москва, 1946, стр. 12). Вспомнили, что первым мужем Ахматовой был Гумилев, расстрелянный по делу Таганцева ... После выступлений Жданова и прочих, после постановления ЦК партии Ахматова была исключена из Союза советских писателей. Неоднократно арестовывался и ее единственный сын. Наконец, арестован еще раз, после ожесточенной травли его матери, арестован в 1949 году ... И Ахматова пишет цикл «Слава миру», посвящая этот цикл палачу своего сына. Она хорошо сознавала, что не сможет написать этот вынужденный панегирик даже мало-мальски литературно грамотно: стихи цикла поражают своей т е х -

н и ч е с к о й беспомощностью. Одновременно с циклом «Слава миру» она пишет «Подражание армянскому»:

> ... Сладко ль ужинал, падишах?
> Ты вселенную держишь, как бусу,
> Светлой волей Аллаха храним ...
> И пришелся ль сынок мой по вкусу
> И тебе и деткам твоим?

А еще раньше, в «Реквиеме», Ахматова хорошо сознавала и внутреннюю необходимость — уступить, преклонить колени, умолять о милости — и сознавала всю бесполезность этой моральной жертвы:

> Семнадцать месяцев кричу,
> Зову тебя домой.
> Кидалась в ноги палачу,
> Ты сын и ужас мой ...

Мы помещаем этот цикл стихов, как документ эпохи. Может быть, этот цикл, несмотря на свою художественную беспомощность, а, может быть, благодаря ей, — одно из трагичнейших произведений эпохи: жертва бессмысленная, но неизбежная, безнадежная, но понятная психологически: «Кидалась в ноги палачу ...»

Цикл стихотворений «Слава миру» был опубликован (очевидно, тогда же написан) в 1950 году в трех номерах еженедельного журнала «Огонек»: в № 14, стр. 20 — стихотворения «Где дремала пустыня, там ныне сады»; «И в великой нашей отчизне»; «Клеветникам» (оба стихотворения); «Тост»; «Москве»; «21 декабря 1949 года»; «И он орлиными очами»; в № 36, стр. 23 — стихотворения «Песня мира»; «30 июня 1950»; «1950 год»; «Покорение пустыни»; «Севморпуть» (и вошедшие в первый том нашего собрания Ахматовой три стихотворения «С самолета», и «Прошло пять лет — и залечила раны»); в № 42, стр. 20 — стихотворения «Где ароматом веяли муссоны» и «Поджигателям» (и вошедшее в первый том «В Пионерлагере», в нашем собрании — «Как будто заблудившись в нежном лете»).

ПЕСНЯ МИРА. У нас — по тексту «Стихотворений», ГИХЛ, 1961, стр. 254. Разночтения: в журнальной публикации:

Стих 3. Лети, лети, как голубь мира,
Стих 11. Всех вас у дальнего порога
Стих 12. Ждут очи ласковых друзей.

ВОСПОМИНАНИЯ

АМЕДЕО МОДИЛЬЯНИ. Впервые: «Воздушные Пути». Альманах IV. Ред.-изд. Р. Н. Гринберг, Нью-Йорк, 1965, стр. 15—22. Г. В. Адамович в своих воспоминаниях о встречах с Ахматовой пишет о первом дне пребывания ее в Париже летом 1965 года: «Прежде всего Анне Андреевне хотелось побывать на рю Бонапарт, где она когда-то жила. Дом оказался старый, вероятно восемнадцатого столетия, каких в этом парижском квартале много. Стояли мы перед ним несколько минут. 'Вот мое окно, во втором этаже ... сколько раз он тут у меня бывал', — тихо сказала Анна Андреевна, опять вспомнив Модильяни и будто силясь скрыть свое волнение» (Георгий Адамович. Мои встречи с Анной Ахматовой. «Воздушные Пути». Альманах V. Ред.-изд. Р. Н. Гринберг, Нью-Йорк, 1967, стр. 108—109).

МАНДЕЛЬШТАМ. Впервые: «Воздушные Пути». Альманах IV. Ред.-изд. Р. Н. Гринберг. Нью-Йорк, 1965, стр. 23—43. Мандельштама и Ахматову связывала давняя крепкая дружба. В уже цитированных выше воспоминаниях Г. В. Адамовича рассказывается, что на собраниях Цеха Поэтов «Анна Андреевна говорила мало и оживлялась, в сущности, только тогда, когда стихи читал Мандельштам. Не раз она признавалась, что с Мандельштамом по ее мнению никого сравнивать нельзя, а однажды даже сказала фразу, — это было после собрания Цеха, у Сергея Городецкого, — меня поразившую: — Мандельштам, конечно, наш первый поэт ... — Что значило это 'наш'? Был ли для нее Мандельштам выше, дороже Блока? Не думаю. Царственное первенство Блока, пусть и расходясь с его поэтикой, мы все признавали без споров, без колебаний, без оговорок, и Ахматова исключением в этом смысле не была. Но под непосредственным воздействием каких-нибудь только что прослушанных мандельштамовских строф и строк, лившихся как густое, расплавленное золото, она могла о Блоке и забыть. Мандельштам ею восхищался: не только ее стихами, но и ею самой, ее личностью, ее внешностью, — и ранней данью этого восхищения, длившегося всю его жизнь, осталось восьмистишие о Рашели-Федре». (Мои встречи с Анной Ахматовой. «Воздушные Пути», V, 1967, стр. 104). В другой своей статье «Несколько слов о Мандельштаме» Георгий Адамович вспоминает: «Когда-то, помню, Ахматова говорила, после одного из собраний 'Цеха': 'сидит человек десять-двенадцать, читают стихи, то хорошие, то заурядные, внимание рассеивается, слушаешь по обязанности, и вдруг будто какой-то лебедь взлетает над всеми — читает Осип Эмильевич!» («Воздушные Пути», альманах II. Ред.-изд. Р. Н. Гринберг, Нью-Йорк, 1961, стр. 90). В годы, когда имя Ахматовой было почти запретным, когда о ней старались даже случайно не обмолвиться, Мандельштам с гордостью говорил о своей дружбе с Ахматовой. В воспоминаниях Е. М. Тагер рассказывается, как «то ли в порядке некоторой оттепели, то ли по счастливому стечению обстоятельств, но в начале 1933 года стало известно, что Ленинградский Дом Печати предоставил свою трибуну для творческого выступления Мандельштама. Не было ни анонсов, ни афиш — никакой рекламы. Но довольно вместительный зал оказался набит битком. Молодежь стояла в проходах, толпилась в дверях. Мандельштам читал, не снижая пафоса; как всегда, он стоял с закинутой головой, весь вытягиваясь, — как будто налетевший вихрь сейчас оторвет его от земли. Волосы, сильно уже поредевшие, все так же непреклонно вздымались над крутым и высоким лбом. Но складки усталости и печали легли уже на этот чистый лоб мечтателя. 'Он постарел!' — говорили в толпе. — 'Облезлый какой-то стал! А ведь должен быть еще молод...' Мандельштам читал о своем путешествии по Армении — и Армения возникала перед нами, рожденная в музыке и свете. Читал о своей юности: 'И над лимонной Невою, под хруст сторублевой, мне никогда, никогда не плясала цыганка', — и казалось, что не слова сердечных признаний, а сгустки сердечной боли падают с его губ. Его слушали, затаив дыхание, — и все росли, все усиливались аплодисменты. Но по залу шныряли какие-то недовольные люди. Они иронически шептались, они морщились, они пожимали плечами. Один из них подал на эстраду записку. Мандельштам огласил ее: записка была явно провокационного характера. Осипу Эмильевичу предлагалось высказаться о современной советской поэзии. И определить значение старших поэтов, дошедших до нас от предреволюционной поры. Тысячи глаз видели, как Мандельштам побледнел. Его пальцы сжимали и комкали записку... Поэт подвергался публичному допросу — и не имел возможности от него уклониться. В зале возникла тревожная тишина. Большинство присутствующих, конечно, слушало с безразличным любопытством. Но были и такие, которые и сами побледнели. Мандельштам шагнул на край эстрады; как всегда — закинул голову, глаза его засверкали... — Чего вы ждете от меня? Какого ответа? (Непреклонным, певучим голосом): — Я — друг моих друзей! — Полсекунды паузы. Победным, восторженным криком: — Я — современник Ахматовой! — И — гром, шквал, буря рукоплескаяний...» (Е. М. Тагер. О Мандельштаме. Воспоминания. Публикация и комментарий Г. П. Струве. Нью-Йорк, 1966, стр. 19—20; первоначально опубликовано в «Новом Журнале», Нью-Йорк, № 81, декабрь 1965).

«Тучка» — Тучкова набережная Васильевского острова в Петербурге-Ленинграде.

...стихотворение про «Черного ангела на снегу»...

Стихи Мандельштама, посвященные А. А. Ахматовой:

Черный Ангел
Как Черный ангел на снегу,
Ты показалась мне сегодня,
И утаить я не могу,
Что на тебе печать Господня.
Такая странная печать —
Как бы дарованная свыше —
Что, кажется, в церковной нише
Тебе назначено стоять.
Пускай нездешняя любовь
С любовью здешней будут слиты,
Пускай бущующая кровь
Не перейдет в твои ланиты
И пышный мрамор оттенит
Всю призрачность твоих лохмотий,
Всю наготу нежнейшей плоти,
Но не краснеющих ланит.   1910.

(Осип Мандельштам. Собр. соч. Том 1. Вашингтон, 1964, стр. 119).

Но в Петербурге акмеист мне ближе... Это стихотворение
О. Э. Мандельштама нами не разыскано.

Анна Михайловна Зельманова-Чудовская, художница, женщина редкой красоты, жена критика Валериана Адольфовича Чудовского, сотрудника «Аполлона», «была прирожденной хозяйкой салона... В тот вечер, когда меня впервые привел к Чудовским Мандельштам, у них были Сологуб с Чеботаревской, Гумилев, Георгий Иванов, Константин Миклашевский, Вольдемар Люсцинус, певец Мозжухин и еще несколько из музыкального и актерского мира. Я не хочу останавливаться на подробном описании доморощенного отеля Рамбулье, где Сологуб неудачно острил... ...Где автор тоненького зеленого 'Камня' вскидывал кверху зародыши бакенбардов, дань свирепствовавшему тогда увлечению 1830 годом, который обернулся к нему Чаадаевым, предлагал 'поговорить о Риме' и 'послушать апостольское credo'...» (Бенедикт Лившиц. Полутораглазый стрелец. Изд. Писателей в Ленинграде, 1933, стр. 269—270).

Цветаева... Марина Ивановна Цветаева (1892—1941). «...Подношу к глазам. Двустишие. Губы, опережая глаза, — призносят:

> Где обрывается Россия
> Над морем черным и глухим...

Город Александров Владимирской губернии ...1916 г. Лето. ...Мандельштам мой гость, но и я сама гость. Гощу у сестры, уехавшей в Москву... Во избежание могущих повториться недоразумений, оповещаю..., что в книге 'Тристия' стихи 'В разноголосице девического хора', 'На розвальнях, уложенных соломой' ('нам остается только имя — чудесный звук, на долгий срок'!), принадлежат мне, стихи же 'Соломинка' и ряд последующих — Саломэе Николаевне Гальперн, рожденной кн. Андрониковой, ныне здравствующей в Париже... Что весь тот период — от Германско-Славянского льна до 'На кладбище гуляли мы' — мой, чудесные дни с февраля по июнь 1916 г., дни, когда я Мандельштаму дарила Москву. Не так много мне в жизни писали хороших стихов, а главное: не так часто поэт вдохновлялся поэтом, чтобы так даром, зря уступать это вдохновение... Эту собственность — отстаиваю» (Марина Цветаева. История одного посвящения. Первоначально — Oxford Slavonic Papers, 1964. Затем — «Литературная Армения», 1966, № 1, стр. 57, 58, 59, 66). О том же в письмах к А. Бахраху: «Есть ли у Вас 'Tristia' Мандельштама. Может быть Вам будет любопытно узнать (как одно из моих отражений), что стихи 'В разноголосице девического хора', 'На розвальнях, уложенных соломой', 'Но в этой странной, деревянной — и в юродивой слободе' («Не веря воскресенья чуду». — Ред.) — и еще несколько — написаны мне. Это было в Москве, весной 1916 г., и я взамен себя дарила ему Москву... У меня много стихов к нему, когда будете в Берлине, посмотрите (предпоследний, кажется) № 'Русской Мысли'. Кажется, все к нему..» (письмо от 25 июля 1923. А. Бахрах. Письма Марины Цветаевой. «Мосты», Мюнхен, № 5, 1960, стр. 316). «... Для любви я стара, это детское дело. Стара не из-за своих 30 лет, — мне было 20, я то же говорила Вашему любимому поэту Мандельштаму: — 'Что Марина — когда Россия?!' 'Марина — когда Весна?! О, Вы меня д е й с т в и т е л ь н о не любите!» (там же, письмо от 25 июля 1923, стр. 313). Отношение А. А. Ахматовой к М. И. Цветаевой, как человеку и поэту, было сложным и не всегда одинаковым. «Меня интересовало отношение Ахматовой к Марине Цветаевой. В далекие петербургские времена она отзывалась о ней холодновато, вызвав даже однажды недовольное восклицание Артура Лурье: — Вы относитесь к Цветаевой так, как Шопен относился к Шуману. — Шуман боготворил Шопена, а тот отделывался вежливыми уклончивыми замечаниями. Цветаева по отношению к 'Златоустой Анне всея Руси' была Шуманом. Когда-то Ахматова с удивлением показывала письмо ее из Москвы, еще до личной встречи. Цветаева восхищалась только что прочитанной ею ахматовской 'Колыбельной' — 'Далеко в лесу огромном'... — и утверждала, что за одну строчку этого стихотворения — 'Я дурная мать' — готова отдать все, что до сих пор написала и еще когда-нибудь напишет. Ранние цветаевские стихи, например цикл о Москве или к Блоку, представлялись мне замечательными, необыкновенно талантливыми. Но

Ахматова их не ценила. Судя по двум строчкам ее стихотворения 1961 года: 'Свежая, темная ветвь бузины, Словно письмо от Марины' — я предполагал, что отношение Анны Андреевны к Цветаевой изменилось. Однако Ахматова очень сдержанно сказала: 'У нас теперь ею увлекаются, очень ее любят... пожалуй даже больше, чем Пастернака'. Но лично от себя не добавила ничего» (Георгий Адамович. Мои встречи с Анной Ахматовой. «Воздушные Пути». Альманах V. Нью-Йорк, 1967, стр. 109—111). Цветаева воспевала Ахматову гиперболически:

> Ты солнце в выси мне застишь,
> Все звезды в твоей горсти!

(Марина Цветаева. Избранные произведения. Библиотека Поэта, Больш. серия. Изд. «Советский Писатель», Москва-Ленинград, 1965, стр. 105).

Одновременно, однако, существовало и некоторое отталкивание. Так, в записной книжке 1917 года она пишет о творчестве Ахматовой: «Все о себе, все о любви'... Какой трудный и соблазнительный подарок п о э т а м — Анна Ахматова!» (там же, стр. 736). Из стихов Цветаевой, посвященных Мандельштаму, наиболее характерны «Никто ничего не отнял» — прощальное, написанное 12 февраля 1916, заканчивающееся строфой:

> Нежней и бесповоротней
> Никто не глядел вам вслед...
> Целую вас — через сотни
> Раз'единяющих лет.

(там же, стр. 74). (В 1923 г.. стихотворение это включено в цикл «Проводы«, «названный так не только потому, что проводы сильнее встреч... провожала его в трудную жизнь поэта» (Черновик письма 1931) — там же, стр. 733—734) — и второе стихотворение из цикла «Стихи о Москве»:

> Из рук моих — нерукотворный град
> Прими, мой странный, мой прекрасный брат...

400

...И встанешь ты, исполнен дивных сил...
— Ты не раскаешься, что ты меня любил.
                                    31 марта 1916.
(Там же, стр. 79).

Саломея Андроникова. Княжна Саломея Николаевна Андроникова, в замужестве — Гальперн. «Мандельштам был безнадежно, тайно и возвышенно влюблен в ...знаменитую петербургскую светскую львицу и красавицу, Саломею А-ву, которой он посвящал свой вдохновенный бред о 'соломинке, соломке, Саломее'...» (Артур Лурье. Детский рай. «Воздушные Пути». Альманах III. Ред.-изд. Р. Н. Гринберг, Нью-Йорк, 1963, стр. 169).

Соломинка

Когда, соломинка, не спишь в огромной спальне
И ждешь, бессонная, чтоб важен и высок
Спокойной тяжестью — что может быть печальней —
На веки чуткие спустился потолок,
Соломка звонкая, соломинка сухая,
Всю смерть ты выпила и сделалась нежней,
Сломалась милая соломка неживая,
Не Саломея, нет, соломинка скорей...
...Декабрь торжественный струит свое дыханье,
Как будто в комнате тяжелая Нева.
Нет, не Соломинка, — Лигейя, умиранье —
Я научился вам, блаженные слова...   1916

(Осип Мандельштам. Собр. соч. Том. 1. Вашингтон, 1964, стр. 59—60).

Саломее Николаевне Андрониковой посвящено и стихотворение Ахматовой, помещенное в первом томе нашего собрания: Т е н ь (из цикла «В сороковом году»), знаменательно предваренное эпиграфом из Мандельштама: «Что знает женщина одна о смертном часе?»:

...Как спорили тогда — ты ангел или птица!
Соломинкой тебя назвал поэт.
Равно на всех сквозь черные ресницы
Дарьяльских глаз струился нежный свет...

...*это помнит и М. А. З.* — Михаил Александрович Зенкевич (р. 1891), поэт, переводчик, входил в акмеистический Цех Поэтов. Лучший сборник его стихов — первый: «Дикая порфира», изданный Цехом Поэтов в 1912 г.

...*о попытке самоубийства его, о которой сообщает Георгий Иванов, даже Надя не слыхивала, как и о дочке Липочке, которую она якобы родила. А. А.* Ахматова имеет в виду почти всегда лживые рассказы Георгия Иванова (на лживость сообщений Г. В. Иванова жаловалась и Марина Цветаева в цитированной выше «Истории одного посвящения»). Так, в «Петербургских зимах» он рассказывает, что «в Варшаве... Мандельштам стрелялся, конечно, неудачно» (Петербургские зимы. Изд. «Родник», Париж, 1928, стр. 118). Резко упрекая редакторов первого собрания сочинений Мандельштама, Г. П. Струве и Б. А. Филиппова, в том, что они уделили какое-то место в их издании библиографии Мандельштама, в то время, как в этой книге-де «мы не находим ... даже упоминания ни о трагической женитьбе Мандельштама, ни об обожаемой им дочке 'Липочке'», Георгий Иванов не пожелал указать редакторам никаких источников, где они могли бы почерпнуть сведения о, как оказалось, несуществующей дочери Мандельштама... (Г. Иванов. Осип Мандельштам. «Новый Журнал», Нью-Йорк, № 43, 1955, стр. 281). Постоянно упоминаемая в воспоминаниях Ахматовой **Надя** — Надежда Яковлевна Мандельштам, урожденная Хазина, жена поэта.

Ольга Арбенина, ставшая женой Ю. Юркуна... По воспоминаниям Ирины Одоевцевой, «В Петербурге Мандельштам ... увлекся молодой актрисой, гимназической подругой жены Гумилева. Увлечение это, как и все его прежние увлечения, 'было катастрофически гибельное', заранее обреченное на неудачу, и доставило ему немало огорчений. Оно, впрочем, прошло быстро и сравнительно легко, успев обогатить русскую поэзию двумя стихотворениями: 'Мне жалко, что теперь зима' и 'Я наравне с другими'» (На берегах Невы. «Новый Журнал», Нью-Йорк, № 72, 1963, стр. 83). Юрий

402

Юркун — прозаик, «в те годы миньон милейшего Кузмина» (Артур Лурье .Ольга Афанасьевна Глебова-Судейкина. «Воздушные Пути», V, Нью-Йорк, 1967, стр. 142).

Марья Сергеевна Петровых. Поэтесса, переводчица. Ей посвящено несколько стихотворений Мандельштама, в том числе упоминаемое Ахматовой:

Мастерица виноватых взоров,
Маленьких держательница плеч. —
Усмирен мужской опасный норов,
Не звучит утопленница-речь . . .
. . . Ты, Мария, — гибнущим подмога.
Надо смерть предупредить, уснуть.
Я стою у твердого порога.
Уходи. Уйди. Еще побудь . . .   Февраль 1934.

(Осип Мандельштам. Собр. соч. Том 1, Вашингтон, 1964, стр. 194—195).

В «Дне Поэзии. 1956», изд. «Московский Рабочий», 1956, на стр. 70 помещено стихотворение Марии Петровых:

Назначь мне свиданье
                            на этом свете.
Назначь мне свиданье
                            в двадцатом столетьи.
Мне трудно дышать без твоей любви,
Вспомни меня, оглянись, позови.
Назначь мне свиданье
                            в том городе южном,
Где ветры гоняли
                            по взгорьям окружным,
Где море пленяло
                            волной семицветной,
Где сердце не знало
                            любви безответной . . .

Приводим начало этого стихотворения, так как оригинальные стихи М. С. Петровых мало кому известны.

Наташа Штемпель. В № 1 воронежского журнала «Подъем» за 1966 год помещен ряд стихотворений Мандельштама под общим заглавием «Из 'воронежских тетрадей'».

Стихи эти опубликованы, как указано во вступительной заметке А. Немировского, по спискам Н. Е. Штемпель, той «Наташи», которая является героиней нескольких воронежских стихотворений Мандельштама. Во время воронежской ссылки поэт был гостем в доме матери Н. Е. — учительницы Марии Ивановны Штемпель. В частности, Н. Е. Штемпель посвящено стихотворение «Клейкой клятвой пахнут почки»:

> Будет муж прямой и дикий
> Кротким и послушным —
> Без него, как в черной книге,
> Страшно в мире душном...   1937

(О. Мандельштам. Собр. соч. Том 1, Вашингтон, 1964, стр. 253—254).

Посвящено Н. Е. Штемпель несколько шуточных стихотворений:

> Если бы услышал Бог,
> Что Наташа педагог,
> Он сказал бы: Ради Бога,
> Уберите педагога.

«Крафт» — шоколадная фабрика и кондитерские в Петербурге.

Пронин, «Бродячая Собака» — см. вступит. статью о «Поэме без героя».

...Н .Ч-й написал роман... Николай Чуковский (ум. в 1965).

«Под собой мы не чуем...» Стихи Мандельштама, послужившие причиной его последнего ареста:

> Мы живем под собою не чуя страны,
> Наши речи за девять шагов не слышны,
> А где хватит на полразговорца, —
> Там припомнят кремлевского горца.
> Его толстые пальцы, как черви, жирны,
> А слова, как пудовые гири, верны.
> Тараканьи смеются усища,
> И сияют его голенища.
> А вокруг его сброд тонкошеих вождей,
> Он играет услугами полулюдей.

Кто свистит, кто мяучит, кто хнычет,
Он один лишь бабачит и тычет.
Как подковы кует за указом указ —
Кому в пах, кому в лоб, кому в бровь, кому в глаз.
Что ни казнь у него, — то малина
И широкая грудь осетина.

В несколько иной редакции — Осип Мандельштам. Собр. соч. Том 1, Вашингтон, 1964, стр. 195.

«Мне хочется сказать не Сталин — Джугашвили». Это стихотворение Мандельштама нами не разыскано.

Стихи эти в «Реквиеме» и относятся к аресту Н. Н. П. в 1935 году. Н. Н. П. — муж Ахматовой — художественный критик, искусствовед и литератор Н. Н. Пунин (1888—1953). Ахматова чрезвычайно интересовалась впечатлением, произведенным ее «Реквиемом». Георгий Адамович пишет: «О 'Реквиеме'. Анне Андреевне хотелось знать, как была принята эта книга, какое произвела впечатление. Я вспомнил давнее признание Цветаевой насчет 'Колыбельной' и того, что за одну строчку оттуда она отдала бы все ею написанное, — и сказал, что последние строчки 'Реквиема': '...И тихо идут по Неве корабли' должны бы у многих поэтов вызвать такое же чувство. Ахматова забыла о цветаевском письме и, как мне показалось, напоминание это доставило ей удовольствие.

— Трудно судить о своих стихах. Надо отойти от них, отвыкнуть, как будто разлучиться с ними: тогда яснее видишь, что хорошо, что слабо. 'Реквием' еще слишком мне близок. Но кое что в нем по-моему удачно: например, эти два вставных слова 'к несчастью' во вступительном четверостишии.

— А другое четверостишие, о Голгофе, 'Магдалина билась и рыдала...'?

— Да, это, кажется, тоже не плохие стихи». (Мои встречи с Анной Ахматовой. «Воздушные Пути», V, Нью-Йорк, 1967, стр. 112—113).

«Немного географии». Это стихотворение А. А. Ахматовой нами не разыскано. См. о нем в записи Н. А. Струве беседы с Ахматовой в этом томе.

Орденский знак Обезьяньей Палаты... «Обезьянья Великая и Вольная Палата» — «Обезвелволпал» — шутейный орден, основанный и руководимый от имени обезьяньего царя Асыки Алексеем Михайловичем Ремизовым (1877—1957); каждому принимавшемуся в Палату выдавалась собственноручно рисованная и писанная Ремизовым грамота — со знаком Палаты для особо почетных ее членов и с присвоением соответствующего звания. В Палату принимались писатели и издатели, музыканты и художники, люди близкие искусству. «За мой портрет я был удостоен Ремизовым, — пишет Ю. П. Анненков, — ордена 'Обезьяньей Великой и Вольной Палаты', 'Обезвелволпал'. Рассказывая это, я раскрываю неговоримое, так как 'Обезвелволпал' был 'обществом тайным' и знак выдавался 'для ношения тайно', выдавался с большим разбором (!) и большой осторожностью (!!), а то еще, гляди, узнают! 'Обезьянья Палата' возникла еще в 1908 году, когда Ремизов писал 'Трагедию о Иуде, принце Искариотском'. Обезьяний царь Асыка, герой этой трагедии, награждал обезьяньими знаками и ставил на них свою подпись» (Юрий Анненков. Дневник моих встреч. Цикл трагедий. Том 1. Изд. Международного Литературного Содружества, 1966, стр. 220—221).

Следователь при мне нашел «Волка»... То есть стихотворение Мандельштама:

> За гремучую доблесть грядущих веков,
> За высокое племя людей
> Я лишился и чаши на пире отцов,
> И веселья и чести своей.
>
> Мне на плечи кидается век-волкодав,
> Но не волк я по крови своей,
> Запихай меня лучше, как шапку, в рукав
> Жаркой шубы сибирских степей, —
>
> Чтоб не видеть ни труса, ни хлипкой грязцы,
> Ни кровавых костей в колесе,
> Чтоб сияли всю ночь голубые песцы
> Мне в своей первобытной красе.
>
> Уведи меня в ночь, где течет Енисей,
> И сосна до звезды достает,

Потому что не волк я по крови своей
И меня только равный убьет.

12 марта 1931.

(Осип Мандельштам. Собр. соч. Том 1, Вашингтон, 1964,
стр. 148)

Евгений Яковлевич Хазин — брат жены Мандельштама
Надежды Яковлевны.

(см. «Стансы»). Стихи Мандельштама (1935). Имеется в виду
строфа:

Подумаешь, как в Чердыни-голу́бе,
Где пахнет Обью и Тобол в раструбе,
В семивершковой я метался кутерьме —
Клевещущих козлов не досмотрел я драки —
Как петушок в прозрачной летней тьме —
Харчи да харк, да что-нибудь, да враки —
Стук дятла сбросил с плеч. Прыжок — и я в уме.

(Осип Мандельштам. Собр. соч. Том 1, Вашингтон, 1964,
стр. 203).

Чердынь (городок в верховьях Камы) входила в систему
Вишерских лагерей (и мест ссылки) НКВД, а админи-
стративный центр управления лагерями и местами труд-
поселений НКВД по этому району находился в Ивделе,
на реке Тоболе, неподалеку от впадения Тобола в Обь.
«Стук дятла сбросил с плеч...» С т у к на языке заключенных — донос. Д я т е л, с т у к а́ ч — доносчик.
П р ы ж о к — и я в уме — Елена Тагер в своих
воспоминаниях, путая годы (что естественно — она передает ведь и не свой рассказ), сообщает о своей
встрече в лагере НКВД на Дальнем Востоке с «очень
доброжелательной, но... очень путанной» женщиной:
«Рассказывая мне свою страдальческую повесть, она
упоминала, что в 1936 году (явная ошибка памяти рас-
сказчицы. — Ред) работала в Чердынской тюремной
больнице; в это время там содержался один писатель.
— Как его звали? — Иосиф Мендельштам. — Я ухва-
тилась за эту ниточку, стала разматывать. Приметы, в
ее описании, как будто совпадали. — Чем он болел? —
Абсолютным психозом. — На какой почве? — А на
такой почве, что сегодня в шесть часов его расстреля-

ют. И каждый день к шести часам начинал психовать. Забьется в угол, трясется весь, кричит, что сейчас его возьмут на расстрел. Ну — трахнутый абсолютно, что вы будете делать? — А лечили его? — Лечить было нечем. Просто — переводили часы на два часа вперед. Он видит — восемь часов, а за ним никто не приходил. Посмотрит-посмотрит — и успокоится. — Стихов он не писал? — Этого Е. М. не знала. Из Чердыни его куда-то увезли ...» (Е. М. Тагер. О Мандельштаме. Воспоминания. Публикация и комментарий Г. П. Струве. Нью-Йорк, 1966, стр. 24—25; первоначально — «Новый Журнал», № 81, 1965).

Навестить Надю из мужчин пришел один Перец Маркиш. Перец Давидович Маркиш (1895—1952), еврейский поэт и прозаик. Его стихи переводила и Ахматова. «В еврейскую литературу твердым и властным шагом входит новое имя. Входит как звезда первой величины», — писал о нем Борис Лавренев. А в конце статьи — частый, увы, припев о гибели поэта в застенках НКВД, уже после вступления его в коммунистическую партию (член ее с 1942 г.): «Он пал жертвой врагов, оклеветанный невинно» (*Перец Маркиш.* в кн. Борис Лавренев. Собр. соч. в 6 томах. Том 6, ГИХЛ, Москва, 1965, стр. 483, 488).

Александр Эмильевич Мандельштам — брат поэта.
«*...славных ребят из железных ворот ГПУ*». Строка из стихотворения Мандельштама «День стоял о пяти головах» (Собр. соч., Том 1, Вашингтон, 1964, стр. 205):

...Где вы, трое славных ребят из железных ворот ГПУ?
Чтобы Пушкина чудный товар не пошел по рукам дармоедов,
Грамотеет в шинелях с наганами племя пушкиноведов ...

(1935)

В начале 20-х годов (1922) Мандельштам дважды очень резко нападал на мои стихи в печати (Русское Искусство ...). Речь идет о двух статьях Мандельштама: «Буря и натиск» («Русское Искусство», 1923, № 1, стр. 75—82) и »Vulgata« («Заметки о поэзии») («Русское Искусство», 1923, № 2—3; стр. 68—70; журнал этот прекратил свое существование на этом номере). Вторая статья вошла составной частью в статью «Заметки о поэзии» в книге Мандельштама «О поэзии». Цитируем по кн. Осип Мандельштам. Собрание сочинений. Том 2-й, изд. Международного Литературного Содружества, 1966. Из статьи «Буря и натиск»: «... Анненский до сих пор не дошел до русского читателя и известен лишь по вульгаризации его методов Ахматовой.» (Стр. 387). «... Какая-нибудь вражда классиков с романтиками детская игра по сравнению с развернувшейся в России пропастью. Но очень скоро подоспел критерий, позволяющий разобраться в страстной литературной тяжбе двух поколений: кто не понимает нового, тот ничего не смыслит в старом, а кто смыслит в старом, тот обязан понимать и новое. Все несчастье, когда вместо настоящего прошлого с его глубокими корнями становится 'вчерашний день'. Этот 'вчерашний день' — легко усваиваемая поэзия, отгороженный курятник, уютный закуток, где кудахчут и топчутся домашние птицы. Это не работа над словом, а скорее отдых от слова. Границы такого мира, уютного отдохновения от деятельной поэзии, сейчас определяются приблизительно Ахматовой и Блоком и не потому, чтобы Ахматова или Блок после необходимого отбора их произведений оказались плохи сами по себе, ведь Ахматова и Блок никогда не предназначались для людей с отмирающим языковым сознанием. Если в них умирало языковое сознание эпохи, то умирало славной смертью. Это было то, 'что в существе разумном мы зовем — возвышенной стыдливостью страданья', а никак не закоренелая тупость, граничащая с злобным невежеством их присяжных критиков и поклонников. Ахматова, пользуясь чистейшим литературным языком своего времени, применяла с исключительным упорством традиционные приемы русской, да и не только русской, а всякой вообще народной песни. В ее стихах отнюдь не психологическая изломанность, а типический параллелизм народной песни с его яркой ассиметрией двух смежных тезисов, по схеме: 'в огороде бузина, а в Киеве дядя'. Отсюда двустворчатая строфа с неожиданным выпадом в конце. Стихи ее близки к народной песне не только по структуре, но и по существу, являясь всегда, неизменно причитаниями. Принимая во внимание чисто литературный, сквозь стиснутые зубы процеженный, словарь поэта, эти качества делают ее особенно интересной, позволяя в литературной русской даме двадцатого века угадывать бабу и крестьянку» (стр. 388—389). Из статьи «Заметки о поэзии»: «Воистину русские символисты были столпниками стиля: на всех вместе не больше пятисот слов — словарь Полинезийца. Но это по крайней мере были аскеты, подвижники. Они стояли на колодах. Ахматова же стоит на паркетине — это уже паркетное столпничество» (стр. 304). Первый отзыв едва ли можно назвать излишне резким . . .

Но и о своем славословии моих стихов . . . Имеются в виду рецензия на «Альманах Муз» (1916; не издана; входит в находящийся в печати третий том собр. соч. О. Мандельштама): «О современной поэзии»; и «Письмо о русской поэзии», опубликованное в 1922 году в газете «Молот» (Ростов на Дону) (также входит в третий том Мандельштама). Из рецензии на «Альманах Муз»: «Сочетание тончайшего психологизма (школа Анненского) с песенным ладом поражает в стихах Ахматовой наш слух, привыкший с понятием песнь связывать некоторую душевную элементарность, если не бедность. Психологический узор в ахматовской песне так же естественен, как ʼв Библии красный кленовый лист заложен на Песне Песнейʼ. В последних стихах Ахматовой произошел перелом к гиератической важности и религиозной простоте и торжественности; я бы сказал: после женщины пришел черед **ж е н ы.** Помните: ʼсмиренная, одетая убого, но видом величавая женаʼ. Голос отречения крепнет все более и более в стихах Ахматовой, и в настоящее время ее поэзия близится к тому, чтобы стать одним из символов величия России». Из «Письма о русской поэзии»: «Ахматова принесла в русскую лирику всю огромную сложность и богатство русского романа 19-го века. Не было бы Ахматовой, не будь Толстого с ʼАнной Каренинойʼ, Тургенева с ʼДворянским гнездомʼ, всего Достоевского и отчасти даже Лескова. Генезис Ахматовой весь лежит в русской прозе, а не в поэзии. Свою поэтическую форму, острую и своеобразную, она развивала с оглядкой на психологическую прозу. Вся эта форма, вышедшая из асимметрического параллелизма народной песни, а жало узкой оси приспособ-

410

лено для переноса психологической пыльцы с одного цветка на другой».

Артур Сергеевич Лурье, который близко знал Мандельштама и который очень достойно написал об отношении Осипа Мандельштама к музыке... Имеется в виду статья Артура Лурье (1892—1957) — Чешуя в неводе. «Воздушные Пути», Альманах II, Нью-Йорк, 1961: о Мандельштаме на стр. 202—203.

СЛОВО О ЛОЗИНСКОМ. Впервые: «День Поэзии. 1966», изд. «Советский Писатель», Ленинград, 1966, стр. 51—52. «Слово» предваряется в «Дне Поэзии» вступительной заметкой Е. Эткинда: «С поэтом и переводчиком М. Л. Лозинским Ахматову связывала многолетняя дружба, зародившаяся в те далекие годы, когда он был секретарем редакции 'Аполлона'. Еще в 1912 году, в год выхода первого сборника стихов Ахматовой, М. Л. Лозинский посвятил ей одно из лучших своих стихотворений. Пятьдесят четыре года спустя голос А. А. Ахматовой прозвучал в телевизионной передаче, посвященной творчеству ее друга. Вот текст этого выступления, написанного по моей просьбе в мае 1965 года».

ВОСПОМИНАНИЯ ОБ АЛ. БЛОКЕ. Впервые опубликовано в журн. «Звезда», 1967, № 12, стр. 186—187, с подстрочным примечанием: «Выступление по ленинградскому телевидению от 12 октября 1965 г. Опущенные в устной речи А. А. Ахматовой места восстановлены по рукописи». Вслед за публикацией этого выступления в журнале следует статья Д. Максимова «Ахматова о Блоке» (стр. 187—191), содержащая запись многих устных высказываний Ахматовой о Блоке. Приводим их. Характеризуя воспоминания Ахматовой, Максимов справедливо замечает, что «информация, заключенная в них, имеет для нас значение не столько сама по себе, сколько тем, от кого она исходит. Анна Андреевна избрала в своих кратких мемуарах жесткий, 'пушкинский' принцип чистого фактографического повествования. Рассказав о встречах с Блоком, она не поделилась своими мыслями о нем, промолчала о своем глубинном отношении к нему и к его поэзии и оставила при себе свои оценки его произведений. И в границах своего задания она, как это ни странно, почти исчерпала содержащийся в ее памяти материал. В самом деле, Анна Ахматова и ее старший современник Александр Блок были знакомы друг с другом гораздо меньше, чем это многим представляется. Анна Андреевна говорила мне (и я тогда же записал ее слова), что встречалась с Блоком редко, за всю жизнь — не более десяти раз и подолгу с ним не разговаривала. Эти встречи происходили на людях, иногда при совместных выступлениях. У Анны Андреевны дома Блок ни разу не был. А она к нему зашла лишь один раз — в конце декабря 1913 года, когда он жил на Офицерской. Да и тогда она торопилась к себе в Царское Село и просидела недолго, 'минут сорок' (Анна Андреевна обладала редкой памятью и в своих воспоминаниях была исключительно точной). Легенду о романе с Блоком Анна Андреевна решительно отрицала, и не случайно, читая мне свои воспоминания, в шутку назвала их так: 'О том, как у меня не было романа с Блоком'. Все это вполне соответствует выводу, содержащемуся в ее черновой заметке, приложенной к машинописной копии 'Воспоминаний о Блоке'.

'Из чего была состряпана легенда о романе, просто ума не приложу, но что она нравилась и ее хотели — это несомненно. Как человек-эпоха Блок попал в мою поэму 'Триптих'* ('Демон сам с улыбкой Тамары..'), однако, из этого не следует, что он занимал в моей жизни какое-то особенное место. А что он занимал особенное место в жизни всего предреволюционного поколения, доказывать не приходится. (Оригинал заметки в Рукописном отделе Ленинградской Публичной библиотеки). Глубинное отношение Ахматовой к творчеству Блока проявилось не в ее воспоминаниях, а в ее поэзии, во всей ее художественной системе. По своему духу и поэтике Ахматова, особенно в ранний период, была далека от Блока и шла собственным путем. Поэзию Ахматовой соединяла с поэзией Блока не столько явная преемственность, сколько ...зависимость, проявляющаяся в отталкивании и преодолении. Однако важным сви-

---

* Так здесь назвала А. А. Ахматова свою «Поэму без героя» ...

412

детельством о восприятии Ахматовой Блока в разные периоды ее жизни является также прямое содержание ее стихотворений, относящихся к поэту. Первое из них, 'Я пришла к поэту в гости' (январь 1914 г.), было написано под впечатлением той встречи в доме Блока, о которой уже было упомянуто. ... В какой-то мере оно является ответом на предшествовавшее ему блоковское стихотворение 'Анне Ахматовой' (16 декабря 1913). Анна Андреевна говорила мне, что появление этих стихотворений в печати в непосредственном соседстве между собою (в мейерхольдовском журнале 'Любовь к Трем Апельсинам', 1914, № 1) было вызвано определенно выраженным желанием Блока. Второе стихотворение Ахматовой о Блоке — 'А Смоленская нынче именинница' (1921) — написано как отклик на его смерть. ... В период с 1944 по 1960 год Ахматовой были написаны три коротких стихотворения, затрагивающих 'блоковскую тему': 'Пора забыть верблюжий этот гам', 'И в памяти черной пошарив, найдешь', 'Он прав — опять фонарь, аптека'. К ним примыкает также очень важная, итоговая для Ахматовой характеристика Блока в 1-й части 'Поэмы без героя' (соответствующие стихи создавались постепенно, много лет, и приняли окончательную форму в 1959 г.). ... Поздняя поэзия Ахматовой некоторыми своими гранями стоит ближе к Блоку, чем ее ранняя лирика. Можно утверждать, что в поэзии Ахматовой в это время по-новому оживает трагический опыт Блока, его тема 'страшного мира' ... Повидимому также, в период 'Поэмы без героя' и прежде всего в самой поэме для Ахматовой оказались важными характерные для Блока тема 'возмездия', 'арлекинада', мотивы двойников, 'зеркальности', а может быть, в какой-то мере и блоковская гражданственность. Но эти моменты объективного сближения послевоенного творчества Ахматовой с творчеством Блока вполне совмещались с возрастающим в ней субъективным стремлением заново обдумать явление Блока и как бы отодвинуть его от себя. ... Это относится и к 'Поэме без героя', в которой тень Блока появляется 'с мертвым сердцем и мертвым взором', и к стихотворению 'И в памяти черной ...', в котором Блок назван 'трагическим тенором эпохи'. Когда я говорил с Анной Андреевной об этом стихе, она сказала мне, что не вкладывала в него антиблоковского содержания, считая, что эпитет 'трагический' не дает возможности истолковать этот стих как выпад против Блока. И однако полемика с Блоком, даже вполне конкретная, здесь все же чувствуется. Читая этот стих, мы не можем не вспомнить обращенных к Ахматовой слов Блока, которые она передает в своих воспоминаниях: 'Анна Андреевна, мы не тенора'. ...Я позволю себе присоединить... некоторые устные высказывания Анны Андреевны о Блоке, которые я записывал сразу после наших разговоров с нею, начиная с 1936 года и до последнего времени. За точность в передаче содержания этих высказываний я могу вполне поручиться, что же касается их словесного выражения, то оно лишь отчасти соответствует ее подлинной речи. ... Прежде всего нужно сказать, что Анна Андреевна высоко подымала Блока над современными ему поэтами-символистами, к которым, вообще говоря, у нее не было никакого пристрастия. Она не любила поэзию Брюсова. К личности Вячеслава Иванова она также относилась настороженно, не забывая о его отрицательном отношении к акмеизму. Статьи Вяч. Иванова ей приходилось перечитывать, но она не была уверена в общем значении его для культуры ('Вячеслава как критика и теоретика нужно пересмотреть', — сказала она как-то очень решительно). Большее уважение внушал ей Федор Сологуб, хотя о его творчестве она почти совсем не вспоминала. ...'У Блока, — говорила она, — одна треть стихотворений — бледных или безвкусных; одна треть — так себе; но зато остальные — гениальны' (запись 1946 г.). То, что она находила у Блока 'безвкусным', по ее мнению, было связано с модернистским искусством начала века, в котором она видела засилье безвкусицы. 'Безвкусным' она считала у Блока 'звездную арматуру' (ее выражение), характерную для второго тома его лирики. 'Безвкусие' она видела в блоковской строчке, в которой упоминалось о 'шубках': 'Кто им дал разноцветные шубки' (см. стихотворение 'В кабаках, в переулках, в извивах', 1904). Тем же эпитетом оценила Анна Андреевна бло-

ковский образ 'нильских лилий' из цикла 'Фаина'...
Были такие духи 'Нильские лилии', — пояснила Анна
Андреевна свою критику (запись 1959 г.). Крайне отрицательно относилась Анна Андреевна к 'Песне Судьбы'
и очень холодно к драме 'Роза и Крест'. Вместе с тем
она удивлялась, как Блок мог думать, что Художественный театр серьезно хочет поставить такую чуждую ему
по духу пьесу (1959 г.). ... Анна Андреевна очень любила пьесы Блока 'Балаганчик' и 'Незнакомка', а также
его цикл 'Снежная Маска', хотя в этом цикле, как и в
'Незнакомке', было немало 'звездной арматуры'. 'Снежная Маска' настолько привлекала Анну Андреевну,
что она до революции совместно с Артуром Лурье написала на тему этого цикла балетное либретто, построив
его, как полагается для балета, на фабульной основе.
'К сожалению, — сказала Анна Андреевна, — рукопись
либретто не сохранилась, осталась только обложка'
(1959 г.). Интересуясь важным для ее собственного творчества вопросом о судьбе русской поэмы XX века,
Анна Андреевна несколько раз вспоминала о 'Возмездии'. Она считала эту поэму Блока неудачным произведением, основанным на повторении пушкинских,
'онегинских' интонаций, и противопоставляла ее поэме
'Двенадцать', в которой видела огромную творческую
победу Блока. Кстати сказать, имя Блока и упоминания
о 'Возмездии' иногда мелькали в наших разговорах
с Анной Андреевной о ее 'Поэме без героя'. Анна Андреевна предпочитала больше слушать чужие отзывы
об этом важнейшем ее произведении последних лет,
чем самой его толковать, но время от времени все же
высказывалась о нем. Мой первый разговор с Анной
Андреевной о 'Поэме без героя' происходил 7 мая 1941
года, в тот период, когда она жила еще на Фонтанке, в
'Фонтанном доме', как она говорила. Поэма тогда только еще начиналась и имела заглавие 'Тринадцатый
год' (позже это заглавие было отнесено к первой части
поэмы). 'Моя поэма, — сказала Анна Андреевна, —
полемична по отношению к символизму, хотя бы к
'Снежной Маске' Блока. У Блока в 'Снежной Маске' —
распятие, а герой-автор остается жить, а у меня в поэме — настоящая физическая смерть героя'. А позже,
через много лет, в августе 1962 года, когда поэма была

уже окончена, Анна Андреевна значительно развила эту мысль. 'Поэма без героя', — говорила она, — стоит между символистами (а они — рационалисты, скрывающие свой рационализм) и футуристами — Хлебниковым и молодым Маяковским с их 'самовитым словом'. Моя поэма связана также с классикой, с гофманианой. Это — антионегинская вещь, и здесь — ее преимущество. Ведь 'Онегин' 'испортил' (то есть лишил индивидуального лица. — Д. М.) и поэмы Лермонтова, и 'Возмездие' Блока. ... Что же касается характера возможного влияния Блока на ее собственное творчество, то об этом я от нее никогда не слышал. Лишь однажды, к случаю, она сказала, что толчком к возникновению ее поэмы 'У самого моря' (1914) явилось первое стихотворение Блока из цикла 'Венеция', которое она впервые прочла в 'Русской Мысли'. ... В 1946 году (запись от 26 июня) она нашла нужным пересказать мне некоторые мысли о символизме и Блоке одного современного критика ... Главное положение этого критика, в пересказе Анны Андреевны, заключалось в том, что символизм — 'театрализованная' поэзия, и лирический герой молодого Блока, облеченный в маски 'рыцаря', 'инока' и т. д., — 'театрализованный' образ, выступающий на декоративном фоне. Анна Андреевна высказала решительное несогласие с этой концепцией. 'Блок, — сказала она, — писал о себе, а не о своих масках. А 'театральной' была банальная поэзия, вроде Надсона'. Как и все, кому посчастливилось слушать выступления Блока с эстрады, Анна Андреевна рассказывала о его чтении стихов. 'Блок читал стихи изумительно, — вспоминала она. — Он оставался в зале как бы наедине с собой и полностью отрешался от публики. Это было *белое* чтение, без мелодии. Совсем по-другому, но тоже очень сильно читал Пастернак. Читая, он весь обращался к аудитории, был полностью с нею связан'. ... Два слова о стихотворении Ахматовой, которым оканчиваются ее воспоминания о Блоке: 'Он прав — опять фонарь, аптека ...'. Стихотворение это в ... 'Беге времени' не имеет названия и даты. Между тем, в сохранившемся у меня списке — он был сделан почти сразу после написания стихотворения — оно называлось 'Памяти Александра Блока' и было датировано 7 июня

416

1946 года. Оно, конечно, было связано с 25-летней годовщиной со дня смерти Блока. Прочтя его мне незадолго до блоковских торжеств, Анна Андреевна спросила: 'А не находите ли вы, что в этих стихах не все благополучно?' Она имела в виду действительно неудачное скрепление первой и второй строфы стихотворения, объединенных формально, но не органически словом 'когда'. Похоже было на то, что Анна Андреевна намеревалась исправить этот недостаток...».

———

Ариадна Владимировна Тыркова (по первому мужу — Борман, во втором браке — Вильямс, 1869—1962), писательница, публицистка, общественный деятель. Литературный псевдоним — А. Вергежский (по родовому имени «Вергеж»). «А. А. Блока она знала хорошо лично. Он у нас бывал в Петербурге» (Арк. Борман. А. В. Тыркова-Вильямс по ее письмам и воспоминаниям сына. Лувен-Вашингтон, 1964, стр. 252). С 1920 г. в эмиграции. Знавшая А. А. Ахматову с детства, А. В. Тыркова всю жизнь пристально следила за ее творчеством и «на девяносто втором году жизни... с огромным интересом прослушала всю 'Поэму без героя'... и восторгалась и языком, и замыслом, и формой этой сложнейшей поэмы» (Б. Филиппов. Памяти А. В. Тырковой. «Грани», № 53, 1963, стр. 56.) «Ироническими поминками по Блоку» назвала эту поэму Тыркова в беседе с одним из редакторов этого нашего издания.

Бенедикт Константинович Лившиц (1887—1939), поэт, переводчик, автор литературных мемуаров «Полутораглазый стрелец», 1933. Погиб в застенках или в лагерях НКВД. «Посмертно реабилитирован», как пишет о нем П. Антокольский (Краткая Литературная Энциклопедия, т. 4, 1967, столб. 188).

«Блок записывает в другом месте, что я вместе с Дельмас и Е. Ю. Кузьминой Караваевой измучила его по телефону». Запись Блока от 13 декабря 1914: «Вечером, едва я надел телефонную трубку, меня истерзали Л. А.

Дельмас, Е. Ю. Кузьмина-Караваева и А. А. Ахматова (Ал. Блок. Записные книжки. ГИХЛ, М.-Л., 1965, стр. 250). И до этого, в письме к А. А. Ахматовой от 26 марта 1914, характерная приписка: «Оба раза, когда Вы звонили, меня действительно не было дома» (Ал. Блок. Собр. соч. в 8 тт., т. 8, ГИХЛ, М.-Л., 1963, стр. 437). Эта приписка вызвана тем, что (как явствует из других записей Блока в дневнике и записных книжках) Блок часто просил отвечать за него по телефону, объявлять что его нет дома (в частности, это относится к записям о Е. Ю. Кузьминой-Караваевой). Ахматова в своих воспоминаниях не приводит очень интересного свидетельства — из дневника Блока 1911 г. — о том, что уже ранние ее стихи получили высокую оценку Блока. Это — запись от 7 ноября 1911 о ночном литературном собрании на Башне Вяч. И. Иванова: «. . . А. Ахматова (читала стихи, уже волнуя меня; стихи чем дальше, тем лучше) . . .» (Ал. Блок. Собр. соч. в 8 тт., т. 7, ГИХЛ, М.-Л., 1963, стр. 83). Блок вообще резко выделял Ахматову из всего ее «акмеистического» окружения: акмеистов и Гумилева в частности он расценивал весьма невысоко: «Настоящим исключением из них была одна Анна Ахматова; не знаю, считала ли она себя 'акмеисткой'; во всяком случае, 'расцвета физических и духовных сил' в ее усталой, болезненной, женской и самоуглубленной манере положительно нельзя было найти. Чуковский еще недавно определял ее поэзию как аскетическую и монастырскую по-существу. На голос Ахматовой как-то откликнулись . . .» («Без божества, без вдохновенья», Собр. соч. в 8 тт., т. 6, ГИХЛ, М.-Л., 1962, стр. 180). Эта оценка — 1921 года. Но уже в 1914 г., получив от Ахматовой ее «Четки» (с авторской дарственной надписью:

> От тебя приходила ко мне тревога
> И уменье писать стихи . . .)

А. А. Блок сделал на книге «много помет . . . , представляющих собой целую систему оценок. Большинство стихотворений получило высокую оценку, также и отдельные строки, как, например: 'Пусть камнем надгробным ляжет / На жизни моей любовь'; 'Как будто копил приметы / Моей нелюбви. Прости!'; 'И не знать,

418

что от счастья и славы / Безнадежно дряхлеют сердца'... Вместе с тем некоторые стихи в книге А. Ахматовой получили отрицательную оценку Блока. Так, например, в стихотворении 'Дверь полуоткрыта' подчеркнута строка: 'Знаешь, я читала...' с пометой: 'Не люблю'. В стихотворении 'Хорони, хорони меня, ветер' подчеркнуты строки: 'И вели голубому туману / Надо мною читать псалмы'. А на полях против этих строк записано: 'Крайний модернизм, образцовый, можно сказать, 'вся Москва' так писала'» (Новое об Александре Блоке. Публикация Вл. Орлова. «Новый Мир», 1955, № 11, стр. 161). А 14 марта 1916, получив от Ахматовой оттиск ее поэмы «У самого моря», Блок писал ей, что часто невольно приходит к мысли, «что стихов вообще больше писать не надо», «что стихи вообще — занятие праздное»: «Прочтя Вашу поэму, я опять почувствовал, что стихи я все равно люблю, что они — не пустяк, и много такого — отрадного, *свежего*, как сама поэма. Все это — несмотря на то, что я никогда не перейду через Ваши '*вовсе* не знала', 'у *самого* моря', '*самый* нежный, *самый* кроткий' (в 'Четках'), постоянное '*совсем*' (это вообще не Ваше, общеженское, всем женщинам этого не прощу). Тоже и 'сюжет': не надо мертвого жениха, не надо кукол, не надо 'экзотики', не надо уравнений с десятью неизвестными; надо еще жестче, неприглядней, больнее. — Но все это — пустяки, поэма настоящая, и Вы — настоящая...» (Собр. соч. в 8 тт., т. 8, ГИХЛ, М.-Л., 1963, стр. 458—459). Чтобы закончить перечисление отзывов Блока об Ахматовой, укажем еще на запись от 13 мая 1918, в которой А. А. Блок не без горечи отмечает: «Вечер 'Арзамаса' в Тенишевском училище. Люба читает 'Двенадцать'. *Отказались* [участвовать] Пяст, Ахматова и Сологуб...». (Ал. Блок. Записные книжки. ГИХЛ, М.-Л., 1965, стр. 406).

Любовь Александровна Дельмас (р. 1884) — артистка оперы, меццо-сопрано, в 1913—1919 гг. — артистка театра «Музыкальной Драмы» в Петербурге. Одна из ее лучших ролей — Кармен. Андреевой-Дельмас, близкому другу Блока, посвящен цикл стихов «Кармен». Дельмас долгие годы была настолько близким человеком Блоку, что открыто ревновала его к его жене: так, в записи от 3 июня 1917, Блок пишет: «Ночью — на улице — бледная от злой ревности Дельмас» (Дневники, Собр. соч. в 8 тт., т. 7, ГИХЛ, М.-Л., 1963, стр. 256). Там же, из записи 4 июня 1917: «Ночью бледная Дельмас дала мне на улице три розы, взятые ею с концерта...»; запись 5 июня — на следующий день: «Дважды на улице — Дельмас... Очень жаркий день»... (там же, стр. 257).

Елизавета Юрьевна Кузьмина-Караваева, урожденная Пиленко, писала и под фамилией Скобцова. (1891—1945) Поэтесса, близкая кружку акмеистов (ее первая книга стихов, «Скифские черепки», вышла в 1912 г. в изд. Цеха Поэтов). С 1919 г. в эмиграции. В 1931 году постриглась в монахини, приняв имя мать Мария. В марте 1945 г. погибла в гитлеровском лагере смерти — в Равенсбрюке. Уже будучи монахиней, написала интересные воспоминания о Блоке («Встречи с Блоком», в парижском журнале «Современные Записки», № 62, 1936): «На башне (у Вяч. Иванова.-Ред.) Блок бывал редко. Он там, как и везде впрочем, много молчал. Помню, как первый раз читала стихи Анна Ахматова. Вячеслав Иванов предложил устроить суд над ее стихами. Он хотел, чтобы Блок был прокурором, а он, Иванов, адвокатом. Блок отказался. Тогда он предложил Блоку защищать ее, он же будет обвинять. Блок опять отказался. Тогда уж об одном, кратко выраженном, мнении стал он просить Блока. Блок покраснел — он удивительно умел краснеть от смущения — серьезно посмотрел вокруг и сказал: — Она пишет стихи как бы перед мужчиной, а надо писать как бы перед Богом» (стр. 219). Часто бывала у Блока, засиживаясь часто до утра и ведя нескончаемые разговоры о Боге, о поэзии и т. д. «После кончины отца, — рассказывала она К. Мочульскому, — я пережила бурный период 'богоборчества'. А дальше — опять стихи, сборники 'Скифские черепки' и 'Руфь', поэты, ночные сборища, башня Вячеслава Иванова, цех Поэтов у Гумилева в Царском, дружба с Блоком. Потом как-то неожиданно вышла замуж. Была эпоха символизма» (К. Мочульский. Монахиня Мария (Скобцова). «Третий Час», вып. 1, (Нью-Йорк), 1946, стр. 66). Из записных книжек Блока: запись 25 октября 1914:...

420

«В 6 часов пришла и была до 2-х часов ночи Елизавета Юрьевна Кузьмина-Караваева»; 4 ноября 1914: «Между 7 и 8-ю — Е. Ю. Кузьмина-Караваева, до 2-х часов»; 19 марта 1915:... «Звонила Кузьмина-Караваева (меня 'нет дома')...»; 19 апреля: «Книга от Е. Ю. Кузьминой-Караваевой...»; 14 марта 1916: «Я возвращаюсь с прогулки, на лестнице сидит Кузьмина-Караваева. Уходя, я ей оставил письмо, в котором извинялся, что ухожу (было назначено). Она просидела на лестнице 3 часа, да у меня почти до 5 часов утра. Разговор все о том же: о пути и о власти... Я очень устал» (Ал. Блок. Записные книжки. ГИХЛ, М.-Л., 1965, стр. 245, 246, 258, 261, 290—291). Умерла мать Мария героиней, пойдя в газовую камеру гитлеровского концлагеря, заменив собою молодую заключенную, назвавшись ее именем... Так закончилась жизнь поэтессы, когда-то постоянной посетительницы «Бродячей Собаки», ночных литературных собраний на башне Вяч. Иванова, всех и всяческих эстетских салонов 1910-х годов.

СТАТЬИ О ПУШКИНЕ

ПОСЛЕДНЯЯ СКАЗКА ПУШКИНА. Впервые: «Звезда», 1933, № 1, стр. 161—176. А. А. Ахматова участвовала в редактировании академического девятнадцатитомного Пушкина, переводила его иноязычные тексты на русский язык (главным образом, с французского), редактировала факсимильные академические издания писем и бумаг Пушкина, выступала с докладами на заседаниях Пушкинской комиссии Академии Наук СССР. «Последняя сказка Пушкина» была отмечена, как крупный вклад в пушкиноведение, Б. Томашевским, М. Азадовским, С. Бонди и другими. В «итоговой» монографии Академии Наук СССР — «Пушкин. Итоги и проблемы изучения», коллективная монография под редакцией Б. П. Городецкого, Н. В. Измайлова, Б. С. Мейлаха. Изд. «Наука», Москва-Ленинград, 1966, И. Колесницкая, в главе «Сказки», пишет: «В статье 'Последняя сказка Пушкина' А. А. Ахматова доказывала, что источником сказки 'О золотом петушке' явилась 'Легенда об арабском звездочете' из книги Вашингтона Ирвинга 'Альгамбра', изданной в 1832 году в Париже на английском языке и во французском переводе. Сопоставляя тексты 'Легенды' и пушкинской сказки, исследовательница показывала, в каком направлении шла работа Пушкина над прототипом (снижение персонажей, гротескность образа царя, приближение лексики к просторечию, введение фольклорных стилистических элементов); она отмечала также те исторические и биографические предпосылки, которые могли вызвать появление этой сказки-сатиры» (стр. 440). М. К. Азадовский, крупный русский фольклорист, считал доказательства Ахматовой неоспоримыми (см. его статью «Источники сказок Пушкина» в кн. Пушкин. Временник. Изд. Академии Наук СССР, кн. 1, Москва-Ленинград, 1936). Как рассказывает сама Ахматова (см. в этом томе «Мандельштам»), «К Пушкину у Мандельштама было какое-то небывалое, почти грозное отношение — в нем мне чудился какой-то венец сверх-человеческого целомудрия. Всякий пушкинизм был ему противен. . . . Мою 'Последнюю сказку' — статью о 'Золотом Петушке' — он сам взял у меня на столе, прочел и сказал: 'Прямо — шахматная партия'». В разговоре с Г. П. Струве в Лондоне летом 1965 года А. А. сказала, что она не хотела бы переиздавать свои работы о Пушкине (имея в виду печатаемые нами здесь), не пересмотрев их и не пополнив в свете новых данных.

«АДОЛЬФ» БЕНЖАМЕНА КОНСТАНА В ТВОРЧЕСТВЕ ПУШКИНА. Впервые: Пушкин. Временник Пушкинской Комиссии Академии Наук СССР. Том 1. Изд. Академии Наук СССР, Москва-Ленинград, 1936, стр. 91— 114. Б. В. Томашевский в своем исследовании «Пушкин и Франция», изд. «Советский Писатель», Ленинград, 1960, —прямо отсылает читателей к этому «специальному труду А. Ахматовой» (стр. 452). Но в ряде статей и выступлений подчеркивалось с большим неудовольствием стремление иследователей как бы «принизить» самостоятельность Пушкина и вообще русской литературы и их независимость от Запада.

«КАМЕННЫЙ ГОСТЬ» ПУШКИНА. Впервые: Пушкин. Исследования и материалы. Академия Наук СССР. Институт Русской Литературы (Пушкинский Дом). Том 2, изд. Академии Наук СССР, Москва-Ленинград, 1958, стр. 185—195. «Попытку объяснить некоторые особенности 'Каменного гостя' личными переживаниями Пушкина начала 1830-х годов сделала А. А. Ахматова в статье, помеченной 1947 годом, но напечатанной десятилетием позднее»... (Н. В. Измайлов. Художественная проза. В кн.: Академия Наук СССР. Институт Русской Литературы [Пушкинский Дом]. П у ш к и н. Итоги и проблемы изучения. Коллективная монография под ред. Б. П. Городецкого, Н. В. Измайлова, Б. С. Мейлаха. Изд. «Наука», Москва-Ленинград, 1966, стр. 457). Из сообщений А. А. Ахматовой известно, что ею готовились еще другие исследования: «Работы 'Александрина', 'Пушкин и Невское взморье', 'Пушкин в 1828 году', которыми я занимаюсь почти двадцать лет, повидимому, войдут в книгу 'Гибель Пушкина'» (Коротко о себе. См. том 1-й настоящего собрания). Закончены ли эти работы или для них только собраны материалы — все это нам неизвестно. Весьма показательно, что работа крупного пушкиниста и большого поэта о «Каменном Госте», законченная уже в 1947 году, вышла в свет только в 1958 году. О работе А. А. Ахматовой над статьями о Пушкине и книгой «Гибель Пушкина» см. в настоящем томе запись беседы Н. А. Струве с Ахматовой.

СЛОВО О ПУШКИНЕ. Опубликовано в журн. «Звезда», 1962, № 2, стр. 171—172. Павел Елисеевич Щеголев (1877—1931) — пушкинист, литератор. Его книга «Дуэль и смерть Пушкина. Исследования и материалы» вышла в издании Императорской Академии Наук, Петроград, 1916. Третье — исправленное и дополненное — издание — ГИЗ, Москва-Ленинград, 1928, 551 стр.

СТАТЬИ ПО ЛИТЕРАТУРЕ РЕЦЕНЗИИ

О СТИХАХ Н. ЛЬВОВОЙ. Впервые: «Русская Мысль», 1914, № 1, стр. 27—28. Надежда Григорьевна Львова (1891—1913), русская поэтесса. Печататься начала в 1911 г. в «Русской Мысли», «Женском Деле», «Новой Жизни».

«В начале 1912 года Брюсов познакомил меня с начинающей поэтессой Надеждой Григорьевной Львовой, за которой он стал ухаживать вскоре после отъезда Нины Петровской, — рассказывает В. Ф. Ходасевич: —
. . . Надя Львова была не хороша, но и не вовсе дурна собой. Родители ее жили в Серпухове; она училась в Москве на курсах. Стихи ее были очень зелены, очень под влиянием Брюсова. Вряд ли у нее было большое поэтическое дарование. Но сама она была умница, простая, душевная, довольно застенчивая девушка. . . . Разница в летах между ней и Брюсовым была велика. Он конфузливо молодился, искал общества молодых поэтов. Сам написал книжку стихов почти в духе Игоря Северянина и посвятил ее Наде. Выпустить эту книгу под своим именем он не решился, и она явилась под двусмысленным титулом: 'Стихи Нелли. Со вступительным сонетом Валерия Брюсова'. Брюсов рассчитывал, что слова 'Стихи Нелли' непосвященными будут поняты, как стихи, сочиненные Нелли. Так и случилось . . . Этим именем Брюсов звал Надю без посторонних. С ней отчасти повторилась история Нины Петровской: она никак не могла примириться с раздвоением Брюсова — между ней и домашним очагом. С лета 1913 г. она стала очень грустна. Брюсов систематически приучал ее к мысли о смерти, о самоубийстве. Однажды она показала мне револьвер — подарок Брюсова. Это был тот самый браунинг, из которого восемь лет тому назад Нина стреляла в Андрея Белого. В конце ноября, кажется — 23 числа, вечером, Львова позвонила по телефону к Брюсову, прося тотчас приехать. Он сказал, что не может, занят. Тогда она позвонила к поэту Вадиму Шершеневичу: 'Очень тоскливо, пойдемте в кинематограф'. Шершеневич не мог пойти . . . Часов в 11 она звонила ко мне — меня не было дома. Поздним вечером она застрелилась . . . . Через час ко мне позвонил Шершене-

вич и сказал, что жена Брюсова просит похлопотать, чтобы в газетах не писали лишнего. ... Сам Брюсов на другой день после Надиной смерти бежал в Петербург, а оттуда — в Ригу, в какой-то санаторий. Через несколько времени он вернулся в Москву, уже залечив душевную рану и написав новые стихи, многие из которых посвящались новой, уже санаторной 'встрече' ... На ближайшей среде 'Свободной Эстетики' ... он предложил прослушать его новые стихи ... Не помню подробностей, помню только, что это была вариация на тему: 'Мертвый в гробе мирно спи, / Жизнью пользуйся живущий' ...» (В. Ф. Ходасевич. Некрополь. Изд. «Петрополис», Брюссель, 1939, стр. 45—49).

ЗАМЕТКИ НА ПОЛЯХ. Впервые: «Литературная Газета», 16 марта 1965. У Ахматовой любопытное замечание о Лермонтове: в беседе (в Париже, летом 1965) с Адамовичем: «— Наконец-то вы признались, что не любите Гумилева! А ведь я всегда это знала. Но согласитесь, у него есть прекрасные стихи ... 'Сумасшедший трамвай', например. Разве не хорошо? '—' Остановите, вагоновожатый ...' — Это — литература, 'литература' в кавычках. Правда, хорошая. — Литература, литература!... Но кто-то давно сказал, и правильно сказал ... не помню, кто ... что у нас в России был только один поэт, которому иногда удавалось быть вне литературы, или над литературой — Л е р м о н т о в » (Георгий Адамович. Мои встречи с Анной Ахматовой. «Воздушные Пути», Альманах V, Нью-Йорк, 1967, стр. 111).

ВСЕ БЫЛО ПОДВЛАСТНО ЕМУ. Впервые: «День Поэзии. 1965», изд. «Советский Писатель», Москва-Ленинград, 1965, стр. 265—266.

ПРИЛОЖЕНИЕ ПЕРВОЕ

[ОТРЫВОК ИЗ ВОСПОМИНАНИЙ]. Впервые опубликован в статье «Тайны ремесла», в книге Льва Озерова «Работа поэта. Сборник статей». Изд. «Советский Писатель», Москва, 1963, стр. 193—194.

[ВЫСТУПЛЕНИЕ А. А. АХМАТОВОЙ В РАДИОПЕРЕДАЧЕ «ГОВОРИТ ЛЕНИНГРАД»]. Опубликовано в книге Ольги Берггольц «Говорит Ленинград», Л., 1946 (в собрании ее сочинений: Ольга Берггольц. Избранные произведения в двух томах. Том 2. Проза. ГИХЛ, Ленинград, 1967, стр. 131—132). «... И вспоминается мне ... одно выступление в передаче 'Говорит Ленинград' — в конце сентября 1941 года, в дни жесточайших ... воздушных налетов, выступление Анны Андреевны Ахматовой. Мы записывали ее не в студии, а в писательском доме, так называемом 'недоскребе', в квартире М. М. Зощенко. Как назло, был сильнейший артобстрел, мы нервничали, запись долго не налаживалась. Я записала под диктовку Анны Андреевны ее небольшое выступление, которое она потом сама выправила, и этот — тоже уже пожелтевший — листок я тоже до сих пор храню бережно, как черновичок выступления Шостаковича. ... Не забыть мне и того, как через несколько часов после записи понесся над вечерним, темно-золотым, на минуту стихшим Ленинградом глубокий, трагический и гордый голос 'музы плача'. Но она писала и выступала в те дни совсем не как муза плача, а как истинная и отважная дочь России и Ленинграда» (там же, стр. 130—131). «На линованном листе бумаги, вырванном из конторской книги, написанное под диктовку Анны Андреевны Ахматовой, а затем исправленное ее рукой выступление по радио — на город и на эфир — в тяжелейшие дни штурма Ленинграда и наступления на Москву, — вспоминает та же О. Берггольц: — «Как я помню ее около старинных кованых ворот на фоне чугунной ограды Фонтанного дома, бывшего Шереметевского дворца. С лицом, замкнутым в суровости и гневности, с противогазом через плечо, она несла дежурство как рядовой боец противовоздушной обороны. Она шила мешки для песка, которым обкладывали траншеи-убежища в саду того же Фонтанного дома, под кленом, воспетым ею в 'Поэме без героя'. В то же время она писала стихи, пламенные, лаконичные по-ахматовски четверостишия...» (Ольга Берггольц. От имени ленинградцев. «Литературная Газета», 9 мая 1965). «Заходил к Ахматовой, — рассказывает о встрече с ней в августе 1941 года Павел Лукницкий: — Она лежала — болеет. Встретила меня очень приветливо, настроение у нее хорошее, с видимым удовольствием сказала, что приглашена выступить по радио...» (Павел Лукницкий. Ленинград действует. Фронтовой дневник (22 июня 1941 года — март 1942 года). Изд. «Советский Писатель», Москва, 1961, стр. 65).

[О СЕБЕ]. Впервые в разделе «Писатели рассказывают», с портретом работы худ. Тышлера, в журн. «Культура и Жизнь», 1957, № 1, стр. 11—12.

[ЗАМЕТКА «ОТ АВТОРА» ПРИ ПОДБОРКЕ СТИХОВ В ЖУРНАЛЕ «ЮНОСТЬ»]: «Юность», 1965, № 7, стр. 57. В этом номере опубликованы следующие стихи: «Мужество», «Клятва», «Первый дальнобойный в Ленинграде», «А вы, мои друзья последнего призыва», «Родная земля», «Когда погребают эпоху», «Лондонцам», «Сказал, что у меня соперниц нет», «Пушкин», «Я пришла к поэту в гости», «Есть в близости людей заветная черта», «Летний сонет», «Мне ни к чему одические рати», «Тот город, мной любимый с детства», «Эпиграмма», «Читатель» (из цикла «Тайны ремесла»).

«ТАЙНЫ РЕМЕСЛА». *Беседа с А. А. Ахматовой критика Д. Хренкова.* «Литературная Газета», 23 ноября 1965.

У АННЫ АХМАТОВОЙ. *Интервью В. Балуашвили.* «Литературная Грузия», 1965, I, стр. 95—96.

ПРИЛОЖЕНИЕ ВТОРОЕ

ИЗ ПИСЬМА NN. Отрывок из письма опубликован в статье Э. Голлербаха «Из воспоминаний о Н. С. Гумилеве» в берлинском журнале «Новая Русская Книга», 1922, № 7, стр. 38. «В Париже Гумилев вздумал издавать небольшой литературный журнал под названием 'Сириус', в котором печатал собственные стихи и рассказы под псевдонимами 'Анатолий Грант' и 'К-о', а также и первые стихи Анны Андреевны Горенко, ставшей вскоре его женой и прославившейся под именем Анны Ахматовой — они были знакомы еще по Царскому Селу» (Глеб Струве. Н. С. Гумилев. Жизнь и личность. В кн.: Н. Гумилев. Собрание сочинений в 4 томах. Том 1. Изд. В. П. Камкина, Вашингтон, 1962, стр. XI—XII).

ПИСЬМО В РЕДАКЦИЮ ЖУРНАЛА «ЛИТЕРАТУРНЫЕ ЗАПИСКИ». Опубликовано в № 3 петербургского журнала «Литературные Записки» за 1922 год, стр. 23, с «послесловием» от редакции: «К письму А. Ахматовой приложены заявления изд-ва 'Парфенон' и редактора 'Утренников' Д. А. Лутохина о том, что они никому не передавали названных стихотворений для перепечатки». «Накануне» — газета сменовеховцев, выходившая при большой материальной поддержке СССР в Берлине в 1922—1924 гг. «Этот сменовеховский орган, издававшийся левым крылом русской эмиграции, выступал за сотрудничество с Советами, против антисоветской агитации белоэмигрантов, и по существу содействовал возвращению многих деятелей культуры в Россию. При поощрении советского правительства была учреждена 'московская редакция' 'Накануне', прямо на месте готовившая материалы о жизни красной столицы и дважды в неделю самолетом переправлявшая их в Берлин. В литературном приложении к 'Накануне' в те годы охотно сотрудничали молодые советские писатели — К. Федин, Вс. Иванов, Сергей Есении. Редактировал это приложение — 'Литературную неделю' — А. Н. Толстой...» (О прозе Михаила Булгакова и о нем самом. Вступит. статья В. Я. Лакшина к книге: Михаил Булгаков. Избранная проза. ГИХЛ, Москва, 1966, стр.. 9).

ПИСЬМО АЛЕКСИСУ РАННИТУ — 18 февраля 1962. Алексис Раннит, эстонский поэт, литературовед и искусствовед, послал А. А. Ахматовой свои стихи в переводе на русский язык (стихи А. Раннита переводили Игорь Северянин, Георгий Адамович, Лидия Алексеева и др.). А. Раннит писал статью о поэзии Ахматовой и в своем письме просил ее уточнить некоторые данные, почерпнутые из статей об Ахматовой и воспоминаний о ней. А. А. Ахматова не знала, что А. Раннит пишет стихи по-эстонски. Поэтому благодарит за присылку «перевода». Т р у д н о п о н я т ь, з а ч е м к о м у - т о п о н а д о б и л о с ь т р е в о ж и т ь м о й п р а х... Речь идет о Роберте Пэйне, рассказавшем в своей книге *The Three Worlds of Boris Pasternak* (1961) о своей «встрече» с Ахматовой в Париже в 1938 г. Когда А. Раннит указал ему на его ошибку (в письме в редакцию «Нью-Йорк Таймс»), Р. Пэйн ответил, что он все-таки с Ахматовой встретился в Париже — и встретился именно в 1938 году... Указания Ахматовой, что никак нельзя доверять книге «Петербургские зимы» Георгия Иванова (Париж, изд. «Родник», 1928), его же статьям и очеркам, а так же книге Леонида Страховского (в своих воспоминаниях о Мандельштаме она называет его и его подлинным именем — Страховским, а также «Шацким»; «Шацкий» — ошибка Ахматовой: псевдоним Страховского «Леонид Чацкий»): Leonid I. Strakhovsky. Craftsmen of the Word. Three Poets of Modern Russia. Gumilyov. Akhmatova. Mandelstam. Harvard University Press. Cambridge, Mass., 1949.

ПИСЬМО АЛЕКСИСУ РАННИТУ — 24 мая 1962. О т ч е г о м о и с т и х и к а ж у т с я В а м с и н и м и ?... А. А. Ахматова сочла присланное ей стихотворение А. Раннита «Синий» («Из всех — я синий цвет избрал — / В нем все свиданья наши живы»...) обращенным к ней, хотя это стихотворение отнюдь не об Ахматовой и не о ее стихах. *Почему Вы не прислали мне оригинала своего стихотворения? — Я свободно читаю по-английски.* Ахматова полагала, что А. Раннит — англо-американский поэт. Перевод стихов А. Раннита, посланный А. А. Ахматовой, был сделан Л. А. Алексеевой (см. ниже). В своем письме к А. А. Ахматовой

А. Раннит сообщил о своем разговоре с Вяч. И. Ивановым. В. И. Иванов говорил о том, что рассказ Георгия Иванова (в «Петербургских зимах») о выступлении Ахматовой в «башне» у Вяч. Иванова и о его, Вяч. Иванова, реакции на это выступление — совершенно фантастичен. Писал Раннит А. А. Ахматовой и об ошибках в книге Страховского. А. Раннит просил А. А. Ахматову ответить на ряд его вопросов — важных для написания его работы. Вот вопросы, на которые А. А. Ахматова прислала ответы (из 10 вопросов она ответила на 7): 2. Когда Вы впервые начали писать стихи и где и когда Вами были опубликованы первые Ваши стихотворения? 3. Кто из Вашей семьи покровительствовал Вашим литературным занятиям? Инспирировал Вас? 4. Кто был любимым поэтом Вашей ранней юности и кого из русских поэтов Вы сегодня лично ставите выше всех? 5. Структурные элементы Вашей системы стихосложения находятся в непосредственной зависимости от фонетического строя Вашего языка. Кто из русских поэтов был Вашим учителем в структурном смысле и кто в смысле лингвистическом? (Если их было много, пожалуйста, укажите главных поэтов). 8. Давали ли Вы когда-нибудь Ваши стихи до их опубликования для технической «цензуры» своим друзьям-поэтам и следовали ли Вы их указаниям и критике? Кто были Вашими советниками такого рода? 9. Как долго длится процесс создания Вашего стихотворения? Написаны ли Ваши стихи в большинстве в течение одного дня, одной недели, одного месяца? 10. Что является по Вашему личному мнению специфически техническим или идейным вкладом Вашей поэзии? Что по Вашему мнению было Вами впервые введено в русскую поэзию и чего Ваши критики до сих пор не заметили?

ПИСЬМО АЛЕКСИСУ РАННИТУ — 2 декабря 1962.

Благодарю Вас за Ваши стихи. А. Раннит послал А. А. Ахматовой фотокопии восьми своих стихотворений, опубликованных в «Новом Журнале» в переводе Лидии Алексеевой. *Сборник «В пути» я получила.* Сборник стихов Лидии Алексеевны Алексеевой, русской поэтессы и прозаика. Начала печататься в русской прессе в Белграде. Сотрудник «Нового Журнала» (Нью-Йорк), «Мостов» (Мюнхен), «Граней» (Франкфурт), «Дела» (Сан-Франциско), «Возрождения» (Париж), «Нового Русского Слова» (Нью-Йорк) и других журналов и газет. Вышли книги ее стихов: «Лесное солнце» (Франкфурт, 1954), «В пути» (Нью-Йорк, 1959, 2-е изд. — 1962) и «Прозрачный след» (Нью-Йорк, 1954). В издании Международного Литературного Содружества вышла в 1965 году поэма И. Гундулича «Слезы блудного сына» в переводе Л. Алексеевой.

Алексис Раннит, автор первой вступительной статьи к этому тому нашего собрания сочинений А. Ахматовой, любезно предоставил нам право опубликовать эти письма к нему А. А. Ахматовой, за что мы приносим ему сердечную благодарность.

ПИСЬМО К ДЖАНКАРЛО ВИГОРЕЛЛИ. (1964).
Письмо А. А. Ахматовой к итальянскому писателю Джанкарло Вигорелли, генеральному секретарю Европейского Содружества Писателей (Comunità Europea degli Scrittori), написано ею после получения от Вигорелли извещения о том, что ей, вместе с итальянским поэтом Марио Луци, присуждена международная премия «Этна-Таормина». Письмо это опубликовано (по-итальянски, без указания даты), в журнале *l'Europa Letteraria* (1965, VI, № 33, стр. 16). В декабре 1964 года А. А. Ахматова совершила поездку в Италию, и 12 декабря на торжественной церемонии в городе Таормина (Сицилия) ей была вручена присужденная ей премия. Она побывала также в Риме.

В РЕДАКЦИЮ «НОВОГО МИРА». Это коллективное письмо опубликовано в журн. «Новый Мир», 1962, № 7, стр. 286.

ЗАПОВЕДНИК ИЛИ ТУРБАЗА? Коллективное письмо, протестующее против постройки в окрестностях Пушкинского заповедника туристической базы, опубликовано в «Литературной Газете» 13 мая 1965.

432

ПРИЛОЖЕНИЕ ТРЕТЬЕ

Анкета, составленная К. И. Чуковским, НЕКРАСОВ И МЫ — издана дважды: опубликована в журнале «Летопись Дома Литераторов», 1921, № 3, стр. 3 (в нашем издании мы публикуем ее по журнальному тексту) и — в расширенном виде (добавлены ответы на анкету Н. Асеева, М. Волошина, М. Герасимова, В. Кириллова, В. Крайского, И. Садофьева, Ф. Сологуба и Н. Тихонова) — в книге: К. Чуковский. Некрасов. Статьи и материалы. Изд. «Кубуч», Ленинград, 1926, стр. 388—395.

ПРИЛОЖЕНИЕ ЧЕТВЕРТОЕ

НИКИТА СТРУВЕ. ВОСЕМЬ ЧАСОВ С АННОЙ АХМАТО-ВОЙ. Печатается в нашем издании впервые.

ПРИЛОЖЕНИЕ ПЯТОЕ

ОТКЛИКИ НА СМЕРТЬ А. А. АХМАТОВОЙ. Перепечата-ны из парижского журнала «Вестник Русского Студен-ческого Христианского Движения», № 80, янв.—февр. 1966, стр. 49—52. Вступительная заметка и примечания также принадлежат редакции журнала и нами перепечатаны.

ПРИЛОЖЕНИЕ СЕДЬМОЕ

БИБЛИОГРАФИЯ

Этот достаточно обширный свод библиографических сведений не может считаться, тем не менее, исчерпывающей библиографией: несомненно в наш свод включено немало статей, содержащих более или менее случайные упоминания Ахматовой, ее творчества, ее переводов, ее жизни, и нами упущены многие статьи о творчестве Ахматовой, особенно из числа тех, которые были опубликованы в мало доступных и просто недоступных для нас провинциальных русских журналах и газетах. Не может претендовать на полноту и раздел переводов Ахматовой на другие языки — и тех переводов, которые сделала Ахматова с других языков. Весьма неполной является и библиография статей об Ахматовой иноязычных. Тем не менее, мы полагаем, что в качестве первого опыта наша библиотрафия может быть полезной изучающим жизнь и творчество большого русского поэта.

ИЗДАНИЯ КНИГ АННЫ АХМАТОВОЙ

СТИХИ

ВЕЧЕР. Стихи. (Предисловие М. Кузмина. Обложка С. Городецкого. Фронтиспис Е. Лансере). Изд. «Цех Поэтов», СПб., 1912, 92 стр. Тираж — 300.

ЧЕТКИ. Изд. «Гиперборей», СПб., 1913, 120 стр.
    Изд. «Гиперборей», Петроград, 1914, 120 стр.
    Стихи. Изд. 2, «Гиперборей», Петроград, 1915, 138 стр.
    Стихи. Изд. 3, «Гиперборей», Петроград, 1916, 132 стр.
    Стихи. Изд. 4, «Гиперборей», Петроград, 1916, 132 стр.
        Тираж — 2.000.
    Стихотворения. Изд. 5, «Прометей», Петроград, 1918, 134 стр.
    Стихи. Изд. «Акмэ» и «Книжный Посредник», Баку, 1919, 130 стр.
    Изд. С .Ефрон, Берлин, (1919), 118 стр.

Стихи. Изд. С. Ефрон, Берлин, 1920, 118 стр.

Изд. 8, «Алконост», Петербург, 1922, 126 стр.

Стихотворения. Книга 1. Изд. 9, дополненное, «Петрополис» и и «Алконост», Петербург — (Берлин), 1923 (фактически — 1922), 114 стр. + портрет работы Н. Альтмана.

Во всех изданиях «Четок» в конце включена отдельным разделом книга «Вечер», с изъятием некоторых стихов этой книги.

БЕЛАЯ СТАЯ. Стихотворения. Изд. «Гиперборей», Петроград, 1917, 142 стр. Тираж — 2.000.

Стихотворения. Изд. 2, «Прометей», СПб., 1918, 142 стр.

Избранные стихотворения. Изд. «Кавказский Посредник», Тифлис, 1919, 34 стр.

Стихотворения. Изд. 3, «Алконост», Петербург, 1922, 124 стр.

Стихотворения. Книга 2. Изд. 4, дополненное, «Петрополис» и «Алконост», Петербург — (Берлин), 1923 (фактически — 1922), 142 стр.

В 1, 2 и 4-м изданиях в книгу последним разделом включена поэма «У самого моря».

У САМОГО МОРЯ. Изд. «Алконост», Петербург, 1921, 36 стр. Тираж — 3.000.

ПОДОРОЖНИК. Стихотворения. (Обложка и фронтиспис М. Добужинского). Изд. «Петрополис», Петроград, 1921, 60 стр. Тираж — 1.000.

12 СТИХОТВОРЕНИЙ ИЗ «ПОДОРОЖНИКА». (Загреб), 1922, 16 стр. (На правах рукописи).

ANNO DOMINI MCMXXI. Изд. «Петрополис», Петербург, 1921 (на обложке — 1922), 102 стр. Тираж — 2.000.

Anno Domini. Стихотворения. Книга 3. Изд. 2, дополненное, «Петрополис» и «Алконост», Петербург — (Берлин), 1923 (фактически — 1922), 106 стр. + портрет работы Ю. Анненкова.

Оба издания включают в конце книги, в качестве последнего раздела, «Подорожник», а второе издание — в качестве первого раздела — «Новые стихи».

ИЗ ШЕСТИ КНИГ. Стихотворения. Изд. «Советский Писатель», Ленинград, 1940, 327 стр. + портрет работы

Н. Тырсы. Тираж — 10.000. (Включает книгу «Ива», 1940, и стихи из книг «Anno Domini», «Подорожник», «Белая стая», «Четки» и «Вечер»).

ИЗБРАННОЕ. Стихи. Составил К. Зелинский. Изд. «Советский Писатель», (Ташкент), 1943, 114 стр. Тираж — 10.000.

ИЗБРАННЫЕ СТИХИ. Библиотека «Огонек», изд. «Правда», Москва, 1946, 48 стр. Тираж — 100.000.

СТИХОТВОРЕНИЯ. 1909—1945. ГИХЛ, Москва-Ленинград, 1946, 340 стр. Тираж — 10.000.
Сборники 1946 г. ф а к т и ч е с к и в продажу не поступили и бо́льшая часть их тиража была уничтожена — в связи с постановлением ЦК ВКП(б) о журналах «Звезда» и «Ленинград».

ИЗБРАННЫЕ СТИХОТВОРЕНИЯ. (С редакционной вступит. статьей «Анна Ахматова»). Изд. им. Чехова, Нью-Йорк, 1952, Х + 262 стр. (Неряшливо изданное повторение сборника «Из шести книг», с добавлением в качестве первого раздела книги «Стихотворений периода Второй мировой войны»).

СТИХОТВОРЕНИЯ. Под общей редакцией А. А. Суркова. ГИХЛ, Москва, 1958, 131 стр. Тираж — 25.000. (Включает и избранные переводы).

СТИХОТВОРЕНИЯ. (1909—1960). Библиотека Советской Поэзии. ГИХЛ, Москва, 1961, 319 стр. + портрет. (Послесловие А. Суркова). Тираж — 50.000.

ПЯТЬДЕСЯТ СТИХОТВОРЕНИЙ. Составил Никита Струве. Ротаторное изд. YMCA, Париж, 1963, 54 стр.

РЕКВИЕМ. Изд. Т(оварищества) З(арубежных) П(исателей), Мюнхен, 1963, 23 стр. + портрет работы С. Сорина.

БЕГ ВРЕМЕНИ. Стихотворения. Вечер. Четки. Белая стая. Подорожник. Anno Domini. Тростник. Седьмая книга. 1909—1965. (На суперобложке портрет работы Амедео Модильяни). Изд. «Советский Писатель», Москва-Ленинград, 1965, 471 стр. Тираж — 50.000.

Двуязычные издания:

POESIE. A cura di Raissa Naldi. Presentazione di Ettore Lo Gatto. Nuova Accademia, Milano, 1962, 214 pp. (67 стихотворений и отрывок из «У самого моря»).

REQUIEM. Uebertragung aus dem Russischen: Marie von Holbeck. Possev-Verlag, Frankfurt/M., 1964, 37 SS. + Bildnis.

POEMA SENZA EROE E ALTRE POESIE (Collezione di poesia 33). Prefazione e traduzione di Carlo Riccio. Torino, Giulio Einaudi editore, 1966, 180 pp.

REEKVIEM. Tolkinud Marie Under. Aleksis Ranniti sissejuhatav essee ja François Mauriac'i epiloog. S. L. Hollerbachi kaanekujundus. A. Ahmatova ja M. Underi originaalülesvotted. A. Ranniti kogust. Inter-Language Literary Associates, 1967, 78 pp.

REKVIEMS. Tulkojis Peteris Aigars. Ar Petera Aigara ievadu. Fransua Moriaka izsana. S. L. Hollerbacha grafiska apdare. Ar A. Achmatovas ǧimetni. E. Žiglevices redakcija, Inter-Language Literary Associates, 1967, 76 pp.

ПЕРЕВОДЫ В СТИХАХ

КОРЕЙСКАЯ КЛАССИЧЕСКАЯ ПОЭЗИЯ. Переводы А. Ахматовой. Общая редакция и примечания А. А. Холодовича. ГИХЛ, Москва, 1956, 258 стр. Тираж — 35.000.
Изд. 2, дополненное, ГИХЛ, Москва, 1958, 319 стр. Тираж — 25.000.

ГОЛОСА ПОЭТОВ. Стихи зарубежных поэтов в переводе А. Ахматовой. Предисловие А. Тарковского. Редактор М. Зенкевич. Серия «Мастера поэтического перевода», изд. «Прогресс», Москва, 1965, 174 стр.

ЛИРИКА ДРЕВНЕГО ЕГИПТА. Перевод А. Ахматовой и Веры Потаповой. Составление, вступит. статья, подстрочные переводы и примечания И. Кацнельсона. Художник Ф. Константинов. ГИХЛ, Москва, 1965, 158 стр. Тираж — 25.000.

Джакомо ЛЕОПАРДИ. Л и р и к а. Переводы А. Ахматовой и А. Наймана. Предисловие и примечания Н. Томашевского. Художник О. Бургункер. ГИХЛ, Москва, 1967, 130 стр. Тираж — 50.000.

440

ПЕРЕВОДЫ В ПРОЗЕ

П. П. РУБЕНС. П и с ь м а. Перевод А. Ахматовой. Вступит. статья В. Н. Лазарева. Изд. «Academia», Ленинград, 1933.

ПУБЛИКАЦИИ В СОБРАНИЯХ СОЧИНЕНИЙ И КНИГАХ РАЗНЫХ АВТОРОВ, АНТОЛОГИЯХ, АЛЬМАНАХАХ, СБОРНИКАХ

СТИХИ

АБРАКСАС. (Кн. 1). Литературно-художественный альманах. Редакция О. Тизенгаузена, при ближайшем участии М. Кузмина и А. Радловой. Петербург, октябрь 1922 («За озером луна остановилась»).

АЛЬМАНАХ МУЗ. Изд. «Фелана», Петроград, 1916, стр. 21— 24 («Ты мне не обещан ни жизнью, ни Богом», «Под крышей промерзшей пустого жилья», «Из памяти твоей я выну этот день», «Муза ушла по дороге»).

АЛЬМАНАХИ СТИХОВ, в ы х о д я щ и х в П е т р о г р а - д е п о д р е д а к ц и е й Д м и т р и я Ц е н з о р а. Изд. «Цевница», Петроград. Выпуск 1, 1915 («Тяжела ты, любовная память»).

АНТОЛОГИЯ РУССКОЙ СОВЕТСКОЙ ПОЭЗИИ в 2 томах. 1917—1957. Том 1. ГИХЛ, Москва, 1957, стр. 318—328 («Сказал, что у меня соперниц нет», «Хорошо здесь: и шелест и хруст», «Здесь Пушкина изгнанье началось», «Воронеж», «Годовщину веселую праздную», «Мне ни к чему одические рати», «Маяковский в 1913 г. », «Первый дальнобойный в Ленинграде», «Клятва», «Щели в саду вырыты», «Мужество», «Многое еще, наверно, хочет», Отрывки из «Поэмы (без героя)», «С самолета», «И как всегда бывает в дни разрыва», «А вы, мои друзья последнего призыва», «Памяти друга», «В Пионерлагере» («Как будто заблудившись в нежном лете»), «Песня мира», «Говорят дети», «Приморский парк Победы»).

АПОЛЛОН. Литературный альманах. Изд. «Аполлон», СПб., 1912, стр. 42—44 (В Царском Селе: «По аллеям проводят лошадок», «А там мой мраморный двойник»; «О не

вздыхайте обо мне», «Маскарад в парке»).
Изд. 2, стереотипное, «Аполлон», СПб., 1914, стр. 42—44
(см. выше).

В ГОД ВОЙНЫ. Артист — солдату. Сборник. Под ред.
Л. Ю. Рахмановой и А. В. Руманова. Петроград, 1915
(«Целый год ты со мной неразлучен»).

В ТЫЛУ. Литературно-художественный альманах кассы
«Взаимопомощь» студентов Рижского Политехнического
института. Изд. бывш. М. В. Попова, Петроград, 1915,
стр. 13—14 ((Июль 1914: «Можжевельника запах сладкий», «Пахнет гарью. Четыре недели»; «Утешение»).

ВЕСЕННИЙ САЛОН ПОЭТОВ. Изд. «Зерна», Москва, 1918
(Июль 1914: «Можжевельника запах сладкий», «Пахнет
гарью. Четыре недели»; «Утешение», «Тот голос, с ти-
шиной великой споря», «Из памяти твоей я выну этот
день»).

ВО ВЕСЬ ГОЛОС. (Двуязычное издание). Soviet Poetry. Com-
piled by Vladimir Ognev. Biographical notes and commentary
by Nina Shulgina. Progress Publishers, Moscow, (1966), pp.
86—93 (Читая Гамлета: «У кладбища направо пылил
пустырь», «И как будто по ошибке»; «Сероглазый король», «Двадцать первое. Ночь. Понедельник», «Мне голос был. Он звал утешно», «Сказал, что у меня соперниц нет», «Чугунная ограда», «Мне ни к чему одические
рати», «И как всегда бывает в дни разрыва», «Первый
дальнобойный в Ленинграде», «Мужество», «Есть три
эпохи у воспоминаний», «И сердце то уже не отзо-
вется»).

ВОЗДУШНЫЕ ПУТИ. Альманах (I). Ред.-изд. Р. Н. Гринберг,
Нью-Йорк, 1960, стр. 5—42 («Поэма без героя»).

ВОЗДУШНЫЕ ПУТИ. Альманах II. Ред.-изд. Р. Н. Гринберг,
Нью-Йорк, 1961, стр. 111—152 («Поэма без героя», другая редакция).

ВОЗДУШНЫЕ ПУТИ. Альманах III. Ред.изд. Р. Н. Гринберг,
Нью-Йорк, 1963, стр. 9—10 («Нас четверо» [Комаровские
кроки], «Невидимка, двойник, пересмешник»).

ВОЗДУШНЫЕ ПУТИ. Альманах IV. Ред.-изд. Р. Н. Гринберг, Нью-Йорк, 1965, стр. 41 (окончание стих. «Воронеж»).

ВОЙНА В РУССКОЙ ПОЭЗИИ. Стихотворения. Составила Анастасия Чеботаревская. Предисловие Федора Сологуба. Изд. бывш. М. В. Попова, Петроград, 1915 («Утешение», «Молитва»).

ГРАЖДАНСКАЯ И ОТЕЧЕСТВЕННАЯ ВОЙНА В ПОЭЗИИ. Сборник. ОГИЗ, Киров, 1942, стр. 52—53 («Мужество»).

ДЕНЬ ПОЭЗИИ. 1956. Изд. «Московский Рабочий», Москва, 1965, стр. 9 («Есть три эпохи у воспоминаний»).

ДЕНЬ ПОЭЗИИ. 1962. Изд. «Советский Писатель», Москва, 1962, стр. 43 («К поэме» — из 2-й части «Поэмы без героя»).

ДЕНЬ ПОЭЗИИ. 1962. Изд. «Советский Писатель», Москва-Ленинград, 1962, стр. 26—28 («Тысяча девятьсот тринадцатый год» — отрывок из «Поэмы без героя»).

ДЕНЬ ПОЭЗИИ. 1963. Изд. «Советский Писатель», Москва, 1963, стр. 84—91 («Поэма без героя» — 1-я часть, с пропусками).

ДЕНЬ ПОЭЗИИ. Изд. 1964. «Советский Писатель», Москва 1964, стр. 61—62 (Полночные стихи: «Вместо посвящения», «Предвесенняя элегия», «Первое предупреждение», «Тринадцать строчек», «Зов», «Ночное посещение», «И последнее»; Отрывок [из 2-й части «Поэмы без героя»]).

ДЕНЬ ПОЭЗИИ. 1964. Изд. «Советский Писатель», Ленинград, 1964, стр. 22—24 (Из цикла «Песенки»: «Голос из темноты», «Лишняя», «Прощальная», «Услаждала бредами»).

ДЕНЬ ПОЭЗИИ. 1966. Изд. «Советский Писатель», Ленинград, 1966, стр. 48—50, 52 («Комаровские наброски», «Вот она, плодоносная осень», «Приморский сонет», «В Выборге», «Земля, хотя и не родная», «Памяти М. Б-ва», «М. Л. Лозинскому»).

ДОМ ИСКУССТВ. № 1, Петербург, 1921, стр 4 («Чем хуже этот век предшествующих?»)

ЖАТВА. Альманах. Книга 4. Ред. А. А. Смирнов. Изд. «Жатва», Москва, 1913 (Отрывок [«И кто-то во мраке дерев незримый»], «Протертый коврик под иконой», «Безвольно пощады просят»).

ЖЕМЧУЖИНЫ РУССКОГО ПОЭТИЧЕСКОГО ТВОРЧЕСТВА. Избранные стихотворения от конца 18-го века и до нашего времени. Составил Т. А. Березний. Изд. Общества Друзей Русской Культуры, Нью-Йорк, 1964, стр. 256—262 («Сжала руки под темной вуалью», «Помолись о нищей, о потерянной»; В Царском Селе: «Смуглый отрок бродил по аллеям»; «Белой ночью», «Колыбельная», «На пороге белом рая», «Причитание», «Теперь никто не станет слушать песен», «И упало каменное слово» — из «Реквиема», «Ива», «Мужество»).

ЖЕНСКАЯ ЛИРИКА. Изд. «Мысль», Берлин, 1923.

ЗА РОДИНУ! ЗА СТАЛИНА! Изд. «Правда», Москва, 1942 («Мужество»).

ЗАВТРА. Литературно-критический сборник под ред. Е. Замятина, М. Кузмина и М. Лозинского. Кн. 1. Изд. «Петрополис», Берлин, 1923, стр. 15 («Бежецк»).

ЗАПИСКИ МЕЧТАТЕЛЕЙ. Кн. 4. Изд. «Алконост», Петербург, 1921, стр. 16—20 («Страх, во тьме перебирая вещи», «Пока не свалюсь под забором», «Кое-как удалось разлучиться», «А, ты думал — я тоже такая», «Спутник милый, ты далече»).

ИВАНОВ Георгий. П е т е р б у р г с к и е з и м ы. Изд. «Родник», Париж, 1928, стр. 66 («И для кого эти бледные губы»). Изд. 2, Изд. им. Чехова, Нью-Йорк, 1953.

ИЗБРАННЫЕ СТИХИ РУССКИХ ПОЭТОВ. Серия сборников по периодам. Период 3, выпуск 2 (Блок-Шагинян). СПб., 1914 («Музе», «Любовь» [«То змейкой, свернувшись клубком»], «Рыбак», «Кукушка» [«Я живу как кукушка в часах»], «Сердце к сердцу не приковано», «Сжала руки под темной вуалью»; В Царском Селе: «По аллее проводят лошадок»; Обман: «Синий вечер. Ветры кротко стихли»; «Песня последней встречи», «Надпись на неоконченном портрете» [«О, не вздыхайте обо мне»], «Хорони, хорони веня, ветер», «Cabaret artistique» [«Все мы бражники здесь, блудницы»]).

КООПЕРАТИВНЫЙ КАЛЕНДАРЬ НА 1919 ГОД. Изд. Все-российского Союза Потребительских Обществ, Москва, 1918 («Молитва»).

ЛЕНИНГРАД В ПОЭЗИИ. Составители Т. и Н. Верзилины. Детгиз, Ленинград, 1957, стр. 179—180 («Приморский парк Победы»).

ЛЕНИНГРАДСКИЙ АЛЬМАНАХ. (Кн. 1). Лениздат, 1945, стр. 209—212 (Шаг времени: «Предыстория», «На Смоленском», «Юность», «Тысяча девятьсот тринадцатый» — отрывок из «Поэмы без героя»).

ЛЕНИНГРАДСКИЙ АЛЬМАНАХ. Книга 9. Ленинград, 1954, стр. 144—145 («Говорят дети», «Приморский парк Победы»).

ЛИРИЧЕСКИЙ КРУГ. Страницы поэзии и критики. № 1. Изд. «Северные Дни», Москва, 1922, стр. 7 («Я с тобой, мой ангел, не лукавил»).

ЛИТЕРАТУРНАЯ МОСКВА. 1956. (Сборник 1). ГИХЛ, Москва, 1956, стр. 537—539 («Петроград. 1916» [отрывок из «Поэмы без героя»], «Азия» — три отрывка из цикла «Луна в зените»).

ЛИТЕРАТУРНАЯ МЫСЛЬ. Книга 1. Изд. «Мысль», Петроград, 1922, стр. 5 («Небывалая осень построила купол высокий»).

ЛИТЕРАТУРНАЯ МЫСЛЬ. Книга 2. Изд. «Мысль», Петроград, 1923 (фактически - 1922), стр. 5 («Слух чудовищный бродит по городу»).

МАЯКОВСКОМУ. Сборник воспоминаний и статей. Составили В. Азаров и С. Спасский. ГИХЛ, Ленинград, 1940, стр. 15 («Маяковский в 1913 г.»).

МЫСЛЬ. Литературно-художественный альманах. Кн. 1. Изд. «Революционная Мысль», Петроград, 1918, стр. 90 («Почернел, искривился бревенчатый мост»).

НАШ СОВРЕМЕННИК. Альманах. 1960, № 3, стр. 178—179 («Все это разгадаешь ты один», «Портрет автора в молодости» [«Он не траурный, он не мрачный»], «Где на четырех высоких лапах»; Из цикла «Тайны ремесла»:

«Про стихи», «Читатель», «Первое возвращение» [«На землю саван тягостный возложен»]).

НАШ СОВРЕМЕННИК. Альманах. 1961, № 6, стр. 138—139 (Ночные видения: «Прямо под ноги пулям», «Над мертвой медузой»; «Конец демона»).

НЕВСКИЙ АЛЬМАНАХ. Жертвам войны-писатели и художники. (Вып. 1). Общество русских писателей для помощи жертвам войны. Петроград, 1915, стр. 11 («Был он ревнивым, тревожным и нежным»).

ОЗЕРОВ Лев. Работа поэта. Книга статей. Изд. «Советский Писатель», Москва, 1963, стр. 183 («Музыка», первая ред. стих.).

ОТЗВУКИ ВОЙНЫ. Литературно-художественный альманах. Под ред. Ю. Зубовского. Книга 1. Изд. П. Носенко, Киев, 1914 («Утешение»).

ПАВЛОВСКИЙ А. И. Анна Ахматова. Очерк творчества. Лениздат, 1966, стр. 161, 160, 154, 163—164, 173 (отрывки из «Поэмы без героя»).

ПАРФЕНОН. Сборник 1. Под ред. А. Л. Волынского. Изд. «ОПОЯЗ» и «Парфенон», СПб., 1922 («Как мог ты, сильный и свободный»).

ПЕСНЬ ЛЮБВИ. Лирика русских поэтов. Составление и примечания Светланы Магидсон, под ред. Л. Озерова. Изд. «Молодая Гвардия», Москва, 1967, стр. 246—249 («Рыбак»; «Полночные стихи» — весь цикл).

ПЕТЕРБУРГ В СТИХОТВОРЕНИЯХ РУССКИХ ПОЭТОВ. Под ред. Гл. Алексеева. Изд. «Север», Берлин, 1923, стр. 20, 43, 45, 93 («Был блаженной моей колыбелью», «Вновь Исакий в облаченьи», «Сердце бьется ровно, мерно», «Тот август, как желтое пламя»).

ПЕТЕРБУРГСКИЙ СБОРНИК. 1922. Поэты и беллетристы. Изд. журнала «Летопись Дома Литераторов», Петербург, 1922, стр. 9 («В тот давний год, когда зажглась любовь»).

ПОЭЗИЯ В БОЮ. Стихи о Великой Отечественной войне. Воениздат СССР, Москва, 1959, стр. 53—54 («Мужество», «Клятва»).

ПОЭЗИЯ РЕВОЛЮЦИОННОЙ МОСКВЫ. Под ред. И. Эренбурга. Изд. «Мысль», Берлин, стр. 14 («Чем хуже этот век предшествующих?»).

ПОЭТЫ МИРА В БОРЬБЕ ЗА МИР. Под ред. С. Я. Маршака, К. М. Симонова и А. А. Суркова. ГИХЛ, Москва, 1951, стр. 39—40 («Прошло пять лет и залечила раны»).

ПРИГЛУШЕННЫЕ ГОЛОСА. Поэзия за железным занавесом. Составитель Владимир Марков. Изд. им. Чехова, Нью-Йорк, 1952, стр. 37—45 («Теперь никто не станет слушать песен», «Когда в тоске самоубийства», «Чем хуже этот век предшествующих?», «Не бывать тебе в живых», «Не с теми я, кто бросил землю», «Я с тобой, мой ангел, не лукавил», «Земной отрадой сердца не томи», «Клевета», «Муза», «Когда человек умирает», «Тот город, мной любимый с детства», «Знаешь сам, что не стану славить»).

ПРЯНИК ОСИРОТЕВШИМ ДЕТЯМ. Сборник в пользу убежища «Детская Помощь». Ред.-изд. А. Д. Барановская. Петроград, 1916, стр. 30 («Я не знаю, ты жив или умер»).

ПУШКИНСКИЙ АЛЬМАНАХ. Литературный вечер, посвященный столетней годовщине выхода в свет первого сборника стихотворений А. С. Пушкина (СПб., 1826), в ГАБТ, Москва, зал им. Бетховена. Изд. Русского Общества Друзей Книги, Москва, 1926 («Смуглый отрок бродил по аллеям»).

РАДУГА. Русские поэты для детей. (Составил Саша Черный). Изд. «Слово», Берлин, 1922 («Мурка, не ходи — там сыч»).

РУССКАЯ ЛИРИКА. Маленькая антология от Ломоносова до Пастернака. Составил кн. Д. Святополк-Мирский. Изд. «Франко-Русская Печать», Париж, 1924 («Вечером» [«Звенела музыка в саду»], «Настоящую нежность не спутаешь», «Чем хуже этот век предшествующих?»).

РУССКАЯ ЛИРИКА от Жуковского до Бунина. Избранные стихотворения. Составил А. А. Боголепов. Изд. им. Чехова, Нью-Йорк, 1952, стр. 395—403 (В Царском селе: «Смуглый отрок бродил по аллеям»; «Сжала руки под темной вуалью», «Белой ночью», «Настоящую нежность не спутаешь», «Сколько просьб у любимой всегда», «Я улыбаться перестала», «Молитва», «Эта встреча никем не воспета», «О нет, я не тебя любила», «Ты всегда таинственный и новый», «Просыпаться на рассвете», «От любви твоей загадочной», «И упало каменное слово» — из «Реквиема», «Лотова жена», «Тот город, мной любимый с детства», «Ива», «Мужество»).

РУССКАЯ ЛИТЕРАТУРА XX ВЕКА. (Дореволюционный период). Хрестоматия. Составил Н. А. Трифонов. Учпедгиз, Москва, 1962, стр. 440—443 («Рыбак», «Смуглый отрок бродил по аллеям», «Я научилась просто, мудро жить», «Песня последней встречи», «Настоящую нежность не спутаешь», «Ты письмо мое, милый, не комкай», «Столько просьб у любимой всегда», «Я не знаю, ты жив или умер», «Широк и желт вечерний свет», «Царскосельская статуя»).

РУССКАЯ ПОЭЗИЯ XX ВЕКА. Антология русской лирики от символистов до наших дней. Составили И. С. Ежов и Е. И. Шамурин. Изд. «Новая Москва», Москва, 1925 («Рыбак», «Вечером» [«Звенела музыка в саду»], «После ветра и мороза было», «В последний раз мы встретились тогда», «Каждый день по новому тревожен», «Ты знаешь, я томлюсь в неволе», «Слаб голос мой, но воля не слабеет», «Ты письмо мое, милый, не комкай», «Помолись о нищей, о потерянной», «Вечерние часы перед столом», «Память о солнце в сердце слабеет», «Туманом легким парк наполнился», «Нам свежесть слов и чувства простоту», «Вместо мудрости — опытность, пресное», «Он длится без конца — янтарный, тяжкий день», «Я слышу иволги всегда печальный голос», «Широк и желт вечерний свет», «От любви твоей загадочной», «Долгим взглядом твоим истомленная», «О, жизнь без завтрашнего дня», «Чугунная ограда», «Зажженных рано фонарей», «Страх, во тьме перебирая вещи», «Тебе покорной? Ты сошел с ума», «Проводила друга до передней», «Просыпаться на рассвете», «Перед весной бывают дни такие», «Колыбельная», «Уединение», «Песня о песне», «Памяти 19 июля 1914», «Все расхищено, предано, продано»).

448

РУССКИЙ ПАРНАС. Антология. Составили А. и Д. Элиасберг. Изд. Insel Verlag, Leipzig, 1920 («Царское Село»,
«Вместо мудрости — опытность, пресное», «19 июля
1914»).

СБОРНИК СТИХОВ. ОГИЗ, Москва, 1943 («Мужество»).

СВИРЕЛЬ ПАНА. № 1, Москва, 1923 («Многим»).

СВЯЩЕННАЯ ВОЙНА. Стихи о Великой Отечественной
войне. ГИХЛ, Москва, 1966, стр. 55—56 («Клятва», «Первый дальнобойный в Ленинграде», «Мужество», «Памяти
друга»).

СЕВЕРНОЕ УТРО. Сборник 1. Петербург, 1922 («Что ты
бродишь, неприкаянный»).

СКРИЖАЛЬ. Сборник 1. Редактор Д. Марьянов. Петроград, 1918, стр. 17—18 («Последнее письмо» [«О, спутник
мой неосторожный»]).

СОВРЕМЕННАЯ ВОЙНА В РУССКОЙ ПОЭЗИИ. (Выпуск
1). На помощь Польше. Петроград, 1915 («Утешение»).

СОВРЕМЕННЫЕ РУССКИЕ ЛИРИКИ. 1907—1912. Стихотворения. Составил Е. Штерн. Изд. А. Л. Попова, СПб.,
1913 («Любовь» [«То змейкой...»], «В Царском Селе»
[«Смуглый отрок бродил по аллеям»], «Сжала руки под
темной вуалью», «Белой ночью», «Сероглазый король»).

СТИХИ 1956 ГОДА. Составители: В. Казин, Б. Слуцкий,
Н. Старшинов, В. Субботин. ГИХЛ, Москва, 1957, стр.
16—17 («Азия» — три отрывка из цикла «Луна в зените»).

СТРАНИЦЫ ЛИРИКИ. Избранные стихи современных руских поэтов. Собрал А. Дерман. Русское книгоиздатель-
ство в Крыму, Симферополь, 1920, стр. 7—10 («Когда о
горькой гибели моей», «Двадцать первое. Ночь. Понедельник», «Тяжела ты, любовная память», «Молитва»).

СТРЕЛЕЦ. Сборник 3 и последний. Под ред. А. Беленсона.
Изд. «Стрелец», СПб., 1922, стр. 52—53 (Из Книги Бытия: «И встретил Иаков в долине Рахиль»).

ТРИНАДЦАТЬ ПОЭТОВ. Петроград, 1917, стр. 5—6 («Все

отнято: и сила и любовь», «Не страсти и не печали», «Бессмертник сух и розов», «Еще весна таинственная млела», «Как страшно изменилось тело»).

УТРЕННИКИ. Книга 1. Под ред. Д. А. Лутохина. Изд. М. С. Кауфмана, Петербург, 1922 («Земной отрадой сердца не томи»).

ФЕНИКС. Сборник художественно-литературный, научный и философский. Книга 1. Изд. «Костры», Москва, 1922 («Повсюду клевета сопутствовала мне»).

ЦАРСКОЕ СЕЛО В ПОЭЗИИ. Редакция Н. О. Лернера. Вступит. статья Э. Ф. Голлербаха. Изд. «Парфенон», СПб., 1922 (В Царском Селе: «А там мой мраморный двойник», «Смуглый отрок бродил по аллеям»; «Царскосельская статуя»).

ЧЕРНОВ А. И. Народные руские песни и романсы. Том 2. Изд. А. И. Чернова, Нью-Йорк, 1953, стр. 304 («Темнеет дорога приморского сада» — стихи Ахматовой в переработке (!) А. Вертинского).

ЧТЕЦ-ДЕКЛАМАТОР. Сборник. Составил Шемякин. Том 3. СПб., 1913 («Высоко в небе облачко серело», «Дверь полуоткрыта», «Любовь покоряет обманно», «Обман»).

ЧТЕЦ-ДЕКЛАМАТОР. Изд. Н. Н. Мартьянова, Нью-Йорк, (1964?), стр. 22—26 («Я улыбаться перестала», «Молитва», «Тот голос, мной любимый с детства», «Новогодняя баллада», «Смуглый отрок бродил по аллеям», «Из ’Восточной тетради’», Из цикла «Тайны ремесла» [«Одно, словно кем-то встревоженный гром»], «Теперь никто не станет слушать песен»).

ШИПОВНИК. Сборники литературы и искусства под ред. Ф. Степуна. № 1. Изд. «Шиповник», Москва, 1922, стр. 12 («Как люблю, как любила глядеть я»).

ЭРЕНБУРГ И. Портреты русских поэтов. Изд. «Аргонавты», Берлин, 1922, стр. 7—9. Второе изд. — «Первина», Москва, 1923. («Настоящую нежность не спутаешь» «Можжевельника запах сладкий», «Есть в близости людей заветная черта», «Тяжела ты, любовная память», «Чем хуже этот век предшествующих»).

450

ЭРОТИКА В РУССКОЙ ПОЭЗИИ. (Сборник стихов). Редакция и примечания Б. Бродского. Русское Универсальное Издательство, Берлин, 1922, стр. 168—173 (Смятение: «Было душно от жгучего света», «Не любишь, не хочешь смотреть», «Как велит простая учтивость»; «Вечером» [«Звенела музыка в саду»], «Настоящую нежность не спутаешь», «У меня есть улыбка одна», «Мальчик сказал мне: Как это больно», «Гость», «Есть в близости людей заветная черта», «Проплывают льдины, звеня», «Пленник чужой! Мне чужого не надо», «Земная слава, как дым»).

A CENTURY OF RUSSIAN PROSE AND VERSE FROM PUSHKIN TO NABOKOV. Edited by Gleb Struve, Olga Raevsky Hughes, Robert P. Hughes. Harcourt, Brace & World, Inc. New York-Chicago-San Francisco-Atlanta, 1967, pp. 126—140 («У самого моря»).

DAVID Jacques. Anthologie de la poésie russe. T. 2: De 1900 à nos jours. Choix, traduction et commentaires de Jacques David. Stock, Paris, 1948, pp. 98—99. [3 стихотворения].

LA POÉSIE RUSSE. Édition bilingue. Anthologie réunie et publiée sous la direction de Elsa Triolet. Éditions Seghers, Paris, 1965, pp. 283—287 (Traduit par Guilevic). («Сжала руки под темной вуалью», «Песня последней встречи», «Мне голос был. Он звал утешно», «Мне ни к чему одические рати»; Шиповник цветет — Эпилог [«Пусть кто-то еще отдыхает на юге»]).

MODERN RUSSIAN POETRY. An Anthology with verse translations. Edited and with an introduction by Vladimir Markov and Merrill Sparks. The Bobbs-Merrill Co., Inc., Indianapolis-Kansas City-New York, 1967 (двуязычное издание), pp. 256—281 («Пушкин» [«Смуглый отрок бродил по аллеям»], «Песня последней встречи», «Музе», «Он любил три вещи на свете», «Слаб голос мой, но воля не слабеет», «Все мы бражники здесь, блудницы», «Не любишь, не хочешь смотреть», «Вижу выцветший флаг над таможней», «Вечерние часы перед столом», «Цветов и неживых вещей», «Я с тобой не стану пить вино», «Уединение», «Лучше б мне частушки задорно выкликать»,

451

«Молитва», «Есть в близости людей заветная черта», «Под крышей промерзшей пустого жилья», «По твердому гребню сугроба», «Теперь никто не станет слушать песен», «Когда в тоске самоубийства», «И мнится — голос человека», «Для того ль тебя носила», «Чем хуже этот век предшествующих?», «Не бывать тебе в живых», «Муза» [«Когда я ночью жду ее прихода»], «Мне ни к чему одические рати», «Эпиграмма»).

OXFORD BOOK OF RUSSIAN VERSE. Chosen by Hon. Maurice Baring. Second edition supplemented by D. P. Costello. Clarendon Press, Oxford, 1948, pp. 244—246 (3 стихотв.).

THE PENGUIN BOOK OF RUSSIAN VERSE. Introduced and edited by D. Obolensky. With plain prose translations of each poem. Penguin Book, Harmondsworth, Middlesex, 1962, pp. 315—325. Двуязычное издание («Вечером» [«Звенела музыка в саду»], «О тебе вспоминаю я редко», «Есть в близости людей заветная черта», «Стал мне реже сниться, слава Богу»; Июль 1914: «Пахнет гарью. Четыре недели», «Можжевельника запах сладкий»; «Все расхищено, предано, продано», «Бежецк», «Годовщину веселую празднуй», отрывок из «Поэмы без героя», «Таинственной невстречи», «Пусть кто-то еще отдыхает на юге»).

ВОСПОМИНАНИЯ, ЛИТЕРАТУРНЫЕ СТАТЬИ И ВЫСТУПЛЕНИЯ

БЕРГГОЛЬЦ Ольга. Говорит Ленинград. Ленинград, 1946. Перепечатано в книге: Ольга Берггольц. Избранные произведения в 2 томах. Том 2. Проза. ГИХЛ, Ленинград, 1967, стр. 131—132 (Выступление А. А. Ахматовой по радио в сентябре 1941).

ВОЗДУШНЫЕ ПУТИ. Альманах IV. Ред.-изд. Р. Н. Гринберг, Нью-Йорк, 1965, стр. 15—43 («Амедео Модильяни», «Мандельштам. Листки из дневника»).

ДЕНЬ ПОЭЗИИ. 1965. Изд. «Советский Писатель», Москва-Ленинград, 1965, стр. 265—266 («Все было подвластно ему»).

ДЕНЬ ПОЭЗИИ. 1966. Изд. «Советский Писатель», Ленинград, 1966, стр. 51—52 («Слово о Лозинском»).

МАСТЕРА ИСКУССТВА ОБ ИСКУССТВЕ. Москва-Ленинград. Том 1, 1937 (П. П. Рубенс. Пер. А. А. Ахматовой).

МАСТЕРА ИСКУССТВА ОБ ИСКУССТВЕ. Избранные отрывки из писем, дневников, речей и трактатов в 7 томах. Том 3. Под ред. И. А. Цагарелли, А. А. Губера и В. Н. Гращенкова. Изд. «Искусство», Москва, 1967, стр. 163—210. (П. П. Рубенс. Пер. А. А. Ахматовой и М. Я. Варшавской).

ОЗЕРОВ Лев. Р а б о т а п о э т а. Сборник статей. Изд. «Советский Писатель», Москва, 1963, стр. 193—194 (Отрывок из воспоминаний).

ПАВЛОВСКИЙ А. И. А н н а А х м а т о в а. Очерк творчества. Лениздат, 1966, стр. 76—77, прим. (Отрывок из воспоминаний).

ПУШКИН. Временник Пушкинской Комиссии Академии Наук СССР, Институт Литературы. Том 1. Изд. Академии Наук СССР, Москва-Ленинград, 1936, стр. 91—114 («'Адольф' Бенжамена Констана в творчестве Пушкина»).

ПУШКИН. Исследования и материалы. Академия Наук СССР. Институт Русской Литературы (Пушкинский Дом). Том 2. Изд. Академии Наук СССР, Москва-Ленинград, 1958, стр. 185—195 («'Каменный Гость' Пушкина»).

СОВЕТСКИЕ ПИСАТЕЛИ. Автобиографии. Том III. Составители Б. Я. Брайнина и А. Н. Дмитриева. ГИХЛ, Москва, 1966, стр. 30—33 («Коротко о себе»).

ЧУКОВСКИЙ Корней. Н е к р а с о в. Статьи и материалы. Изд. «Кубуч», Ленинград, 1926, стр. 388—394 (Современные писатели о Некрасове [анкета]. Ответы Асеева, А х м а т о в о й, А. Белого, А. Блока, М. Волошина, М. Герасимова, С. Городецкого, М. Горького, Гумилева, Вяч. Иванова, В. Кириллова, В. Крайского, М. Кузмина, В. Маяковского, И. Садофьева, Ф. Сологуба, Н. Тихонова).

Редакторская работа, комментарии, переводы

ПУШКИН А. С. Полное собрание сочинений. Изд. Академии Наук СССР. Томы I-XVII, Москва-Ленинград, 1937—1959. Участие в редактировании. Перевод всех французских текстов в томе I-м. Ряд заметок и комментариев в томах, посвященных переписке Пушкина.

РУКОПИСИ ПУШКИНА. Фототипические издания Академии Наук СССР, Москва-Ленинград, 1935—1936. Участие в редактировании. Часть комментариев.

ПЕРЕВОДЫ В СТИХАХ

АНТОЛОГИЯ АРМЯНСКОЙ СОВЕТСКОЙ ЛИТЕРАТУРЫ. Изд. Айпетрат, Ереван, 1957, стр. 40, 145—146, 467 (А. Исаакян. «Певец, я птица в вышине»; Е. Чаренц. «Эпическое утро»; М. Маркарян: «Так много мы мечтаем», «В родном краю»).

АНТОЛОГИЯ ГРУЗИНСКОЙ ПОЭЗИИ. Под. ред. Н. Заболоцкого и А. Межигорова. ГИХЛ, Москва, 1958, стр. 521—522, 558—559 (И. Гришашвили. «Когда пишу стихи»; М. Квливидзе: «Отец», «Памяти Саят-Нова»).

АНТОЛОГИЯ КИТАЙСКОЙ ПОЭЗИИ. Под ред. Го Мо-Жо и Н. Федоренко. ГИХЛ, Москва, 1957:
    Том 1, стр. 149—162, 199—201 (Цюй-Юань. «Лисао»; Цзя-И. «Плач о Цюй-Юане»).
    Том 2, стр. 300—302 (Ли-Шан-Инь: «Лэюоюань», «Ночью в дождь пишу на север», «Драгоценная цитра»).
    Том 3, стр. 33—35, 95, 132, 146, 226, 234, 251—252 (Мэй-Яо-Чэнь. «Осенний дождь»; Вэн-Тун. «Жизнь в деревне»; Юань-Хао-Вэнь. «Песня в западном тереме»; Чжан-Кэ-цзю. «Осенние думы»; Фо Жоцзинь. «Река Цзюйма-хэ»; Сюй Цю. «Сорванная ветка ивы»; Шэнь-Цинь-ци. «Записки о событиях...»; Юй-Чжи. «Лютый тигр»).

454

АНТОЛОГИЯ ЛАТЫШСКОЙ ПОЭЗИИ. Латгиз, Рига, 1955, стр. 213, 215 (Я. Райнис: «Чаша с драгоценностями», «Щедрая рука»).

АНТОЛОГИЯ ЛАТЫШСКОЙ ПОЭЗИИ в 2 томах. Том 1, ГИХЛ, Москва-Ленинград, 1959, стр. 172—173, 185, 186 (Я. Райнис: «Идущий побеждать», «Щедрая рука», «Чаша с драгоценностями»).

АНТОЛОГИЯ ПОЛЬСКОЙ ПОЭЗИИ в 2 томах. ГИХЛ, Москва, 1963:

Том 1, стр. 341—353, 360 (Ю. Словацкий: «Кулик», «В альбом Марии Водзинской», «Проклятие», «В альбом Зофье Бобровой»).

Том 2, стр. 275—289, 309—316 (М. Павликовская-Ясножевская: «Пернатый», «Ураган», «Ника», «Подснежник», «Смерть Кариатиды», «Недоразумение», «Быть цветком», «Трены Вислянские», «Ива у дороги»; В. Броневский: «Warum?», «Последнее стихотворение», «Аноним», Счастье», «Мария»).

АНТОЛОГИЯ РУМЫНСКОЙ ПОЭЗИИ. ГИХЛ, Москва, 1958, стр. 293—294, 517—518, 520, 528—529 (А. Влахуце. «Справедливость»; А. Тома: «В лесу», «В ожидании», «Скиталец», «К восходу солнца», «Победа луча», «Песня жизни», «С благоговением воспеваю», «Новые люди»).

АНТОЛОГИЯ ТАТАРСКОЙ ПОЭЗИИ. Таткнигоиздат, Казань, 1957, стр. 126—129, 135, 137—138, 143—144, 146, 343 (Г. Тукай: «Осень», «Пара лошадей», «Родной земле», «Надежда», «Колебания и сомнения», «Разбитая надежда»; М. Джалиль. «Костяника»).

АНТОЛОГИЯ ЧЕШСКОЙ ПОЭЗИИ XIX—XX ВЕКОВ в 3 томах. ГИХЛ, Москва, 1959:

Том 1, стр. 219—220, 224, 228—229 (К. Г. Маха: Объяснения к стихам, «В роще вдруг затрепетала», «Ночь», «Дорога из Чехии»).

Том 2, стр. 17, 44—45, 52—54, 103, 108, 111 (С. К. Нейман: «Зимняя ночь», «Понял я твое молчанье», «Полемика»; И. Волькер: «Покорность», «В парке около полудня», «Поэт, уйди!»).

ДЖАЛИЛЬ Муса. М о а б и т с к а я   т е т р а д ь. Стихи.

Москва, 1959 («Зов», «Виденье», «Расплата», «На 'Гелиосе'», «Вечная», «Судьба», «Забытье», «Безумие», «Реквием», «Сигнал. Свободен путь», «Книга»).

БАУМВОЛЬ Рахиль. С т и х о т в о р е н и я. Перевод с еврейского. Изд. «Советский Писатель», Москва, 1958, стр. 46—48, 85, 175 («Бывает раннею весною», «Не знаю, где слова для этого найти», «Светлое место», «Улыбка»).

БЕНГАЛЬСКАЯ ПОЭЗИЯ. ГИХЛ, Москва, 1959, стр. 89—90 (Р. Тагор. «Африка»).

БРОНЕВСКИЙ Владислав. И з б р а н н о е. Москва, 1961 («Warum?», «Последнее стихотворение», «Калине», «Зеленое стихотворение», «Аноним», «Счастье», «Мария»).

ГАЛКИН Самуил. С т и х и. Б а л л а д ы. Д р а м ы. Перевод с еврейского под ред. М. С. Петровых. ГИХЛ, Москва, 1958 («Приникли к моей груди», «Мне звезда отрадна эта», и др.).

ГРИГ Нурдаль. И з б р а н н о е. Перевод с норвежского. Москва, 1956 («Песнь Вардэ», «Герд»).

ГРУЗИНСКАЯ СОВЕТСКАЯ ПОЭЗИЯ. Изд. «Заря Востока», Тбилиси, 1954, стр. 137 (И. Гришашвили. «Фронтовая сестра»).

ГЮГО Виктор. С о б р а н и е с о ч и н е н и й в 15 томах, ГИХЛ, Москва: 1953, 1956:
    Том 1, стр. 404—405, 439—441, 557 («Прощание аравитянки», «Впустите всех детей», «К Л.»).
    Том 3, стр. 5—166 («Марьон Делорм», трагедия).
    Том 12, стр. 310—314 («Несколько слов другому»).
    Том 13, стр. 155, 357, 371—375, 425—426 («Таким мой создан дух», «Двое нищих», «Сватовство Роланда», «Новые дали»).

ГЮГО Виктор. Д р а м ы. Изд. «Искусство», Москва, 1958, стр. 45—194 («Марьон Делорм»).

ДЖАЛИЛЬ Муса. М о и п е с н и. Стихи. Перевод с татарского. Детгиз, Москва, 1956, стр. 131—132, 146—148, 159 («Письмо», «Часы», «Костяника»).

ДЖАЛИЛЬ Муса. М о а б и т с к а я т е т р а д ь. Стихи.

ГИХЛ, Москва, 1957, стр. 43—44, 87—88, 110, 133 («Письмо», «Часы», «Костяника», «После болезни»).

ИБСЕН Генрик. Собрание сочинений в 4 томах. Том 4. Изд. «Искусство», Москва, 1958, стр. 552—553, 559, 584, 592 («Светобоязнь», «В альбом композитора», «Эмме Клингенфельдт», «В этом доме они»).

ИСААКЯН Аветик. Избранные произведения в 2 томах. Том 1, ГИХЛ, Москва, 1958 («Извивается дорога», «С утратой того, что любимо», «Мне сказали: давно умерла твоя мать», «Шумно та звезда упала», «Певец, я птица в вышине», и др.).

ИСААКЯН Аветик. Стихотворения и поэмы. Перевод с армянского. «Библиотека Советской Поэзии», ГИХЛ, Москва, 1960 (см. выше).

ЙОВАНОВИЧ-ЗМАЙ Йован. Стихотворения. ГИХЛ, Москва, 1958, стр. 34—41, 43—44, 91—107 («Навсегда твои заветы», «В твоем взгляде вижу», «Я пришел к тебе, чтоб зори», «Ничего, любовь, ты не забыла», «Мне б твою увидеть руку», «Как твои нарядны сваты», «Как этот мир», «В сердце, что леденело», «В детстве над моей родною кровлей», «С лепестков росистый жемчуг», «Даже радость входит», «Мне безрадостное небо», «Ставят памятники мертвым», «Из чего Ты, Боже, вздумал», «Если близких провожаем», «Видишь ли звезду на небе», «Ах, индиго, сурик, охра», «Я цветы любил когда-то», «Из истерзанного сердца», «Не один, поверь, страдаешь, «Ты мне сказать хотела»).

КАРИМ Фатых. Избранные стихи и поэмы. Перевод с татарского. Таткнигоиздат, Казань, 1957 («На морском берегу»).

КВИТКО Лев. Стихотворения. «Библиотека Советской Поэзии», ГИХЛ, Москва, 1964, стр. 235—236 («С моей страной»).

КВЛИВИДЗЕ М. Надпись на камне. Перевод с грузинского. ГИХЛ, Москва, 1961 («Отец», «Памяти Саят-Нова» . . .).

КВЛИВИДЗЕ М. До востребования. Изд. «Литература и Искусство», Тбилиси, 1964 (см. выше).

457

КИТАЙСКАЯ КЛАССИЧЕСКАЯ ПОЭЗИЯ. (Э п о х а Т а н). ГИХЛ, Москва, 1956, стр. 101—111, 343—345 (Ли-Бо: «Поднося вино», «Песня о восходе и заходе солнца», «Луна над пограничными горами», «Песни на границе», «На западной башне в городе», «Провожая до Балина друга»; Ли-Шан-Инь: «Лэююань», «Ночью в дождь пишу стихи на север», «Драгоценная цитра»).

ЛИТОВСКИЕ ПОЭТЫ XIX ВЕКА. Составление П. Чурлиса. Ред. переводов Л. Озерова. Библиотека Поэта. Большая серия. Изд. «Советский Писатель», Москва-Ленинград, 1962, стр. 274—285 (Л. Малинаускайте-Эгле: «К Неману», «Литовские леса», «Воспоминание о прошлом», «Грусть», «Красавице», «Соловей», «Оните и Иопускас», «Дворянин и мужик»).

ЛУЖАНИН Максим. С т и х и. Переводы с белорусского. Изд. «Советский Писатель», Ленинград, 1952, стр. 28—29, 76—78, 81—82 («Новый город», «Верблюжий караван», «Вечная жизнь»).

МАРКАРЯН Маро. Р а з д у м ь е. Стихи. Перевод с армянского. Изд. Айпетрат, Ереван, 1956 («Богатство», «Персиковое деревцо», «Калитку в милый сад» . . .)

МАРКАРЯН Маро. Л и р и к а. Изд. «Советский Писатель», Москва, 1960 («Как много мы мечтаем», «У радиоприемника», «Богатство», «От твоих тревог и тайной боли», «Персиковое деревцо», «В родном краю», «Калитку в милый сад» . . .)

МАРКИШ Перец. И з б р а н н о е. Москва, 1957 («Капелла», «Твой взгляд», «Забота», «В третий раз», «Идет этот день с золотым решетом», «К Москве» . . .)

МАРКИШ Перец. И з б р а н н ы е п р о и з в е д е н и я в 2 томах. Перевод с еврейского. Том 1. ГИХЛ, Москва, 1960 (см. выше).

ОСЕТИНСКАЯ ЛИТЕРАТУРА. ГИХЛ, Москва, 1952, стр. 98—101, 122, 231, 263, 280, 337, 343 (К. Хетагуров. «Кто ты?»; С. Гадиев: «Чермен», «Ненастье»; Д. Мамсуров. «Я помню»; Г. Кайтуков. «Ребенку исполнился год»; Г. Плиев. «Будто сразу присмирел»; Б. Муртазов. «Ночь»; А. Царукаев: «Летом», «Осень в Урсдоне»).

458

ПАНТ Сумитрандан. И з б р а н н ы е   с т и х и. Перевод с хинди. Изд. Иностранной Литературы, Москва, 1959, стр. 18—19, 31—34, 47—48 («Два мальчугана», «Песня зилота», «Автору 'Анамики'», «Безлюдная долина»).

ПОПОВ Леонид. А л м а з н ы й   к р а й. Перевод с якутского. Изд. «Советская Россия», Москва, 1958, стр. 21—23 («Весна в Якутии», «Утро на Лене»).

ПОЭЗИЯ ЭПОХИ СУН. Перевод с китайского. ГИХЛ, Москва, 1959, стр. 70—71, 101—102, 303—304 (Мэй-Яо-чэнь. «Осенний дождь»; Вень-Тун. «Жизнь в деревне»; Юань-Хао-вень. «Песня в западном тереме»).

ПОЭТЫ ЮГОСЛАВИИ XIX—XX ВЕКОВ. Антология. ГИХЛ, Москва, 1963, стр 34—36, 63—70, 73—75, 90—94, 113, 116, 333—335 (Станко Враз: «Щебеча, овсянка», «На холодный камень»; Бранко Радичевич: «Бедная возлюбленная», «Перед смертью», «Гойко»; Фран Левстик: «Король-беглец», «Часы»; Йован Йованович-Змай: «Ничего, любовь, ты не забыла», «Как этот мир», «С лепестков росистый жемчуг», «Даже радость входит», «Из истерзанного сердца»; Симон Енко: «Юная березка», «Девушка весь вечер»; Десанка Максимович: «Зимним днем», «Счастье», «Вечер»).

РАЙНИС Ян. И з б р а н н ы е   п р о и з в е д е н и я. Библиотека Поэта. Большая серия. Изд. «Советский Писатель», Ленинград, 1953, стр. 157, 160, 184, 209, 299, 303 («Три приметы», «Путь героя», «Идущий побеждать», «Щедрая рука», «Когда ночь», «Чаша с драгоценностями»).

РАЙНИС Ян. И з б р а н н ы е   п р о и з в е д е н и я. Библиотека Поэта. Малая серия. Изд. «Советский Писатель», Ленинград, 1959, стр. 137, 148—149, 151, 169, 189—190, 200, 206, 209, 231—232, 234, 236, 242 («Идущий побеждать», «Сильное поколение», «Три приметы», Щедрая рука», «Salve», «Чаша с драгоценностями», «Старый ларь», «Нет сил терпеть», «Сегодня я окошко не закрою», «Взгляд на прожитое», «Защитник», «Еще великая вера жива», «Нежный свет»).

РЗА Расул. С т и х о т в о р е н и я. «Библиотека Советской Поэзии», ГИХЛ, Москва, 1958 («Ленинград», «Огни зажглись»).

РЗА Расул. **За солнцем.** Стихи. Перевод с азербайджанского. Изд. «Советский Писатель», Москва, 1961 (см. выше).

СЛОВАЦКАЯ ПОЭЗИЯ XIX—XX ВЕКОВ. ГИХЛ, Москва, 1964, стр. 149—153, 156, 160, 381—384 (И. Красно: «Лишь к одной-единой», «Мои песни», «Дождь идет, стучит в стекла», «Баллада», «Песня»; М. Валек. «Прикосновения»).

СЛОВАЦКИЙ Юлиуш. **Избранные сочинения в 2** томах. Том 1. ГИХЛ, Москва, 1960, стр. 79—81, 116—117, 131 («В альбом Марии Водзинской», «Проклятие», «Разлука», «Сонеты I-II Александре Мощенской», «В альбом Зофье Бобровой»).

СОВЕТСКИЕ ПОЭТЫ, ПАВШИЕ НА ВЕЛИКОЙ ОТЕЧЕСТВЕННОЙ ВОЙНЕ. Библиотека Поэта. Большая серия. Изд. «Советский Писатель», Москва-Ленинград, 1965, стр. 257 (Ф. Карим. «На морском берегу»).

ТАГОР Рабиндранат. **Сочинения в 8 томах.** Том 7. ГИХЛ, Москва, 1957, стр. 8, 65—66, 143—144, 146, 148, 176 («Дыхание песни», «Старшая сестра», «Переправа», «Африка», «Чаша та полна страданий», «Когда сквозь сумрак предо мной», «У раскрытого окна»).

ТАГОР Рабиндранат. **Собрание сочинений в 12** томах. ГИХЛ, Москва, 1964:

> Том 7, стр. 10—11, 14—15, 26—28, 62—66 («Всеуничтожение», «Труба», «Беспокойная», «Шекспир», «Юность», «Новый Год»).
>
> Том 8, стр. 53, 153—155, 158—161, 167—182, 407—417 («Чаша та полна страданий», «Чистый», «Золото любви», «Завершение омовения», «Не к месту», «Сын Человеческий», «Паломничество», «Отпусти», «Жилище песни», «В неизменном нашем мирозданьи», «Плоть моя, плененная болезнью», «Когда живую куклу», «Когда к выздоровленью, наконец», «Дверь раствори», «Когда в сетях невыносимых мук», «В переплетеньи мира лесного», «Когда тебя во сне моем не вижу»).

ТУВИМ Юлиан. **Стихи.** Перевод с польского. ГИХЛ, Москва, 1965 («Песенка», «Сказать тебе не смею», «Счастье», «Всё», «Цыганская библия», «Олень», «О сирени», «Ты», «Темная ночь», «Темное небо», «Вечерняя стихия», «Воспоминанье», и др.).

ТУКАЙ Габдулла. С т и х и, п о э м ы и с к а з к и. Таткнигоиздат, Казань, 1958 (см. ниже).

ТУКАЙ Габдулла. И з б р а н н о е в 2 томах. Том 1. Стихотворения и поэмы. Казань, 1960 (см. ниже).

ТУКАЙ Габдулла. С т и х о т в о р е н и я и п о э м ы. Библиотека Поэта. Малая серия. Изд. «Советский Писатель», Москва-Ленинград, 1963, стр. 57—58, 62—63, 88—89, 116—120, 159—160, 180—181, 221—222, 300, 304 («В саду знаний», «О перо!», «Осень», «Родной земле», «Пара лошадей», «Надежда», «Колебания и сомнения», «Разбитая надежда», «В школе», «Летом»).

ФРАНКО Иван. С т и х о т в о р е н и я. Библиотека Поэта. Малая серия. Изд. «Советский Писатель», Ленинград, 1941 («Увядшие листья» . . .).

ФРАНКО Иван. С о ч и н е н и я в 10 томах. ГИХЛ, Москва, 1958:
    Том 7, стр. 235—292 («Увядшие листья»).
    Том 8, стр. 300 («Сердцем молил Моисей»).

ФРАНКО Иван. С т и х о т в о р е н и я и п о э м ы. Библиотека Поэта. Большая серия. Изд. «Советский Писатель», Ленинград, 1960, стр. 69—77, 121—176, 301, 303 (17 «Свободных сонетов», «Увядшие листья», «Две дороги», «Наука»).

ХАГЕРУП Ингер. С т и х о т в о р е н и я. Переводы с норвежского. ГИХЛ, Москва, 1956, стр. 21, 25—28, 34, 46 («Карин Бойе», «Норвежская рождественская песня», «Нурдаль Григ», «Прелюдия», «Ты хотел»).

ХАРИК Изи. С т и х и и п о э м ы. Перевод с еврейского. Изд. «Советский Писатель», Москва, 1958, ст. 36 («Я не горюю, не любимый славой»).

ХЕТАГУРОВ Коста. С о б р а н и е с о ч и н е н и й в 3 томах. Изд. Академии Наук СССР. Том 1. Москва, 1951, стр. 145—163 («Кто ты?»).

ХЕТАГУРОВ Коста. С о б р а н и е с о ч и н е н и й в 3 томах. Дзауджикау, 1951, Том 1 («Кто ты?»).

ХЕТАГУРОВ Коста. С о б р а н и е с о ч и н е н и й в 5 томах. Изд. Академии Наук СССР. Том 1. Москва, 1959,
стр. 77—95 («Кто ты?»).

ХЕТАГУРОВ Коста. С т и х о т в о р е н и я и п о э м ы. Библиотека Поэта. Малая серия. Изд. «Советский Писатель», Ленинград, 1959, стр. 80—90 («Кто ты?»).

ЦЮЙ-ЮАНЬ. С т и х и. Перевод с китайского. Вступ. статья
и общая редакция Н. Т. Федоренко. ГИХЛ, Москва, 1954,
стр. 24—25, 29—40, 127—134 (Цзя-И. «Плач о Цюй-Юане»;
Цюй-Юань: «Лисао», «Призывание души»).
2-е издание: ГИХЛ, 1956, стр. 33—46, 143—152, 162—164.

ЧАРЕНЦ Егише. П о э м ы и б а л л а д ы. Перевод с армянского. Изд. Айпетрат, Ереван, 1960 («Эпическое утро»,
«Гимн любви», «Семь заветов», и др.).

ЭМИНЕСКУ Михаил. С т и х и. Перевод с румынского.
ГИХЛ, Москва, 1958, стр. 32—33 («Венера и Мадонна»).

ЭПОС СЕРБСКОГО НАРОДА. Серия «Литературные Памятники», изд. Академии Наук СССР, Москва, 1963, стр.
39—43, 106—109, 119—121, 178, 180—183 («Омер и Мей-
рима», «Княжев ужин», «Разговор Милоша Облича с
Иваном Косанчичем», «Смерть матери Юговичей», «Во-
роны вещают о смерти Перы Данчича», «Хасаначи-
ница»).

ПУБЛИКАЦИИ В ЖУРНАЛАХ

СТИХИ

АПОЛЛОН. СПб. — Петроград: 1911, № 4, стр. 20—22 («Сероглазый король», «В лесу», «Над водой», «Мне больше
ног моих не надо»).
1913, № 3, стр. 35—36 («Я пришла тебя сменить, сестра»,
«Все мы бражники здесь, блудницы»).

1914, № 6—7, стр. 9—10 (Июль 1914: «Можжевельника запах сладкий», «Пахнет гарью. Четыре недели»; «Утешение»).

1915, № 3, стр. 25—32 («У самого моря», поэма).

1916, № 4—5, стр. 40—41 («Я улыбаться перестала», «Я знаю, ты моя награда», «Ответ» [«Какие страшные слова»], «Я знала, я снюсь тебе»).

1917, № 1, стр. 53—54 («Они летят, они еще в дороге», «Царскосельская статуя», «Вновь подарен мне дремотой», «Первый луч — благословенье Бога»).

ВЕРШИНЫ. СПб. — Петроград: 1914, № 1, стр. 9 («Вижу тонкий лунный лик»).

1915, № 10, стр. 8 («Я так молилась: утоли»).
№ 17, стр. 6 («Древний город словно вымер»).

ВЕСТНИК РУССКОГО СТУДЕНЧЕСКОГО ХРИСТИАНСКОГО ДВИЖЕНИЯ. Париж-Нью-Йорк, № 80, февр. 1966, стр. 37, 45—46, 48, 54 («Почти в альбом» [из «Трилистника Московского»], неизданный отрывок из трагедии «Сон во сне», неизданный отрывок из 3-й части «Поэмы без героя», «Распятие» — из «Реквиема»).

ГИПЕРБОРЕЙ. СПб.; 1912, №   , стр 5—6 («Помолись о нищей, о потерянной», «Здесь все то же, то же, что и прежде»).

1913, № 5, стр. 3—7 (Смятение: «Было душно от жгучего света», «Не любишь, не хочешь смотреть», «Как велит простая учтивость»; «Умирая, томлюсь о бессмертьи», «Возвращение» [«Вижу выцветший флаг над таможней»], «И на ступеньки встретить», «Столько просьб у любимой всегда»).

№ 8, стр. 3—7 («Что ты видишь, тускло на стену смотря», «У меня есть улыбка одна», «Звенела музыка в саду», «Не будем пить из одного стакана», «Косноязычно славивший меня», «Бисерным почерком пишете, Lise»).

ГОЛОС ЖИЗНИ. Петроград: 1914, № 7, стр. 7—8 («Морозное солнце. С парада», «Побег», «Не в лесу мы, довольно аукать», «Подошла. Я волненья не выдал», «Мне не надо счастья малого», «Пустых небес прозрачное стекло»).

1915, № 13, 25 марта, стр. 10 («Божий ангел, ранним утром»).

ГРАНИ. Франкфурт/М., № 36, 1957, стр. 43—44 («Петроград. 1916» [из «Поэмы без героя»], «Есть три эпохи у воспоминаний»).
№ 56, 1964, стр. 11—19 («Реквием»).

ЕЖЕМЕСЯЧНЫЙ ЖУРНАЛ ЛИТЕРАТУРЫ, НАУКИ И ОБЩЕСТВЕННОЙ ЖИЗНИ. Затем — просто: ЕЖЕМЕСЯЧНЫЙ ЖУРНАЛ. СПб. — Петроград: 1914, № 2, стр. 6 («Ты знаешь, я томлюсь в неволе», «И жар по вечерам, и утром вялость»).
№ 3, стр. 3 («Я любимого нигде не встретила», «Слаб голос мой, но воля не слабеет»).
№ 7, стр. 3 («Белая ночь» [«Небо бело страшной белизною»], «Где, высокая, твой цыганенок»).
№ 12, стр. 3 («Так много камней брошено в меня»).

ЖУРНАЛ ЖУРНАЛОВ. Петроград. 1915, № 6, стр. 17 (семь стихотворений из «Вечера» и «Четок»).

ЗАВЕТЫ. СПб., 1913,. № 5, стр. 5—6 («Я видел поле после града», «Ты письмо мое, мальчик, не комкай»).

ЗАРУБЕЖЬЕ. Мюнхен: 1966, март, стр. 3 (отрыв. из «Реквиема»).

ЗВЕЗДА. Ленинград: 1940, № 3—4 стр. 4, 74—75 («Маяковский в 1913 г.», «Борис Пастернак», «Годовщину веселую празднуй, «Двустишие», «Мне ни к чему одические рати», «Когда человек умирает», «И упало каменное слово» [из «Реквиема»], «Ива»).
1944, № 7—8, стр. 91—92 («Ленинград в марте 1941», «Надпись на книге 'Подорожник'», «Не оттого, что зеркало разбилось», «И как всегда бывает и дни разрыва», «Явление луны»).
1945, № 2, стр. 39—40 («Вступление» [в цикл «Луна в зените»], «Ташкентские наброски», Из цикла «Разрыв»).
1946, № 1, стр. 70—72 («Я не любви твоей прошу», «В парке», «Хозяйка», «Вроде монолога», «Как в трапезной», «Памяти Иннокентия Анненского», «Мой городок игрушечный сожгли»).
1961, № 5, стр. 146 («Смерть Софокла»; Два стихотворе-

ния из первой тетради: «Молюсь оконному лучу», «И когда друг друга проклинали»).

1962, № 7, стр. 94 (Из цикла «Песенки»: «Тешил ужас, пела вьюга», «Не смеялась и не пела»; «Образы древности. Мелхола»).

1964, № 3, стр. 47 (Из цикла «Полунощные стихи»: «Первое предупреждение», «Ночное посещение»).

ЗВЕЗДА ВОСТОКА. Ташкент: 1966, № 6, стр. 40—42 («Словно по чьему-то повеленью», «Это рысьи глаза твои, Азия», «Если б все, кто помощи душевной», «Не лирою влюбленного», «Привольем пахнет дикий мед», «Где-то ночка молодая», «Из 'Венка мертвым'»).

ЗНАМЯ. Москва: 1945, № 4, стр. 50 («Наше священное ремесло», «Из Ташкентской тетради», «Справа раскинулись пустыри», «А вы, мои друзья последнего призыва»).

1963, № 1, стр. 143—144 («Опять подошли незабвенные даты», «Сожженная театрадь», «Эхо», «Ночные видения»).

1964, № 10, стр. 91 («Баллада», «Смерть поэта»).

КРАСНАЯ НОВЬ. Москва: 1942, № 3—4, стр. 56 («Первый дальнобойный в Ленинграде», «Клятва», «Наступление»).

ЛЕНИНГРАД. Ленинград: 1940, № 2, стр. 9 («Одни глядятся в ласковые взоры», «От тебя я сердце скрыла», «Художнику», «Воронеж», «Здесь Пушкина изгнанье началось»).

1943, № 5, март, стр. 10 («Щели в саду вырыты»).

№ 8 («Первый дальнобойный в Ленинграде»).

1944, № 10—11 (Девять стихотворений, 1940—1944: «Я в долгу у многого, что хочет», «В Ташкенте», «Уж я ль не знала бессонницы», «Возвращение», «На сотни верст, на сотни миль», «Подмосковное», «Где на четырех высоких лапах», «Надпись на книге», «Кто знает, что такое слава», Из Ленинградского цикла [«С грозных ли площадей Ленинграда»], Отрывок из 3-й части «Поэмы без героя», «27 января 1944 г.»).

1945, № 3, стр. 1 («Освобожденная»).

1946, № 1—2, стр. 13 («Отрывок из поэмы 'Русский Трианон'», «У кладбища направо пылил пустырь», «Надпись на книге» [«Почти от залетейской тени»], «Август 1940»,

«Возвращение» [«Все души милых . . .»], «Три осени», «Вечерняя комната» [«Когда лежит луна ломтем чарджуйской дыни»], «Памяти друга»).
№ 3—4, стр. 10 (Пять стихотворений из цикла «Любовь» [«Cinque»]).

ЛИТЕРАТУРНАЯ ГРУЗИЯ. Тбилиси: 1967, № 5, стр. 63—65 («Многим», «Предсказание» [«Видел я тот венец златокованный»], «О, знала ль я, когда в одежде белой», «. . . Седой венец достался мне недаром», «И ты ко мне вернулась знаменитой», «И увидел месяц лукавый», «За ландышевый май»).

ЛИТЕРАТУРНЫЙ СОВРЕМЕННИК. Ленинград: 1940, № 5—6, стр. 48 («Клеопатра», «Сказка о черном кольце»).

ЛЮБОВЬ К ТРЕМ АПЕЛЬСИНАМ. Петроград: 1914, № 1, стр. 5 («Я пришла к поэту в гости»).

МОСКВА. Изд. «Творчество», Москва: 1922, № 6, стр. ненумер. 2 («Шепчет: я не пожалею», «Вечер тот казни достоин»).

МОСКВА. Москва: 1959, № 7, стр. 143—144 («Триптих» и «Лирическое отступление» [отрывки из «Поэмы без героя»], «Был вещим этот сон или не вещим», «По той дороге, где Донской»).
1960, № 7, стр. 148 («Мартовская элегия»).
1966, № 6, стр. 157 («Подвал памяти», «Наследница», «Нет, это не я, это кто-то другой страдает» — из «Реквиема»).

НЕВА. Ленинград: 1960, № 3, стр. 55 («Из 'Восточной тетради'» [«В ту ночь мы сошли друг от друга с ума»], «Последнее стихотворение из цикла 'Тайны ремесла'» [«Одно, словно кем-то . . .»].)
1966, № 6, стр. 182 («Вражье знамя»).

НИВА. СПб.: 1912, № 44, стр. 873 («Приходи на меня посмотреть»).
1913, № 5, стр. 87 («Меня покинул в новолунье»).

НИВА. Ежемесячные Литературные и Популярно-Научные Приложения. СПб.: 1913, № 7, столб. 371 («Ничего не скажу, ничего не открою»).

НОВАЯ ЖИЗНЬ. СПб.: 1911, № 7, стр. 5 («Сжала руки под темной вуалью»).

1912, № 1 («Я пришла сюда, бездельница»).

1914, № 1 («Каждый день по-новому тревожен»).

№ 2 («Цветов и неживых вещей»).

НОВЫЙ ЖУРНАЛ. Нью-Йорк: № 38, 1954, стр. 188—189, в статье В. Неведомской («Угадаешь ты ее не сразу»).

НОВЫЙ ЖУРНАЛ ДЛЯ ВСЕХ. Петроград: 1915, № 4, стр. 33 («Милому» [«Голубя ко мне не присылай»]).

НОВЫЙ МИР. Москва: 1960, № 1, стр. 151—153 («Подумаешь, тоже работа», «Не стращай меня грозной судьбой», «Летний сад», «Отрывок» [«И мне показалось» . . .], «Воспоминание» [«Ты выдумал меня»]) . . .

1963, № 1, стр. 64—66 («Родная земля», «Последняя роза», «Ржавеет золото и истлевает сталь», «О своем я уже не заплачу», «Царскосельская ода»).

1964, № 6, стр. 172—173 (Из трагедии «Пролог, или Сон во сне»; «При непосылке поэмы»).

1965, № 1, стр. 88—90 («В пути», «В Выборге», «Почти не может быть», «Петербург в 1913 г.»; Из цикла «Ташкентские странцы»: «Это рысьи глаза твои, Азия», «Ташкент зацветает»).

ОГОНЕК. Москва: 1945, № 36, стр. 6 («В Ташкенте»).

1950, № 14, стр. 20 (Из цикла «Слава миру»: «Где дремала пустыня, там ныне сады», «И в великой нашей отчизне», «Клеветникам» — I и II, «Тост», «Москве», «21 декабря 1949 г.», «И он орлиными очами»).

№ 36, стр. 23 (Из цикла «Слава миру»: «Песня мира», «30 июня 1950», «1950 год», «С самолета» 1—3, «Прошло пять лет и залечила раны», «Покорение пустыни», «Севморпуть»).

№ 42, стр. 20 (Из цикла «Слава миру»: «Где ароматом веяли муссоны», «Поджигателям», «В пионерлагере» [«Как будто заблудившись в нежном лете»]).

1964, № 10, стр. 4 («Трилистник Московский»: «Почти в альбом», «Без названья», «Еще тост»).

ПЕТЕРБУРГ. Петербург: 1921, № 1, стр. 1 («Неправда, у тебя соперниц нет»).

ПО СОВЕТСКОМУ СОЮЗУ. Еженедельный обзор Комитета радио «Свобода», Нью-Йорк [ротаторное издание], № 170, 20 января 1967, стр. 5—8 («Реквием»).

Р Т (РАДИО И ТЕЛЕВИДЕНИЕ). Москва: 1966, № 13, август, стр. 15 (Из цикла «Юность» [«Мои молодые руки»], «Так отлетают темные души», «Подражание армянскому», «Победителям» [«Сзади Нарвские были ворота»], «Если б все, кто помощи душевной»).

РОДНЫЕ ПЕРЕЗВОНЫ. Брюссель: 1966, № 164 («Опять поминальный приблизился час» — из «Реквиема»).

РУССКАЯ МЫСЛЬ. Москва-СПб. — Петроград: 1911, № 12, стр. 216 («Муж хлестал меня узорчатым»).
1913, № 2, стр. 86 («Бессонница», «Я научилась просто, мудро жить»).
№ 12, стр. 130 («Мальчик сказал мне: Как это больно»).
1914, № 6, стр. 53 («Вместо мудрости — опытность, пресное»).
1915, № 12, стр. 1—2 («Широк и желт вечерний свет», «Как невеста, получаю», «Выбрала сама я долю»).
1917, № 1, стр. 136 («Как белый камень в глубине колодца», «Майский снег»).

РУССКИЙ СОВРЕМЕННИК. Петроград-Москва: 1924, № 1, стр. 40—41 («Лотова жена», «И месяц, скучая в облачной мгле»).

СЕВЕРНЫЕ ЗАПИСКИ. Петроград: 1914, № 6, стр. 33—34 («Дама в лиловом» [«На шее мелких четок ряд»], «Стал мне реже сниться, слава Богу»).
№ 12, разд. II, стр. 32 («Бесшумно ходили по дому»).
1915, № 10, стр. 40—45 («Не мучь меня больше, не тронь», «Есть в близости людей», «Столько раз я проклинала», «Нет, царевич, я не та», «Долго шел через поля и села»).
1916, № 1, стр. 32—36 («Перед весной бывают дни такие», «9 декабря 1913», «Нам свежесть слов», «Ведь где-то есть простая жизнь», «Не хулил меня, не славил»).

СИРЕНА. Воронеж: 1918, № 2—3, столб. 7—8 («Проплывают льдины, звеня», «От любви твоей загадочной»).

СИРИУС. Paris: 1907, № 2 («На руке его много блестящих колец»).

СОВЕТСКАЯ ЖЕНЩИНА. Москва: 1946, № 2, стр. 24 («Освобожденная»).

ЮНОСТЬ. Москва: 1964, № 4, стр. 63 (Из цикла «Шиповник цветет»: «Как сияло там и пело», «Ты стихи мои требуешь прямо; «И скупо оно и богато», «И слава лебедем плыла»).
1965, № 7, стр. 57—59 («Мужество», «Клятва», «Первый дальнобойный в Ленинграде», «А вы, мои друзья последнего призыва», «Родная земля», «Когда погребают эпоху», «Лондонцам», «Сказал, что у меня соперниц нет», «Пушкин», «Я пришла к поэту в гости», «Есть в близости людей заветная черта», «Летний сонет», «Мне ни к чему одические рати», «Тот город, мной любимый с детства», «Эпиграмма»; Из цикла «Тайны ремесла»: «Читатель»).
1968, № 3, стр. 77 («Надпись на книге»).

GAUDEAMUS. СПб.: 1911, № 8, стр. 2 («Дверь полуоткрыта»).
№ 9, стр. 1 («Весенним солнцем это утро пьяно»).
№ 10, стр. 2 («Жарко веет ветер душный»).

SLAVONIC AND EAST EUROPEAN REVIEW. London, XLV, № 105, July 1967, pp. 475—496 («Поэма без героя»).

SOVIET LIFE. Moscow-New York: 1967, 8(191), p. 54 («Сероглазый король» — с переводом на англ. язык).

ЛИТЕРАТУРНЫЕ СТАТЬИ

ВОПРОСЫ ЛИТЕРАТУРЫ. Москва; 1965, № 4, стр. 183—189 («Грядущее, созревшее в прошедшем» [Беседа с А. А. Ахматовой критика Е. Осетрова]).

ЗВЕЗДА. Ленинград: 1933, № 1, стр. 161—176 («Последняя сказка Пушкина»).
1962, № 2, стр. 171—172 («Слово о Пушкине»).
1967, № 12, стр. 186—187 («Воспоминания об Ал. Блоке»).

КУЛЬТУРА И ЖИЗНЬ. Москва: 1957, № 1, стр. 11—12 (Анна Ахматова о себе).

ЛЕТОПИСЬ ДОМА ЛИТЕРАТОРОВ. Петроград: 1921, № 3, стр. 3 («Некрасов и мы» — ответ на анкету К. Чуковского: А. А х м а т о в о й, А. Белого, А. Блока, З. Гиппиус, С. Городецкого, М. Горького, Н. Гумилева, Вяч. Иванова, М. Кузмина, В. Маяковского, Д. Мережковского).

РУССКАЯ МЫСЛЬ. Москва-СПб.: 1914, № 1, разд. Библиографии и критики, стр. 27—28 («О стихах Н. Львовой»).

ЮНОСТЬ. Москва: 1965, № 7, стр. 57 («От автора» — вступит. заметка при подборе стихов).

П И С Ь М А. — П И С Ь М А В Р Е Д А К Ц И Ю

ЛИТЕРАТУРНЫЕ ЗАПИСКИ. Петроград: 1922, № 3, стр. 23 (Письмо в редакцию).

НОВАЯ РУССКАЯ КНИГА. Берлин: 1922, № 7, стр. 38, в статье Э. Голлербаха «Из воспоминаний о Н. С. Гумилеве» (отрывок из письма NN).

НОВЫЙ МИР. Москва: 1962, № 7, стр. 286 (Письмо в редакцию А. А х м а т о в о й, Вс. Иванова, С. Бонди и С. Маршака).

L'EUROPA LETTERARIA. Roma, 1965, VI, № 33, p. 16 (Письмо к Джанкарло Виторелли).

П Е Р Е В О Д Ы В С Т И Х А Х

АЗИЯ И АФРИКА СЕГОДНЯ. Москва: 1965, № 8, стр. 46—49 («Первые поэты земли» — фрагменты из сборника лирики древнего Египта: «Песнь из дома усопшего царя Антафа», «Похвала писцам», «Нубийская царевна»).

ДРУЖБА НАРОДОВ. Москва, 1953, № 3, стр. 174—175 (Л. Попов. Стихи. Пер. с якутского).
1956, № 5, стр. 71 (А. Исаакян. «Шумно та звезда упала»). № 10 (П. Маркиш. «Капелла»).
1957, № 8, стр. 121 (С. Галкин. «Приникли к моей груди», пер. с еврейского).

470

1958, № 9, стр. 96 (М. Маркарян. «У радиоприемника»).

ЗВЕЗДА. Ленинград: 1936, № 7, стр. 3—4 (Д. Варужан. «Каждый год на горах»).

1941, № 5 (И. Франко. Стихи).

1946, № 4, стр. 58 (Эди Огнецвет. «Узбекское небо», пер. с белорусского).

ЗВЕЗДА ВОСТОКА. Ташкент: 1966, № 2, стр. 49—51 (М. Джалиль. «Костяника»).

ИНОСТРАННАЯ ЛИТЕРАТУРА. Москва: 1955, № 2, стр. 185 (Корейские стихи XV—XVI вв.: «Проснулась, взглянула и вижу», «О ветер, я молю тебя, не дуй»).

1956, № 3, стр. 3—6 (А. Тома: «В лесу», «В ожидании», «К восходу солнца», «С благоговением воспеваю», «Новые люди», «Песня жизни», — пер. с румынского).

1959, № 8, стр. 101—102 (Э. Багряна: «Видение», «Расплата», пер. с болгарского).

1964, № 8, стр. 72—79 (Т. Аргези. «Стихам все вновь звучать...», цикл. Пер. с румынского).

ЛИТЕРАТУРНАЯ АРМЕНИЯ. Ереван: 1959, № 6, стр. 88—89 (В. Терьян: «А там пастухи на свободных горах», «Сумерки», «Невозвратимое», «Никогда тебя не назову», «Как безропотно вянет цветок»).

ЛИТЕРАТУРНАЯ ГРУЗИЯ. Тбилиси: 1967, № 5, стр. 65 (И. Гришашвили. «Когда пишу стихи»; М. Квливидзе. «Памяти Саят-Нова»).

МОСКВА. Москва: 1959, № 9, стр. 147—150 (Ю. Словацкий: «В альбом Марии Водзинской», «Проклятие», «Анне Мощенской, сонеты I—II», «В альбом Софье Бобровой», «Разлука»).

НОВЫЙ МИР. Москва: 1952, № 3, стр. 66—67 (М. Маркарян. «Богатство»).

1956, № 10, стр. 101 (П. Маркиш: «Твой взгляд», «Забота»).

1957, № 12, стр. 143 (С. Галкин. «Мне звезда отрадна эта», пер. с еврейского).

1959, № 8, стр. 88 (М. Маркарян. «От твоих тревог и тайной боли»).

1960, № 2, стр. 77 (С. Галкин. Стихи).

1962, № 1, стр. 166 (С. Галкин. Стихи).

1968, № 1, стр. 89—93 (Д. Вааранди. Из книги «Хлеб прибрежных равнин» — 4 стих.)

ОГОНЕК. Москва: 1955, № 23, стр. 9 (Ли-Бао- де: «Провожая до Балина друга», «Луна над пограничными горами, «На западной башне в городе Дзинь-лин»; Ли-Шан-инь: «Без названия», «Ночью в дождь пишу стихи на север»).

1956, № 2, стр. 24 (М. Маркарян: «Персиковое деревцо», «Калитку в милый сад»).

№ 48, стр. 27 (П. Маркиш. «В третий раз», пер. с еврейского).

ОКТЯБРЬ. Кишинев: 1951, № 2 (П. Крученюк. Стихи. Пер. с молдаванского).

СЛАВЯНЕ. Москва: 1958, № 4, стр. 45 (Э. Багряна. «Не то мое горе, что я без тебя одинока»).

ПУБЛИКАЦИИ В ГАЗЕТАХ

СТИХИ

БИРЖЕВЫЕ ВЕДОМОСТИ. Утренний выпуск. Петроград: 1915, 20 декабря («Воспоминание» [«Тот август, как желтое пламя»]).

ВОЛЯ НАРОДА. Еженедельная газета. 1918 («Когда в тоске самоубийства»).

ДЕНЬ. Петроград: 1915, 22 марта («Так раненого журавля»).

ЛЕНИНГРАДСКАЯ ПРАВДА. Ленинград: 1941, 25 июня («Вражье знамя»).

ЛИТЕРАТУРА И ЖИЗНЬ. Москва: 1959, 5 апреля («Летний сонет», «Музыка»).

1962, 26 октября (Из цикла «Шиповник цветет»: «В разбитом зеркале», «Говорит Дидона»; «Вот она, плодоносная осень»).

ЛИТЕРАТУРНАЯ ГАЗЕТА. Москва: 1960, 29 октября («Муза», «Из 'Дружеского послания'», «Эпиграмма», «Тень»).

1962, 16 января («Александр у Фив», «Комаровские кроки» [«И отступилась здесь я от всего»]).

1963, 5 октября (Из цикла «Полночные стихи»: «Вместо посвящения», «Предвесенняя элегия», «Тринадцать строчек», «И последнее»).

1964, 25 июня («Не мудрено, что не веселым звоном», «Но было сердцу ничего не надо»).

ЛИТЕРАТУРНАЯ РОССИЯ. Москва: 1964, № 4 (56), 24 января, стр. 15 («Из Ленинградских элегий» [«Меня, как реку»]; «Опять на родине»: «Чистейшего звука», «Пятым действием драмы»).

НАКАНУНЕ. Берлин: Литературное Приложение № 29: 1922, 30 апреля («Земной отрадой сердца не томи», «Как мог ты, сильный и свободный»).

НАШ ВЕК. Петроград: 1918, 4 мая («Ты всегда таинственный и новый»).

НОВОЕ РУССКОЕ СЛОВО. Нью-Йорк: 1960, 28 февраля («Подумаешь, тоже работа», «Не стращай меня грозной судьбой», «Летний сад», «Отрывок» [«И мне показалось, что это огни»], «Воспоминание» [«Ты выдумал меня»]).
6 ноября («Все это разгадаешь ты один», «Портрет автора в молодости» [«Он не траурный, он не мрачный»], «Где на четырех высоких лапах»; Из цикла «Тайны ремесла»: «Про стихи», «Читатель»; «Первое возвращение» [«На землю саван тягостный возложен»]).
27 ноября («Муза», «Из 'Дружеского послания'», «Эпиграмма», «Тень»).
11 декабря («Мартовская элегия»).
1961, 2 июля («Смерть Софокла», «Молюсь оконному лучу», «И когда друг друга проклинали»).
1962, 2 сентября (Из цикла «Песенки»: «Тешил ужас, грела вьюга», «Не смеялась и не пела»; «Образы древности. Мелхола»).
1963, 3 марта («Ночные видения», отрывок).
17 марта («Родная земля», «Последняя роза», «Ржавеет золото и истлевает сталь», «О своем я уже не заплачу», «Царскосельская ода»).
1965, 28 февраля («Он говорит», из трагедии «Пролог, или Сон во сне»).

1966, 7 августа («Подвал памяти», «Наследница», «Нет, это не я, это кто-то другой страдает» [из «Реквиема»]).

НОВЫЕ ВЕДОМОСТИ. Утренний выпуск. Петроград: Литературное приложение: 1918, 31(18) марта («Когда о горькой гибели моей»).

НОВЫЕ ВЕДОМОСТИ. Вечерний выпуск. Петроград: 1918, 30 (17) апреля («Словно ангел, возмутивший воду»).

ПАРИЖСКИЙ ВЕСТНИК. Париж, 1943, № 63 (в статье Н. Анина «Ленинградские ночи»: «Тихо льется тихий Дон» [из «Реквиема»]).

ПЕТРОГРАДСКОЕ ЭХО. Петроград: 1918, № 11, 19 января (вечерний выпуск) («По твердому гребню сугроба»).
№ 13, 22 января (вечерний выпуск) («Это просто, это ясно» и «А ты теперь тяжелый и унылый», как одно стихотворение-диптих, под общим названием «Это просто...»).
№ 22, 1 февраля («Теперь никто не станет слушать песен»).
№ 25, 18 (5) февраля («Никогда не поверю» [«Пленник чужой! Мне чужого не надо»]).

ПРАВДА. Москва: 1941, 25 июня («Вражье знамя»).
1942, 8 марта («Мужество»).
1945, 20 мая («Победа»).

РУССКАЯ МЫСЛЬ. Париж: 1966, 8 марта («Эпилог» из «Реквиема»).
26 марта (в статье Н. Струве «На смерть Ахматовой» — неопублик. строфы из «Поэмы без героя», 3-й части).
1967, 10 января («Согражданам», «Видел я тот венец златокованный»).

РУССКОЕ СЛОВО. Москва, 14 апреля 1917 («Приду сюда и отлетит сомненье», «Все обещало мне его», «А, это снова ты», «Судьба ли так моя переменилась»).

DIE ZEIT, 1965, № 6. S. 11 («Он говорит», из трагедии «Пролог, или Сон во сне», русский текст и немецкий перевод).

MUENCHNER MERKUR. Muenchen, 7 Maerz 1966, S. 6 («Он говорит» — из трагедии «Пролог, или Сон во сне», с немецким прозаич. переводом).

СТАТЬИ, БЕСЕДЫ, ПИСЬМА В РЕДАКЦИЮ

ВЕЧЕРНЯЯ МОСКВА. Москва: 1962, 2 марта (Интервью с А. А. Ахматовой).

ДЕНЬ. Петроград: 1915, 11 апреля (Письмо в редакцию А. Ахматовой, А. Блока, Ю. Верховского, З. Гиппиус, Вяч. Иванова, Д. Мережковского, В. Пяста, Б. Садовского, П. Соловьевой, А. Ремизова, Н. Рериха и др.).

ЛИТЕРАТУРНАЯ ГАЗЕТА. Москва: 1945, 24 ноября (А. А. Ахматова о своих творческих планах — в разделе «Будущие книги»).
1962, 27 января («Слово о Пушкине»).
1965, 6 февраля («Час мужества...» [Беседа с А. А. Ахматовой критика Е. Осетрова]).
16 марта («Заметки на полях»).
13 мая («Заповедник или турбаза», письмо в редакцию А. Ахматовой, П. Антокольского, М. Дудина и др.).
23 ноября («Тайны ремесла», беседа с А. А. Ахматовой критика Хренкова).

НОВОЕ РУССКОЕ СЛОВО. Нью-Йорк: 1962, 18 февраля («Слово о Пушкине»).

ПЕРЕВОДЫ В СТИХАХ

КОММУНИСТ. Ереван: 1956, 13 мая (Е. Чаренц. «Гимн любви»).

КОМСОМОЛЬСКАЯ ПРАВДА. Москва: 1957, 29 сентября (Е. Чаренц: «Гимн любви», «Семь заветов»).

ЛИТЕРАТУРНАЯ ГАЗЕТА. Москва: 1956, 3 марта (М. Джалиль. Стихи. Пер. с татарского).
19 июля (П. Маркиш. «К Москве»).
1960, 29 ноября (П. Маркиш. «Идет этот день с золотым решетом»).
1964, 12 сентября (Ю. Тувим. «О сирени»).
1965, 29 мая (Из египетских папирусов: «Тоска по Мемфису», «Прославление писцов», «Плач Исиды по Осирису»).

1966, 5 февраля (Д. Вааранди. «Лимонное дерево», пер. с эстонского).

ЛИТЕРАТУРНАЯ РОССИЯ. Москва: 1965, 13 августа, стр. 17 (С. Лилова-Тихомирова. Стихи. Пер. с болгар.)

НОВОЕ РУССКОЕ СЛОВО. Нью-Йорк: 1965, 6 июня (Из египетских папирусов: «Тоска по Мемфису», «Прославление писцов», «Плач Исиды по Осирису»).

ПЕРЕВОДЫ ПРОИЗВЕДЕНИЙ АХМАТОВОЙ

НА АНГЛИЙСКИЙ ЯЗЫК

AKHMATOVA A. The Wounded Crane. Translated by O. Elton. *The Slavonic Review.* London, Vol. 2, № 4, 1923—1924, p. 158.

AKHMATOVA A. Forty Seven Love Poems. Translated and introduced by Natalie Duddington. London, Jonathan Cape, 1927, 64 pp. + portrait.

ACHMATOVA A. Before the Spring There Are Such Days as These. Translated by G. Shelley. *The Russian Student.* Vol. VI, № 3, November 1929.

AKHMATOVA A. Requiem. Translated by Robert Lowell, with an introduction by O. A. Carlisle. *Atlantic.* October 1964, pp. 60—64.

AKHMATOVA A. The Modigliani I knew. Chapter from Memoirs. *Atlas,* Vol. 8, December 1964, pp. 282—285. (Перевод с итальянского из *Europa letteraria,* март 1964).

AKHMATOVA A. Requiem. Translated by D. M. Thomas. *The Guardian* (London), April 19, 1965.

AKHMATOVA A. Before the Spring There Are Such Days. — To the Memory of V. S. Sreznevskaya. Translated by Lydia Pasternak-Slater. *Tri-Quarterly.* Evanston, Spring, 1965, p. 118.

AKHMATOVA A. Three Poems (Creative Work, 1936; En Route; From Shadow, 1940). Transl. by Lydia P. Slater. *Isis* (Oxford), 2 June 1965, p. 15.

AKHMATOVA A. Ten Poems. *Soviet Literature.* Moscow, 1965, № 9, pp. 136—141.

AKHMATOVA A. I Had No Rivals. — Still Other Things No Doubt Are Longing. — Courage. — The Summer Garden. — There Came a Voice. — The Russian Soil. Translated by Avril Pyman, Margaret Wettlin, Peter Tempest, Irina Zheleznova, Gladys Evans. *Soviet Literature.,* Moscow, 1967, № 6, pp. 32—35.

AKHMATOVA A. Ohe Gray-Eyed King. *Soviet Life.* Moscow-New York, 1967, № 8 (131), p. 54.

BOWRA C. M., ed. A Book of Russian Verse. London, Macmillan, 1943.

BOWRA C. M., ed. A Book of Russian Verse. Translated into English by various hands ... London, Oxford University Press, pp. 115—117. (5 стихотворений).

CORNFORD F. and E. P. SALAMAN, ed. Poems from Russian. London, Faber, 1943.

COSTELLO D. P., ed. Oxford Book of Russian Verse. Chosen by the Hon. Maurice Baring. Second edition supplemented by D. P. Costello. Clarendon Press Oxford, 1948, pp. 244—246.

COURNOS John. A Treasury of Russian Life and Humor. Coward-McCann, New York, 1943. 2nd edn. A Treasury of Classic Russian Literature. Capricorn Books, New York, 1962, pp. 146—147. (3 стихотворения).

COXWELL C. F., ed. and transl. Russian Poems. With introduction by Prince D. S. Mirsky. London, Daniel, 1929.

DEUTSCH B. and A. YARMOLINSKY, ed. and transl. Modern Russian Poetry. London, Lane, 1921.

DEUTSCH B. and A. YARMOLINSKY, ed. and transl. Modern Russian Poetry. An Anthology. New York, Harcourt, Brace & Co., 1921. 2nd edition — London, Lawrence, 1929.

DEUTSCH B. and A. YARMOLINSKY. Russian Poetry. An Anthology chosen and translated by Babette Deutsch and

477

Avrahm Yarmolinsky. New and revised edition. International Publishers, N. Y., n. d., pp. 155—158. [4 стихотворения]. [Первое издание вышло в 1927 г. Было много переизданий].

ELTON Oliver. V e r s e   f r o m   P u s h k i n   a n d   o t h e r s. Arnold & Co., London, 1935, p. 184. [1 стихотворение].

LINDSAY Jack. M o d e r n   R u s s i a n   P o e t r y. The Pocket Poets. Vista Books, London, 1960, pp. 26—27 (3 стихотворения).

MARKOV Vladimir and Merrill SPARKS, ed. and transl. M o d e r n   R u s s i a n   P o e t r y. With an introduction by Vl. Markov. The Bobbs-Merrill Co., Indianapolis-Kansas City-New York, 1967, pp. 256—281.

OBOLENSKY Dimitri, ed. T h e   P e n g u i n   B o o k   o f   R u s s i a n   V e r s e. Introduced and edited by D. Obolensky. With plain prose translations of each poem. Penguin Books. Harmondsworth, Middlesex, Baltimore, Md., 1962, pp. 315—325 (12 стихотворений и отрывок из «Поэмы без героя»).

REAVEY George and Marc SLONIM, ed. and transl. S o v i e t   L i t e r a t u r e. An Anthology. London, Wishart, 1933 (1 стихотворение).

SHELLEY Gerald, ed. M o d e r n   P o e m s   f r o m   R u s s i a. London, 1942, pp. 19—28. (20 стихотворений).

YARMOLINSKY A. A. T r e a s u r y   o f   R u s s i a n   V e r s e. The Macmillan Co., New York, 1949.

YARMOLINSKY, A., ed. A n   A n t h o l o g y   o f   R u s s i a n   V e r s e: 1 8 1 2 — 1 9 6 0. Doubleday Anchor, Garden City, N. Y., 1962, pp. 138—147. (дополненное издание предыдущей антологии).

YARMOLINSKY A. T w o   C e n t u r i e s   o f   R u s s i a n   V e r s e. An Anthology from Lomonosov to Voznesensky. Edited with an introduction and notes by Avrahm Yarmolinsky. Translations from the Russian by Babette Deutsch. Random House, N. Y., 1966, pp. 147—160. (22 стихотворения и отрывки из «Реквиема»).

НА ФРАНЦУЗСКИЙ ЯЗЫК

AKHMATOVA A. P o é s i e s. Trad. S. Laffitte. Paris, 1959.

AKHMATOVA A. Poème sans héros. Traduit et adapté par Nadine et Jean Blot. Extraits seulement. *Preuves.* № 133, mars 1962, pp. 7—13.

AKHMATOVA A. Requiem. Traduit par Nadine et Jean Blot. *Preuves.* № 160, juin 1964, pp. 25—31.

AKHMATOVA A. Requiem. Nouvelle traduction de Nadine et Jean Blot. *Le Nouvel Observateur.* 16 mars 1966.

AKHMATOVA A. Requiem. — Premier avertissement. — Visite nocturne. Traduit par Michel Aucouturier, Pierre Forges. *Esprit.* XXXII, № 7, 1964, pp. 2—13.

AKHMATOVA A. R e q u i e m. Traduit par Paul Valet. Éditions de Minuit, Paris, 1966.

AKHMATOVA A. Requiem. Extraits. Traduit par Vera Fosti. *Le Soir.* Bruxelles, 31 mars 1966.

DAVID Jaques. A n t h o l o g i e d e l a p o é s i e r u s s e. T. 2: De 1900 à nos jours. Choix, traduction et commentaires de Jaques David. Stock, Paris, 1948, pp. 98—99.

GRANOFF Katia, réd. A n t h o l o g i e d e l a p o é s i e r u s s e d u X V I I I s i è c l e à n o s j o u r s. Gallimard, Paris, 1961, pp. 409—427 (20 стихотворений).

RAÏS Emmanuel et J. ROBERT. A n t h o l o g i e d e p o é s i e r u s s e. Bordas, Paris, 1947, pp. 264—266 (6 стихотворений).

SLONIM Marc et George REAVEY. A n t h o l o g i e d e l i t t é - r a t u r e s o v i é t i q u e. Éditions Gallimard, Paris. 1935 (1 стихотворение).

TRIOLET Elsa. L a p o é s i e r u s s e. Édition bilingue. Anthologie réunie et publiée sous la direction de Elsa Triolet. Éditions Seghers, Paris, 1965, pp. 283—287 (5 стихотворений в переводе Гилевича).

НА НЕМЕЦКИЙ ЯЗЫК

ACHMATOWA A. Am Seegestade. Deutsch von Otto F. Babler. Olmütz (Olomouc), 1926. (У самого моря).

ACHMATOWA A. Die Verleumdung (1940). Uebersetzung von Xaver Schaffgotsch. *Akzente.* 1964, III, S. 193.

ACHMATOWA A. D a s E c h o t o e n t. Ausgewaehlte Gedichte. Uebersetzung von Xaver Schaffgotsch. Limes Verlag, Wiesbaden, 1964, 67 SS.

ACHMATOWA A. R e q u i e m. Uebertragung von Marie von Holbeck (mit parallelem russischen Text). Possev-Verlag, Frankfurt/M., 1964, 37 SS. + Bildnis.

ACHMATOWA. A. D e r W i e d e r h a l l e r t o e n t... Gedichte. Uebersetzt aus dem Russischen. Limes Verlag, Wiesbaden, 1965.

ACHMATOWA A. Er spricht, aus der Tragoedie «Prolog, oder Der Traum im Traum». Uebersetzung von Willi Bongard. *Die Zeit.* 1965, № 6, S. 11.

ACHMATOWA A. Er spricht, aus der Tragoedie «Prolog, oder Der Traum im Traum». *Muenchner Merkur.* 7 Maerz 1966.

ACHMATOWA A. G e d i c h t e. Uebertragung von Hans Baumann. Muenchen, 1967.

GUENTHER Johannes von. D e i n L a e c h e l n n o c h u n b e - k a n n t g e s t e r n. Verse russischer Frauen. Uebertragen und herausgegeben sowie mit einem Nachwort versehen von Johannes von Guenther. Wolfgang Rothe Verlag, Heidelberg, 1958, SS. 43—57.

GUENTHER Johannes von, Red. N e u e R u s s i s c h e L y r i k. Herausgegeben und uebersetzt aus dem Russischen von Johannes Guenther. Fischer Buecherei, Franfurt/M., 1960, SS. 111— 115 (10 стихотворений).

MIROWA-FLORIN und Fritz MIRAU, Red. S t e r n e n f l u g u n d A p f e l b l u e t e. Russische Lyrik von 1917 bis 1962. Verlag «Kultur und Fortschritt», Berlin, 1963 (Achmatowa. Gedichte. Uebertragung von Franz Leschnitzer).

480

НА ИТАЛЬЯНСКИЙ ЯЗЫК

ACHMATOVA A. Versi. Trad. di Renato Poggioli. Rivista di Letterature Slave. Roma, 1929, № IV, pp. 277—286. («У самого моря» и три других стихотворения).

ACHMATOVA A. P o e s i e. A cura di D. D. Di Sarra. Fussi-Sansoni, Firenze, 1951, 161 pp.

ACHMATOVA A. P o e s i e. A cura di Raissa Naldi. Presentazione di Ettore Lo Gatto. Nuova Accademia, Milano, 1962, 214 pp. (67 стихотворений и отрывок из «У самого моря»).

ACHMATOVA A. L'ultima rosa. Il quaderno bruciato. Trad. di A. M. Ripellino. *Europa Letteraria*, IV № 19 (1963), p. 47. (2 стихотворения).

ACHMATOVA A. Requiem. Trad. di Carlo Riccio. Prefazione: «L'occhio ascintto» di Gustavo Herling. *Tempo Presente*. Roma, 1964, IX, № 1, pp. 1—9. Перепечатано в *La Fiera Letteraria* (Roma), XIX, № 44 (20 dicembre 1964), b. 12.

ACHMATOVA A. Modigliani. *L'Europa Letteraria*. Roma, 1964, III.

ACHMATOVA A. Versi di mezzanotte. Trad. di Carlo Riccio. *Europa Letteraria*, VI, № 33 (1965/1), pp. 11—14 («Полночные стихи»).

ACHMATOVA A. P o e m a s e n z a e r o e e a l t r e p o e s i e. (Collezione di poesia 33). Prefazione e traduzione di Carlo Riccio. Giulio Einaudi, Torino, 1966, 180 pp. («Поэма без героя» и др. стихи).

ACHMATOVA A. «Ode a Carskoe Selo». Trad. di Carlo Riccio. *Prospetti*, I, № 2—3 (giugno-settembre 1966), pp. 137—138.

ACHMATOVA A. «Alla memoria di Michail Bulgakov». Trad. di Carlo Riccio. *Prospetti*, II, № 6—7 (giugno-settembre 1967), p. 555.

NALDI-OLKIENIZKAIA, R. A n t o l o g i a d e i p o e t i r u s - s i d e l X X s e c o l o. Treves, Milano, 1924.

POGGIOLI Renato. L a V i o l e t t a N o t t u r n a. Poeti russi del Novecento. G. Carraba, Lanciano, 1933.

POGGIOLI Renato. Il Fiore del verse russo. Giulio Einaudi, Torino, 1949. 2 ed., Biblioteca moderna Mondadori, 1961 («У самого моря» и 4 стихотворения).

RIPELLINO Angelo Maria, ed. Poesia russa del Novecento. Versioni, saggio introduttiva, profili bibliografici e note a cura di A. M. Ripellino. Guanda, Parma, 1954, pp. 171—187 (30 стихотворений), 2 ed., Milano, 1960.

НА ШВЕДСКИЙ ЯЗЫК

AKHMATOVA A. Åtta dicter. (Ebba Lindqvist, Eric Mesterton). *B L M (Bonniers Litterära Magasin)*. Stockholm, 1965, XXXII, № 5, 350—355.

НА ЧЕШСКИЙ ЯЗЫК

ACHMATOVÁ A. Bilé hejne. Přel. M. Marčanová. Melantrich, Praha, 1947, 128 ss., 2 dopl. vyd. Doslov naps. B. Mathesius. Melantrich, Praha, 1947, 128 ss.

ACHMATOVÁ A. Tixo plyvet Tixij Don (Requiem). Přel. Robert Vlach. *Demokracia v Exile*. Muenchen, 1964, March.

ACHMATOVÁ A. Requiem. Přel. Robert Vlach, Křest'anské akademie v Římě, Řím, 1964, 24 ss.

ACHMATOVÁ A. Z nove tvorby. Přel. R. Vlach. *Promeny*. New York, 1/3, July 1964, pp. 6—10 («Хозяйка»; «Были Святки кострами согреты», из »Поэмы без героя»; «Был вещим этот сон»; «Эхо»; «Я не любила с давних дней»).

НА ПОЛЬСКИЙ ЯЗЫК

ACHMATOWA A. Poezje. Opracował i wstępem opatrzył Seweryn Pollak. Panstwowy Institut Wydawniczy, Warszawa, 1964, 154 str. (102 стихотворения в переводах 27 поэтов).

ACHMATOWA A. Requiem. Přeł. Jozef Lobodowski. *Kultura.*
Pariž, 1964, № 6 (200), str. 61—68.

JASTRUN M. & Seweryn POLLAK, red. D w a   w i e k i   p o e z j i
r o s y j s k i e j. Antologia. Warszawa, 1947 (Из переиздания
этой антологии в 1951 г. Ахматова была изъята).

НА ЛИТОВСКИЙ ЯЗЫК

ACHMATOVA A. P o e z ì j a. Valstybine Grožinés Literaturos
Leidykea, Vilnius, 1964, 66 pp.

НА ЛАТЫШСКИЙ ЯЗЫК

ACHMATOVA A. R e k v i e m s. Tulkojis Peteris Aigars. Ar Petera Aigara ievadu. Fransua Moriaka izskana. S. L. Hollerbacha
grafiska apdare; ar A. Achmatovas ğimetni. E. Žiglevices redakcija. Inter-Language Literary Associates, 1967, 76 pp.

НА ЭСТОНСКИЙ ЯЗЫК

AHMATOVA A. R e e k v i e m. Tolkinud Marie Under. Aleksis
Ranniti sissejuhatav essee ja François Mauriac'i epiloog. S. L.
Hollerbachi kaanekujundus. A. Ahmatova ja M. Underi originaalülesvotted. A. Ranniti kogust. Inter-Language Literary Associates, 1967, 78 pp.

МУЗЫКА НА СЛОВА А. А. АХМАТОВОЙ

ГНЕСИН М. Ф. Из современной поэзии. Музыка к стихотворениям К. Бальмонта (и других). Изд. П. Юргенсона, М.
(1915). («Хорони, хорони меня, ветер»).

ЖЕЛОБИНСКИЙ В. В. Романсы на слова А. Ахматовой.
ЛУРЬЕ А .С. Заклинания. Музыка к «Поэме без героя».
ВПу, альм. II, 1961, стр. 153—165.

НЕЧАЕВ В .В. Zwei Gedichte von S. Jessenin und A. Achmatowa. Fuer 1 Singstimme und Streichquartett. Op. 11. Moskau-Wien, 1928.

ПРОКОФЬЕВ С. С. Cinq poésies d'Anna Akhmatova pour chant et piano. Op. 27. Moscou, [1917] et 1925. («Солнце комнату наполнило», «Настоящую нежность не спутаешь», «Память о солнце в сердце слабеет», «Здравствуй! легкий шелест слышишь», «Сероглазый король»).

ТИЩЕНКО Б. Реквием. Музыка на слова А. Ахматовой.

ШЕБАЛИН В. Я. Wegebreit. 3 Gedichte von Anna Achmatowa fuer eine Singstimme und Klavier. Op. 5, Moskau, 1927. («Подорожник»).

ЮДИН Г. Н. Романсы на слова А. А. Ахматовой.

ЛИТЕРАТУРА ОБ АХМАТОВОЙ

Принятые сокращения:
Названия альманахов, сборников, журналов и газет:

А	Аполлон. Журнал. СПб. — Петроград.
БП б с	Библиотека Поэта. Большая серия. Изд. «Советский Писатель», Ленинград.
БП м с	Библиотека Поэта. Малая серия. Изд. «Советский Писатель», Ленинград.
БС	Блоковский Сборник. Труды научной конференции, посвященной изучению жизни и творчества А. А. Блока. Май 1962. Тартуский Гос. Университет, Тарту, 1964.
БСП	Библиотека Советской Поэзии. Изд. «Советский Писатель», Москва.
БСЭ 1 изд.	Большая Советская Энциклопедия, 1-е издание, Москва.
БСЭ 2 изд.	Большая Советская Энциклопедия, 2-е издание, Москва.

В.	Возрождение. Журнал. Париж.
ВИИ	Вестник Института по изучению СССР, Мюнхен.
ВЛ	Вопросы Литературы. Журнал. Москва.
ВПу	Воздушные Пути. Альманахи. Редактор-издатель Р. Н. Гринберг, Нью-Йорк.
ВРСХД	Вестник Русского Студенческого Христианского Движения. Журнал. Париж-Нью-Йорк.
Г.	Грани. Журнал. Кассель, Лимбург, Франкфурт на Майне.
ДП	День Поэзии. Изд. «Московский Рабочий», Москва, затем — «Советский Писатель», Москва.
ДПЛ	День Поэзии. Изд. «Советский Писатель», Ленинград.
З	Звезда. Журнал. Ленинград.
Зв.	Звено. Еженедельный журнал. Париж.
ЗМ	Записки Мечтателей. Петербург.
Зн	Знамя. Журнал. Москва.
ИЛ	Иностранная Литература. Журнал. Москва.
КиР	Книга и Революция. Журнал. Ленинград.
КН	Красная Новь. Журнал. Москва.
КРС	По Советскому Союзу. Еженедельный обзор Комитета Радио «Свобода», Нью-Йорк (ротаторное изд.)
Лнг	Ленинград. Журнал. Ленинград.
ЛГ	Литературная Газета. Москва.
МГ	Молодая Гвардия. Журнал. Москва.
Мс	Москва. Журнал. Москва.
Мст	Мосты. Альманахи. Мюнхен.
МСЭ	Малая Советская Энциклопедия. Москва.
Н	Накануне. Газета. Берлин.
НЖ	Новый Журнал. Нью-Йорк.
НЛП	На Литературном Посту. Журнал. Москва.
НЛпр	Литературное Приложение к газете «Накануне», Берлин.
НМ	Новый Мир. Журнал. Москва.

НП	На Посту. Журнал. Москва.
НРК	Новая Русская Книга. Журнал. Берлин.
НРС	Новое Русское Слово. Газета. Нью-Йорк.
О	Октябрь. Журнал. Москва.
Ог	Огонек. Еженедельный журнал. Москва.
Оп	Опыты. Журнал. Нью-Йорк.
ПиР	Печать и Революция. Журнал. Москва.
ПН	Последние Новости. Газета. Париж.
Пс	Посев. Еженедельник. Кассель, Лимбург, Франкфурт на Майне.
РиСл	Россия и Славянство. Газета.
РК	Русская Книга. Журнал. Берлин.
РМ	Русская Мысль. Газета. Париж.
РМсл	Русская Мысль. Журнал. Москва-СПб-Петроград. После 1918— София, Берлин.
Рч	Речь. Газета. СПб-Петроград.
С	Свиток. Альманахи. Изд. «Никитинские Субботники», Москва.
СбП	Сборник статей, посвященных творчеству Бориса Леонидовича Пастернака. Издание Института по изучению СССР. Исследования и материалы. Серия 1, вып. 65. Мюнхен, 1962.
СВ	Социалистический Вестник. Журнал. Нью-Йорк-Париж.
СевЗ	Северные Записки. Журнал. СПб-Петроград.
СЗ	Современные Записки. Журнал. Париж.
Со	Современник. Журнал. Торонто.

Названия издательств:

АН СССР	Академия Наук СССР, Москва-Ленинград.
Ас	Academia. Ленинград, затем — Ленинград-Москва.
ГИЗ	Государственное издательство, Москва, Москва-Ленинград.
ГИХЛ	Государственное издательство «Художественная Литература», Гос. издательство

	художественной литературы, Гос. литературное издательство (Гослитиздат), Москва-Ленинград.
Госполитиздат	Государственное издательство **политической** литературы, Москва, Москва-Ленинград.
Детгиз	Государственное издательство детской литературы.
МлГв	Молодая Гвардия. Москва-Ленинград.
РКн	Русская Книга. Вашингтон-Нью-Йорк.
СП	Издательство «Советский Писатель», Москва и Москва-Ленинград.
СПЛ	Изд. «Советский Писатель», Ленинградское отделение.
СПЛе	Издательство Писателей в Ленинграде.
Учпедгиз	Государственное издательство учебной и педагогической литературы. Москва, Москва-Ленинград.
ИиЧ	Издательство имени Чехова, Нью-Йорк.

Города:

Б	Берлин.
Вш	Вашингтон.
К	Киев.
Л	Ленинград.
М	Москва.
М-Л	Москва-Ленинград.
Мн	Мюнхен.
НЙ	Нью-Йорк
П	Петербург.
Пг	Петроград.
Пар	Париж.
СПб	Санкт-Петербург.
СПб-Пг	Санкт-Петербург-Петроград.
Т	Тифлис, **Тбилиси.**
Ф	Франкфурт-Майн.
Х	Харьков.

Прочие сокращения:

Альм.	Альманах.
в кн.	в книге.
Вст. ст.	Вступительная статья.
Газ.	Газета
Гос.	Государственный.
Гос. Ин-т	Государственный институт.
Гос. Ун-т	Государственный университет.
Журн.	Журнал.
Избр. соч.	Избранные сочинения.
Избр. стих.	Избранные стихотворения.
Изд.	Издание.
им.	имени.
Ин-т.	Институт.
кн.	книга.
опубл.	опубликован, опубликована, опубликовано, опубликованы.
первон.	первоначально.
Переизд.	Переиздание, переиздано.
под ред.	под редакцией.
Полн. собр. соч.	Полное собрание сочинений.
рец.	рецензия.
Собр. соч.	Собрание сочинений.
Соч.	Сочинения.
т.	том.
тт.	томы, томах (например, в 3 тт. — в трех томах).
Ун-т	университет.

————

А., П. Первая годовщина смерти А. А. Ахматовой. РМ, 4 апреля 1967.

АБРАМКИН В. М. и А. Н. ЛУРЬЕ. Библиотека Поэта. Аннотированная библиография. (1933—1965). Обший план. Изд. 2, СП, 1965, стр. 73, 136, 138, 140, 178, 239, 240, 241.

АВДЕЕНКО А. Мир поэзии. «Вечерняя Москва», 2 марта 1962.

А(дамович) Г. Литература в СССР. ПН, 15 октября 1936 (О беседе с Ахматовой, опублик. в «Литературном Ленинграде»).

АДАМОВИЧ Г. У самого моря (рец). «Голос Жизни», 1915, № 19, 6 мая, стр. 6.

АДАМОВИЧ Г. Ахматова и Маяковский. Статья Чуковского. («Дом Искусств», № 1). «Цех Поэтов», кн. 3, 1922.

АДАМОВИЧ Г. Литературные беседы. Зв, 1927, № 2, стр. 72.

АДАМОВИЧ Г. Литературные беседы. Зв, 1928, № 2, стр. 73.

АДАМОВИЧ Г. Анна Ахматова. ПН, 18 января 1934.

АДАМОВИЧ Г. Литературные заметки. ПН, 24 января 1935.

АДАМОВИЧ Г. Литературные заметки. ПН, 20 июня 1935.

АДАМОВИЧ Г. Литературные заметки. ПН, 30 апреля 1936.

АДАМОВИЧ Г. Литературные заметки. ПН, 17 июня 1936.

АДАМОВИЧ Г. Частушки. ПН, 1 октября 1936.

АДАМОВИЧ Г. Литературные заметки. ПН, 23 февраля 1939.

АДАМОВИЧ Г. Литература в «Русских Записках». ПН, 19 января 1939.

АДАМОВИЧ Г. Владислав Ходасевич. ПН, 22 июня 1939.

АДАМОВИЧ Г. Смерть и время. «Русский Сборник», кн. 1. Изд. «Подорожник», Пар, 1946, стр. 176.

АДАМОВИЧ Г. Зинаида Гиппиус. В его кн. «Одиночество и свобода», ИиЧ, 1955, стр. 163.

АДАМОВИЧ Г. Владимир Набоков. Там же, стр. 224.

АДАМОВИЧ Г. Наследство Блока. НЖ, № 44, 1956, стр. 74. Перепеч. в его кн. «Комментарии». Изд. В. П. Камкина, Вш, 1967, стр. 148.

АДАМОВИЧ Г. По поводу собрания сочинений Осипа Мандельштама. Оп, № 6, 1956, стр. 93.

АДАМОВИЧ Г. Писатель для юношества. РМ, 21 марта 1957.

АДАМОВИЧ Г. Судьба Иннокентия Анненского. РМ, 5 ноября 1957.

АДАМОВИЧ Г. Подарок Пастернаку. НРС, 6 декабря 1957.

АДАМОВИЧ Г. Наши поэты. НЖ, № 61, 1960, стр. 151.

АДАМОВИЧ Г. Несколько слов о Мандельштаме. ВПу, альм. II, 1961, стр. 90, 101.

АДАМОВИЧ Г. Table talk. НЖ, № 66, 1961, стр. 90.

АДАМОВИЧ Г. Послесловие. ВПу, альм. III, 1963, стр. 73.

АДАМОВИЧ Г. Избранные стихи Юрия Терапиано. РМ, 7 марта 1964.

АДАМОВИЧ Г. На полях «Реквиема» Анны Ахматовой. Мст, № 11, 1965, стр. 206—210.

АДАМОВИЧ Г. Оправдание черновиков. НЖ, № 81, 1965, стр. 93.

АДАМОВИЧ Г. Бунин-поэт. В его кн. «О к н и г а х и а в-т о р а х». Мн-Пар, 1966, стр. 7.

АДАМОВИЧ Г. Большой поэт и большой человек. Там же, стр. 12—14.

АДАМОВИЧ Г. Памяти Анны Ахматовой. РМ, 12 марта 1966.

АДАМОВИЧ Г. Два сборника стихов. НРС, 3 июля 1966.

АДАМОВИЧ Г. О стихах Евгения Евтушенко и о русской поэзии вообще. РМ, 4 сентября 1966.

АДАМОВИЧ Г. К о м м е н т а р и и. Изд. В. П. Камкина, Вш, 1967, стр. 74, 110.

АДАМОВИЧ Г. Сергей Городецкий. РМ, 14 сентября 1967, стр. 4.

АДАМОВИЧ Г. Мои встречи с Анной Ахматовой. ВПу, альм. V, 1967, стр. 99—114.

АДАМОВИЧ Г. Оправдание черновиков. НЖ, № 90, 1968, стр. 83.

АЗАДОВСКИЙ М. Пушкин. Сказки. 1933 (рец). В кн. Пушкин. Временник Пушкинской Комиссии Академии Наук СССР. АН СССР, Т. 1, 1936, стр. 323.

АЗАДОВСКИЙ М. Источники сказок Пушкина. Там же, стр. 149, 160.

АЗАРОВ В., А. ПАВЛОВСКИЙ, В. ШОШИН. Литературная жизнь. В кн.: «О ч е р к и и с т о р и и Л е н и н г р а д а», т. 5, изд. «Наука» (АН СССР), Л, 1967, стр. 656—657, 690.

АЙХЕНВАЛЬД Ю. Ахматова. В его кн. 4: П о э т ы и п о э т е с с ы Изд. «Северные Дни», М., 1922, стр. 52—75.

АЙХЕНВАЛЬД Ю. С и л у э т ы р у с с к и х п и с а т е л е й. Т. 3, изд. 5. «Мир», М., 1923. Изд. 6, Б, 1923, стр. 279—293.

АКИМЫЧ. Писательский парад. РМ, 10 июня 1967.

АЛЕКСАНДРОВ В. Наше поэтическое сегодня. НЛП, 1929, № 3, ст. 24.

АЛЕКСАНДРОВА В. Первая военная зима в России. НЖ, № 4, 1943, стр. 260—261.

АЛЕКСАНДРОВА В. Под прожектором войны. НЖ, № 5, 1943, стр. 393.

АЛЕКСАНДРОВА В. Обзор советских журналов за 1943 год. НЖ, № 7, 1944, стр. 355.

АЛЕКСАНДРОВА В. Трагедия покаяния. СВ, 1946, № 10, стр. 221, 222.

АЛЕКСАНДРОВА В. После встречи с Европой. СВ, 1946, № 11, стр. 248.

АЛЕКСАНДРОВА В. Смысл чистки. СВ, 1946, № 12, стр. 270.

АЛЕКСАНДРОВА В. Тридцатилетие советской литературы. НЖ, № 17, 1947, стр. 186.

АЛЕКСАНДРОВА В. Советская литература после XX съезда КПСС. НЖ, № 46, 1956, стр. 54.

АЛЕКСАНДРОВА В. Старые и новые лики Петербурга. НРС, 18 августа 1957.

АЛЕКСАНДРОВА В. Переводы Б. Пастернака. НРС, 26 октября 1958.

АЛЕКСАНДРОВА В. «Страницы жизни» Вс. Рождественского (рец). НРС, 8 февраля 1959.

АЛЕКСАНДРОВА В. Лирика уходящего года. НРС, 29 ноября 1959.

АЛЕКСАНДРОВА В. Борис Пастернак. НРС, 5 июня 1960.

АЛЕКСАНДРОВА В. В литературных журналах 1965 года. НРС, 11 апреля 1965.

АЛЕКСАНДРОВА В. Прошлое сегодняшними глазами. НЖ, № 84, 1966, стр. 128.

АЛИГЕР М. Опыт души. ВЛ, 1966, № 4, стр. 119.

АЛЬМЕДИНГЕН Г. «Записки Мечтателей», № 1—5 (рец). КиР, 1922, № 8, стр. 24.

АЛЬФОНСОВ В. С л о в а и к р а с к и. СП, 1966, стр. 174.

АЛЯНСКИЙ С. Об иллюстрациях к поэме А. Блока «Двенадцать». БС, 1964, стр. 441.

АЛЯНСКИЙ С. Встречи с Блоком (Из записок издателя). НМ ,1967, № 6, стр. 175, 194.

АМИНАДО Дон. П о е з д н а т р е т ь е м п у т и. ИиЧ, 1954, стр. 70, 143, 145, 153.

АНАТОЛЬЕВА Н. Между двумя съездами. Г., № 39, 1958, стр. I, III.

АНАТОЛЬЕВА Н. Пастернак и мировая общественность. Г., № 40, 1958, стр. 56.

АНДРЕЕВ Н. Заметки читателя. Три пути. В., № 34, стр. 165.

АНИН Н. Ленинградские ночи. «Парижский Вестник», 1943, № 63.

АНИЧКОВ Е. Н о в а я р у с с к а я п о э з и я. Изд. 2, И. П. Ладыжникова, Б, 1923, стр. 48, 113—119.

АННЕНКОВ П. Семейная фотография Анны Ахматовой. «Родные Перезвоны», Брюссель, 1966, № 164. Перепечат. РМ, 23 апреля 1966.

АННЕНКОВ Ю. Борис Пастернак и Нобелевская премия. В, № 85, 1959, стр. 95.

АННЕНКОВ Ю. Памяти Бориса Пастернака. В, № 102, 1960, стр. 131.

АННЕНКОВ Ю. Анна Ахматова. В, № 129, 1962, стр. 41—52. В несколько измененной редакции в его кн. «Д н е в н и к м о и х в с т р е ч. Цикл трагедий». Т. 1. Изд. Международного Литературного Содружества, 1966, стр. 114—136.

АННЕНКОВ П. Георгий Иванов. В, № 141, 1963, стр. 41, 42, 49. В несколько измененной редакции в той же кн., стр. 341, 344.

АННЕНКОВ Ю. Д н е в н и к м о и х в с т р е ч. Цикл трагедий. Т. 1. Изд. Международного Литературного Содружества, 1966, стр. 62, 63, 77, 95, 99, 105, 107, 111, 114—136, 273, 332, 333—334, 341, 344. Т. 2, 1966, стр. 152, 156, 168, 204, 230—231.

АННЕНКОВ Ю. Французский писатель о русской литературе. РМ, 1 марта 1966.

АННЕНКОВ Ю. Последние встречи с А. А. Ахматовой. РМ, 12 и 15 марта 1966.

АННЕНКОВ Ю. Об Ахматовой в СССР. В, № 184, апрель 1967, стр. 122—28.

АННИНСКИЙ Л., С. БОЧАРОВ, В. КАДИМОВ, О. МИХАЙЛОВ. (Литература) В кн. «Всемирная история в 10 тт.», т. 9, АН СССР и Соцэкгиз, М, 1962, стр. 554.

Аноним. Русская литература. (Обзор за год). «Новое Время», СПб, 1 января 1913.

Аноним. Золотая доска. Рекомендуемые редакцией книги («Вечер» Ахматовой). «Жатва», кн. 5, М, 1915, стр. 349.

Аноним. Белая стая (рец). «Вестник Европы», 1917, № 9—12.

Аноним. Тоска по «сретенью». «Дело Народа», Пг, № 38, 10 мая 1918.

Аноним. Белая стая (рец). «Бюллетени Литературы и Жизни», 1918, № 9, стр. 38—40.

Аноним. (Заметки) в Хронике. «Дом Искусств», № 1, П, 1921, стр. 71, 74.

Аноним. Из жизни русских поэтов в Закавказье. РК, 1921, № 1, стр. 13.

Аноним. (Заметка) в Хронике. РК, 1921, № 1, стр. 17.

Аноним. (Заметка) в Хронике. РК, 1921, № 4, стр. 12.

Аноним. (Заметка) в Хронике. РК, 1921, № 6, стр. 21.

Аноним. (Заметка) в Хронике. ПиР, 1921, № 1, стр. 180.

Аноним. (Заметки) в Хронике. ПиР, 1921, № 3, стр. 302, 304, 308, 311.

Аноним. Хроника (О группе «Лирич. Круг») — «Театральное Обозрение», 1921, № 8.

Аноним. Литературная жизнь. Хроника. КиР, 1921, № 12, стр. 98 (о проекте издать сборник «Весть» под ред. Ахматовой).

Аноним. (Заметка о том, что Ахматова написала либретто к балету «Снежные маски» по А. Блоку; музыку пишет А. С. Лурье) в Хронике альм. 1-го «Литературная Мысль», изд. «Мысль», Пг, 1922, стр. 251.

Аноним. (Заметка) в хронике. НЛпр, № 4, 21 мая 1922, стр. 8.

Аноним. Петербургское издательство «Петрополис». НРК, 1922, № 1, стр. 35, 36.

Аноним. (Заметка о вхождении Ахматовой членом «без наименования» в группу «Серапионовы братья») в хронике. НРК, 1922, № 1, стр. 38.

Аноним. Адреса петербургских литераторов и ученых (Ахматова — Сергиевская 7). НРК, 1922, № 4, стр. 37.

Аноним. (Заметка) в хронике. ПиР, 1922, № 2, стр. 394.

Аноним. (Об участии Ахматовой в «Утренниках» и ежемесячнике «Узел» и о новых книгах Ахматовой) в хронике. НРК, 1922, № 5, стр. 47, 48 и 51.

Аноним. (Заметки) в хронике. НРК, 1922, № 6, стр. 18, 19.

Аноним. Издательство «Алконост». НРК, 1922, № 6, стр. 29, 30.

Аноним. Литературная хроника. «Литературные Записки», № 2, 23 июня 1922, стр. 19.

Аноним. «Литературные Записки», № 2, 23 июня 1922, стр. 20 (О переводах Ахматовой на древне-еврейский язык).

Аноним. Современные писатели и революционный народ. «Правда», М, 27 августа 1922.

Аноним. (Заметка) в хронике. С, кн. 1, 1922, стр. 173.

Аноним. (Об участии Ахматовой в альм. «Стрелец», кн. 3) в хронике. НРК, 1922, № 8, стр. 31.

Аноним. (Заметка) в хронике. НЛпр, № 20, 1 октября 1922, стр. 12.

Аноним. (Заметка) в хронике. НЛпр, № 22, 5 октября 1922, стр. 12.

Аноним. В издательстве« Шиповник». Хроника. «Россия», Пг, 1922, № 2, сент., стр. 29.

Аноним. (Заметка) в хронике. «Россия», Пг, 1922, № 4, декабрь, стр. 31, 32.

Аноним. (Об участии Ахматовой в предполагаемом журнале «Зеленая Лампа»). НЛпр, 1923, 20 января, стр. 8.

Аноним. (Заметки) в Хронике. Н, № 495, 2 декабря 1923, стр. 6.

Аноним. Поэты наших дней. — Тихонов. «Бюллетени Литературы и Жизни», 1923, № 2, стр. 53.

Аноним. Ахматова. БСЭ 1 изд., т. 4, 1926, ст. 162.

Аноним. (Заметка) в Хронике. ПиР, 1927, № 3, стр. 232.

Аноним. Пушкинский Временник, 1 (рец). «Литературный Ленинград», 1935, № 5.

Аноним. (Заметки) в Хронике. «Пушкин». Временник Пушкинской Комиссии Академии Наук СССР, т. 1, АН СССР, 1936, стр. 364, 366.

Аноним. (Заметки) в Хронике. Там же, т. 2, 1936, стр. 454, 486, 490.

Аноним. (Заметки) в Хронике. Там же, т. 3, 1937, стр. 531, 552.

Аноним. Большевистская идейность — основа советской литературы. ЛГ, 21 сентября 1946.

Аноним. На передовую линию огня. ЛГ, 28 сентября 1946.

Аноним. За высокую идейность советской литературы и искусства. «Большевик», 1946, № 19, стр. 4—11.

Аноним. За высокую идейность литературы! ЛГ, 28 сентября 1946.

Аноним. Выше знамя идейности в литературе! Зн, 1946, № 10, стр. 27—29, 31, 34.

Аноним. Большевистская партия и советская литература. НМ, 1947, № 5, стр. 147.

Аноним. Акмеизм. БСЭ, 2 изд., т. 1, 1949, стр. 603.

Аноним. Ахматова. БСЭ, 2 изд., т. 3, 1950, стр. 566—567.

Аноним. Список литераторов, погубленных травлей... большевистской власти. «Литературный Современник», Мн, № 1, 1951, стр. 47.

Аноним. Среди советских писателей. НРС, 20 марта 1952.

Аноним. Анна Ахматова. Вст. ст. в кн. Анна Ахматова. И з б р а н н ы е   с т и х о т в о р е н и я. ИиЧ, 1952, стр. V—VIII.

Аноним. «Искусство для искусства». БСЭ 2 изд., т. 18, 1953, стр. 511.

Аноним. «О журналах 'Звезда' и 'Ленинград'». БСЭ, 2 изд., т. 30, 1954, стр. 265.

Аноним. Корейская классическая поэзия (рец). Ог, 1956, № 47, стр. 19.

Аноним. Ахматова. «Ленинград». Энциклопедический справочник. М-Л, 1957, стр. 426.

Аноним. Ахматова. (Био-библиографич. справка). «Антология Русской Советской Поэзии». 1917—1957, Т. 1, ГИХЛ, 1957, стр. 821—822.

Аноним. Партия и вопросы развития советской литературы и искусства. «Коммунист», 1957, № 3, стр. 22.

Аноним. Акмеизм. МСЭ, 3 изд., т. 1, 1958, ст. 218.

Аноним. Ахматова. МСЭ 3 изд., т. 1, 1958, ст. 685.

Аноним. Ахматова реабилитирована. НРС, 27 июня 1959.

Аноним. Литературная дуэль. — Вызов на суд истории. РМ, 5 декабря 1959.

Аноним. Болезнь Анны Ахматовой. НРС, 13 июля 1960.

Аноним. К слухам о болезни Анны Ахматовой. РМ, 16 июля 1960.

Аноним. На всех языках. Хроника. ИЛ, 1964, № 9, стр. 275.

Аноним. «Звезда» вспоминает об опале Зощенко и Ахматовой. НРС, 2 марта 1964.

Аноним. Ленинградская «Звезда» хвалит ждановщину. НРС, 3 марта 1964.

Аноним. Анне Ахматовой — 75 лет. Г., № 56, 1964, стр. 3.

Аноним. Реквием. КРС, 24 мая 1964, стр. 9—11.

Аноним. Привет Анне Ахматовой. РМ, 11 июня 1964.

Аноним. Неувядаемость. К 75-летию Анны Ахматовой. ЛГ, 25 июня 1964.

Аноним. Судьба Ольги Ивинской. НРС, 23 июня 1964.

Аноним. К 75-му юбилею Анны Ахматовой. КРС, 21 августа 1964, стр. 9—11.

Аноним. Анна Ахматова едет в Италию. НРС, 7 сентября 1964.

Аноним. Ахматова, Солженицын, Паустовский. НРС, 31 октября 1964.

Аноним. Анна Ахматова ожидается в Италии. НРС, 8 декабря 1964.

Аноним. Писатели в Таормине. НРС, 12 декабря 1964.

Аноним. О присвоении А. А. Ахматовой Оксфордским университетом почетной степени доктора филологии. ЛГ, 17 декабря 1964.

Аноним. Вести из Советского Союза. НРС, 22 декабря 1964.

Аноним. (Заметка о возможности присуждения Ахматовой Нобелевской премии) Пс, 18 декабря 1964. Перепеч. РМ, 24 декабря 1964.

Аноним. Анна Ахматова в Италии. НРС, 29 декабря 1964.

Аноним. Анна Ахматова в Италии. РМ, 9 января 1965.

Аноним. Иосиф Бродский — Анне Ахматовой (Вступит. заметка к стихотворению И. Бродского). РМ, 20 февраля 1965.

Аноним. Случай с поэтом Василием Журавлевым. НРС, 3 мая 1965.

Аноним. На всех языках. Хроника. ИЛ, 1965, № 7, стр. 270.

Аноним. На всех языках. Хроника. ИЛ, 1965, № 10, стр. 273.

Аноним. Стихотворения и поэмы Иосифа Бродского. КРС, 1965, № 111, 3 декабря 1965, стр. 12.

Аноним. Антология русской поэзии. ИЛ, 1966, № 2, стр. 286.

Аноним. Литературное собрание Пушкинского общества (к вечеру поэзии Ахматовой в Нью-Йорке, 20 февраля 1966). НРС, 17 февраля 1966.

Аноним. Кончина А .А. Ахматовой. «Правда», М, 6 марта 1966.

Аноним. О кончине А. А. Ахматовой. Объявление Союзов Писателей СССР и РСФСР. «Известия», М, 6 марта 1966.

Аноним. Кончина А. А. Ахматовой. «Комсомольская Правда», М, 6 марта 1966.

Аноним. Скончалась Анна Ахматова. НРС, 6 марта 1966.

Аноним. Скончалась Анна Ахматова. РМ, 8 марта 1966.

Аноним. Как живут поэты в СССР. РМ, 8 марта 1966.

Аноним. К кончине Анны Ахматовой. «Зарубежье», Мн, март 1966, стр. 3.

Аноним. (О докладе В. В. Вейдле в Париже: «Поэзия Анны Ахматовой») в хронике. Там же, стр. 14.

Аноним. Памяти Анны Ахматовой. НРС, 12 марта 1966.

Аноним. Панихиды по Анне Ахматовой. НРС, 12 марта 1966.

Аноним. Похороны Анны Ахматовой. НРС, 13 марта 1966.

Аноним. К. Паустовский о кончине Ахматовой. НРС, 13 марта 1966.

Аноним. Кончина А. А. Ахматовой. «Голос Родины», Б-М, № 21, март 1966.

Аноним. (Вст. заметка к публикации Ахматовой «Неизданный отрывок из трагедии 'Сон во сне'»). ВРСХД, № 80, I—II, 1966, стр. 45.

Аноним. Отклики на смерть Ахматовой (Письма из СССР). Там же, стр. 49—52. Перепеч. НРС, 16 окт. 1966.

Аноним. Панихиды по А. А. Ахматовой (Париж-Лондон-Калифорния). РМ, 17 марта 1966.

Аноним. Кончина Анны Ахматовой. «Русские Новости», Пар, 18 марта 1966.

Аноним. Похороны А. А. Ахматовой. НРС, 18 марта 1966.

Аноним. На панихиде по А. А. Ахматовой в Париже. НРС, 24 марта 1966.

Аноним. Памяти Анны Ахматовой. КРС, № 126, 25 марта 1966, стр. 6—8.

Аноним. Еще об Ахматовой. Там же, стр. 8—10.

Аноним. О кончине Ахматовой (Письмо из России). РМ, 12 апреля 1966.

Аноним. Поэт Твардовский защищает либеральных писателей. НРС, 15 апреля 1966.

Аноним. Радиопрограмма, посвященная Анне Ахматовой (в Колумбийском университете в Нью-Йорке, 25 апреля 1966). НРС, 21 апреля 1966.

Аноним. Чествование памяти Анны Ахматовой (в Брюсселе). РМ, 23 апреля 1966.

Аноним. Вечер памяти Анны Ахматовой в Вассар-колледже. НРС, 1 мая 1966.

Аноним. В Канаде. Вечер памяти А. А. Ахматовой. НРС, 14 мая 1966.

Аноним. Памяти Анны Ахматовой. НРС, 14 мая 1966.

Аноним. Выставка памяти А. А. Ахматовой в Калифорнийском университете. РМ, 21 мая 1966.

Аноним. (Вст. заметка к подборке «Неопубликованные стихи Анны Ахматовой»). «Звезда Востока», Ташкент, 1966, № 6, стр. 40.

Аноним. (Заметка о докладе об Ахматовой в Ницце) в Хронике. «Зарубежье», Мн, май 1966, стр. 14.

Аноним. (Заметка о лекции об Ахматовой Ю. П. Анненкова в Париже). Там же, стр. 16.

Аноним. (Заметка о панихиде по Ахматовой в Каракасе). Там же, стр. 16.

Аноним. Рец. на «Дневник моих встреч» Ю. Анненкова. КРС, 3 июня 1966, стр. 9.

Аноним. Вечер памяти Ахматовой в Вашингтоне. НРС, 7 июня 1966.

Аноним. (Анна Андреевна Ахматова). Со, 1966, № 13, июнь, стр. 7—8.

Аноним. Чтобы словам было тесно, мыслям просторно. С пленума правления московского отделения Союза писателей РСФСР. «Литературная Россия», 1966, № 24, 10 июня, стр. 5, 9.

Аноним. Бунин-Симонов-эмиграция. НРС, 7 августа 1966.

Аноним. Клятва. (Передовая). НРС, 10 октября 1966.

Аноним. Вакансия сатирика в советской литературе. КРС, № 156, 14 октября 1966, стр. 9.

Аноним. Стихотворение Евтушенко «Памяти Ахматовой». КРС, 11 ноября 1966, стр. 4—6.

Аноним. В обществе имени А. С. Пушкина. НРС, 16 ноября 1966.

Аноним. (Сообщение в хронике о литературном вечере памяти Ахматовой в зале Парижской русской консерватории 12 ноября 1966). «Зарубежье», Мн, декабрь 1966, стр. 22.

Аноним. Анна Ахматова. КРС, № 170, 20 января 1967, стр. 4—8.

Аноним. Доклад Б. А. Филиппова в Йельском университете (об Ахматовой). НРС, 1 марта 1967.

Аноним. Лекция Б. Филиппова в Йельском университете (о поэзии Ахматовой). НРС, 17 марта 1967.

Аноним. Высокое призвание художников слова. «Юность», М, 1967, № 5, стр. 6.

Аноним. Маяковский — по Анненкову и Пастернаку. КРС, № 182, 21 апреля 1967, стр. 6.

Аноним. О сборнике «День Поэзии. 1966». КРС, № 188, 2 июня 1967, стр. 7.

Аноним. Письмо А. Солженицына Четвертому съезду писателей. НРС, 6 июня 1967.

Аноним. Американский славист С. Карлинский о Марине Цветаевой. КРС, № 190, 16 июня 1967, стр. 8.

Аноним. Канадская антология русских поэтов (о вечере памяти Ахматовой в Торонто). НРС, 17 июня 1967.

Аноним. (О вечере памяти Ахматовой в Брюсселе, 10 марта 1967) в «Хронике зарубежной жизни», «Зарубежье», Мн, июнь 1967, стр. 22.

Аноним. Юрий Анненков о Пастернаке. КРС, 23 июня 1967, стр. 7.

Аноним. Осип Мандельштам. КРС, № 191, 25 июня 1967, стр. 2.

Аноним. А .И. Солженицын и Четвертый съезд писателей. КРС, № 192, 30 июня 1967, стр. 5.

Аноним. Евтушенко, Смеляков и Самойлов об Анне Ахматовой ко дню ее рождения. КРС, № 194, 14 июля 1967, стр. 7—10.

Аноним. Социалистический реализм в современной литературе. КРС, № 198, 11 августа 1967, стр. 3, 4, 5.

Аноним. Письмо А. Солженицына. КРС, 1 сентября 1967, стр. 8.

Аноним. Отзвуки пятидесятилетия Октября. КРС, № 208, 20 октября 1967, стр. 1.

Аноним. (О поступлении в ЦГАЛИ фотографии А. А. Ахматовой, сделанной в 1920 г. М. С. Наппельбаумом — и воспроизведение этой фотографии). «Наш Современник», М, 1967, № 10, стр. 122.

Аноним. Марина Цветаева. КРС, № 211, 10 ноября 1967, стр. 8, 12.

Аноним. Хроника литературной жизни. В кн. «История русской советской литературы в 4 томах», том 1, изд. 2-е, испр. и дополненное, изд. «Наука» (АН СССР), М., 1967, стр. 732, 736, 737, 753, 755.

Аноним. Премия Леопольду Левину. ИЛ, 1967, № 11, стр. 281.

Аноним. Н. Гумилев. КРС, № 217, 22 дек. 1967, стр. 4, 5, 6, 7.

Аноним. Журнал «Ост-Проблемс» о нашей современной интеллигенции. «Посев», 1968, № 1, стр. 64.

Аноним. Советские женщины о произволе. КРС, № 232, 5 апреля 1968, стр. 2—4.

АНРЕП Б. Я позабыл слова, я не слагал заклятья. Стихи, посвящ. Ахматовой. ВПу, альм. III, 1963, стр. 12.

АНСТЕЙ О. Черный год (о «Реквиеме). НРС, 15 декабря 1963.

АНСТЕЙ О. К собранию памяти Анны Ахматовой. НРС, 12 марта 1966.

АНТОКОЛЬСКИЙ П .Книга Марины Цветаевой. НМ, 1966, № 4, стр. 223—224.

АНТОКОЛЬСКИЙ П., М. АУЭЗОВ, М. РЫЛЬСКИЙ. Художественные переводы литератур народов СССР. В кн. «Второй Всесоюзный съезд советских писателей. 15—26 декабря 1954. Стенографический отчет». СП, 1956, стр. 261. Перепеч. в кн. «Вопросы художественного перевода». СП, 1955, стр. 8.

АНЦИФЕРОВ Н. Пригороды Ленинграда. Изд. Гослитмузея, М, 1946, стр. 65—67, 92—94.

АРВАТОВ Б. Гражданка Ахматова и тов. Коллонтай. МГ, 1923, № 4—5, стр. 147—151.

АРГУС. Слухи и факты. НРС, 21 февраля 1952, 23 июля 1957, 4 апреля 1960, 24 ноября 1960, 31 января 1967.

АРГУС. Слухи и факты. То, другое, третье. НРС, 25 янв. 1968.

АРОНСОН Г. «Опыты», книга 1 (рец). НРС, 24 марта 1953.

АРОНСОН «Новый Журнал», кн. 49 (рец). НРС, 25 августа 1957.

АРОНСОН Г. «Опыты», кн. 9 (рец). НРС, 29 марта 1959.

АРОНСОН Г. Новое о Максиме Горьком. НРС, 15 марта 1964 и РМ, 25 апреля 1964.

АРОНСОН Г. «Новый Журнал», кн. 77 (рец). НРС, 25 октября 1964.

АРОНСОН Г. На собрании памяти Анны Ахматовой. НРС, 18 марта 1966.

АРОНСОН Г. «Новый Журнал», кн. 82 (рец). НРС, 17 апреля 1966.

АРОНСОН Г. Преступления Сталина. РМ, 28 апреля 1966.

АРОНСОН Г. «Воздушные Пути». Альм. 5-й (Рец.), НРС, 3 декабря 1967.

АРСЕНЬЕВ Вл. Путь писателя. Пс, 1958, № 44, 2 ноября, стр. 8.

АСАТИАНИ Г. О классических традициях. «Литературная Грузия», Тбилиси, 1965, № 7, стр. 57.

АСЕЕВ Н. Ритм, рифма, синтаксис. ЛГ, 23 мая 1933.

АСЕЕВ Н., Б. АРВАТОВ, О. БРИК, Б. КУШНЕР, В. МАЯКОВСКИЙ, С. ТРЕТЬЯКОВ, Н. ЧУЖАК. За что борется ЛЕФ? ЛЕФ, М, 1923, № 1, стр. 6.

АСКОЛЬДОВ А., А. КОГАН, Т. КОНОПАЦКАЯ, Л. ЛЕВИЦКИЙ и Л. МЕДНЕ. Советские писатели в Великой Отечественной войне. НМ, 1958, № 2, стр. 147, 169, 185, 192, 195.

АСКОЛЬДОВ С. Форма и содержание в искусстве слова. «Литературная Мысль», кн. 3, изд. «Мысль», Л, 1925, стр. 325—326, 332—333.

АФОНИН П. О тех, кто забыл традиции Маяковского. «Молодой Большевик», 1946, № 7, стр. 42—47.

Б., А. Петербургский сборник (рец). «Горн», 1922, № 2, стр. 132.

Б., А. День Поэзии. 1956 (рец). Оп, № 8, 1957, стр. 140.

БАБЕНКО В. Литература героического плана. «НРС», 22 дек. 1967.

БАБЕНКО В. Неумирающая традиция. НРС, 7 апреля 1968.

БАБЕНЧИКОВ М., Ю. Анненков. В кн.: Мастера современной гравюры и графики. Под ред. Вяч. Полонского, ГИЗ, 1928, стр. 180.

БАЛУАШВИЛИ В. У Анны Ахматовой. «Литературная Грузия», Тбилиси, 1965, № 1, стр. 95—96.

БАЛУАШВИЛИ В. Юрий Тынянов в Грузии. Там же, 1967, № 2, стр. 80.

Б(ахрах) А. André Levinson. La littérature russe actuelle. Guerre — Revolution — Exile. J. Povolozky Ed., Paris, 1922 (рец). НРК, 1923, № 2, стр. 20.

БАХРАХ А. Письма Марины Цветаевой. Мст, № 5, 1960, стр. 301.

БАХРАХ А. По памяти, по записям . . . Мст, № 11, 1965, стр. 244.

БАХТИАРОВ С. Автор и переводчик. «Советская Татария», Казань, 30 марта 1962.

БАХТИАРОВ С. Модернизированный Тукай. В кн. «Мастерство перевода», Сборник 1963, СП, 1964, стр. 376.

БЕКЕТОВА М. Александр Блок. Изд. «Алконост», П, 1922, стр. 257.

БЕЛИК А. О некоторых ошибках в литературоведении. О, 1950, № 2, стр. 160, 164.

БЕЛКИН Вен. Петербургские письма (Выставка «Мир Искусства»). НРК, 1922, № 7, стр. 24.

БЕЛКИНА М. «Главная книга». История одной библиотеки. НМ, 1966, № 11, стр. 197—198, 211, 219.

БЕЛЫЙ Андрей. Рембрандтова правда в поэзии наших дней. ЗМ, П, 1922, № 5, стр. 139.

БЕЛЫЙ Андрей. О «России» в России и о «России» в Берлине. «Беседа», Б., № 1, 1923, стр. 228.

БЕЛЫЙ Андрей. Воспоминания о А. А. Блоке. «Эпопея», № 4, Б, 1923, стр. 218.

Б(ерберова) Н. «Начало», альманахи (рец). НРК, 1922, № 5, стр. 9.

Б(ерберова) Н. М. Шкапская. Барабан строгого господина (рец). НРК, 1922, № 8, стр. 19.

БЕРБЕРОВА Н. 25 лет смерти А. А. Блока. «Орион», Париж, 1947, стр. 109—110, 111.

БЕРБЕРОВА Н. Владислав Ходасевич, русский поэт. Г., № 12, 1951, стр. 140.

БЕРБЕРОВА Н. Из петербургских воспоминаний. Оп, № 1, 1953, стр. 164, 166.

БЕРБЕРОВА Н. Вступительная статья к кн. Вл. Ходасевич «Л и т е р а т у р н ы е с т а т ь и и в о с п о м и н а н и я». ИиЧ, 1954, стр. 9.

БЕРБЕРОВА Н. Ключи к настоящему. НЖ, № 66, 1961, стр. 111, 116.

БЕРБЕРОВА Н. Советская критика сегодня. НЖ, № 85, 1966, стр. 101.

БЕРГГОЛЬЦ О. Г о в о р и т Л е н и н г р а д. Ленинград, 1946. Перепеч. в кн. О. Берггольц. И з б р а н н ы е п р о и з в е д е н и я в 2 тт., т. 2, ГИХЛ, Л., 1961, стр. 130—132.

БЕРДЯЕВ Н. О творческой свободе и фабрикации душ. «Русские Новости», Пар, № 73, 4 октября 1946.

БЕРЕЗНИЙ Т. Анна Ахматова. (Заметка) в кн. « Ж е м ч у ж и н ы р у с с к о г о п о э т и ч е с к о г о т в о р ч е с т в а. Избранные стихотворения. Собр. Т. Березний. Изд. Общества Друзей Русской Культуры, Н-Й, 1964, стр. 256.

БЕРЕЗОВ Р. В студенческом общежитии. НРС, 31 августа 1966.

БЕРЕНШТАМ В. Война и поэты. (Письмо из Петрограда). «Русские Ведомости», М, 1 января 1915.

БЕРКОВ П. «Литература» в кн. « Л е н и н г р а д. Энциклопедический справочник». М-Л, 1957, стр. 262, 264.

БЕРКОВ П. Виктор Максимович Жирмунский (К 70-летию со дня рождения). «Русская Литература», Л, 1961, № 3, стр. 234.

БЕРНАДСКИЙ Вас. Портрету Ахматовой. «Простор», Алма-Ата, 1966, № 5, стр. 47.

БЕРНЕР Н. Памяти Анны Ахматовой (стихи). РМ, 31 декабря 1966.

БИБЛИОФИЛ. «Стрелец» (рец). «Россия», 1922, № 2, сентябрь, стр. 28.

БИК Э. (С. Бобров). «Петербург», № 1—2 (рец). ПиР, 1922, № 2, стр. 385.

БИК Э. Л. Берман. Новая Троя (рец). ПиР, 1922, № 2, стр. 366.

БИК Э. Б. Гусман. Сто поэтов. И. Эренбург. Портреты русских поэтов (рец). ПиР, 1923, № 2, стр. 221.

БИСК А. Поэтессы серебряного века. НРС, 28 мая 1961.

БЛАГОВОЛИНА Ю., Ю. ГЕРАСИМОВА, С. ЖИТОМИРСКАЯ, В. ЗИМИНА. Архивные материалы, фонды и коллекции, поступившие в 1965 г. В кн.: Государственная Библиотека СССР им. В. И. Ленина. Записки отдела Рукописей. Вып. 29. Изд. «Книга», М., 1967, стр. 158, 170, 171.

БЛАГОЙ Д. Введение. В кн. «И с т о р и я   р у с с к о й   л и т е р а т у р ы». Т. III. Изд. «Наука» (АН СССР), 1964, стр. 22.

БЛОК А. Анне Ахматовой. Стихи. «Любовь к Трем Апельсинам», СПб, 1914, № 1, перепеч. многократно. Собр. соч. в 8 тт., т. 3, ГИХЛ, 1960, стр. 143, 550 (примеч.).

БЛОК А. «Без божества, без вдохновенья». «Современная Литература», сборник. Л., 1925. Перепеч. многократно. Собр. соч. в 8 тт., т 6, ГИХЛ, 1962, стр. 180.

БЛОК А. Дневник 1911 года. В кн. «Д н е в н и к.   1 9 1 1 — 1 9 1 3». Под ред. П. Н. Медведева. СПЛе, 1928, стр. 24, 33. Перепеч. Собр. соч. в 8 тт., т. 7, ГИХЛ, 1963, стр. 75, 83.

БЛОК А. З а п и с н ы е   к н и ж к и. 1901—1920. ГИХЛ, 1965, стр. 200, 218, 234, 236, 250, 322, 406, 446.

БЛОК А. Письмо к А. А. Ахматовой, 26 марта 1914. Комментарий В. Н. Орлова. НМ, 1955, № 11, стр. 160—161. Перепеч. Собр. соч. в 8 тт., т. 8, 1963, стр. 436—437.

BHOK A. Письмо к А. А. Ахматовой, 14 марта 1916. В кн. А. Блок. С о ч и н е н и я в 2 тт., т. 2, ГИХЛ, 1955, стр. 705—706. Перепеч. Собр. соч. в 8 тт., т. 8, ГИХЛ, 1963, стр. 458—459.

БЛОК А. Письма к матери, 29 мая и 7 июня 1915. В кн. А. Блок. П и с ь м а к р о д н ы м. Ас, т. 2, 1932, стр. 267 (№ 503), 269 (№ 506).

БЛОХ В. Книга и человек. «Среди коллекционеров», 1922, № 2, стр. 49—51.

БОБРОВ С. Предисловие к кн. Н. Асеев. «Ночная флейта», изд. «Лирика», М., 1914. Перепеч. в кн. «Манифесты и программы русских футуристов. Mit tinem Vorwort herausgegeben von Vladimir Markov. Wilhelm Fink Verlag, Muenchen, 1967, S. 107.

БОБРОВ С. «Начала», 1921, № 1 (рец). КН, 1922, № 2, стр. 317.

БОБРОВ С., Н. Гумилев. Огненный столп (рец). КН, 1922, № 3, стр. 264.

БОБРОВ С., Ю. Айхенвальд. Поэты и поэтессы (рец). ПиР, 1922, № 3, стр. 288.

БОБРОВ С., В. Жирмунский. Валерий Брюсов и наследие Пушкина (рец). ПиР, 1923, № 1, стр. 211.

БОБРОВА Э. На смерть Анны Ахматовой. Стихи. Со, № 13, июнь 1966, стр. 13.

БОГДАНОВИЧ Т. Письмо В. Катаняну (Маяковский в Куоккале). ВЛ, 1965, № 11, стр. 166.

БОГОЛЕПОВ А. Анна Ахматова. (Заметка) в кн. Р у с с к а я л и р и к а о т Ж у к о в с к о г о д о Б у н и н а. Избранные стихотворения. ИиЧ, 1952, стр. 354, 395.

БОГУСЛАВСКИЙ А. и Л. ТИМОФЕЕВ, ред. Р у с с к а я с о в е т с к а я л и т е р а т у р а. Очерк истории. Изд. 2 — АН СССР и Учпедгиз, 1963, стр. 611.

БОЛЬШУХИН Ю. Обретшие слово. «Литературное Зарубежье», Мн, 1958, стр. 350.

506

БОЛЬШУХИН Ю. Заметки о Пастернаке. НРС, 7 февраля 1960.

БОЛЬШУХИН Ю. Поэт перед судом тунеядцев. НРС, 26 июня 1964.

БОЛЬШУХИН Ю. «Воздушные Пути» (рец). НРС, 31 января 1965.

БОЛЬШУХИН Ю. Время платить по счету. НРС, 26 июля 1965.

БОЛЬШУХИН Ю. Анна Ахматова. Том 1 (рец). НРС, 12 декабря 1965.

БОЛЬШУХИН Ю. Книга об эпохе. НРС, 8 мая 1966.

БОЛЬШУХИН Ю. Новый Журнал — 84 (рец). НРС, 27 ноября 1966.

БОНГАРТ Вилли. Встреча с А. Ахматовой. НРС, 28 февраля 1965.

БОНДАРИН С. Эдуард Багрицкий. НМ, 1961, № 4, стр. 139, 141.

БОРИСОВ Б. По «ту» сторону. В, № 159, 1965, стр. 138—140.

БОРИСОВ Л. Родители, наставники, поэты (Книги в моей жизни). З, 1966, № 12, стр. 152, 153.

БОРОВКОВА. О. Начало (Л. Вагинова. Начало) (рец). МГ, 1966, № 1, стр. 306—307.

БОРШЕВСКИЙ С. А. Ахматова. Силуэт. «Понедельник», 1918, № 19, 8 июля, стр. 3.

БОЧАРОВ А. И пышки, и шишки. ВЛ, 1967, № 7, стр. 202.

БОЧАРОВ А. Сердцем слитая с народом. ВЛ, 1967, № 9, стр. 92.

БРАЖНИН И. Писатель и его дело. З, 1964, № 3, стр. 145.

БРАУН Кларенс. Тайная свобода Осипа Мандельштама. НЖ, № 80, 1965, стр. 101.

БРАУН Н. Анне Ахматовой. Стихи. З, 1966, № 6, стр. 116—117; ДПЛ 1966, стр. 46.

БРАУН Я. Без пафоса — без формы. «Новая Россия», 1926, № 1, стр. 86.

БРЕЙТБУРД Г. Премия Таормина вручена. ЛГ, 8 октября 1964.

БРИК Л. Маяковский и чужие стихи. Зн, 1940, № 3, стр. 166—167. Перепеч. в расширенной редакции в кн. «В. Маяковский в воспоминаниях современников». Под ред. Н. В. Реформатской. ГИХЛ, 1963, стр. 331—333, 338.

БРОДСКИЙ Б. (Вст. заметка) в кн. Эротика в русской поэзии. Сборник стихов. Ред. и примечания Б. Бродского. Русское Универсальное Издательство, Б, 1922, стр. 168.

БРОДСКИЙ И. Анне Ахматовой. (Стихи). РМ, 20 февраля 1965.

БРЮСОВ В. Будущее русской поэзии. РМсл, 1911, № 8, стр. 18.

БРЮСОВ В. Сегодняшний день русской поэзии. РМсл, 1912, № 7, стр. 22, 28 («Вечер»).

БРЮСОВ В. Новые течения в русской поэзии. Акмеизм. РМсл, 1913, № 4, стр. 140—141, 142.

БРЮСОВ В. Год русской поэзии. Продолжатели. РМсл, 1914, № 7, стр. 19 («Четки»).

БРЮСОВ В. Среди стихов (Anno Domini). ПиР, 1922, № 2, стр. 144—145, 146.

БРЮСОВ В. Среди стихов. ПиР, 1922, № 3, стр. 292.

БРЮСОВ В. Вчера, сегодня и завтра русской поэзии (1917—1922). ПиР, 1922, № 4, стр. 47, 48, 49—50.

БРЮСОВ В. Суд акмеиста. ПиР, 1923, № 3, стр. 100.

БРЮСОВ В. Среди стихов. ПиР, 1923, № 4, стр. 135.

БУЗНИК В. Советская литература в Болгарии. «Русская Литература», Л, 1965, № 4, стр. 191.

БУНИН И. Воспоминания. Изд. «Возрождение», Пар, 1950, стр. 46.

БУРЛАКОВ Н., Г. ПЕЛИСОВ и И. УХАНОВ. Русская литература XX в. Дооктябрьский период. Пособие для пединститутов. Изд. 2-е, испр. и дополн. Учпедгиз, 1961, стр. 231—234.

БУСИН М. Русская поэзия в партийном облачении (По поводу. »La Poésie russe. Édition bilingue. Anthologie réunie et publiée sous la direction de Elsa Triolet. Paris, 1965). В, № 171, 1966, стр. 50, 61—63, 71.

БУСИН М. Анна Ахматова, человек и поэт. В, № 172, 1966, стр. 40—50.

БУСЛОВ К. Проблемы социального прогресса в трудах В. И. Ленина (1917—1923). Изд. Академии Наук БССР, Минск, 1963, стр. 463.

БУХШТАБ Б. Г. Шенгели. Техника стиха (рец). З, 1941, № 2, стр. 185.

БУШМАН И. О ранней лирике Пастернака. СбП, 1962, стр. 233.

БУШМАН И. Поэтическое искусство Мандельштама. Изд. И-та по изучению СССР, Мн, 1964, стр. 34, 70.

БЭЛЗА И. Данте и славяне. В сборн. «Данте и славяне», изд. «Наука» (АН СССР), 1965, стр. 42—43.

В., А. С. Мар. Абем (рец), Н, 24 августа 1922.

В., В. Г. Шпет. Эстетические фрагменты (рец). «Русский Современник», Пг, 1924, № 2, стр. 302.

В., В. А. Боголепов. Русская лирика от Жуковского до Бунина (рец). Оп, № 3, 1954, стр. 195, 196.

ВАЛЬТЕР В. «Четки» и «Подорожник» Ахматовой. «Сполохи», Б, 1921, № 1, стр. 40—41.

ВАРШАВСКИЙ В. «Воздушные Пути» (рец). НЖ, № 58, 1959, стр. 243.

ВАРШАВСКИЙ В. «Воздушные Пути», альм. 4 (рец). НЖ, № 79, 1965, стр. 291—292.

ВАСИЛЕВСКИЙ И. (Не-Буква). Беспартийный Блок. НЛпр., № 13, 13 августа 1922, стр. 2.

ВЕЙДЛЕ В. Ходасевич издали-вблизи. НЖ, № 66, 1961, стр. 124, 127.

ВЕЙДЛЕ В. Пастернак и модернизм. Мст, № 6, 1961, стр. 119; в кн. Борис Пастернак. С о ч и н е н и я. Т. 1. Изд. Мичиганского университета, Анн-Арбор, 1961, стр. XXXV.

ВЕЙДЛЕ В. Умерла Ахматова. ВРСХД, № 80, 1966, стр. 38—45.

ВЕЙНБАУМ М. О советских лагерях и политкаторжанах. НРС, 11 ноября 1959.

ВЕНГЕРОВА З. «Петербургский сборник. 1922» (рец). НРК, 1922, № 2, стр. 7.

ВЕРЕСАЕВ В. Что нужно для того, чтобы стать писателем? ПиР, 1922, № 1, стр. 16.

ВЕРСИЛОВ А. (Н. Мясковский). Сергей Прокофьев. Соч. 9. Два стихотворения. Соч. 18. Гадкий утенок. Соч. 27. Пять стихотворений Ахматовой. «К Новым Берегам», 1923, № 3, стр. 52. Перепеч в кн. «С. С. П р о к о ф ь е в. Материалы, документы, воспоминания». Изд. 2-е, Музгиз, М., 1961, стр. 297—298.

ВЕРТИНСКИЙ А. Четверть века без родины. В сборн. «В к р а я х ч у ж и х». Изд. Комитета за возвращение на родину и развитие культурных связей с соотечественниками. Б, 1962, стр. 241, 284.

ВИЛЕНКИН В. К а ч а л о в. М., 1962, стр. 253.

ВИНОГРАДОВ В. О символике А. Ахматовой. (Отрывки из работы по символике поэтической речи). «Литературная Мысль», изд. «Мысль», кн. 1, Пг, 1922, стр. 91—138.

ВИНОГРАДОВ В. О п о э з и и А. А х м а т о в о й. (Стилистические наброски). «Труды Фонетического Ин-та практического изучения языков», Л, 1925, 165 стр.

ВИНОГРАДОВ В. С т и л и с т и к а. — Т е о р и я п о э т и ч е с к о й р е ч и. — П о э т и к а. АН СССР, 1963, стр. 126.

ВИНОГРАДСКАЯ П. Вопросы морали, пола, быта и тов. Коллонтай. КН, 1923, № 6, стр. 204—214.

ВИНОКУР Г .Новая литература по поэтике (обзор). ЛЕФ, М., 1923, № 1, стр. 239—243.

ВИТМАН А., Н. ПОКРОВСКАЯ (Хаимович), М. ЭТТИНГЕР. В о с е м ь л е т р у с с к о й л и т е р а т у р ы. Библиографический справочник под ред. А. М. Рыбниковой. ГИЗ, 1926, стр. 22—23.

ВИТОВ Н. Проблемы современной русской литературы. Пс, № 12, 21 марта 1948, стр. 6.

ВИШНЕВСКИЙ Вс. Из выступления на заседании правления Союза писателей СССР, 4 сентября 1946. ЛГ, 7 сентября 1946.

ВИШНЕВСКИЙ Вс. Открытое письмо (В редакцию). ЛГ, 28 сентября 1946.

ВЛАДИСЛАВЛЕВ И. Р у с с к и е п и с а т е л и. Изд. 4, ГИЗ, 1924, стр. 152.

ВЛАДИСЛАВЛЕВ И. Л и т е р а т у р а в е л и к о г о д е с я т и л е т и я (1917—1927). Т. 1, ГИЗ, 1928, стр. 25, 39 —40.

ВОЙТОЛОВСКИЙ Л. Парнасские трофеи. «Киевская Мысль», 1914, № 128, 11 мая, стр. 2—3.

ВОЛКОВ А. П о э з и я р у с с к о г о и м п е р и а л и з м а. ГИХЛ, 1935, стр. 8, 100, 105—112, 121, 136—138, 150, 184, 202—203, 211.

ВОЛКОВ А. Знаменосцы безыдейности (Теория и поэзия акмеизма). З, 1947, № 1, стр. 180, 181.

ВОЛКОВ А. А. Ахматова. В. кн. «И с т о р и я р у с с к о й л и т е р а т у р ы», Т. 10, АН СССР, 1954, стр. 776—777.

ВОЛКОВ А. Очерки русской литературы конца XIX и начала XX века. Изд. 2, ГИХЛ, 1955, стр. 452, 453, 460—462.

ВОЛКОВ А. Р у с с к а я л и т е р а т у р а XX века. Дооктябрьский период. (Пособие для ВУЗ'ов). Учпедгиз, 1957, стр. 243, 254.
Изд. 2, «Просвещение», М, 1964, стр. 401, 408—410, 415.

Изд. 4, «Просвещение», М, 1966, стр. 385, 387, 412, 420—423, 429.

ВОЛЬСКИЙ А. И. Эренбург. Портреты русских писателей (рец). Н, 8 апреля 1922, стр. 5.

ВОРОНОВСКАЯ О. А. Ахматова. Четки (рец). «Очарованный Странник», альм. IV, СПб, 1914.

ВОРОНСКИЙ А. Н а с т ы к е. Сборн. статей. ГИЗ, 1923, стр. 6.

В т о р о й В с е с о ю з н ы й с ъ е з д с о в е т с к и х п и с а-
т е л е й. 15—26 декабря 1954. Стенографический отчет. СП, 1956, стр. 601.

ВЫГОДСКИЙ Д. Поэзия и поэтика. «Летопись», Пг, 1917, № 1, стр. 248—258.

ВЫГОДСКИЙ Д. А. Ахматова. Белая стая (рец). «Новая Жизнь», 1918, № 21.

ВЫГОДСКИЙ Д. Б. Гусман. Сто поэтов (рец). КиР, 1923, № 3, стр. 74—75.

ВЫХОДЦЕВ П. Некоторые проблемы народности советской литературы. «Русская Литература», Л, 1958, № 2, стр. 45.

ВЫХОДЦЕВ П. Р у с с к а я с о в е т с к а я п о э з и я и
н а р о д н о е т в о р ч е с т в о. АН СССР, 1963, стр. 31—33, 54, 55, 58, 59, 85, 148, 165, 166.

ГАЕВ А. Молчалины и молчальники. «Литературный Современник», Мн, № 4, 1952, стр. 87.

ГАЕВ А., Б. Л. Пастернак и его роман «Доктор Живаго». СбП, 1962, стр. 22, 35.

ГАЕВ А. Советская художественная литература послесталинского десятилетия. «Ученые Записки Ин-та по изучению СССР», Мн, т. 1, вып. 1, 1963, стр. 150, 154.

ГАЛЬПЕРИН В. Приглашение к путешествию. ВЛ, 1964, № 8, стр. 200, 201—202.

ГВОЗДЕВ А. и А. ПИОТРОВСКИЙ. Петроградские театры в эпоху военного коммунизма. В кн. «И с т о р и я с оветского театра», т. 1, 1917—1921. ГИХЛ, Л, 1933, стр. 117.

Г-Д А. [А. ГОРНФЕЛЬД]. Рец. на «Северное Утро», 1 (П. 1922). «Литературные Записки», № 2, 23 июня 1922, стр. 13.

ГЕНИН Л. Анна Ахматова и царская цензура. 3, 1967, № 4, стр. 203—204.

ГЕРАСИМОВ А. Из воспоминаний. В кн.: К о н с т а н т и н К о р о в и н. Жизнь и творчество. Письма. Документы. Воспоминания. Изд. Академии Художеств СССР, М, 1963, стр. 397.

ГИЗЕТТИ А. Три души (Стихи Н. Львовой, А. Ахматовой, М. Моравской). «Ежемесячный Журнал», Пг, 1915, № 12, стр. 147—166.

ГИЗЕТТИ А. Стихия и творчество. «Мысль», кн. 1, изд. «Революционная Мысль», П, 1918, стр. 235.

ГИНЗБУРГ Лев. Открытие поэзии (Sternenflug und Apfelbluete. Russische Lyrik von 1917 bis 1962. Verlag «Kultur und Fortschritt», Berlin, 1963). (Рец). ВЛ, 1964, № 2, стр. 230.

ГИНЗБУРГ Лев. Размышления переводчика. ДП 1966, стр. 234.

ГИНЗБУРГ Лидия. Наследие и открытие. В ее кн. «О л и - р и к е», СП, 1964, стр. 270.

ГИНЗБУРГ Лидия. Вещный мир. Там же, стр. 360, 363, 364—368.

ГИППИУС Вас. А. Ахматова. Вечер (рец). «Новая Жизнь», 1912, № 3, столб. 270.

ГИТОВИЧ А. Заметки переводчика. ДПЛ 1966, стр. 57.

ГИТОВИЧ А. Памяти Анны Ахматовой. Стихи. «Юность», 1968, № 3, стр. 77.

ГЛАГОЛЕВА Т. Ю. Айхенвальд. Поэты и поэтессы (рец). КиР, 1922, № 9—10, стр. 61.

ГЛИНКА Гл. На путях в небытие. НЖ, № 35, 1953, стр. 142.

ГЛИНКА Гл. По поводу. НРС, 27 февраля 1966.

ГЛИНКА Гл. К расчету ... (Стихи). НЖ, № 85, 1966, стр. 108.

513

ГОЛЛЕРБАХ Э. Петербургская Камена (Из впечатлений последних лет). «Новая Россия», 1922, № 1.

ГОЛЛЕРБАХ Э. Царское Село в поэзии. Вст. ст. в кн. «Царское Село в поэзии». Изд. «Парфенон», П, 1922, стр. 13—14.

ГОЛЛЕРБАХ Э. Старое и новое. Заметки о литературном Петербурге. НРК, 1922, № 7, стр. 3—4.

ГОЛЛЕРБАХ Э. Из воспоминаний о Н. С. Гумилеве. НРК, 1922, № 7, стр. 38.

ГОЛЛЕРБАХ Э. Поминки Блока. Н, 1 сентября 1922.

ГОЛЛЕРБАХ Э. Анна Ахматова. Стихотворение из цикла «Портреты». «Возрождение», альманах под ред. П. Ярославцева, т. 2, изд. «Время», М, 1923.. Перепеч. в кн. «Образ Ахматовой». Антология. Ред. и вст. ст. Э. Голлербаха. Л, 1925, стр. 40—41.

ГОЛЛЕРБАХ Э. Образ Ахматовой. Антология. Ред. и вст. ст. Э. Голлербаха. Изд. Ленинградск. Общества Библиофилов (тираж — 50 экз.), Л, 1925, 45 стр. (стр. 5—18 — статья «Образ Ахматовой», стр. 40—41 и 42 — стихи Э. Голлербаха «Анна Ахматова» и «День прозрачен и тих»).

ГОЛЛЕРБАХ Э. Город муз. Л, 1930.

ГОЛОВЕНЧЕНКО Ф. Планы Гослитиздата (интервью). ЛГ, 7 июля 1945.

ГОЛОМШТОК И. Письмо в Верховный суд РСФСР. Г, № 62, 1966, стр. 67.

ГОРБАТОВ Б. Из выступления на заседании правления Союза писателей СССР, 4 сентября 1946. ЛГ, 7 сентября 1946.

ГОРБАЧЕВ Г. Художественная литература буржуазно-кулацкого окружения. «Под Знаменем Коммунизма», 1922, № 1.

ГОРБАЧЕВ Г. Письма из Петербурга. «Горн», 1922, № 2, стр. 132 («Anno Domini»).

ГОРБАЧЕВ Г. Очерки современной русской
литературы. ГИЗ, Л, 1924.
Изд. 2 — «Современная русская литература», изд. «Прибой», Л, 1929.

ГОРБАЧЕВ Г. На переломе. З, 1926, № 1, стр. 211, 224.

ГОРБОВ Д. «Шиповник», кн. 1 (рец). ПиР, 1922, № 4, стр. 307, 308.

ГОРБОВ Д. «Феникс» (рец). ПиР, 1923, № 2, стр. 230.

ГОРБОВ Я. Перечитывая А. В. Тыркову-Вильямс... В, № 123, 1962, стр. 140, 141.

ГОРЕНКО К. Об Анне Ахматовой (Письмо в редакцию). НРС, 15 ноября 1964.

ГОРОДЕЦКИЙ Б. Драматургия. В кн. Пушкин. Итоги и проблемы изучения. Под ред. Б. П. Городецкого, Н. В. Измайлова, Б. С. Мейлаха. Изд. «Наука» (АН СССР), 1966, стр. 457.

Г(ородецкий) С. «Жатва», кн. 4 (рец). «Гиперборей», № 6, март 1913, стр. 29.

ГОРОДЕЦКИЙ С. Новые течения в современной русской поэзии. А, 1913, № 1, стр. 45, 50.

ГОРОДЕЦКИЙ С. Анне Ахматовой. Стихи. В его кн. «Цветущий посох», изд. «Грядущий День», СПб, 1913.

ГОРОДЕЦКИЙ С. Женские стихи. Рч, 14 апреля 1914.

ГОРОДЕЦКИЙ С. Стихи о войне (в «Аполлоне»). Рч, 3 ноября 1914.

ГОРОДЕЦКИЙ С. Искусство и литература в Закавказье в 1917—1920. КиР, 1920, № 2, стр. 13.

ГОРОДЕЦКИЙ С. Мой путь. В кн. «Советские писатели. Автобиографии. В 2 тт.», т. 1, ГИХЛ, 1959, стр. 325. Перепеч. под назв. «Автобиография» в кн. Сергей Городецкий. Стихи. БСП, 1966, стр. 10.

ГОРЬКИЙ М. Письмо к Н .С. Новоселову, 20 сентября 1930. Зн, 1954, № 11, стр. 134—135. Перепеч. в Собр. соч. в 30 тт., т. 30, ГИХЛ, 1955, стр. 184.

ГОРЬКИЙ М. Письмо к Е. К. Феррари, 2 октября 1922. В кн. «Литературное Наследство. Т. 70: Горький и советские писатели. Неизданная переписка». АН СССР, 1963, стр. 566.

ГРЖИМАЙЛО К. Достопримечательная переписка. Пс, 1957, № 25, 23 июня, стр 7.

ГРИНБЕРГ И. Весь настежь распахнут поэт ... (О творчестве А. Ахматовой). «Культура и Жизнь», М, 1966, № 3, стр. 25—27.

ГРИНБЕРГ И. Умная любовь. «Нева», Л, 1967, № 1, стр. 183.

(ГРИНБЕРГ Р.). (От редакции). ВПу, Альм. (I), 1960, стр. 3—4

(ГРИНБЕРГ Р.). (От редакции). ВПу, Альм. II, 1961, стр. 5.

(ГРИНБЕРГ Р.). (От редакции). ВПу, Альм. III, 1963, стр. 3.

(ГРИНБЕРГ Р.). (От редакции). ВПу, Альм. IV, 1965, стр. 4—6.

(ГРИНБЕРГ Р.). (От редакции). ВПу, Альм. V, 1967, стр. 6.

ГРИНБЕРГ Р. Письмо в редакцию. Опровержение. НРС, февр. 1962.

ГРОМОВ П. А. Блок, его предшественники и современники. СП, 1966, стр. 444—445, 451—453.

ГРОССМАН Л. Анна Ахматова. С, Альм. 4, 1926, стр. 295—305. Перепечат. в его кн. «Борьба за стиль. М, 1927, стр. 227—242, 2 изд — «Никитинские Субботники», М, 1929, стр. 227—239. Перепечатано в сборнике «Мастера слова». М. 1928, стр. 199—211.

ГРОТ Е. Аветик Исаакян и его переводчики: Б. Пастернак, А. Ахматова, А. Блок и другие. НРС, 22 января 1961.

ГРОТ Е. Победа над судьбой. Последние стихи Анны Ахматовой. НРС, 5 февраля 1961.

ГРОТ Е. День Поэзии. 1964. НРС, 30 мая 1965.

ГРОТ Е. Анна Ахматова. НРС, 6 июня 1965.

ГРОТ Е. Анна Ахматова и «Каменный гость» Пушкина. НРС, 3 апреля 1966.

ГРОТ Е. Памяти Анны Ахматовой и других. НРС, 10 апреля 1966.

ГРОТ Е. Творческий путь Анны Ахматовой. НРС, 15 и 16 мая 1966.

ГРУЗДЕВ И. Русская поэзия 1918—1923 (К эволюции поэтических школ). КиР, 1923, № 3, стр. 33.

Г(уль Р.). «Из новых поэтов» (рец). Н, 9 декабря 1923.

ГУЛЬ Р. Советские люди в Европе. «Народная Правда», Пар, № 9—10, сентябрь 1950, стр. 35.

ГУЛЬ Р. Георгий Иванов. НЖ, № 42, 1955, стр. 114, 124. Перепеч. в немного измененной ред. в кн., Г. Иванов. 1 9 4 3 — 1 9 5 8. С т и х и. Изд. «Нового Журнала», Н-Й, 1958, стр. 15.

ГУЛЬ Р. Победа Пастернака. НЖ, № 55, 1958, стр. 118.

ГУЛЬ Р. «Культура. Нумер российский. Май 1960» (рец). НЖ, № 60, 1960, стр. 291.

ГУЛЬ Р. «Реквием». НЖ, № 77, 1964, стр. 290—294.

ГУЛЬ Р. Двадцать пять лет. НЖ, № 87, 1967, стр. 20, 25.

ГУМИЛЕВ Н. Письма о русской поэзии. А, 1914, № 5, стр. 36—38 («Четки»). Перепеч. в кн. «П и с ь м а о р у с с к о й п о э з и и». Изд. «Мысль», Пг, 1923, стр. 188—192, 194.

ГУМИЛЕВ Н. Письмо о русской поэзии. А, 1916, № 1, стр. 27.

ГУМИЛЕВ Н. Русалка. Стихи. В его кн. «П у т ь к о н к в и с т а д о р о в», СПб, 1905. Перепеч. в кн. Н. Гумилев. С о б р. с о ч. в 4 тт. Под ред. Г. П. Струве и Б. А. Филиппова. Изд. В. П. Камкина. Вш, т. 1, 1962, стр. 37—38.

ГУМИЛЕВ Н. Она. Стихи. Впервые в его кн. «Ч у ж о е н е б о». Изд. «Аполлон», СПб, 1912. В указ. выше Собр. соч. в 4 тт., т. 1, стр. 165—166.

ГУМИЛЕВ Н. Из логова змиева. Стихи. Впервые — РМсл, 1911, № 7; затем — «Ч у ж о е н е б о», 1912. Собр. соч. в 4 тт., т. 1, стр. 166—167.

ГУМИЛЕВ Н. Аддис-Абеба, город роз. Акростих. Впервые: Н. Гумилев. С т и х о т в о р е н и я. Посмертный сборник. Изд. «Мысль», Пг, 1922. В собр. соч. в 4 тт., т. 2, 1964, стр. 191.

ГУМИЛЕВ Н. Ангел лег у края небосклона. Впервые в томже посмертном сборнике 1922. Собр. соч. в 4 тт., т. 2, 1964 стр. 191—192.

ГУМИЛЕВ Н. Священные плывут и тают ночи. Собр. соч. в 4 тт., т. 2, Вш, 1964, стр. 135—136.

ГУМИЛЕВ Н. План работы по теории поэзии. В кн. Н. Гумилев. О т р а в л е н н а я т у н и к а и другие неизданные произведения. Под ред. Г. П. Струве. ИиЧ, 1952, стр. 237.

ГУМИЛЕВА А. Николай Степанович Гумилев. НЖ, № 46, 1956, стр. 114—117, 124.

ГУСЕВ В. Н. Павлович. Думы и воспоминания (рец). НМ, 1963, № 4, стр. 282.

ГУСЕВ В. Песни и романсы русских поэтов. В кн. «П е с н и и р о м а н с ы р у с с к и х п о э т о в». БПбс, 1965, стр. 43, 37, 48.

ГУСЕВ В. Стратегия и тактика стиха. ВЛ, 1966, № 3, стр. 31.

ГУТНЕР М. О путях лирики. «Литературный Современник», Л, 1936, № 3, стр. 158.

ДЕЙЧ А. В стане разноголосых. «Литературные и Популярно-Научные Ежемесячные Приложения к Журналу 'Нива'», 1914, № 1, столб. 116, 118, 119.

ДЕЙЧ А. Л. Озеров. Работа поэта (рец). НМ, 1964, № 2, стр. 283—284.

ДЕМЕНТЬЕВ В. «Дни», но не годы. З, 1966, № 6, стр. 198.

ДЕСНИЦКИЙ В. Максим Горький в борьбе за идейность и партийность литературы в годы реакции. З, 1946, № 9, стр. 188.

ДИКМАН М. Примечания к кн. А. Блок. С о б р. с о ч. в 8 тт,. т. 8, ГИХЛ, 1963, стр. 616, 619.

ДИКУШИНА Н. Литературные журналы 40—50 гг. В кн. «История русской советской литературы». АН СССР, т. III, 1961, стр. 568.

ДИКУШИНА Н., А. СИНЯВСКИЙ, С. АЛЛИЛУЕВА, Л. ШВЕЦОВА и др. Хроника литературной жизни. В кн. «История русской советской литературы». АН СССР, т. I, 1958, стр. 538, 578, 590, 613.

ДОБИН Е. Поэзия Анны Ахматовой (Первое десятилетие). «Русская Литература», Л, 1966, № 2, стр. 154—174.

ДОБИН Е. «Поэма без героя» Анны Ахматовой. ВЛ, 1966, № 9, стр. 63—79.

ДОБИН Е. Поэт и родина. «Нева», Л, 1967, № 3, стр. 161—168.

ДОБУЖИНСКИЙ М. С. Маковский. Портреты современников (рец). НЖ, № 44, 1956, стр. 298.

ДОЛИНИН А. Акмеизм. «Заветы», СПб, 1913, № 5, стр. 153, 161, 162.

ДОМОГАЦКИЙ Б. Анна Ахматова (К 35-летию творческой деятельности), «Эхо», Регенсбург, 26 июня 1947.

ДОМОГАЦКИЙ Б. Низкий поклон Анне Андреевне Ахматовой. Со, № 10, 1964.

ДОМОГАЦКИЙ Б. Россия, которой нет давно. НРС, 14 февраля 1967.

ДРОЗДОВ А. Ахматова. Anno Domini (рец). Н, 25 ноября 1923. («Литературная Неделя»).

ДУДИН М. Цвет жизни — красный цвет. ДПЛ, 1966, стр. 78.

Д(ымшиц) А. Поэзия руского империализма. «Резец», Л, 1936, № 5, стр. 24.

ДЫМШИЦ А. Маяковский против низкопоклонства перед Западом. З, 1950, № 3, стр. 175.

ДЫМШИЦ А. Верное сердце (М. Квливидзе. До востребования). ЛГ, 16 марта 1965.

ДЫМШИЦ А. В авангарде художественного прогресса. ВЛ, 1967, № 8, стр. 15.

ДЫННИК В. Акмеисты. БСЭ 1 изд, т. 1, 1926, ст. 824.

ДЫННИК В. Право на песню. КН, 1926, № 12, стр. 244.

ДЫННИК В. Поэт и спец. КН, 1936, № 1, стр. 218.

ДЬЯКОНОВА М. На смерть А. А. Ахматовой. Два стихотворения. РМ, 6 августа 1966.

ЕВГЕНЬЕВ Б. В Лондоне листопад... (Рассказ). Мс, 1967, № 1, стр. 43.

ЕВГЕНЬЕВ-МАКСИМОВ В. Очерк истории новейшей русской литературы. ГИЗ, 1925.

ЕВСЕЕВ Н. Замыслы и труды. Г., № 60, 1966, стр. 177, 193.

ЕВТУШЕНКО Е. Памяти Анны Ахматовой. Стихи. «Юность», 1966, № 8, стр. 65.

ЕГОЛИН А. За высокую идейность советской литературы. З, 1946, № 10, стр. 171—172, 176. Перепеч. в виде брошюры. Изд. «Правда», М, 1946, стр. 11—12, 19. Переизд. в сборн. «Против безыдейности в литературе. Сборник статей журнала ’Звезда’», СП, Л, 1947, стр. 16, 17.

ЕГОРОВ О., А. НИКОЛЮКИН, Р. ФИЛИПЧИКОВА. Зарубежные связи советской литературы 20-х годов. В кн. «История русской советской литературы». АН СССР, т. I, 1958, стр. 483.

ЕЖОВ И. и Е. ШАМУРИН. Ахматова. Справка в кн., ими составленной: «Русская поэзия XX века. Антология русской лирики от символистов до наших дней». Изд. «Новая Москва», М, 1925, стр. 562.

ЕЛАГИН И. Гими цензуре. Стихи. НРС, 30 июля 1967.

ЖДАНОВ А. Доклад о журналах «Звезда» и «Ленинград». «Спутник Агитатора», М, 1946, № 20, стр. 13, 15—17, 22. Также: З, 1946, № 7—8, стр. 10—13, 19, 20. Также отдельн. брошюрами: Госполитиздат, Л, 1946, стр. 8—14, 2 изд. — М, 1952, стр. 9—14.

ЖДАНОВ В. Гипотезы и находки (Э. Герштейн. Судьба Лермонтова). НМ, 1965, № 5, стр. 257.

ЖИРМУНСКАЯ Т. Тысячелетьям вопреки (Лирика Древнего Египта. Пер. А. Ахматовой и В. Потаповой). (Рец). ИЛ, 1966, № 7, стр. 261—262.

ЖИРМУНСКИЙ В. Преодолевшие символизм. РМсл, 1916, № 12, стр. 31, 32—41, 45, 46, 54, 55. Переизд. в его кн. «В о - п р о с ы   т е о р и и   л и т е р а т у р ы». Ас, 1928, стр. 288—302, 307, 308, 317, 318, 319.

ЖИРМУНСКИЙ В. Белая стая (рец). «Наш Век», 1918, № 21, 28 января, стр. 4 .Перепеч. в указ выше кн., стр. 322 —326.

ЖИРМУНСКИЙ В. Два направления современной лирики. «Жизнь Искусства», 1920, 11 января, № 339—340, стр. 1—2. Переизд. в указ. выше книге, стр. 183—189.

ЖИРМУНСКИЙ В. К вопросу о синтаксисе А. Ахматовой. В его кн. «В о п р о с ы   т е о р и и   л и т е р а т у р ы». Ас, 1928, стр. 332—336.

ЖИРМУНСКИЙ В. Мелодика стиха. В той же кн. стр. 93— 95, 99, 110, 111, 113, 120.

ЖИРМУНСКИЙ В. О поэзии классической и романтической. В той же кн., стр. 181.

ЖУРМУНСКИЙ В. Пушкин и западные литературы. В кн. П у ш к и н. Временник Пушкинской Комиссии АН СССР, Т. 3, 1937, стр. 89, 102—103.

ЖОВТИС А. Пульс стихотворного перевода. В кн. «М а - с т е р с т в о   п е р е в о д а», Сборн. 1963. СП, 1964, стр. 108.

ЖУКОВ П. Левый фронт искусств. КиР, 1923, № 3, стр. 41.

ЗАБЕЖИНСКИЙ Г. Ахматову рвут пополам. РМ, 29 марта 1962.

З(авалиши)Н В. «Современник», тринадцатая книжка (рец). НРС, 9 сентября 1966.

З(авалиши)Н В. К 75-летию Марины Цветаевой. НРС, 14 янв. 1968.

ЗАВАЛИШИН С. Заметки о советской литературе. В, № 14, 1951, стр. 172.

ЗАВАЛИШИН С. Анна Ахматова. НРС, 27 апреля 1952.

ЗАВАЛИШИН С. Предисловие к кн. Г. Иванов. П е т е р - б у р г с к и е з и м ы. Изд. 2, ИиЧ, 1953.

ЗАВАЛИШИН С. The Penguin Book of Russian Verse (рец). НЖ, № 68, 1962, стр. 303.

ЗАВАЛИШИН С. Шесть стихотворных сборников. НРС, 17 марта 1966.

ЗАВАЛИШИН С. Выставка памяти Ахматовой. НРС. 31 марта 1966.

ЗАВАЛИШИН С. Анна Ахматова. Сочинения. Т. 1 (рец). НЖ, № 82, 1966, стр. 290—291.

ЗАВАЛИШИН С. В защиту новых амнистий и реабилитаций. НРС, 13 июля 1966.

ЗАВАЛИШИН С., Ю. Анненков. Дневник моих встреч. Цикл трагедий. Т. 1 (рец). НЖ, № 84, 1966, стр. 272.

ЗАВАЛИШИН С. Евгений Евтушенко и Андрей Вознесенский. НРС, 16 сентября 1966.

ЗАВАЛИШИН С. Об антологии новой русской поэзии (Modern Russian Poetry, ed. dy V. Markov and M. Sparks, 1966). (Рец). НРС, 4 июня 1967.

ЗАВАЛИШИН В. Встречи со слушателями. КРС, № 222, 26 янв. 1968, стр. 9—10.

ЗАЙЦЕВ Б. Пастернак в революции. РМ, 5 января 1960. Переизд. в его кн. «Д а л е к о е», изд. Международного Литературного Содружества, 1965, стр.. 114.

ЗАЙЦЕВ Б. Уход Пастернака. Мст, № 5, 1960, стр. 7.

ЗАЙЦЕВ Б. Ю. И. Айхенвальд. В его кн. «М о с к в а», Мн, 1960, стр. 71.

ЗАЙЦЕВ Б. Еще о Пастернаке. РМ, 10 июня 1961. Переизд. в его кн. «Д а л е к о е», 1965, стр. 120.

ЗАЙЦЕВ Б. Дни. РМ, 7 января 1964 (О «Реквиеме»).

ЗАЙЦЕВ Б. Ахматовой. РМ, 13 июня 1964.

ЗАМОШКИН Н. По альманахам и сборникам. НМ, 1926, № 6, стр. 155.

ЗАМЯТИН Е. О синтетизме. В кн. «Ю р и й А н н е н к о в. П о р т р е т ы». Текст Евг. Замятина, М. Кузмина и Мих. Бабенчикова, «Петрополис», 1922, стр. 39, 40. Переизд. в его кн. «Л и ц а», ИиЧ, 1955, стр. 242—243.

ЗАМЯТИН Е. Современная русская литература. Г., № 32, 1956, стр. 93, 97.

ЗЕЛИНСКИЙ К. Вера Инбер. О, 1946, № 5, стр. 183.

ЗЕЛИНСКИЙ К. Поэзия и чувство современности (По поводу сборника «День Поэзии»). ЛГ, 5 января 1957.

ЗЕЛИНСКИЙ К. Н а р у б е ж е д в у х э п о х. Литературные встречи 1917—1920. СП, 1959, стр. 21, 159, 249.

ЗЕЛЬДОВИЧ В. Встреча Луначарского с Маяковским в 1917 году. В кн. «Л и т е р а т у р н о е Н а с л е д с т в о», т. 65: «Новое о Маяковском», АН СССР, 1958, стр. 574.

ЗЕНКЕВИЧ М. Мясные ряды. Стихи, посвященные Ахматовой. В сборнике «Избранные стихи русских поэтов». Период 3, вып. 2, СПб, 1914.

ЗЕНКЕВИЧ М. Вс. Рождественский. Большая Медведица (рец). ПиР, 1927, № 3, стр. 193.

ЗЕНКЕВИЧ М. М. Фроман. Память (рец). ПиР, 1927, № 6, стр. 216.

ЗЕНКЕВИЧ М., Н. Рославлева. Ветер в ночь (в сводн. рец). ПиР, 1928, № 4, стр. 196.

ЗЛОБИН В. Памяти Н. А. Оцупа. В, № 86, 1959, стр. 137.

ЗЛОБИН В. Перед судом. В, № 88, 1959, стр. 133.

ЗЛОБИН В. «Воздушные Пути» (рец). В, № 98, 1960, стр. 134, 135—136.

ЗН(оско)-БОР(овский) Е. А. Ахматова. Вечер (рец). «Ежемесячные Литературные и Популярно-Научные Приложения к Журналу 'Нива'», 1913, № 1, столб. 159—160.

ЗНОСКО-БОРОВСКИЙ Е. Творческий путь Анны Ахматовой. «Воля России», Прага, 1923, № 10, стр. 66—71.

ЗОРГЕНФРЕЙ В. Александр Александрович Блок (по памяти за 15 лет, 1906—1921). ЗМ, № 6, 1922, стр. 153.

И. Из литературно-театральной хроники Москвы. СВ, 1946, № 2, стр. 47.

ИВАНОВ Вас. О литературных группировках и течениях 20-х годов. Зн., 1958, № 5, стр. 193.

ИВАНОВ Г. Стихи в журналах 1912 года. А, 1913, № 1, стр. 77.

ИВАНОВ Г. Военные стихи. А, 1915, № 1, стр. 58, 60.

ИВАНОВ Г. О новых стихах («Подорожник»). «Дом Искусств», П, № 2, 1921, стр. 98—99.

ИВАНОВ Г. Вс. Рождественский. Лето (рец). «Альманах Цеха Поэтов», кн. 2, Пг, 1921, стр. 75.

ИВАНОВ Г. Петербургские зимы. Изд. «Родник», Пар, 1928, стр. 38, 63, 64—75, 92, 147—148, 2 изд. ИиЧ, 1953.

ИВАНОВ Г. О Гумилеве. СЗ, № 47, 1931, стр. 308, 309, 310, 312, 314.

ИВАНОВ Г. Блок и Гумилев. В, № 6, 1949, стр. 114.

ИВАНОВ Г. Три поэта. В, № 9, 1950, стр. 198—199.

ИВАНОВ Г. Поэзия и поэты. В, № 10, 1950, стр. 179, 181—182.

ИВАНОВ Г. Конец Адамовича. В, № 11, 1950, стр. 181.

ИВАНОВ Г. Закат над Петербургом. В, № 27, 1953, стр. 179, 180, 188, 189.

ИВАНОВ Г. Осип Мандельштам. НЖ, № 43, 1955, стр. 275, 276.

ИВАНОВ Ф. Красный Парнас. Русское Универсальное Издательство, Б, 1922.

ИВАНОВ-РАЗУМНИК Р. Жеманницы («Четки» и В. Инбер. «Печальное вино»). «Заветы», СПб, 1914, № 5, стр. 47—51.

ИВАНОВ-РАЗУМНИК Р. А. Ахматова. В его кн. «Творчество и критика». Изд. «Колос», П, 1922, стр. 190—196.

ИВАНОВ-РАЗУМНИК Р. Писательские судьбы. Ротаторн. изд. «Литературный Фонд», Н-Й, 1951, стр. 28—29, 51.

ИВАНОВА М. К 50-летию Октября. ВЛ, 1967, № 1, стр. 241.

ИВАСК Ю. О. Мандельштам. Собр. соч. (рец). «Вестник Ин-та по изучению СССР», Мн, № 2, 1956, стр. 129.

ИВАСК Ю. О читателях Цветаевой. НРС, 30 июня 1957.

ИВАСК Ю. Благородная Цветаева. В кн. М. Цветаева. Лебединый стан. Мн, 1957, стр. 7.

ИВАСК Ю. Стихи Живаго (Пастернака). Оп, № 9, 1958, стр. 29.

ИВАСК Ю. Адамович-критик. НРС, 5 апреля 1964.

ИВАСК Ю. Поэзия Ю. Терапиано. РМ, 1 августа 1964.

ИВАСК Ю. Парадоксы звукописи. ВПу, Альм. IV, 1965, стр. 235.

ИВАСК Ю., И. Бродский. Стихотворения и поэмы (рец). НЖ, № 79, 1965, стр. 297.

ИВАСК Ю., V. Markov. The Longer Poems of Velimir Khlebnikov. (Рец). НЖ, № 81, 1965, стр. 297.

ИВАСК Ю. Поэзия Всеволода Пастухова. НРС, 9 апреля 1967.

ИВАСК Ю., О. Мандельштам. Собрание сочинений. Т. 2 (рец). НЖ, № 88, 1967, стр. 294, 296.

ИГНАТОВ И. Литературные отклики (Новые поэты: Акмеисты, Адамисты, Эгофутуристы). «Русские Ведомости», М, 4 и 6 апреля 1913.

ИЗМАЙЛОВ Н. Художественная проза. В кн. «Пушкин. Итоги и проблемы изучения». Под ред. Б. П. Городецкого, Н. В. Измайлова, Б. С. Мейлаха. Изд. «Наука» (АН СССР), 1966, стр. 479.

ИЛЬИНСКИЙ О. Современная русская поэзия. Пс, 1955, № 46, 13 ноября, стр. 5, 6.

ИЛЬЧЕНКО Г. Лирика Маро Маркаряна (рец). Ог, 1956, № 38, сентябрь, стр. 16.

ИНБЕР В. «Великое русское слово», в ее кн. «З а м н о г о л е т», СП, 1964, стр. 120.

ИНБЕР В. Из дневников военных лет. Там же, стр. 436.

ИССАКО (Иваск Ю.) .Серебряный век. Пс, 1949, № 12, 20 марта, стр. 12.

ЙОВАНОВ X. Под знаменем революции. ВЛ, 1967, № 9, стр. 86.

К., А. Лекции С. К. Маковского в Лондоне. РМ, 15 декабря 1959.

К., Е. «Петербургский Сборник. 1922» (рец). Н, 28 марта 1922.

К., Л. А. Ахматова. Четки (рец). Сев З, 1914, № 5, стр. 176.

КАЗАРНОВСКИЙ М. Русские стихи на Кубе. «Нева», Л, 1967, № 9, стр. 220.

КАНТОР М. «Воздушные Пути» (рец). РМ, 5 января 1960.

КАРЛИНСКИЙ С. Вещественность Анненского. НЖ, № 85, 1966, стр. 69, 73, 79.

КАРП П. Преображение (о переводах) З, 1966, № 4, стр. 208.

КАРПОВИЧ М. Комментарии. НЖ, № 52, 1958, стр. 289.

КАРСАВИН Л. «Шиповник», кн. 1 (рец). НРК, 1922, № 11— 12, стр. 10.

КАТАЕВ В. Трава забвения. НМ, 1967, № 3, стр. 30.

КАТАНЯН В. М а я к о в с к и й. Литературная хроника. Изд. 3, ГИХЛ, 1956, стр. 69, 140, 163, 169, 439.

КАЧУРОВСКИЙ И. Из украинской современной поэзии. Вместо предисловия. Г., № 42, 1959, стр. 86.

КВЯТКОВСКИЙ А. П о э т и ч е с к и й с л о в а р ь. М, 1966, стр. 64, 152, 160, 181, 193, 202, 204, 268, 275, 280, 326, 339, 360.

К-ИН А. «На берегах Сены». РМ, 17 июля 1965.

о. КИСЕЛЕВ Александр. Из речи на открытии 5 декабря

1965 дома и церкви Св. Серафимовского фонда. «Зарубежье», Мн, май 1966, стр. 9.

КИТАЙГОРОДСКИЙ А. Несколько мыслей физика об искусстве. ВЛ, 1964, № 8, стр. 86.

КЛЕНОВСКИЙ Д. Поэты Царскосельской гимназии. НЖ, № 29, 1952, стр. 138.

КЛЕНОВСКИЙ Д. Оккультные мотивы в русской поэзии нашего века. Г., № 20, 1953, стр. 136.

КЛЕНОВСКИЙ Д. Казненные молчанием. Г., № 23, 1954, стр. 105, 106, 107, 109, 111.

КЛЕНОВСКИЙ Д. Одухотворенные полотна. Оп, № 5, 1955, стр. 101.

КЛЕНОВСКИЙ Д. Когда я мальчиком с тобой дружил. В его кн. «С т и х и. Избранное из 6 книг и новые стихи (1965 —1966)». Международное Литературное Содружество, Мн, 1967, стр. 76.

КОВАЛЕВ В. Проблема стиля в советской литературе. В кн. «В р е м я. П а ф о с. С т и л ь. Художественные течения в современной советской литературе». Под ред. В. В. Бузник и В. А. Ковалева. Изд. «Наука» (АН СССР), 1965, стр. 19.

КОВАЛЕВСКИЙ П. Новые труды по истории литературы. РМ, 24 августа 1967, стр. 4.

КОВАЛЕНКО Е. Второй Всесоюзный съезд советских писателей. «Литературный Современник», Альм. Мн, 1954, стр. 212.

КОВАЛЕНКОВ А. Письмо старому другу. Зн, 1957, № 7, стр. 168. Перепеч. в его кн. «Х о р о ш и е, р а з н ы е... Литературные портреты». Изд. «Московский Рабочий», М, 1966, стр. 12—13.

КОВАЛЕНКОВ А. «Неизвестный победитель». В той же его кн., стр. 71.

КОГАН П. Писатель Замятин. «Правда», М, 22 марта 1922.

КОГАН П. Л и т е р а т у р а в е л и к о г о д е с я т и л е т и я. М, 1927.

КОГАН П. Поэзия (1917-X-1927). КН, 1927, № 11, стр. 193, 195.

КОЗЬМИН Б. ред. Писатели современной эпохи. Био-библиографический словарь русских писателей XX века. Т. 1. Гос. Академия Худож. Наук. Социологическое отделение. Вып. 1, М, 1928, стр. 26—27.

КОКОВЦЕВ Д. Русская лирика в 1917 году. (О «Белой стае»). «Наш Век», 1917, № 26, 31 декабря.

КОЛЕСНИЦКАЯ И. Сказки. В кн. «Пушкин. Итоги и проблемы изучения». Под ред. Б. Н. Городецкого, Н. В. Измайлова, Б. С. Мейлаха. Изд. «Наука» (АН СССР), 1966, стр. 440, 441.

КОЛЛОНТАЙ А. Письма к трудящейся молодежи. (О «Драконе» и «Белой птице»). МГ, 1923, № 2, стр. 162—174.

КОЛМОГОРОВ А., А. ПРОХОРОВ. О дольнике современной русской поэзии. (Статистическая характеристика дольника Маяковского, Багрицкого и Ахматовой). «Вопросы Языкознания», 1964, № 1, стр. 75—94.

КОЛОМОЦКИЙ М. О лозунге «Бейте по морде!», «Россия», Н-Й, 31 января 1964.

граф КОМАРОВСКИЙ В. Анне Ахматовой. Стихи. А., 1916, № 8.

КОНСТАНТИНОВ Г. Пастернак и Союз писателей. НРС, 23 ноября 1958.

КОПЕЛЕВ Л. Слово правды через фронт. В кн. «Литературное Наследство». Т. 78, кн. 1: Советские писатели на фронтах Отечественной войны. кн. 1, изд. «Наука» (АН СССР), 1966, стр. 552.

КОПЕЛЕВ Л. У гроба Анны Ахматовой. Слово. Г, № 63, 1967, стр. 111—113.

КОРНИЛОВ В. Анне Ахматовой. Стихи. «Семья и Школа», 1966, № 5, стр. 16.

КОРОЛЕВА В. Вечер русской молодежи. НРС, 12 декабря 1965.

КОРЯКОВ М. Листки из блокнота. Влияние Пастернака. НРС, 2 ноября 1958.

КОРЯКОВ М. Листки из блокнота. Француженка в Московском университете. НРС, 25 января 1959.

КОРЯКОВ М. Листки из блокнота. Забытый памятник. НРС, 10 марта 1966.

КОСТИН В. К. С. Петров-Водкин. Изд. «Советский Художник», Москва, 1966, стр. 79, 143.

КОХ Г. Г. Месняев. Песня неведомой земли (рец). «Часовой», Брюссель, № 444, май 1963, стр. 16.

КОШИЦ Нина. Мои встречи с Прокофьевым. НРС, 6 июня 1965.

КРАНИХФЕЛЬД В. Литературные отклики. «Современный Мир», 1913, № 12, стр. 107.

КРОТКОВ Ю. Пастернаки. Г., № 63, 1967, стр. 64.

КРАСНОВ П. А. Ахматова. Белая стая (рец). «Камена». Харьков-Петербург, № 1, 1918.

КРАСНОГЛЯДОВА Ю. Хорошая традиция. ВЛ, 1967, № 9, стр. 243.

КРОХМЭЛНИГАНЦ О. Поэзия Тудора Аргези. ИЛ, 1964, № 8, стр. 76.

КРОТКОВ Ю. Пастернаки. Г, № 63, 1967, стр. 64.

КРУПЕННИКОВ Л. Обзор журнала «Ленинград» (№ 1—12, 1945). Зн, 1945, № 11, стр. 158.

КРУЧЕНЫХ А. Отрывок из неопубликованных воспоминаний. В кн. В. Катанян. В. Маяковский. Литературная хроника. Изд. 3, ГИХЛ, 1956, стр. 439.

КУЗМИН М. Предисловие к кн. А. Ахматова. Вечер. Изд. Цеха Поэтов, II, 1912, стр. 5—10.

КУЗМИН М. А. Ахматовой. (Стихи). В его кн. «Глиняные голубки», СПб, 1914.

КУЗМИН М. Парнасские заросли. «Завтра», Б, 1923, стр. 116, 117, 118, 121.

КУЗМИН М. «Письмо в Пекин» и «Голос поэта», в его кн. «Условности. Статьи об искусстве». «Полярная Звезда», Пг, 1923, стр. 166—167, 171.

КУЗНЕЦОВ А. Современная поэзия и критерии критика (А. Павловский. Поэты-современники. — Рец). ВЛ, 1966, № 10, стр. 192—193.

КУЛИНИЧ А. Очерки по истории русской советской поэзии 20-х годов. Изд. Киевского Гос. ун-та им. Шевченко, К, 1958, стр. 9.

КУПРИЯНОВСКИЙ П. О «Литературных записях» Д. Фурманова. ВЛ, 1965, № 6, стр. 174.

КУЧЕРОВА В., И. КОН. Безответственный подход к ответственной теме (К. Буслов. Проблемы социального в трудах В. И. Ленина. — Рец). НМ, 1964, № 12, стр. 252.

Л., Н. Последние сведения об Анне Ахматовой. РМ, 4 августа 1960.

ЛАВРЕНЕВ Б. Замерзающий Парнас. «Жатва», М, кн. 4, 1912—1913. Перепеч. в кн. Б. Лавренев. Собр. соч. в 6 тт., т. 6, ГИХЛ, 1965, стр. 9.

ЛАВРЕНЕВ Б. Перец Маркиш. В кн. П. Маркиш. Избранное. М, 1957. Перепеч. в кн. Б. Лавренев. Собр. соч. в 6 тт., т 6, ГИХЛ, 1965, стр. 485.

ЛАВРЕНКО М. Страна, народ, язык. НРС, 25 марта 1967.

ЛЕВИДОВА И., ред. Шекспир. Библиография русских переводов и критической литературы на русском языке. 1748—1962. Изд. «Книга», М, 1964, библ. №№ 5904, 5905, 5906.

ЛЕВИК В. Переводы Анны Ахматовой («Голоса поэтов», пер. А. Ахматовой. Рец). ИЛ, 1966, № 10, стр. 262—264.

ЛЕВИН В. Письмо в редакцию газеты «Известия». Г, № 62, 1966, стр. 38.

ЛЕВИН Ф. О поэзии Веры Инбер. НМ, 1941, № 5, стр. 223.

ЛЕВИЦКИЙ Л. Не жалеть тепла для людей (М. Квливидзе. Надпись на камне. Рец). НМ, 1962, № 5, стр. 253.

ЛЕЖНЕВ А. Среди журналов. КН, 1924, № 4, стр. 303, 306.

ЛЕЖНЕВ А. «Октябрь» и «Рабочий Журнал» (рец). ПиР, 1924, № 4, стр. 116.

ЛЕЖНЕВ А. На правом фланге. ПиР, 1924, № 6, стр. 127, 128.

ЛЕЖНЕВ А. Узел. КН, 1926, № 8, стр. 231, 232.

ЛЕЖНЕВ А. Художественная литература. ПиР, 1927, № 7, стр. 108.

ЛЕЛЕВИЧ Г. Анна Ахматова. (Беглые заметки). НП, 1923, № 2—3, столб. 178—202. Перепеч. в его кн. «На литературном посту». Изд. «Октябрь», Тверь, 1924, стр. 119—142.

ЛЕЛЕВИЧ Г. По журнальным окопам. МГ, 1924, № 7—8, стр. 261—262.

ЛЕЛЕВИЧ Г. Снова о наших литературных разногласиях. ПиР, 1925, № 8, стр. 71—73.

ЛЕСНЕВСКИЙ С. Ахматова. «Краткая Литературная Энциклопедия», т. 1, М, 1962, столб. 370—371.

ЛЕСНЕВСКИЙ С. Перед новой далью. «Юность», М, 1965, № 12, стр. 93, 94.

ЛЕСНЕВСКИЙ С. Тростник и время. ДП 1966, стр. 274—276.

ЛЕСНЕВСКИЙ С. Возвращение. ВЛ, 1967, № 3, стр. 65.

ЛИБЕДИНСКАЯ Л. Зеленая лампа. Воспоминания. СП, 1966, стр. 79, 89.

ЛИБЕРМАН С. «Завтра», Альм. (рец). «Литературная Неделя» № 95, прил. к газ. Н, 27 апреля 1924, стр. 8.

ЛИВШИЦ Б. Полутораглазый стрелец. СПЛе, 1933.

ЛИДАРЦЕВА Н. Поэзия Анны Ахматовой. (Доклад В. В. Вейдле) РМ, 23 декабря 1965.

ЛИДАРЦЕВА Н. Вечер памяти Анны Ахматовой. РМ, 22 ноября 1966.

Л-Н, С. Женская лирика. Сборник (рец). «Литературная Неделя», прил. № 17 к газ. Н, 20 января 1924.

ЛИПКИН С. Перевод и современность. В кн. «Мастерство перевода». Сборн. 1963, СП, 1964, стр. 38, 43.

ЛИПКИН С. Читая Тагора (тт. 7 и 8 Собр. соч.). ЛГ, 12 июня 1965.

ЛИТЕРАТОР. Двадцать лет советской литературы. НМ, 1937, № 11, стр. 312.

ЛИФШИЦ В. Поэт-воин. НМ, 1967, № 2, стр. 253.

ЛИФШИЦ М. Пушкинский Временник (рец). «Литературный Критик», М, 1937, № 12.

ЛОЗИНСКИЙ Г. По поводу одного стихотворения. «Голос России», Б, 22 августа 1922.

ЛОЗИНСКИЙ М. Не забывшая. Анне Ахматовой. (Стихи). В его кн. «Горный ключ», изд. «Мысль», П, 1922.

ЛОКС К. «Литературная Мысль», Альм. (рец). ПиР, 1925, № 4, стр. 282.

ЛОМАН А. и Н. ХОМЧУК. Новое о Есенине. «Нева», 1965, № 6, стр. 206.

ЛУГАНОВ А. Мимоходом. РМ, 31 декабря 1959.

ЛУГАНОВ А. Мимоходом. РМ, 25 августа 1960.

ЛУГОВСКОЙ В. Поэзия в повестке дня. В его кн. «Раздумье о поэзии. СП, 1960, стр. 195.

ЛУГОВЦЕВ Н. Сражающаяся муза. «Нева», 1966, № 6, стр. 182.

ЛУКНИЦКИЙ П. Ленинград действует. Фронтовой дневник. СП, 1961, стр. 65.

ЛУКОНИН М. Проблемы советской поэзии. З, 1949, № 4, стр. 183, 184, 185.

ЛУНАЧАРСКИЙ А. «Дом Искусств», № 1 (рец). ПиР, 1921, № 2, стр. 225—227. Перепеч. в его кн. Собр. соч. в 8 тт., т. 2, ГИХЛ, 1964, стр. 241—243.

ЛУНАЧАРСКИЙ А. Предисловие к кн. Анна Баркова. Женщина. Стихи. ГИЗ, Пг, 1922. Перепеч. там же, стр. 246.

ЛУНАЧАРСКИЙ А. О современных направлениях русской литературы. «Красная Молодежь», М, 1925, № 2. Перепеч. там же, стр. 282.

ЛУРЬЕ В. М. Цветаева. Ремесло (рец). НРК, 1923, № 3—4, стр. 15.

ЛЬВОВ-РОГАЧЕВСКИЙ В. Символисты и наследники их. «Современник», СПб, 1913, № 7, стр. 229, 304, 305.

ЛЬВОВ-РОГАЧЕВСКИЙ В. Ахматова. Четки (рец). «Современный Мир», 1914, № 10.

ЛЬВОВ-РОГАЧЕВСКИЙ В. Очерки по истории новейшей русской литературы. Изд. Всероссийского Центр. Союза Потребительских Обществ, М, 1920.
Нов. изд. «Новейшая русская литература». Изд. 3, А. Д. Френкель, М-Л, 1924, стр. 163, 286, 289. Переизд. — М, 1927.

ЛЬВОВ-РОГАЧЕВСКИЙ В. Книга для чтения по истории новейшей русской литературы. Т. 2. «Прибой», Л, 1925.

ЛЬВОВ-РОГАЧЕВСКИЙ В. Акмеисты или адамисты. «Литературная Энциклопедия. Словарь литературных терминов в 2 тт. под ред. Н. Бродского, А. Лаврецкого и др.», изд. А. Д. Френкель, т. 1, М-Л, 1925, стр. 28—29, 31—32.

ЛЬВОВА Н. Холод утра. (Несколько слов о женском творчестве). «Жатва», М., кн. 5, 1914, стр. 251, 252, 255.

ЛЮБИМОВ Н. Поэтический факультет. НМ, 1965, № 11, стр. 205.

М., П. О старых и новых писателях. РМ, 6 июля 1967.

М. и С. Ахматова. «Литературная Энциклопедия», т. 3, изд. Коммунист. Академии, М, 1930, столб. 280—283.

МАГИДСОН Св. Замечательный пленник книги. МГ, 1966, № 5, стр. 229.

МАГИДСОН Св. Ахматова. (Заметка) в кн. «Песнь любви. Лирика русских поэтов». М, 1967, стр. 619.

МАКЛЕЙН Хью. Как была разгромлена литература в СССР и как писатели встают из гроба. СВ, 1963, № 5—6, стр. 80, 82.

МАКЛЕЙН Хью. Simon Karlinsky. Marina Cvetaeva (рец). НЖ, № 88, 1967, стр. 267, 268.

МАКОВСКИЙ С. Вячеслав Иванов в России. НЖ, № 30, 1952, стр. 137. Перепеч. в его кн. «П о р т р е т ы с о в р е м е н н и к о в», ИиЧ, 1955, стр. 274.

МАКОВСКИЙ С., Н. С. Гумилев. Г., № 36, 1957, стр. 143—148, 149, 151. Перепеч. в его кн. «Н а П а р н а с е С е р е б р я н о г о в е к а», Мн, 1962, стр. 210, 216, 217, 220.

МАКОВСКИЙ С. Стихи и проза В. А. Комаровского. Мст, № 4, 1960, стр. 278, 288. Перепеч.: «Н а П а р н а с е ...», стр. 230, 241.

МАКОВСКИЙ С. Николай Гумилев по личным воспоминаниям. НЖ, № 77, 1964, стр. 160—161, 165, 168—171, 174—179, 184.

МАКОВСКИЙ С. Мстислав Добужинский. В кн. «Н а П а р н а с е С е р е б р я н о г о в е к а», Мн, 1962, стр. 298.

МАКОВСКИЙ С. Владимир Поль. Там же, стр. 361.

МАКСИМОВ Д. Письма и дарственные надписи Блока Александре Чеботаревской. БС, 1964, стр. 550.

МАКСИМОВ Д. Ахматова о Блоке. З, 1967, № 12, стр. 187—191.

МАКШЕЕВ Л. Прерванные стихи. НРС, 25 октября 1964.

МАЛАХОВ С. Анна Ахматова («Настоящую даму не спутаешь», стихи-пародия). «Удар», Альм. под ред. А. Безыменского, (кн. 1), изд. «Новая Москва», М, 1927.

МАЛОЗЕМОВА Е. Геенна огненная. НРС, 10 апреля 1966.

МАЛЬКОВ В. Путями поэзии (А. Коваленков. Хорошие, разные ... Рец). «Москва», 1967, № 5, стр. 204.

МАЛЯРОВА И. Сонет (памяти А. А. Ахматовой). ДПЛ 1966, стр. 47.

МАНДЕЛЬШТАМ О. Письмо о русской поэзии. «Молот», Ростов на Дону, 1922. Перепеч. в его кн. С о б р. с о ч.

под ред. Г. П. Струве и Б. А. Филиппова, т. 3, изд. Международного Литературного Содружества, 1968; отрывок из этой статьи — там же, т. 2, 1966, стр. 487.

МАНДЕЛЬШТАМ О. О природе слова. Изд. «Истоки», X, 1922. Перепеч. в указ. выше Собр. соч., т. 2, 1966, стр. 298.

МАНДЕЛЬШТАМ О. Буря и натиск. «Русское Искусство», М-П, 1923, № 1, стр. 78, 80. Перепеч. С о б р. с о ч., т. 2, стр. 387, 389.

МАНДЕЛЬШТАМ О. Заметки о поэзии. Под назв. «Vulgata» — «Русское Искусство», М-П, 1923, № 2—3, стр. 69. Перепеч. С о б р. с о ч., т. 2, 1966, стр. 304.

МАНДЕЛЬШТАМ О. Выпад. «Россия», 1924, № 3. С о б р. с о ч., т. 2, 1966, стр. 270.

МАНДЕЛЬШТАМ О. О современной поэзии. (К выходу «Альманаха Муз»). В его кн. С о б р а н и е с о ч и н е н и й. Т. 3, 1968.

МАНДЕЛЬШТАМ О. Как черный ангел на снегу. Стихи, посвященные А. Ахматовой. ВПу, Альм. III, 1963. С о б р. с о ч., т. 1, 1964, стр. 119.

МАНДЕЛЬШТАМ О. Вы хотите быть игрушечной. (А. Ахматовой). ВПу, Альм. III, 1963, С о б р. с о ч., т. 1, 1964, стр. 120.

МАНДЕЛЬШТАМ О. Черты лица искажены. (А. Ахматовой). ВПу, Альм. III, 1963. С о б р. с о ч., т. 1, 1964, стр. 129.

МАНДЕЛЬШТАМ О. Ахматова. Стихи. В его кн. «К а м е н ь», изд. «Гиперборей», 1916. С о б р. с о ч., т. 1, 1964, стр. 37.

МАНДЕЛЬШТАМ О. Привыкают к пчеловоду пчелы. (А. Ахматовой). ВПу, Альм. III, 1963. С о б р. с о ч., т. 1, 1964, стр. 135.

МАНДЕЛЬШТАМ О. Сохрани мою речь навсегда (А. А/хматовой/) ВПу, Альм. II, 1961, С о б р. с о ч., т. 1, 1964, стр. 206.

МАНДЕЛЬШТАМ О. Ах! матовый ангел на льду голубом. С о б р. с о ч., т. 2, 1966, стр. 18.

МАНДЕЛЬШТАМ О. Письмо к А. А. Ахматовой. ВПу, Альм. IV, 1965, стр. 34—35 (в очерке А. Ахматовой «Мандельштам»). Перепеч. С о б р. с о ч., т. 2, 1966, стр. 500.

МАНДЕЛЬШТАМ О. Письмо к Н. Я. Мандельштам. Конец февр. или начало марта 1926 (?). С о б р. с о ч., т. 3, 1968.

МАНДЕЛЬШТАМ О. Письмо к Н. Я. Мандельштам. 5 марта (1926). Там же.

МАНДЕЛЬШТАМ О. Письмо к Н. Я. Мандельштам. Осень (1926). Там же.

МАНДЕЛЬШТАМ Юр. О любви. «Литературный Смотр», Пар, 1939.

МАНУЙЛОВ В. Примечания к кн. « Л е н и н г р а д в п о э з и и » (сост. Т. и Н. Верзилины). Детгиз, Л, 1957, стр. 194—195.

МАР С. А. Ахматовой. (Стихи) в ее кн. «А б е м», М, 1922.

МАРГВЕЛАШВИЛИ Г. Об Осипе Мандельштаме. «Литературная Грузия», Тбилиси, 1967, № 1, стр. 75, 84.

МАРГОЛИН Ю. Быть знаменитым — некрасиво. НРС, 7 декабря 1958.

МАРГОЛИН Ю. Памяти Мандельштама. ВПу, Альм. II, 1961, стр. 103.

МАРГОЛИН Ю. Тель-Авивский блокнот. НРС, 21 февраля 1964 и 31 октября 1966.
мать МАРИЯ, Встречи с Блоком. СЗ, № 62, 1936, стр. 217, 219.

МАРКОВ В. Предисловие к его кн. « П р и г л у ш е н н ы е г о л о с а. Поэзия за железным занавесом». ИиЧ, 1952, стр. 6, 11—13, 14, 37.

МАРКОВ В. О Хлебникове. Г., № 23, 1954, стр. 134.

МАРКОВ В. Мысли о русском футуризме. НЖ, № 38, 1954, стр. 173, 175, 179.

МАРКОВ В. Et ego in Arcadia . . . НЖ, № 42, 1955, стр. 175.

МАРКОВ В. Поэзия Георгия Иванова. Оп, № 8, 1957, стр. 83.

МАРКОВ В. О большой форме. Мст, № 1, 1958, стр. 176.

МАРКОВ В. Трактат о трехгласии. ВПу, Альм. V, 1967, стр. 244.

МАРЧЕНКО А. Что такое серьезная поэзия? ВЛ, 1966, № 11, стр. 37, 49.

МАРЧЕНКО А. Путь Ахматовской музы (А. И. Павловский. Анна Ахматова. 1966). ВЛ, 1967, № 12, стр. 187—191.

МАСАНОВ И. Словарь псевдонимов русских писателей, ученых и общественных деятелей. Т. 1. Изд. Всесоюзной Книжной Палаты, М, 1956, стр. 113.

МАСЛИН Н. Поэт и народ. З, 1946, № 7—8, стр. 211—212. Перепеч. в сборн. «Против безыдейности в литературе», СП, Л, 1947, стр. 67, 68.

МАСЛИН Н. Владимир Маяковский. Вст. ст. в кн. В. Маяковский. Собр. стих. в 2 тт. Т. 1. БП б с, 1950, стр. 16.

МАЦНЕВ Г. Октябрьская тошнота. РМ, 2 ноября 1967, стр 3.

МАШИНСКИЙ С. Поэзия Сергея Городецкого. В кн. С. Городецкий. Стихотворения. 1905—1950. ГИХЛ, 1956, стр. 12.

МАЯКОВСКИЙ В. Штатская шрапнель. Поэты на фугасах. «Утренний телефон газеты 'Новь'», № 3, М, 13 ноября 1914. Перепеч. в Полн. собр. соч. в 13 тт., т. 1, ГИХЛ, 1955, стр. 305.

МАЯКОВСКИЙ В. Семидневный смотр французской живописи. Полн. собр. соч. в 13 тт., т. 4, ГИХЛ, 1957, стр. 241.

МАЯКОВСКИЙ В. Версаль (Стихи). КН, 1925, № 5. Перепеч. в Полн. собр. соч. в 13 тт., т. 6, ГИХЛ, 1957, стр. 217.

МАЯКОВСКИЙ В. Поверх Варшавы. МГ, 1927, № 7. Перепеч. в Полн. собр. соч. в 13 тт., т. 8, ГИХЛ, 1958, стр. 348.

МАЯКОВСКИЙ В. Наша словесная работа. (вместе с О. Бриком). ЛЕФ, М-Пг, 1923, № 1. Перепеч. в Полн. собр. соч. в 13 тт., т. 12, ГИХЛ, 1959, стр. 448.

МАЯКОВСКИЙ В. Выступление на первом вечере «Чистка современной поэзии». Полн. собр. соч. в 13 тт., т. 12, ГИХЛ, 1959, стр. 460, 461.

МАЯКОВСКИЙ В. Письма к разным лицам. Примеч. *В. Катаняна.* В кн. «Литературное Наследство. Т. 65: Новое о Маяковском», АН СССР, 1958, стр. 186.

МАЯКОВСКИЙ В. Альбом рисунков. 1931.

МЕЙЛАХ Б. В. Виноградов. О стиле Пушкина (рец). В кн. Пушкин. Временник Пушкинской Комиссии АН СССР, т. 1, АН СССР, 1936, стр. 343.

МЕЛЕТИНСКИЙ Е. Эпос сербского народа (рец). ВЛ, 1964, № 9, стр. 208.

МЕНЬШУТИН А. Путь русской поэзии (Л. Гинзбург. О лирике. Рец). НМ, 1965, № 10, стр. 243.

МЕНЬШУТИН А. Владимир Маяковский. В кн. «История русской советской литературы в 4 томах», т. 1. Изд. 2-е, испр. и дополненное, изд. «Наука» (АН СССР), М, 1967, стр. 513.

МЕНЬШУТИН А. и А. СИНЯВСКИЙ. Поэзия первых лет революции. Изд. «Наука» (АН СССР), 1964.

М(есняев)Г. Осип Мандельштам. Собр. соч. Т. 1 (рец). «Россия», Н-Й, 26 ноября 1965.

МЕСНЯЕВ Г. «В панцире железном». Повесть. Из книги автора «Песня неведомой земли». Н-Й, 1962.

МЕСНЯЕВ Г. Последний царскосельский лебедь. В, № 175, 1966, стр. 139, 140, 141.

МЕССЕР Р. Русские символисты и империалистическая война. Лнг, 1932, № 7, стр. 73.

МЕТЧЕНКО А. О социалистическом реализме и социалистическом искусстве. О, 1967, № 6, стр. 192—194, 195.

МИНДЛИН Э. Владимир Маяковский. ДП 1967, стр. 197—198.

МИХАЙЛОВ М. Московское лето 1964. В его кн. «Московское лето 1964. — Мертвый дом Достоевского и Солженицына. Изд. «Посев», Ф, 1967, стр. 14, 67.

МИХАЙЛОВ Н. Вечер памяти Анны Ахматовой. НРС, 9 апреля 1966.

МИХАЙЛОВ О. Союз труда и вдохновенья. «Юность», М, 1965, № 6, стр. 75.

МИХАЙЛОВ О, Любовь и поэзия. «Юность», 1967, № 7, стр. 76.

МИХАЙЛОВСКИЙ Б. Русская литература XX века. С 90-х гг. XIX века до 1917 г. Учпедгиз, 1939, стр. 333—348. Изд. 2-е, Наркомпрос Узб. ССР, Ташкент, 1940, стр. 120—121.

МИХАЛЕВСКИЙ П. Роль интеллигенции. РМ, 25 декабря 1965.

МИХАЛЕВСКИЙ П. Начало Ренессанса. РМ, 12 апреля 1966.

МИХАЛКОВ С. Из выступления на заседании правления Союза писателей СССР, 4 сентября 1946. ЛГ, 7 сентября 1946.

МИХАЛЬСКИЙ Я. Враги человечества. Изд. «Сеятель», Буэнос-Айрес, 1959, стр. 268.

МОЖАЙСКАЯ О. О близком далеком и о далеком близком. В, №114 , 1961, стр. 56—65.

МОЖАЙСКАЯ О. Новые книги. РМ, 28 декабря 1965.

МОЖАЙСКАЯ О. Франсуа Мориак об Анне Ахматовой. НРС, 26 июня 1966.

МОРАВСКАЯ М. А. Ахматова. Четки (рец). «Ежемесячный Журнал», СПб, 1914, № 4.

МОРАВСКАЯ М. Волнующая поэзия. «Новый Журнал Для Всех», Пг, 1915, № 8, стр. 39.

МОРЕЛЛИ А. Пастернак, «Доктор Живаго» и построение социализма. В, № 77, 1958, стр. 113.

МОРИАК Франсуа. Анна Ахматова, я думаю о вас. Перевод с французского О. Можайской. НРС, 26 июня 1966. Перепеч. в журн. «Родные Перезвоны», Брюссель, № 176, апрель 1967.

MORITURUS. Литературный Некрополь (стихотворные пародии). КН, 1925, № 10, стр. 279—280.

МОТЫЛЕВА Т. Глазами друзей и врагов. НМ, 1966, № 11, стр. 228.

МОЧАЛОВА О. Шуликов. Песни смолокура. — Кудрейко. Лесной шум (рец). КН, 1927, № 11, стр. 240.

МОЧУЛЬСКИЙ К. Поэтическое творчество Анны Ахматовой. РМсл, София, 1921, № 3—4, стр. 185—201.

МОЧУЛЬСКИЙ К. А. Ахматова. Четки (рец). РМсл, 1922, № 1—2, стр. 382.

МОЧУЛЬСКИЙ К. Anno Domini MCMXXI. (рец). СЗ, № 10, 1922, стр. 385—390.

МОЧУЛЬСКИЙ К. Классицизм в современной русской поэзии. СЗ, № 11, 1922, стр. 371, 373, 375, 377, 378.

МОЧУЛЬСКИЙ К. Мать Мария. «Встреча», сборн. (1), Пар, 1945, стр. 4.

МОЧУЛЬСКИЙ К. Александр Блок. YMCA, Пар. 1948, стр. 275, 285, 313, 314.

МОЧУЛЬСКИЙ К. Андрей Белый. YMCA, Пар, 1955, стр. 291.

МУРАТОВА К. (ред). История русской литературы XIX века. Библиографический указатель. АН СССР, 1962, библ. № 10992, 11006, 13435, 13459, 13634.

МУРАТОВА К. История русской литературы конца XIX- начала XX века. Библиографический указатель. АН СССР, 1963, библ. № 354, 537, 541, 1004, 1013, 2102, 2309—2374, 2993, 6540, 7779, 7817, 11523 а.

Н. Вечер памяти Ахматовой и Гумилева (в Венецуэле). НРС, 5 июня 1966.

Н., С. Подземные родники недовольства. НРС, 2 марта 1964.

НАГ М. [Говорят зарубежные переводчики]. ИЛ, 1968, № 1, стр. 248.

НАРОВЧАТОВ С. Стихи в июне. ЛГ, 11 июля 1964.

НАРОВЧАТОВ С. (Вступит. заметка к переводам А. Ахматовой) «Из древнеегипетских папирусов». ЛГ, 29 мая 1965.

НАТОВ А. Ждановщина и XXIII съезд КПСС. НРС, 13 марта 1966.

НЕВЕДОМСКАЯ В. Воспоминания о Гумилеве и Ахматовой. НЖ, № 38, 1954, стр. 182—190.

НЕВСКАЯ Б. Тема «Алман» в творчестве Мусы Джалиля. ВЛ, 1965, № 7, стр. 251.

НЕДОБРОВО Н. Анна Ахматова. РМсл, 1915, № 7, разд. II, стр. 50—68.

Н(еймирок) А. Об антологии русской поэзии (рец). Г, № 16, 1952, стр. 180.

НЕЙМИРОК А. О русской культуре. Пс, 1946, № 23, 9 июня, стр. 7.

НЕЙМИРОК А. О современной русской лирике в Советском Союзе. Г, № 30, 1956, стр. 131, 134; № 31, 1956, стр. 132.

НЕЙМИРОК А. Белла Ахмадулина. Г, № 55, 1964, стр. 172.

НЕЙМИРОК А. «Человек за бортом . . .» (О журнале «Синтаксис»). Г, № 58, 1965, стр. 194.

НЕЛЬДИХИН С. Общественно-литературная жизнь Петрограда. Н, 17 ноября 1922.

НЕМИРОВСКИЙ А. (Вст. заметка к подборке стихов О. Мандельштама) «Из воронежских тетрадей». «Подъем», Воронеж, 1966, № 1, стр. 94.

НИК. Русские в Венецуэле. РМ, 12 апреля 1966.

НИКИТИНА Е. Поэты и направления (Пути новейшей поэзии). С, Альм. 3, 1924.

НИКИТИНА Е. Русская литература от символизма до наших дней. Изд. «Никитинские Субботники», М, 1926.

НИКОЛИН (Неймирок) А. «Вожди» на подмостках. Пс, 1955, № 52, 25 декабря, стр. 3.

НИКОЛИН (Неймирок) А. С открытым забралом. «Наши дни», Ф, 1966, № 35, стр. 67—68.

541

НИКОЛЬСКИЙ Ю. Искусство в Крыму. «Объединение», Одесса, 1918, № 3—4, стр. 222.

НИКОНОВ В. Поэтический дневник Отечественной войны. Зн, 1942, № 7, стр. 158.

НИКУЛИН Л. Путь поэта (А. Ахматова. Стихотворения. 1961. Рец). ЛГ, 28 декабря 1961.

НИКУЛИН Л. Лариса Рейснер. В его кн. «Г о д ы н а ш е й ж и з н и. Воспоминания. Портреты». Изд. «Московский Рабочий», М, 1966, стр. 167.

НИКУЛИН Л. Перечитывая Алексея Толстого. «Наш Современник», М, 1965, № 2, стр. 90, 91. Перепечатано в той же кн., стр. 262, 263.

НИНОВ А. М. Горький и «Летопись». «Нева», Л, 1966, № 1, стр. 177.

Н-КО Н. Мои встречи с Анной Ахматовой. НРС, 13 марта 1966.

НОВИКОВ В. Поэт великой эпохи. Зн, 1950, № 4, стр. 158.
О журналах «Звезда» и «Ленинград». Из постановления ЦК ВКП(б) от 14 августа 1946. «Правда», М, 21 августа 1946; «Культура и Жизнь», М, 20 августа 1946; З, 1946, № 7—8, стр. 3, 4, 5, 6.

ОБЛОМИЕВСКИЙ Д. Борис Пастернак. «Литературный Современник», Л, 1934, № 4, стр. 127.

ОБОЗРЕВАТЕЛЬ. Писатели на скамье подсудимых. СВ, 1963, № 3—4, стр. 46.

ОБОЛЕНСКИЙ С. Письмо в редакцию. «Народная Правда», Пар, № 6, декабрь (1949), стр. 39.

ОБОЛЬЯНИНОВ В. Как настоящая фамилия поэтессы А. Ахматовой? НРС, 25 октября 1964.

ОВСЯННИКОВ М. и В. РАЗУМНЫЙ, ред. К р а т к и й с л о в а р ь п о э с т е т и к е. Госполитиздат, М, 1964, стр. 8, 474.

ОВЧАРЕНКО А. Социалистический реализм и современный литературный процесс. ВЛ, 1966, № 12, стр. 19, 23.

ОВЧАРЕНКО Х. Малороссы или украинцы. НРС, 22 октября 1966.

ОГНЕВ В. День нашей поэзии. О, 1957, № 2, стр. 209—210.

ОДОЕВЦЕВА И. В защиту поэзии. РМ, 12 марта 1959.

ОДОЕВЦЕВА И. О любви к Пушкину. РМ, 17 марта 1962.

ОДОЕВЦЕВА И. На берегах Невы. Изд. В. П. Камкина, 1967, стр.: 115, 165, 174, 179—180, 227, 286—287, 379, 456—457, 462—489. Первоначально, в отрывках: Мст, № 9, 1962, стр. 112—113; РМ, 6 февраля 1962, 5, 12, 19, 26 сентября и 10 декабря 1964, 18 февраля 1965, 17 сентября 1966.

ОДОЕВЦЕВА И. Осип Мандельштам. Со, № 9, 1964, стр. 25.

ОДОЕВЦЕВА И. Н. Гумилев. Собр. соч. тт. 1 и 2 (рец). НЖ, № 84, 1966, стр. 285.

ОДОЕВЦЕВА И. О себе и других. НРС, 2 янв. 1968.

ОЗЕРОВ Л. Стихотворения Анны Ахматовой. ЛГ, 23 июня 1959.

ОЗЕРОВ Л. Тайны ремесла. Новые стихи Анны Ахматовой. «Литературная Россия», 1963, № 5. В расширенной ред. в его кн. «Работа поэта». СП, 1963, стр. 174—197.

ОЗЕРОВ Л. Мелодика, пластика, мысль. Портрет писателя. «Литературная Россия», М, 21 августа 1964, стр. 14—15.

ОЗЕРОВ Л. У Анны Ахматовой. «Литературная Россия», 1964, стр. 8. Перепеч. НРС, 18 октября 1964.

ОЗЕРОВ Л. Примечания в кн. Б. Пастернак. Стихотворения и поэмы. БП б с, 1965, стр. 646.

ОЗЕРОВ Л. Вечно живое дерево поэзии. ВЛ, 1967, № 4, стр. 61, 65.

ОКСЕНОВ Инн. Взыскательный художник. «Новый Журнал Для Всех», Пг, 1915, № 10, стр. 42.

ОКСЕНОВ Инн. О. Мандельштам. Камень. 1916 (в сводн. рец). «Новый Журнал Для Всех», Пг, 1916, № 2—3, стр. 74.

ОКСЕНОВ Инн. Литература и жизнь перед революцией. КиР, 1920, № 5, стр. 17.

ОКСЕНОВ Инн. Письма о русской поэзии. КиР, 1921, № 1, стр. 30.

ОКСЕНОВ Инн. А. Радлова. Корабли (рец). КиР, 1921, № 7, стр. 59.

ОКСЕНОВ Инн. Письма о современной поэзии («Подорожник», в сводн. рец). КиР, 1921, № 12, стр. 16—18.

ОКСЕНОВ Инн. И. Одоевцева. Двор чудес (рец). КиР, 1922, № 7, стр. 62.

ОКСЕНОВ Инн. А. Ахматова. Четки. Изд. 8 (рец). КиР, 1922, № 7, стр. 63.

ОКСЕНОВ Инн. И. Эренбург. Портреты русских поэтов (рец). КиР, 1923, № 11—12, стр. 62.

ОКСЕНОВ Инн. Советская поэзия и наследие акмеизма. «Литературный Ленинград», 26 мая 1934.

ОКСМАН Ю. Пушкин. «Ленинградская Правда», 26 января 1936.

ОЛЕША Ю. Эдуард Багрицкий. В его кн. И з б р. с о ч., ГИХЛ, 1956, стр. 377; тоже в его кн. «П о в е с т и и р а с с к а з ы». ГИХЛ, 1965, стр. 367.

ОРДА К. Вместо венка. «Эхо», Регенсбург, сентябрь 1946.

ОРЛОВ В. Новое об Александре Блоке. НМ, 1955, № 11, стр. 160—161.

ОРЛОВ В. Примечания к кн. А. Блок. З а п и с н ы е к н и ж к и. ГИХЛ, 1965, стр. 556, 568, 584.

ОРЛОВ В. Марина Цветаева. Судьба. Характер. Поэзия. Вст. ст. в кн. Марина Цветаева. И з б р. п р о и з в е д е н и я. БП б с, 1965, стр. 38.

ОРЛОВ В. На рубеже двух эпох (Из истории русской поэзии начала нашего века). ВЛ, 1966, № 10, стр. 124, 134, 143.

ОСЕТРОВ Е. «Час мужества…» (По материалам беседы с А. А. Ахматовой). Сокращ. версия — ЛГ, 6 февраля

1965; полностью — ВЛ, 1965, № 4, стр. 183—189: «Грядущее, созревшее в прошедшем» (Беседа с А. А. Ахматовой).

ОСЕТРОВ Е. Поэзия вчера и сегодня. «Наш Современник», М, 1966, № 12, стр. 99, 101—102.

ОСИНСКИЙ Н. Побеги травы. «Правда», М, 1922, № 148.

ОСИПОВ Н. и С. УТЕХИН. Очерки большевизмоведения. Изд. «Посев», Ф, 1956, стр. 166—167.

ОСОКИН С. Туроверов. Стихи.-Хаиндрова. Ступени, и др. (сводн. рец). «Русские Записки», Пар, № 17, 1939, стр. 199.

ОС(оргин) М. «Russia». Rivista di letteratura, arte, storia. (Рец.). СЗ, № 19, 1924, стр. 446.

ОСОРГИН М. Российские журналы. СЗ, № 22, 1924, стр. 428, 432.

ОТРАДИН Н. Долгий разговор. Мст, № 1, 1958, стр. 139.

ОФРОСИМОВ Ю. Жак Нуар. Сквозь дымчатые стекла (рец). НРК, 1922, № 7, стр. 12.

ОФРОСИМОВ Ю. О Гумилеве, Кузмине, Мандельштаме... НРС, 13 декабря 1953.

ОФРОСИМОВ Ю. Паки и паки, НРС, 25 марта 1956.

ОЦУП Н. А. Ахматова. Подорожник (рец). «Альманах Цеха Поэтов», кн. 2, Пг, 1921, стр. 67—68.

ОЦУП Н. О Н. Гумилеве и классической поэзии. «Цех Поэтов», Альм. II—III, изд. С, Эфрон, Б, (1922), стр. 113.

ОЦУП Н. Николай Степанович Гумилев. Оп, № 1, 1953, стр. 119, 123, 124—127, 128—129, 131, 132.

ОЦУП Н. Миф Владимира Маяковского. РМ, 28 февраля 1957.

ОЦУП Н. Гуманизм в СССР. Г, № 34—35, 1957, стр. 258, 259, 264, 266.

ОЦУП Н. Свобода творчества. Г, № 38, 1958, стр. 157.

ОЦУП Н. Апокалипсис. РМ, 2 января 1958.

ОЦУП Н. Венец Пастернака. РМ, 25 декабря 1958.

ОЦУП Н. Н. С. Гумилев. В кн. Н. Гумилев. Избранное. Предисловие и ред. Н. Оцупа. Пар, 1959, стр. 11, 12—13, 16, 22—23.

ОЦУП Н. Современники. Пар, 1961, стр. 25.

ОЦУП Н. Литературные очерки. Пар, 1961, стр. 25—29, 38, 50, 159, 196, 222—223, 226, 238.

П., Дан. «Утренники», кн. 1 (рец). КиР, 1922, № 6, стр. 65.

П., Ив. Почему Тарсиса выпустили заграницу? НРС, 15 июня 1966.

ПАВЛЕНКО У. Коммунизм в России. «Наши Дни», Ф, 1961, № 3, стр. 151.

ПАВЛОВ М. Anno Domini. — У самого моря (рец). КиР, 1922, № 3, стр. 72.

ПАВЛОВИЧ Н. Анна Ахматова. Стихи. В ее кн. «Думы и воспоминания», СП, 1962, стр. 51—52; изд. 2, 1966, стр. 48—49.

ПАВЛОВИЧ Н. Воспоминания об Александре Блоке. БС, 1964, стр. 470, 475.

ПАВЛОВСКИЙ А. Высокий вечер. (К 75-летию Анны Ахматовой). ДП 1964, стр. 23—26.

ПАВЛОВСКИЙ А. Анна Ахматова. В его кн. «Поэты-современники». СП, 1966, стр. 103—140.

ПАВЛОВСКИЙ А. Николай Заболоцкий. Там же, стр. 224.

ПАВЛОВСКИЙ А. Анна Ахматова. Очерк творчества. Лениздат, Л, 1966, 191 стр.

ПАВЛОВСКИЙ А. Русская советская поэзия в годы Отечественной Войны. Изд. «Наука», 1967.

ПАНИН Г. О русском акростихе. НЖ, № 88, 1967, стр. 92, 93.

ПАНКОВ В. Главный герой. Зн, 1958, № 5, стр. 183, 184—185, 186—187.

ПАПКОВСКИЙ Б. Формализм и эклектика проф. Эйхенбаума. З, 1949, № 9, стр. 169, 174—175.

Парнас дыбом. Изд. 2, Винница, 1927, стр. 18, 73. Изд. 3, Монреаль, Канада, 1963, стр. 18, 73.

ПАРНОК С. Б. Пастернак и другие. «Русский Современник», Пг, 1924, № 1, стр. 308—311.

ПАСТЕРНАК Б. Анне Ахматовой. Стихи. КН, 1929, № 5, стр. 159—160; С о ч и н е н и я, под ред. Г. П. Струве и Б. А. Филиппова, изд. Мичиганского ун-та, Ан-Арбор, т. 1, 1961, стр. 223—224: С т и х о т в о р е н и я и п о - э м ы. БП б с, 1965, стр. 199.

ПАСТЕРНАК Б. Охранная грамота. КН, 1931, № 5—6; отдельн. изд. СПЛе, 1931; указ. выше С о ч и н е н и я, т. 2, стр. 279.

ПАСТЕРНАК Б. Заметки переводчика. Зн, 1944, № 1—2, стр. 166; указ. выше С о ч и н е н и я, т. 3, стр. 185.

ПАСТЕРНАК Б. Автобиографический очерк. НРС, 12—31 января 1959; указ. выше С о ч и н е н и я, т. 2, стр. 45; впервые в СССР — с некоторыми цензурными изъятиями — под назв. «Люди и положения» — НМ, 1967, № 1, стр. 225.

ПАУСТОВСКИЙ К. П о в е с т ь о ж и з н и. Кн. 2. ГИХЛ, 1962, стр. 541.

ПАУСТОВСКИЙ К. Великий дар. ЛГ, 8 марта 1966.

ПАХМУСС Т. Зинаида Гиппиус и Сергей Есенин. НЖ, № 83, 1966, стр. 101.

ПАХМУСС Т. Сергеев-Ценский в критике З. Гиппиус. Г, № 63, 1967, стр. 151.

ПЕРВУШИН Н. Об авангардизме в советской поэзии и стиховедении. НРС, 17 января 1966.

ПЕРФИЛЬЕВ А. «Весь мир». РМ, 10 ноября 1966.

ПЕРЦОВ В. Н о в о е в с о в р е м е н н о й р у с с к о й п о - э з и и. (Письмо из Москвы). Рига, 1921.

ПЕРЦОВ В. Читая Ахматову («Из шести книг», рец). ЛГ, 10 июля 1940.

ПЕРЦОВ В. Русская поэзия в 1946 году. НМ, 1947, № 3, стр. 173.

ПЕРЦОВ В. О громких и приглушенных голосах советской поэзии. «Культура и Жизнь», М, 1958, № 11, стр. 45.

ПЕРЦОВ В. Современные поэты и чувство истории. «Литературная Россия», М, 23 декабря 1966.

ПЕРЦОВ В. История и современность в поэзии. Мс, 1967, № 1, стр. 193—194.

ПЕТРОВ Г. (Б. Филиппов). Кандидат былых столетий, полководец новых лет. Мст, № 1, 1958, стр. 208. Переизд. под назв. «Путь поэта», в несколько измененной ред., в кн. Ник. Заболоцкий. С т и х о т в о р е н и я. Под общ. ред. Г. П. Струве и Б. А. Филиппова. Изд. Международн. Литературного Содружества, 1965, стр. XLIV.

ПЕТРОВ Г. Ленинградский Петербург. Г, № 18, 1953, стр. 40.

ПЕТРОВСКАЯ Т. Requiem. A. Ahmatova — M. Under. 1967 (Рец.). НЖ, № 90, 1968, стр. 291.

ПЛАТОНОВ А. Анна Ахматова («Из шести книг»). ДП 1966, стр. 271—274.

ПЛЕТНЕВ Р. О Н. Клюеве. «Русское Слово в Канаде», ротаторн. журн., 1956, № 46, янв., стр. 4.

ПЛЕТНЕВ Р. Об атаках на Н. Ульянова. НРС, 7 марта 1960.

ПЛЕТНЕВ Р. О стихах Анны Ахматовой. НРС, 20 марта 1966.

ПЛЕТНЕВ Р. О лирике Тютчева. НЖ, № 85, 1966, стр. 110.

ПЛИСКО Н. Поэты и война. ЛГ, 29 июня 1935.

ПЛОТКИН Л. Сила советской литературы. В сборн. «П р о т и в б е з ы д е й н о с т и в л и т е р а т у р е», СП, Л, 1947, стр. 45.

ПЛОТКИН Л. Партия и литература. З, 1947, № 10, стр. 161.

ПЛОТКИН Л. Живая связь времен. «Нева», Л, 1966, № 11, стр. 179.

ПЛОТКИН Л. Октябрь в поэзии. Вст. ст. в кн. «Октябрь в советской поэзии», БПбс, изд. СП, Л, 1967, стр. 27—28.

ПОЙМАНОВА О. О Борисе Лавреневе. ПиР, 1927, № 8, стр. 101.

ПОЛЛЯК С. Русская поэзия в польских переводах. ВЛ, 1964, № 11, стр. 193, 198.

ПОЛОВНИКОВ А. Отсюда передачи шли на город… «Нева», Л, 1965, № 6, стр. 180.

ПОЛОВНИКОВ А. «Говорит Ленинград!» В кн. «Л и т е р а-т у р н о е Н а с л е д с т в о», т. 78, кн. 1: «Советские писатели на фронте Отечественной войны», изд. «Наука» (АН СССР), 1966, стр. 448.

ПОЛОНСКАЯ Е. Встречи. «Нева», Л, 1966, № 1, стр. 185.

ПОЛОНСКИЙ В. К вопросу о наших разногласиях. ПиР, 1925, № 4, стр. 50—51, 53.

ПОЛОНСКИЙ В. Критика ради критики. ПиР, 1925, № 8, стр. 91—92.

ПОЛТОРАЦКИЙ В. Знакомьтесь — поэзия 1964. ЛГ, 17 сентября 1964.

ПОЛЯНИН А. (С. Парнок). Отмеченные имена. Сев З, 1913, № 4, стр. 111—115.

ПОЛЯНИН А. В поисках пути искусства. Сев З, 1913, № 5—6, стр. 227—232.

ПОЛЯНИН А. О. Мандельштам. Камень (рец). Сев З, 1916, № 4—5.

ПОЛЯНИН А. Дни русской лирики. «Шиповник», кн. 1, М, 1922, стр. 157—159.

ПОЛЯНИН А. Г. Иванов. Сады (рец). Там же, стр. 173.

ПОЛЯНСКИЙ В. Социальные корни русской поэзии XX века. В кн. И. С. Ежов и Е. И. Шамурин. Р у с с к а я п о э з и я XX в е к а. Антология русской лирики от символистов до наших дней. Изд. «Новая Москва», М, 1925, стр. XII.

ПОМЕРАНЦЕВ К. О поэзии и поэтах. РМ, 31 марта 1959.

ПОМЕРАНЦЕВ К. Литература и политика. Антология русской поэзии Эльзы Триоле. РМ, 10 февраля 1966.

ПОМЕРАНЦЕВ К. Мысли о нашем времени. Литература и компартия. РМ, 8 декабря 1966.

ПОМЕРАНЦЕВ К. Оправдание поражения. Мст, № 12, 1966, стр. 242.

ПОПЛЮЙКО А. Парнас дыбом (рец). НЖ, № 75, 1964, стр. 303.

ПОСТУПАЛЬСКИЙ И. О стихах Н. Ушакова. ПиР, 1928, № 1, стр. 100.

ПОСТУПАЛЬСКИЙ И. Поэзия Элисаветы Багряны. НМ, 1960, № 12, стр. 259—260.

Правление Союза Писателей РСФСР. Поэт Анна Андреевна Ахматова. ЛГ, 8 марта 1966.

ПРЕДТЕЧЕНСКИЙ А. Литература. В кн. «Очерки истории Ленинграда». т. 3, АН СССР, 1956, стр. 682.

ПРОВИНЦИАЛ. Поэты наших дней (рец). «Рабочий Журнал», М, 1925, № 4, стр. 166.

ПРОКОФЬЕВ С. Автобиография. В кн.: С. С. Прокофьев. Материалы, документы, воспоминания. Изд. 2-е, Музгиз, М., 1961, стр. 149.

ПУШКАРЕВИЧ К. Современная болгарская и сербо-хорватская литература. Изд. «Красной Газеты», Л, 1929.

ПЯСТ В. Здравствуй, желанная дочь! Стихи — А. А-ой. В его кн. «Львиная пасть». 2-я книга лирики. Изд. З. И. Гржебина, Б-П-М, 1922, стр. 29.

ПЯСТ В. Встречи. Изд. «Федерация», М, 1929, стр. 155—157, 185, 207, 212, 254.

Р., Н. Юрий Казаков и Владимир Солоухин в Славянском институте. РМ, 25 марта 1967.

РАИЧ Е. И. Елагин. По дороге оттуда. — Ты, мое столетие (рец). НЖ, № 23, 1950, стр. 300.

РАЙС Э. Сорокалетие русской поэзии в СССР (1920—1960). Г, № 49, 1961, стр. 102—103, 119.

РАЙС Э. Творчество Осипа Мандельштама. В кн. О. Мандельштам. Собр. соч. под ред. Г. П. Струве и Б. А.

Филиппова. Т. 1, изд. Международн. Литературного Содружества, 1964, стр. LXXXII.

РАЙС Э. Люди культурной миссии. Г, № 57, 1965, стр. 212.

РАЙС Э. История русской литературы и литературная критика (по поводу «Истории русской литературы» проф. Ло Гатто). В, № 173, май 1966, стр. 57.

РАЙТ-КОВАЛЕВА Р. Только воспоминания. З, 1940, № 3—4 (сокращ.); полностью в кн. «В л а д и м и р   М а я к о в- с к и й   в   в о с п о м и н а н и я х   с о в р е м е н н и к о в», под ред. Н. В. Реформатской. ГИХЛ, 1963, стр. 237.

РАЙТ-КОВАЛЕВА Р. Встречи с Ахматовой. «Литературная Армения», Ереван, 1966, № 10.

РАССАДИН С. Пора зрелости. ВЛ, 1966, № 3, стр. 75—76, 77.

РАССАДИН С. Искусство быть самим собой. НМ, 1967, № 7, стр. 217.

РАУХ Г. К. И с т о р и я   С о в е т с к о й   Р о с с и и. Пер. с английск. Ю. Большухина. Изд. Ф. А. Прегер, Н-Й, 1962, стр. 507.

РАФАЛЬСКИЙ С. Русская поэзия на перепутьи. Пс, 1956, № 4, 29 января, стр. 9.

РАФАЛЬСКИЙ С. Последняя и первая. НРС, 28 февраля 1960.

РАШКОВСКАЯ М., Е. РАШКОВСКИЙ. Путеводитель по критике. ВЛ, 1966, № 10, стр. 200.

Резолюция Президиума правления Союза советских писателей СССР от 4 сентября 1946. ЛГ, 7 сентября 1946; О, 1946, № 9, стр. 182, 187.

РЕЙН Б. О чем попало. РМ, 26 марта 1966.

РЕЙСНЕР Л. Письмо от 7 мая (1922). НМ, 1963, № 10, стр. 208.

РЕЙСНЕР Л. Письмо к А. А. Ахматовой, 1921. ДП 1967, стр. 233.

РЕЙСНЕР Л. Письмо к А. А. Ахматовой от 24 ноября 1921. В ее кн. И з б р а н н о е. ГИХЛ, 1965, стр. 518—519, 525.

РЕМИЗОВ А. Крюк. НРК, 1922, № 1, стр. 8.

РЕСТ Б. Ленинградские журналы в новом году. ЛГ, 29 декабря 1932.

РЕФОРМАТСКАЯ Н. Всеволод Рождественский. «Л и т е р а т у р н а я Э н ц и к л о п е д и я», т. 9, ОГИЗ, 1935, столб. 732.

РЖЕВСКИЙ Л. Звук струны (О творчестве Беллы Ахмадулиной). ВПу, Альм. V, 1967, стр. 257, 262, 268.

РИХТЕР Н. Сборник стихов Гумилева (рец). «Новая Заря», Сан-Франциско, 12 марта 1963.

РИХТЕР Святослав. О Прокофьеве. В кн.: С. С. П р о к о ф ь е в. Материалы, документы, воспоминания. Изд. 2-е, Музгиз, М, 1961, стр. 467.

РОГАЛЯ-ЛЕВИЦКИЙ Ю. Горе-авторы нашего зарубежья. В, № 30, 1953, стр. 181.

РОЖДЕСТВЕНСКИЙ Вс. В альбом Ахматовой. Стихи. В кн. Э. Голлербах. «О б р а з А х м а т о в о й. Антология». Изд. Ленинград. Общества Библиофилов, Л, 1925, стр. 45.

РОЖДЕСТВЕНСКИЙ Вс. Страницы жизни. Из литературных воспоминаний. З, 1958, № 9, стр. 170. И отд. изд., СП, 1962, стр. 9.

РОЖДЕСТВЕНСКИЙ Вс. Все выше к свету по долине лилий. Стихи. ДПЛ, 1966, стр. 47—48.

РОЗАНОВА-КРУГЛИКОВА (Синявская) М. Письмо Л. Брежневу и др. Г, № 62, 1966, стр. 30.

РОСТОВЦЕВА И. Об уроках поэтов-современников (А. Павловский. Поэты-современники. Рец). Мс, 1967, № 2, стр. 204—205.

РУБИСОВА Е. «На берегах Невы» (Вечер Ирины Одоевцевой). НРС, 16 июня 1964.

РУБИСОВА Е. Раич. Современник (Рец). НРС, 5 декабря 1965.

РУНИН Б. Власть слова. ВЛ, 1967, № 5, стр. 125, 126.

РЫЛЕНКОВ Н. Вторая жизнь поэта. ДП 1966, стр. 304, 305 —307.

РЫЛЕНКОВ Н. Поэт. (Памяти А. А. Ахматовой). ЛГ, 8 марта 1966.

С., И. Бунтующие писатели. НРС, 26 августа 1967.

САБАНЕЕВ Л. Музыкальное творчество в СССР. РМ, 7 ноября 1957.

САБУРОВА И. Гнилая сенсационность. НРС, 17 июля 1960.

САВИН В. Долг жизни. Со, № 8, 1963.

САВИЦКИЙ П. Два мира. В кн. «На путях. Утверждение евразийцев», кн. 2, изд. «Геликон, М-Б, 1922, стр. 12, примеч).

САДОВСКОЙ Б. Анне Ахматовой. Стихи. В его кн. «Полдень», Пг, 1915.

САМАРИН В. Литературные заметки. — Ценнейший труд. НРС, 6 сентября 1964.

САМАРИН В. Большое русское дело. Пс, 1965, № 52, 24 декабря.

САМАРИН В. Литературные заметки. — Две литературы. НРС, 3 апреля 1966.

САМАРИН В. На орбите катастроф. РМ, 8 февраля 1968.

САМАРИН В. Литературные заметки. — Высокое слово. НРС, 25 февраля 1968.

САМОЙЛОВ Д. Смерть поэта. Стихи. НМ, 1967, № 3, стр. 130—131.

САШИН Ян. Из дневника (стих. пародия). НМ, 1945, № 10, стр. 184.

САШИН Ян. Не потому, что лодка накренилась. (Стих. пародия). ВЛ, 1967, № 1, стр. 236.

САЯНОВ В. К вопросу о судьбах акмеизма. НЛП, 1927, № 17—18, стр. 7—19. Перепеч. в его кн. «От классиков к современности». Изд. «Прибой», Л, 1929, стр. 108, 140, 142, 148, 159—160.

САЯНОВ В. Очерки по истории русской поэзии XX века. Изд. «Красной Газеты» (Рабочая Литературная студия «Резец»). Л, 1929.

СВАДОСТ Э. Райнис по-русски. В кн. «Мастерство перевода. Сборн. 1963 г.», СП, 1964, стр. 184.

СВЕРБЕЕВА М. Известие о смерти. Стихи памяти А .А. Ахматовой. РМ, 23 апреля 1966.

СВЯТОПОЛК-МИРСКИЙ Д. Русская лирика. Маленькая антология от Ломоносова до Пастернака. Изд. «Франко-Русская Печать», Пар, 1924, стр. 201—202 (заметка об Ахматовой).

СВЯТОПОЛК-МИРСКИЙ Д. О нынешнем состоянии русской литературы. «Благонамеренный», Брюссель, № 1, 1926, стр. 91, 92.

СЕВЕРЯНИН Игорь. Ахматова. Стихи. В его кн. Медальоны. Сонеты и вариации. Издание автора, Белград, 1939, стр. 8.

СЕДЫХ А. Бальмонт. НЖ, № 55, 1958, стр. 158—159.

СЕДЫХ А. На берегах Невы. Воспоминания И. Одоевцевой. НРС, 25 февраля 1968.

СЕЛИВАНОВСКИЙ А. Очерки русской поэзии XX века. Гл. 2: Распад акмеизма. «Литературная Учеба», М, 1934, № 8.

СЕЛИВАНОВСКИЙ А. Из книги «Очерки по истории русской советской поэзии». В его кн.: «В литературных боях. Избранные статьи и исследования (1927—1936)». СП, 1959, стр. 269, 271, 276—278, 281, 369. Изд. 2-е, дополн., СП, 1963, стр. 357, 360, 365—368, 371, 491.

СЕЛЬВИНСКИЙ И. Кодекс конструктивизма. З, 1930, № 9—10, стр. 257.

о. СЕМЕНОВ-ТЯН-ШАНСКИЙ А. Слово перед панихидой на 9-й день после кончины Анны Андреевны Ахматовой. ВРСХД, № 80, 1966, стр. 52—54.

СЕМПЕР И. Ее стихи остаются людям. (Памяти А. А. Ахматовой). ЛГ, 8 марта 1966.

СЕРГИЕВСКИЙ Б. и о. Александр КИСЕЛЕВ. От Свято-Серафимовского фонда. НРС, 28 октября 1966.

СЕРГИЕВСКИЙ И. Л. Гроссман. Борьба за стиль (рец). ПиР, 1927, № 8, стр. 175.

СЕРГИЕВСКИЙ И. Об антинародной поэзии А. Ахматовой. З, 1946, № 9, стр. 192—194. Перепеч. в кн. «Против безыдейности в литературе», СП, Л, 1947, стр. 81—88.

СЕРМАН И. Поэт и история. (П. Громов. А. Блок, его предшественники и современники. Рец).. ВЛ, 1967, № 4, стр. 180.

СИДОРЕНКО Н. Постепенно отходит ненастье. Стихи. ДПЛ, 1966, стр. 46—47.

СИМОНОВА З. Памяти А. Ахматовой. Стихи. РМ, 26 января 1967.

СИМОНОВИЧ С. На панихиде по Анне Ахматовой в Париже. «Родные Перезвоны», Брюссель, № 164, апрель 1966.

СИНЯВСКИЙ А. . . . о поэзии 10-х годов. В кн. «История русской литературы», т. 3. Изд. «Наука» (АН СССР), 1964, стр. 778—779, 869.

СИНЯВСКИЙ А. Раскованный голос. (К 75-летию А. Ахматовой). НМ, 1964, № 6, стр. 174—176.

СИНЯВСКИЙ А. Поэзия Пастернака. В кн. Б.. Пастернак. Стихотворения и поэмы. БП б с, 1965, стр. 25.

СИНЯВСКИЙ А. Я только сказал «Не убий». — Последнее слово А. Синявского в Верховном суде РСФСР. РМ, 12 марта 1966.

Синявский и Даниэль на скамье подсудимых. Изд. Международн. Литературного Содружества, 1966, стр. 93, 94, 97, 113.

СЛИЗСКОЙ А. Из новейшей художественной литературы. В, № 29, 1953, стр. 181, 182.

СЛИЗСКОЙ А. На литературном фронте. РМ, 26 июля 1956.

СЛИЗСКОЙ А. Коридор Двенадцати Коллегий. РМ, 7 марта 1959.

СЛИЗСКОЙ А. Новые культурные течения в СССР. Доклад Н. Б. Тарасовой. РМ, 7 ноября 1964.

СЛИЗСКОЙ А. «Новый Мир», № 1, январь 1965 (рец). РМ, 25 марта 1965.

СЛИЗСКОЙ А. По страницам «Литературной Газеты». РМ, 31 июля 1965.

СЛИЗСКОЙ А. По страницам «Литературной Газеты». РМ, 26 апреля 1966.

СЛИЗСКОЙ А. «Новый Мир», № 3, 1966. РМ, 9 июля 1966.

СЛИЗСКОЙ А. «Новый Мир», № 1, 1967 (рец). РМ, 18 апреля 1967.

СЛОНИМ М. Портреты советских писателей. Изд. «Парабола», Пар, 1933, стр. 38.

СЛОНИМ М. Ломка трафарета. РМ, 8 января 1957.

СЛОНИМ М. На литературные темы. НРС, 6 июня 1965.

СЛОНИМ М. Американская книга о Марине Цветаевой (Рец. на книгу С. Карлинского). НРС, 31 января 1967.

СЛОНИМ М. На литературные темы. Арсений Тарковский. НРС, 24 дек. 1967.

СЛОНИМСКИЙ А. А. Ахматова. Белая стая (рец). «Вестник Европы», 1917, № 8—12, стр. 403—407.

СЛОНИМСКИЙ А. Первая поэма Пушкина. В кн. Пушкин. Временник Пушкинской Комиссии АН СССР, т. 3, АН СССР, 1937, стр. 197.

СЛУЧЕВСКАЯ-КОРОСТОВЕЦ А. Воспоминания об отце. Г, № 42, 1959, стр. 121.

СМЕЛЯКОВ Я. На смерть А. А. Ахматовой. Стихи. «Литературная Россия», М, 17 июня 1966.

СМИРНОВ И. Рожденная революцией (А. Меньшутин, А. Синявский. Поэзия первых лет революции. 1917—1920. Рец). «Русская Литература», Л, 1965, № 1, стр. 205.

СМИРНОВ И. О Сергее Городецком. «Русская Литература», 1967, № 4, стр. 183.

СОВСУН В. Акмеизм или адамизм. *«Литературная Энциклопедия»*, т. 1, изд. Комм. Академии, М, 1929, столб. 70, 72.

СОКОЛЬНИКОВ С. «Воздушные пути, II» (рец). Г. № 49, 1961, стр. 221.

СОЛЖЕНИЦЫН А. Вместо выступления. Письмо IV Всесоюзному съезду советских писателей. В президиум съезда и делегатам — членам ССП. Редакциям литературных газет и журналов. РМ, 22 июня 1967.

СОЛОВЬЕВ Б. Поэт и его подвиг. Творческий путь Александра Блока. СП, 1965, стр. 507.

СОЛОГУБ Ф. Прекрасно все под нашим небом (22 марта 1917). Стихи. В кн. Э. Голлербах. «Образ Ахматовой. Антология». Изд. Ленинград. Общества Библиофилов, Л, 1925.

СПАССКИЙ С. Письма о поэзии. З, 1945, № 1, стр. 119—120, 122.

СТЕПАНОВ Н. Поэтическое наследие акмеизма. «Литературный Ленинград», 1934, № 48, 20 сентября.

СТЕПАНОВ Н. Традиции и новаторство. ВЛ, 1966, № 3, стр. 83.

СТЕПУН Ф. Предисловие к кн. Марина Цветаева. Проза. ИиЧ, 1953, стр. 11, 15.

СТЕПУН Ф. Бывшее и несбывшееся. Т. 1. ИиЧ, 1956, стр. 297; Т. 2, ИиЧ, 1956, стр. 122.

СТЕПУН Ф. Б. Л. Пастернак. НЖ, № 56, 1959, стр. 190; перепеч. в кн. СбП, 1962, стр. 52.

СТРАХОВСКИЙ Л. Фет и Ахматова. НЖ, № 49, 1957, стр. 261—264.

СТРЕЛЕЦКИЙ М. Концы без начал. («Шиповник», кн. 1. Рец). «Россия», 1922, № 3, октябрь, стр. 29.

СТРУВЕ Г. Рец. на «Подорожник». РМсл (С), окт.-дек. 1921.

СТРУВЕ Г. Письма о русской поэзии. РМсл, С, 1922, № 6—7, стр. 247—248.

СТРУВЕ Глеб. Панорама современной русской литературы. РиСл, 6 апреля 1929. (Рец. на кн.: V. Pozner, *Panorama de la littérature contemporaine russe*).

СТРУВЕ Глеб. Новейшая польская поэзия. *РиСл.*, 9 ноября 1929. (Рец. на кн., Современные польские поэты в очерках Сергея Кулаковского и в переводах Михаила Хороманского. Берлин, 1929).

СТРУВЕ Г. Три судьбы. НЖ, № 16, 1947, стр. 228; № 17, 1947, стр. 197, 201, 205.

СТРУВЕ Г. И. Тхоржевский. Русская литература (рец). НЖ, № 18, 1948, стр. 344.

СТРУВЕ Г. О литературном наследстве Гумилева. В кн. Н. Гумилев. «Отравленная туника и другие неизданные произведения». Под ред. Г. П. Струве. ИиЧ, 1952, стр. 5, 8, 9, 21.

СТРУВЕ Г. Н. С. Гумилев. Биографический очерк. Там же, стр. 48, 49, 50, 51.

СТРУВЕ Г. О советской поэзии. «За Свободу», Мн, 1953, № 8, стр. 8.

СТРУВЕ Г. Дневник читателя. РМ, 12 августа 1955.

СТРУВЕ Г. О. Э. Мандельштам. Опыт биографии и критического комментария. В кн. О. Мандельштам. Собр. соч. под ред. Г. П. Струве и Б. А. Филиппова. ИиЧ, 1955, стр. 9, 16, 18.

СТРУВЕ Г. Д. Кленовский. Неуловимый спутник (рец). НЖ, № 47, 1956, стр. 266, 269.

СТРУВЕ Г. Русская литература в изгнании. ИиЧ, 1956, стр. 19, 151, 172, 184, 332, 334, 356, 364.

СТРУВЕ Г. Дневник читателя. Анонимный англичанин о Пастернаке. НРС, 22 февраля 1959.

СТРУВЕ Г. Из заметок о мастерстве Бориса Пастернака. ВПу, Альм. (1), 1960, стр. 99, 100.

СТРУВЕ Г. Дневник читателя. О «полузапретной» литературе. РМ, 31 марта 1962.

СТРУВЕ Г. Н. С. Гумилев. Жизнь и творчество. Статья в кн. Н. Гумилев. Собр. соч. в 4 тт., под ред. Г. П. Струве и Б. А. Филиппова. Изд. В. П. Камкина, Вш, т. 1, 1962, стр. VIII, XII, XV, XX, XXI, XXII, XXIX—XXX, XXXI.

СТРУВЕ Г. Примечания. Там же, стр. 307, 314, 323, 328.

СТРУВЕ Г. Творческий путь Гумилева. Там же, т. 2, 1964, стр. XI, XII, XV, XVIII.

СТРУВЕ Г. К биографии Н. С. Гумилева. Там же, т. 2, 1964, стр. 356, 360.

СТРУВЕ Г. Примечания. Там же, т. 2, 1964, стр. 291, 309, 316, 319, 329, 344, 364—365.

СТРУВЕ Г. Примечания. Там же, т. 3, 1966, стр. 233.

СТРУВЕ Г. О. Э. Мандельштам. Опыт биографии и критического комментария. В кн. О. Мандельштам. С о б р. с о ч. под ред. Г. П. Струве и Б. А. Филиппова. Изд. Международн. Литературного Содружества, т. 1, 1964, стр. XI, LIII, LXI, LXV, LXVI, LXXIV.

СТРУВЕ Г. Иннокентий Анненский и Гумилев. НЖ, № 78, 1965, стр. 280, 282.

СТРУВЕ Г. Стихотворение Е. М. Тагер об Анне Ахматовой. РМ, 7 октября 1965.

СТРУВЕ Г. Дневник читателя. Два стихотворения из России. РМ, 29 ноября 1966.

СТРУВЕ Г. (Автобиографическая справка). «Содружество». Из современной поэзии русского зарубежья. Под ред. Т. Фесенко. Изд. В. П. Камкина, Вш, 1966, стр. 545.

СТРУВЕ Г. Два «неизвестных» стихотворения Анны Ахматовой. РМ, 10 января 1967.

СТРУВЕ Г. Дневник читателя. Еще о Татьяне Гнедич и ее «Венке сонетов». РМ, 25 марта 1967.

СТРУВЕ Г. и Б. ФИЛИППОВ. О рецензии Г. Иванова на Собрание сочинений О. Мандельштама. НЖ, № 45, 1956, стр. 297.

СТРУВЕ Г. и Б. ФИЛИППОВ. Примечания в кн. О. Мандельштам. С о б р. с о ч., т. 1, 1964, стр. 353, 355, 358, 359—360, 370, 371, 386, 837, 396, 407, 413, 420, 427, 431—432, 433, 434, 436, 437, 438, 489, 491, 510, 511, 512—514, 515, 516, 518—522, 523, 525.

СТРУВЕ Г. и Б. ФИЛИПОВ. Примечания в кн. О. Мандельштам. С о б р. с о ч., т. 2, 1966, стр. 526, 572, 573, 580, 584—585, 618.

(СТРУВЕ Н.). Неизданный отрывок из трагедии «Сон во сне». ВРСХД, № 80, 1966, стр. 45—46.

СТРУВЕ Н. На смерть Ахматовой. Там же, стр. 46—48; перепеч. РМ, 26 марта 1966.

СТУДЕНТ. Доклад об Анне Ахматовой. НРС, 31 марта 1966.

СТУКОВ Г. Вариант стихотворения О. Э. Мандельштама о Сталине. РМ, 6 марта 1965.

СТУКОВ Г. Поэт — «тунеядец» — Иосиф Бродский. Вст. ст. в кн. Иосиф Бродский. С т и х о т в о р е н и я и п о э м ы. Под ред. Г. Стукова. Изд. Международн. Литературного Содружества, 1965, стр. 9.

СУМБАТОВ В. «Гиперборей». Стихи. «Литературный Современник», Альм., Мн, 1954, стр. 146. Перепеч. в его кн. С т и х о т в о р е н и я. Милан, 1957, стр. 31.

СУМСКИЙ С. А. Ахматова. Подорожник — Anno Domini (рец). НРК, 1922, № 1, стр. 20—21.

СУРКОВ А. Предчувствие победы. ЛГ, 7 ноября 1944.

СУРКОВ А. Из выступления на заседании правления Союза писателей СССР, 4 сентября 1946. ЛГ, 7 сентября 1946.

СУРКОВ А. Анна Ахматова. Послесловие в кн. Анна Ахматова. С т и х о т в о р е н и я. (1909—1960). БСП, 1961, стр. 294—305.

СУРКОВ А. Поэты не умирают. НМ, 1966, № 3, стр. 283—284.

СУРКОВ А. Великая Отечественная война и литература. ВЛ, 1967, № 6, стр. 21.

СУХОТИН. П. Поэтесса. Стихи, посвященные А. А. Ахматовой. В его кн. « К о н т р а с т ы », Сидней, Австралия, 1961.

ТАБИДЗЕ Т. Письмо к В. Гаприндашвили, 21 ноября 1931. В публикации В. Балуашвили. «Вдохновенный поэтпатриот (Паоло Яшвили)». «Литературная Грузия», Т, 1964, № 7, стр. 86.

ТАГЕР Е. Лев Никулин. «Л и т е р а т у р н а я Э н ц и к л о-
п е д и я», т. 8, М, 1934, столб. 85.

ТАГЕР Е. Синеглазая женщина входит походкой царицы. РМ, 7 октября 1965. Перепеч. ВПу, Альм. V, 1967.

ТАГЕР Е. О Мандельштаме. Воспоминания. Публикация и комментарии Г. П. Струве. НЖ, № 81, 1965, стр. 189 (первоначально — два отрывка — ВПу, Альм. IV, 1965, стр. 52). Опубликовано затем отдельной брошюрой, Н-Й, 1966, стр. 20.

ТАЛЬНИКОВ Д. А. Ахматова. Четки (рец). «Современный Мир», Пг, 1914, № 10, отд. II, стр. 208—211.

ТАРАСЕНКОВ А. Среди стихов. ПиР, 1930, № 1, стр. 66.

ТАРАСЕНКОВ А. Значение поэтики Маяковского для советской поэзии. Зн, 1950, № 4, стр. 177, 180.

ТАРАСЕНКОВ А. Из военных записей. В кн. «Л и т е р а-
т у р н о е Н а с л е д с т в о, т. 78, кн. 2: Советские пи-
сатели на фронтах Отечественной войны», кн. 2, изд. «Наука» (АН СССР), 1966, стр. 24.

ТАРАСЕНКОВ А. Р у с с к и е п о э т ы X X в е к а. 1900—
1955. Библиография. СП, 1966, стр. 24—25.

ТАРАСОВА Н. Тринадцатый апостол. Г, № 19, 1953, стр. 80.

ТАРАСОВА Н. Живая совесть (К 75-летию Анны Ахматовой). Г, № 56, 1964, стр. 5—10.

ТАРКОВСКИЙ А. Рукопись (А. А. Ахматовой). Стихи. В его кн. «З е м л е з е м н о е». Вторая книга стихов. СП, 1966.

ТАРКОВСКИЙ А. Памяти Анны Ахматовой. Два стихотворения. Перепеч. НРС, 5 февраля 1967.

ТАРКОВСКИЙ А. Памяти А. А. Ахматовой. Два стихотворения. ВЛ, 1967, № 5, стр. 117.

ТАРКОВСКИЙ А. Традиционен ли ямб? ВЛ, 1967, № 5, стр. 133, 135.

ТАТАРИНОВА Е. Анне Ахматовой. Стихи. РМ, 12 марта 1966.

ТАТИЩЕВ Н. О переводах китайских стихов Анны Ахматовой. РМ, 26 марта 1966.

ТАУБЕР Е. «Опыты» (рец). Г, № 20, 1953, стр. 149.

ТАУБЕР Е. Неукротимая совесть (О поэзии Анны Ахматовой). Г, № 53, 1963, стр. 80—86.

ТВАРДОВСКИЙ А. «Новый Мир» в 1965 году. ЛГ, 27 октября 1964.

ТВАРДОВСКИЙ А. Достоинство таланта. (Памяти А. А. Ахматовой). «Известия», московский вечерний выпуск 7 марта 1966, утренний выпуск — 8 марта 1966 — сокращенная редакция; полностью — НМ, 1966, № 3, стр. 285 —288.

ТВАРДОВСКИЙ А. Ответственность художника (Задачи писателей). «Правда», М, 29 марта 1966.

ТВЕРСКОЙ П. Всерьез или нарочно? Г, № 11, 1951, стр. 181.

ТЕМИРЯЗЕВ Б. (Ю. Анненков). П о в е с т ь о п у с т я к а х. Изд. «Петрополис», Б, 1934, стр. 130, 286.

ТЕРАПИАНО Ю. О Блоке, о Гумилеве. НРС, 17 февраля 1952.

ТЕРАПИАНО Ю. О неизданных стихах О. Мандельштама. НРС, 4 января 1953.

ТЕРАПИАНО Ю. «Возрождение», № 29 (рец). НРС, 26 октября 1953.

ТЕРАПИАНО Ю. В с т р е ч и. ИиЧ, 1953, стр. 11, 18, 120, 149.

ТЕРАПИАНО Ю. О поэзии Георгия Иванова. «Литературный Современник», Альм., Мн, 1954, стр. 240.

ТЕРАПИАНО Ю. Осип Мандельштам. РМ, 19 ноября 1955.

ТЕРАПИАНО Ю. По поводу незамеченного поколения. НРС, 27 ноября 1955.

ТЕРАПИАНО Ю. Точки над i. НРС, 13 мая 1956.

ТЕРАПИАНО Ю. «День Поэзии» (рец.) РМ, 9 февраля 1957.

ТЕРАПИАНО Ю. О Блоке и Гумилеве. РМ, 7 сентября 1957.

ТЕРАПИАНО Ю. «Лебединый стан» (рец). РМ, 15 февраля 1958.

ТЕРАПИАНО Ю. Антология русской советской поэзии. 1917 —1957 (рец). РМ, 15 марта 1958.

ТЕРАПИАНО Ю. Н. С. Гумилев. РМ, 28 июня 1958.

ТЕРАПИАНО Ю. «Грани», № 36; № 55 (рец). РМ, 12 июля 1958; 15 августа 1964.

ТЕРАПИАНО Ю. «Опыт духовной автобиографии» Н. А. Бердяева (рец). РМ, 25 октября 1958.

ТЕРАПИАНО Ю. Три литературы. РМ, 6 июня 1959.

ТЕРАПИАНО Ю. Социалистический реализм. РМ, 30 января 1960.

ТЕРАПИАНО Ю. Новые книги. РМ, 6 февраля 1960; 13 февраля, 6 марта и 24 июля 1965; 23 июля и 28 июля 1966; 20 июля 1967.

ТЕРАПИАНО Ю. «Новый Журнал», № 59; № 77; № 81; № 83 (рец). РМ, 16 июля 1960; 14 ноября 1964; 12 февраля и 16 июня 1966.

ТЕРАПИАНО Ю. «Воздушные Пути», вып. II РМ, 24 июня 1961.

ТЕРАПИАНО Ю. Осип Мандельштам. Г, № 50, 1961, стр. 105, 110.

ТЕРАПИАНО Ю. Собрание сочинений Н. Гумилева (рец). РМ, 23 февраля 1963.

ТЕРАПИАНО Ю. «Воздушные Пути», альманах, вып. III (рец). РМ, 3 и 10 августа 1963.

ТЕРАПИАНО Ю. «Современник», № 8; № 9; № 10 (рец). РМ, 25 января 1964; 13 июня 1964; 16 января 1965.

ТЕРАПИАНО Ю. Самоубийство и любовь. РМ, 11 июля 1964.

ТЕРАПИАНО Ю. «День Поэзии 1964» (рец). РМ, 27 марта 1965.

ТЕРАПИАНО Ю. «День Поэзии 1964» (рец). РМ, 3 апреля 1965.

ТЕРАПИАНО Ю. К вечеру о трех поэтах. РМ, 1 мая 1965.

ТЕРАПИАНО Ю. Памяти Николая Оцупа. РМ, 21 марта 1965.

ТЕРАПИАНО Ю. «Мосты», кн. 11 (рец). РМ, 12 июня 1965.

ТЕРАПИАНО Ю. Н. Гумилев. Собрание сочинений, том второй (рец). РМ, 3 июля 1965.

ТЕРАПИАНО Ю. «Воздушные Пути», выпуск IV (рец). РМ, 18 сентября 1965.

ТЕРАПИАНО Ю. Анна Ахматова. Сочинения. Т. 1 (рец). РМ, 15 января 1966.

ТЕРАПИАНО Ю. Вячеслав Иванов. РМ, 26 февраля 1966.

ТЕРАПИАНО Ю. Антология русской поэзии, составленная Эльзой Триоле (рец). РМ, 12 марта 1966.

ТЕРАПИАНО Ю. «Реквием» по-французски. РМ, 11 июня 1966.

ТЕРАПИАНО Ю. Об Анне Ахматовой. Со, 1966, № 13, июнь, стр. 8—10.

ТЕРАПИАНО Ю. Осип Мандельштам. Том II (рец). РМ, 18 марта 1967.

ТЕРАПИАНО Ю. Марина Цветаева. Избранные произведения (рец). РМ, 25 марта 1967.

ТЕРАПИАНО Ю., К. Д. Бальмонт (К 100-летию со дня рождения). РМ, Пар., 25 янв. 1968, стр. 8.

ТЕРАПИАНО Ю. «На берегах Невы» (рец.), РМ, Пар., 1 февр. 1968, стр. 9.

ТЕРАПИАНО Ю. А. Ахматова. Реквием. Пер. М. Ундер. (Рец.) РМ, 14 марта 1968.

ТИМОФЕЕВ Л. Введение. В кн. «История русской советской литературы. т. 1, АН СССР, 1958, стр. 14.

ТИМОФЕЕВ Л. Творчество Александра Блока. АН СССР, 1963, стр. 182—184, 187.

ТИМОФЕЕВ Л. Советская литература. Метод. Стиль. Поэтика. СП, 1964, стр. 104.

ТИМОФЕЕВ Л. Метод живой, движущийся. ВЛ, 1968, № 1, стр. 17.

ТИНЯКОВ А. Анна Ахматова. Критический очерк. «Журнал Журналов», Пг, 1915, № 6, стр. 16—17.

ТИНЯКОВ А. Анне Ахматовой. Стихи. В его кн. «Треугольник», изд. «Поэзия», Пг, 1922.

ТИХОНОВ Н. Из выступления на заседании правления Союза писателей СССР, 4 сентября 1946. ЛГ, 7 сентября 1946.

ТОЛСТОЙ А. О литературе и войне. «Литература и Искусство», 5 декабря 1942.

ТОЛСТОЙ А. Четверть века советской литературы. «Литература и Искусство», 26 декабря 1942, 1, 9 и 16 января 1943; НМ, 1942, № 11—12, стр. 209; в сокращ. ред. — Собр. соч. в 10 тт., т. 10, ГИХЛ, 1961, стр. 544.

ТОМАШЕВСКИЙ Б. Пушкин и Франция. СП, Л, 1960, стр. 166, 452, 465.

ТРЕГУБ С. Мировоззрение поэта. ЛГ, 7 сентября 1946.

ТРЕГУБ С. Мысли по поводу. Мс, 1966, № 11, стр. 211.

ТРЕТЬЯКОВ С. ЛЕФ и НЭП. ЛЕФ, М-П, 1923, № 2, стр. 75.

ТРИФОНОВ Н. Русская литература XX века. Хрестоматия. Учпедгиз, 1962, стр. 440.

ТРИФОНОВА Т. Литература послевоенного периода. В кн. «История русской советской литературы», т. III, АН СССР, 1961, стр. 56.

ТРИФОНОВА Т. И. Г. Эренбург. Там же, стр. 266.

ТРОЦКАЯ З. Памяти Анны Ахматовой. Стихи. РМ, 23 апреля 1966.

ТРОЦКИЙ Л. Ахматова. «Правда», М, 26 июля 1923.

ТРОЦКИЙ Л. Литература и революция. Изд. «Красная Новь», М, 1923, стр. 24, 30, 67, 80—81.

ТРУБЕЦКОЙ Ю. Отраженный свет. НРС, 12 ноября 1950.

ТРУБЕЦКОЙ Ю. Анна Ахматова. «Литературный Современник», Мн, № 4, 1952, стр. 90—94.

ТРУБЕЦКОЙ Ю. Нищий принц. Повесть. В, № 29 (стр. 74, 76), № 30 (стр. 35, 37), 1953; № 34 (стр. 68, 75, 77), 1954.

ТРУБЕЦКОЙ Ю. Недооцененное поколение. НРС, 11 декабря 1955.

ТРУБЕЦКОЙ Ю. Из литературного дневника. НРС, 30 июня и 27 октября 1957; 26 сентября и 21 ноября 1965; 27 февраля и 14 августа 1966; 16 апреля 1967.

ТРУБЕЦКОЙ Ю. Вячеслав Иванов на Кавказе. РМ, 20 февраля 1958.

ТРУБЕЦКОЙ Ю. Перечитывая ... РМ, 19 февраля 1959.

ТРУБЕЦКОЙ Ю. Из записных книжек. Мст, № 2, 1959, стр. 417.

ТРУБЕЦКОЙ Ю. Помраченный Парнас. НРС, 17 января 1960.

ТРУБЕЦКОЙ Ю. 1920—1921 года. НРС, 7 июля 1960.

ТРУБЕЦКОЙ Ю. Александр Блок. НРС, 23 июля 1961.

ТРУБЕЦКОЙ Ю. Анна Ахматова. НРС, 24 декабря 1961.

ТРУБЕЦКОЙ Ю. Об Анне Ахматовой. РМ, 23 июня 1964; перепеч. НРС, 26 июля 1964.

ТРУБЕЦКОЙ Ю. Из записных книжек. НРС, 30 мая 1965.

ТРУБЕЦКОЙ Ю. Стихотворения памяти А. Ахматовой. НРС, 29 мая 1966; РМ, 23 июля 1966.

ТРУБЕЦКОЙ Ю. Памяти Анны Ахматовой. Со, 1966, № 13, июнь, стр. 11—12.

ТРУБЕЦКОЙ Ю. (Автобиографическая справка). «Содружество. Из современной поэзии русского зарубежья». Под ред. Т. Фесенко. Изд. В. П. Камкина, Вш, 1966, стр. 549.

ТУРОВ Н. Жизнь, отданная поэзии. НРС, 9 апреля 1967.

ТУРОВ Н. Об Александре Блоке. НРС, 29 августа 1967.

ТУРОВЕРОВ А. Из литературного прошлого. НРС, 24 июля 1966.

ТХОРЖЕВСКИЙ И. Р у с с к а я л и т е р а т у р а. Изд. 2, «Возрождение», Пар, 1950, стр. 425, 491, 494, 498, 499— 501, 503, 504, 505, 506, 534, 576, 584, 615.

ТЫНЯНОВ Ю. Серапионовы братья. Альм. 1 (рец). КиР, 1922, № 6, стр. 62.

ТЫНЯНОВ Ю. П р о б л е м а с т и х о т в о р н о г о я з ы к а. Л, 1924, стр. 75, 131 (примеч).

ТЫНЯНОВ Ю. Промежуток. «Русский Современник», Пг, 1924, № 4, стр. 215—216, 220. Перепеч. в его кн. « А р - х а и с т ы и н о в а т о р ы», Изд. «Прибой», Л, 1929, стр. 549—552, 557. Переиздана фотоспособом — изд. В. Финк, Мн, 1967.

УГРЮМОВ А. Что сохранила память. РМ, 4 ноября 1958.

УГРЮМОВ А. Вместо венка. РМ, 7 июня 1960.

УГРЮМОВ А. Накануне пятидесятилетия. РМ, 2 ноября 1967, стр. 4.

УДУШЬЕВ Ипполит (Р. Иванов-Разумник). «Взгляд и нечто» и Отрывок (К столетию «Горя от ума»). В сборн. С о в р е м е н н а я л и т е р а т у р а. Изд. «Мысль», Л, 1925, стр. 171.

УЛЬЯНОВ Н. Город славы и беды. НРС, 27 декабря 1953.

УЛЬЯНОВ Н. После Бунина. НЖ, № 36, 1954, стр. 144.

УЛЬЯНОВ Н. Десять лет. НРС, 17 декабря 1958; перепеч. РМ, 14 февраля 1959.

УЛЬЯНОВ Н. О журналах (Забытый бог). НРС, 15 ноября 1959. Перепеч. в его кн. «Диптих», НЙ, 1967, стр. 83.

УЛЬЯНОВ Н. Дискуссия или «проработка»? НРС, 13 марта 1960.

УЛЬЯНОВ Н. Д. Кленовский. НЖ, № 59, 1960, стр. 124.

УЛЬЯНОВ А. Шестая печать. ВПу, Альм. IV, 1965, стр. 168. Перепеч. в его кн. «Диптих», НЙ, 1967, стр. 133.

УЛЬЯНОВ Н. Литературная слава. В его кн. «Д и п т и х», НЙ, 1967, стр. 126, 129.

УРБАН А. Прямо в жизнь. (Заметки о поэзии). ВЛ, 1964, № 1, стр. 47—48.

УРБАН А. Бег времени (А. Ахматова. Бег времени. Рец). З, 1966, № 5, стр. 208—210.

УСОВ Д. А. Ахматова. Четки (рец). «Жатва», М, кн. 6—7, 1915, стр. 468—471.

Ф., И. Anno Domini (рец). НМ, 1922, № 1, стр. 275.

Ф., К. Последний свидетель Серебряного века. «Наши Дни», Ф, 1959, № 1, стр. 165—166.

ФАДЕЕВ А. Из выступления на заседании правления Союза писателей СССР, 4 сентября 1946. ЛГ, 7 сентября 1946.

ФАДЕЕВ А. Выступление на общемосковском собрании писателей, посвященном обсуждению Постановления ЦК ВКП(б) о журналах «Звезда» и «Ленинград», 17 сентября 1946. ЛГ, 21 сентября 1946.

ФАДЕЕВ А. О традициях славянской литературы. НМ, 1946, № 12. Перепеч. в его кн. «За тридцать лет», СП, 1957, стр. 330—332.

ФАДЕЕВ А. Советская литература после постановления ЦК ВКП(б) о журналах «Звезда» и «Ленинград». ЛГ, 29 июня 1947.

ФАДЕЕВ А. Наши ближайшие задачи. В сборн. «Советский театр и современность». Изд. Всероссийск. Театрального Общества (ВТО), М, 1947.

ФАДЕЕВ А. Задачи советской литературы. В сборн. «Советская литература». ГИХЛ, 1947. В переработанном виде в его кн. «За тридцать лет». СП, 1957, стр. 366—367, 368—369, 370; во 2 изд. той же книги, 1959, стр. 370—371, 372—373, 374.

ФАДЕЕВ А. Задачи литературной теории и критики. В сборн. «Проблемы социалистического реализма». СП, 1948, и в сборн. «Советская литература», ГИХЛ, 1948; в переработанном виде в его кн. «За тридцать лет». СП, 1957, стр. 424—425, 428; во 2 изд. той же книги, 1959, стр. 428—429, 432.

ФАДЕЕВ А. О постановлениях Центрального Комитета Партии по вопросам литературы и искусства. Там же, 1957, стр. 348.

ФАДЕЕВ А. Заявление в Главную военную прокуратуру, 2 марта 1956. В публикации «Из переписки», НМ, 1961, № 12, стр. 195.

ФЕДИН К. «Дом Искусств», № 1 (рец). КиР, 1921, № 8—9, стр. 86.

ФЕДОТОВ Г. О парижской поэзии. «Ковчег», сборник. Н-Й, 1942, стр. 196.

ФЕСЕНКО А. и Т. Р у с с к и й я з ы к п р и С о в е т а х. Н-Й, 1955, стр. 100.

ФИЛИППОВ Б. А. С. Пушкин. Пс, 1947, № 5, 1 июня, стр 7.

ФИЛИППОВ Б. О старой поговорке. Пс, 1947, № 8, 22 июня, стр. 9.

ФИЛИППОВ Б. А. Ахматова. Избранные стихотворения (рец). НЖ, № 32, 1953, стр. 300—305.

ФИЛИППОВ Б. Николай Клюев. Материалы для биографии. В кн. Н. Клюев. П о л н. с о б р. с о ч., т. 1, под ред. Б. А. Филиппова, ИиЧ, 1954, стр. 36.

ФИЛИППОВ Б. «Поэма без героя». Заметки о поэме. ВПу, Альм. II, 1961, стр. 167—183.

ФИЛИППОВ Б. Памяти Ариадны Владимировны Тырковой. Г, № 53, 1963, стр. 56, 57.

ФИЛИППОВ Б. О социалистическом реализме. РМ, 11 июня 1963.

ФИЛИППОВ Б. «Дом Искусств» и «Сумасшедший корабль». Вступление в кн. О. Форш. « С у м а с ш е д ш и й к о р а б л ь ». Под ред. Б. А. Филиппова. Изд. Международного Литературного Содружества, 1964, стр. 12—13, 16, 38—39.

ФИЛИППОВ Б. Перевиралы. РМ, 22 февраля 1966.

ФИЛИППОВ Б. Заоконная синева. РМ, 9 апреля 1966.

ФИЛИППОВ Б. Бессмертие? В его кн. «**Т у с к л о е о к о н - ц е**». Изд. РКн, 1967, стр. 63.

ФИЛИППОВ Б. Опальное произведение. Вст. ст. в кн. М. Зощенко. «**П е р е д в о с х о д о м с о л н ц а**». Изд. Международн. Литературного Содружества, 1967, стр. 14, 17.

ФИЛИСТИНСКИЙ Б. Как напечатали Анну Ахматову. «За Родину», Рига, 2 сентября 1943.

ФИЛИСТИНСКИЙ Б. Николай Гумилев. Там же, 5 ноября 1943.

ФИЛИСТИНСКИЙ Б. А. С. Пушкин. Там же, 10 февраля 1944.

ФИШ Г. Простой расчет и пылающая мера. Мс, 1965, № 6, стр. 183.

ФОРШ О. **С у м а с ш е д ш и й к о р а б л ь**. СПЛе, 1931, стр. 106, 111—112. 2-е изд. Международн. Литературного Содружества, 1964, стр. 151, 157.

ФОРШТЕТЕР М., Н. С. Гумилев (Лекция С. К. Маковского). РМ, 14 декабря 1957.

ФОСТИ В. Поэтическое колдовство Ахматовой. «Родные Перезвоны», Брюссель, № 176, апрель 1967.

ФРАНК С. Светлая печаль. В, май 1949. Перепеч. в его кн. «**Э т ю д ы о П у ш к и н е**». Мн, 1957, стр. 126.

ФУРМАНОВ Д. **И з д н е в н и к а п и с а т е л я**. Изд. «Молодая Гвардия», М, 1934, стр. 65—70.

Х. Ренато Поджиоли. Поэты России (рец). Мст, № 8, 1961, стр. 333.

ХАБАРОВ И. Следует уточнить. ВЛ, 1967, № 6, стр. 197—198.

ХАРДЖИЕВ Н. Заметки о Маяковском. В кн. «**Л и т е р а - т у р н о е Н а с л е д с т в о**. Т. 65: Новое о Маяковском», АН СССР, 1958, стр. 424.

ХАРДЖИЕВ Н. О рисунке А. Модильяни. ДП 1967, стр. 252 —253.

ХВАИ-ЮНДЮН В. Два сборника корейской поэзии (рец). «Советский Казахстан», 1957, № 9, стр. 123—126.

ХЕРАСКОВ И. Певец эмигрантского безвременья. В, № 13, 1951, стр. 178.

ХЛЕБНИКОВ В. На полотне из камней. Стихи. ВПу, Альм. III, 1963, стр. 13.

ХОДАСЕВИЧ В. Русская поэзия («Вечер» Ахматовой, в сводн. рец). «Альциона», Альм. 1, М, 1914.

ХОДАСЕВИЧ В. (О себе). НРК, 1922, № 7, стр. 37.

ХОДАСЕВИЧ В. Литературная панорама. «Возрождение», Париж, апр. 1929 (о франц. книге Вл. Познера).

ХОДАСЕВИЧ В. Летучие листы. Молодые поэты. «Возрождение», Пар, 30 мая 1929.

ХОДАСЕВИЧ В. Книги и люди. «Отплытие на остров Цитеру». «Возрождение», Пар, 29 мая 1937.

ХОДАСЕВИЧ В. Некрополь. Воспоминания. Изд. «Петрополис», Брюссель, 1939, стр. 124, 128—129.

ХОДАСЕВИЧ В. Торговля. В его кн. «Литературные статьи и воспоминания». ИиЧ, 1954, стр. 394—395.

ХОЛОПОВ Г. Сорокалетие «Звезды». З, 1964, № 1, стр. 187.

Ц. А .Ахматова. Anno Domini (рец). «Начало», Иваново-Вознесенск, 1922, № 2—3.

ЦВЕТАЕВА Марина. Стихи к Ахматовой (11 стихотворений). В ее кн. «Версты». Стихи. Изд. «Костры», М, 1921, и «Версты». Стихи. Вып. 1, ГИЗ, М, 1922. Они же — под назв. «Музе. Анне Ахматовой» (все 11) в ее кн. «Психея. Романтика». Изд. З. И. Гржебина, Б, 1923, стр. 29—38. В кн. М. Цветаева. Избр. произведения. БП б с, 1965, стр. 103—105 — только стихотворения 1, 2, 6 и 11 цикла.

ЦВЕТАЕВА Марина. Ахматовой («Кем полосынька твоя»). В ее кн. «Ремесло». Книга стихов. Изд. «Геликон», М-Б, 1923, стр. 95—96.

ЦВЕТАЕВА Марина. Световой ливень. «Эпопея», под ред. А. Белого. Б, 1922, № 3, стр. 26. Перепеч. в ее кн. «Проза». ИиЧ, 1953, стр. 365.

ЦВЕТАЕВА Марина. Герой труда (Записки о Брюсове). «Воля России», Прага, 1925, № 11. Перепеч. в ее кн. «П р о з а». ИиЧ, 1953, стр. 243, 246, 253.

ЦВЕТАЕВА Марина. Искусство в свете совести. СЗ, № 51, 1933. Перепеч. в ее кн. «П р о з а», ИиЧ, 1953, стр. 392.

ЦВЕТАЕВА Марина. Живое о живом. СЗ, № 52—53, 1933. В ее кн. «П р о з а», ИиЧ, 1953, стр. 152, 153, 155, 165, 190, 194.

ЦВЕТАЕВА Марина. Нездешний вечер. СЗ, № 61, 1936. В ее кн. «П р о з а». ИиЧ, 1953, стр. 278—279, 280, 285.

ЦВЕТАЕВА Марина. Письма к А. Бахраху. Мст, № 5, 1960, стр. 301, 316.

ЦВЕТАЕВА Марина. Отрывки: из письма к А. А. Ахматовой, 16 августа 1921; из записной книжки 1917 г.; из тетради 1939 — в кн. М. Цветаева. И з б р. п р о и з в е д е н и я. БП б с., 1965, стр. 736 и 745.

ЦВЕТАЕВА Марина. Эпос и лирика современной России. «Литер. Грузия», 1967, № 9, стр. 63.

ЦЕТЛИН М. Племя младое (О «Серапионовых братьях»). СЗ, № 12, 1922, стр. 332.

ЦЕТЛИН М. Литературные заметки. СЗ, № 30, 1927, стр. 518.

ЦЕТЛИН М., А. Штейгер. Неблагодарность (рец). СЗ, № 62, 1936, стр. 439.

ЦЕТЛИН М., Г. Кузнецова. Оливковый сад (рец). СЗ, № 65, 1937, стр. 430.

ЦЕХНОВИЦЕР О. Л и т е р а т у р а и м и р о в а я в о й н а. 1914—1918. М, 1938, стр. 197, 279, 280.

ЦИНГОВАТОВ А., М. Шагинян. Литературный дневник (рец). ПиР, 1922, № 4, стр. 297.

ЧАПСКИЙ И. Облака и голуби. (Отрывок из кн. «На жестокой земле»). «Kultura», numer rosyjski. Pariż, 1960, mai, стр. 39—43.

ЧЕМЕСОВА А. «Золотая роза» и партийная критика. Пс, 1956, № 17, 29 апреля, стр. 7.

ЧЕРВИНСКАЯ Л. Рец. на кн.: А. Штейгер. Неблагодарность (Париж, 1936). Альм. «Круг», Париж, б. г. [1936], стр. 182.

ЧЕРНЕВИЧ М. Виктор Гюго. К р а т к а я Л и т е р а т у р -
н а я Э н ц и к л о п е д и я. Т. 2, М, 1964, столб. 476.

ЧЕРТКОВ Л. «Гиперборей». Там же, столб. 186.

ЧЕРТКОВ Л. Эрик Голлербах. Там же, столб. 227.

ЧИЖЕВСКИЙ Д. О литературной пародии. НЖ, № 79, 1965, стр. 129—130.

ЧУДОВСКИЙ В. По поводу стихов Анны Ахматовой. А, 1912, № 4, стр. 45—47.

ЧУКОВСКАЯ Л. В л а б о р а т о р и и р е д а к т о р а. Изд. 2, «Искусство», М, 1963, стр. 192—193.

ЧУКОВСКАЯ Л. (Заметка — при публикации стихов Ахматовой в журнале). «Литературная Грузия», Т, 1967, № 5, стр. 63.

ЧУКОВСКИЙ К. Ахматова и Маяковский. «Дом Искусств», П, 1921, № 1, стр. 23—42. Перепеч. в кн. И. Оксенов. С о в р е м е н н а я р у с с к а я к р и т и к а. ГИЗ, Л, 1925, стр. 287—305.

ЧУКОВСКИЙ К. Александр Блок. В его кн. « О б А л е к -
с а н д р е Б л о к е». Пг, 1922. С о б р. с о ч. в 6 тт. Т. 2. ГИХЛ, 1965, стр. 297, 308.

ЧУКОВСКИЙ К. Последние годы Блока. ЗМ, № 6, 1922, стр. 167—168.

ЧУКОВСКИЙ К. Илья Репин. В кн. Илья Репин. В о с п о -
м и н а н и я. М-Л., 1963. С о б р. с о ч. в 6 тт. Т. 2. ГИХЛ, 1965, стр. 657.

ЧУКОВСКИЙ К. Маяковский. В его кн. « В о с п о м и н а -
н и я». М, 1940. С о б р. с о ч. в 6 тт. Т. 2. ГИХЛ, М, 1965, стр. 356—357, 363.

ЧУКОВСКИЙ К. В ы с о к о е и с к у с с т в о. О принципах художественного перевода. Изд. «Искусство», М, 1964, стр. 53, 220, 241, 249, 277. С о б р. с о ч. в 66 тт., Т. 3, ГИХЛ, 1966, стр. 293, 474, 495, 504, 541.

ЧУКОВСКИЙ К. Читая Ахматову. Мс, 1964, № 5, стр. 200
—203. Перепеч. НРС, 9 августа 1964.

ЧУКОВСКИЙ К. Анна Ахматова. «Юность», М, 1965, № 7,
стр. 58.

ЧУКОВСКИЙ К. Михаил Зощенко. Мс, 1965, № 6, стр. 191,
203. С о б р. с о ч. в 6 тт., Т. 2, ГИХЛ, 1965, стр. 487, 539.

ЧУКОВСКИЙ К. Анне Ахматовой: приветственное слово
Корнея Чуковского. Oxford Slavonic Papers, XII, 1965, р. р.
142—144.

ЧУКОВСКИЙ К. Живой, как жизнь. С о б р. с о ч. в 6 тт.
Т. 3. ГИХЛ, 1966, стр. 15, 21.

ЧУКОВСКИЙ К. Анна Ахматова. В его кн. С о в р е м е н-
н и к и. Портреты и этюды. Изд. 4-е, исправл. и дополн-
ненное. МГ, 1967, стр. 298—320.

ЧУКОВСКИЙ Н. Реалистическое искусство. В кн. « М а-
с т е р с т в о п е р е в о д а ». «Сборн. 1962, СП, 1963,
стр. 21.

ЧУКОВСКИЙ Н. Встречи с Мандельштамом. Мс, 1964, № 8,
стр. 152.

ЧУКОВСКИЙ Н. Встречи с Заболоцким. «Нева», Л, 1965,
№ 9, стр. 189.

Ч(улков)Г., А. Ахматова. Anno Domini (рец). «Феникс». Альм.,
кн. 1, изд. «Костры», М, 1922.

ЧУЛКОВ Г., А. Ахматова. Вечер (рец). «Жатва», Альм., кн.
3, М, 1912, стр. 275—277.

ЧУЛКОВ Г. Закатный звон. «Отклики» (прилож. к газ.
«День»), 1914, № 9, стр. 2—3.

ЧУЛКОВ Г. Анна Ахматова. В его кн. « Н а ш и с п у т-
н и к и ». Изд. Н. В. Васильева, М, 1922, стр. 71—79.

ЧУЛКОВ Г. Г о д ы с т р а н с т в и й. Из книги воспоминаний. Изд. «Федерация», М, 1930.

ШАБЕЛЬСКАЯ Г. Комментарии в кн. А. Блок. С о б р. с о ч.
в 8 тт. Т. 6, ГИХЛ, 1962, стр. 517—518, 550.

ШАГИНЯН М. Письмо из Петербурга. «Россия», М-П, 1922,
№ 1, август, стр. 30.

ШАГИНЯН М. Л и т е р а т у р н ы й д н е в н и к. Изд. «Парфенон», П, 1922, стр. 88—95; изд. 2, «Круг», П, 1923, стр. 116—123.

ШАМУРИН Е. Основные течения в дореволюционной русской поэзии. В кн. И. С. Ежов и Е. И. Шамурин. Р у с - с к а я п о э з и я X X в е к а. Антология русской лирики от символистов до наших дней. Изд. «Новая Москва», М, 1926, стр. XXVI.

ШВЕЙЦЕР В. Этюды к портретам. Мс, 1965, № 7, стр. 185.

ШЕНГЕЛИ Г. Т е х н и к а с т и х а. Практическое стиховедение. СП, 1940, стр. 91, 92. Изд. 2, ГИХЛ, 1960, стр. 200, 266.

ШЕРВИНСКИЙ С. О принципах художественного чтения поэзии Пушкина. В кн. П у ш к и н. Иследования и материалы. Том V. Пушкин и русская культура. Изд. «Наука» (АН СССР), Л, 1967, стр. 331.

ШИК А. Катя Гранова. Антология русской поэзии (рец). РМ, 8 июля 1961.

ШИЛЕЙКО В. Уста любви истомлены. Стихи, посвященные А. Ахматовой. ВПу, Альм. III, 1963, стр. 12.

ШИРМАКОВ П. К истории литературно-художественных объединений первых лет Советской власти. В кн. « В о - п р о с ы с о в е т с к о й л и т е р а т у р ы », т. 7, АН СССР, 1958, стр. 455.

ШИРЯЕВ Б. Рапсод трагического века. О творчестве поэта Дмитрия Кленовского. Пс, 1958, № 10, 9 марта, стр. 7.

ШКЛОВСКИЙ В. С е н т и м е н т а л ь н о е п у т е ш е с т - в и е. Воспоминания 1918—1923. Изд. «Атеней», Л, 1924, стр. 74, 137.

ШКЛОВСКИЙ В. Современники и синхронисты. «Русский Современник», Пг, 1924, № 3, стр. 232—233.

ШКЛОВСКИЙ В. Т е о р и я п р о з ы. Изд. «Круг», М-Л, 1925, стр. 170.

ШКЛОВСКИЙ В. О Маяковском. В его кн. « Ж и л и - б ы л и. Воспоминания. Мемуарные записи. Повести о времени с конца XIX в. по 1962 год». СП, 1964, стр. 76, 98, 107.

ШКЛОВСКИЙ В. О квартире ЛЕФ'а. Там же, стр. 374.

ШКЛОВСКИЙ В. Повести о прозе. Размышления и разборы. Т. 2. ГИХЛ, 1966, стр. 320.

ШЛИФШТЕЙН С. Указатель произведений С. С. Прокофьева. Примечания. В кн.: С. С. Прокофьев. Материалы, документы, воспоминания. Изд. 2-е, Музгиз, М, 1961, стр. 563, 616, 622, 646.

о. ШМЕМАН А. Анна Ахматова. НЖ, № 83, 1966, стр. 84 —92.

ШПЕТ Г. Эстетические фрагменты. I—III. Изд. «Колос», П, 1922—1923.

ЩЕРБИНА В., В. И. Ленин и советское искусство. В кн. «История русской советской литературы в 4 томах т. 1. Изд. 2-е, испр. и дополненное, изд. «Наука» (АН СССР), М., 1967, стр. 121, 133.

ЭВЕНТОВ И. Литературная жизнь. В кн. «Очерки истории Ленинграда». Т. 4. Изд. «Наука» (АН СССР), 1964, стр. 731.

ЭЙХЕНБАУМ Б. Роман-лирика (А. Ахматова. Подорожник). «Вестник Литературы», Пг, 1921, № 6—7, стр. 8—9.

ЭЙХЕНБАУМ Б. Вс. Рождественский. Лето.-Е. Полонская. Знаменья (рец). «Книжный Угол», изд. «Очарованный Странник», Пг, 1921, № 7, стр. 41—42.

ЭЙХЕНБАУМ Б. Анна Ахматова. Опыт анализа. Изд. «Петропечать», Пг, 1923, 133 стр.

ЭЙХЕНБАУМ Б. О синтаксисе Ахматовой. В кн. И. Оксенов. «Современная русская критика». Л, 1925, стр. 213—226.

ЭЙХЕНГОЛЬЦ М. «Литературная Мысль», 1 (в сводн. рец). ПиР, 1923, № 3, стр. 285—286.

ЭЛЬКАН А. «Дом Искусств». РМ, 20 сентября 1956; в дополн. ред. Мст, № 5, 1960, стр. 289—291.

ЭЛЬЯШЕВИЧ А. Единство метода. Многообразие стилей. З, 1967, № 5, стр. 190.

ЭРГ /Р. Гуль/. М. Цветаева. Психея (рец). «Литературная Неделя», прил. к газ. Н, 21 октября 1923, стр. 8.

ЭРГЕ /Р. Гринберг/. Читая «Поэму без героя»... ВПу, Альм. III, 1963, стр. 295—300.

ЭРЕНБУРГ И. О некоторых признаках расцвета российской поэзии. РК, 1921, № 9, стр. 3, 5.

ЭРЕНБУРГ И. (Вст. ст.) в кн. «Поэзия революционной Москвы», под ред. И. Эренбурга. Изд. «Мысль», Б, 1922, стр. 3.

ЭРЕНБУРГ И. О некоторых критиках. НРК, 1922, № 6, стр. 8.

ЭРЕНБУРГ И. Портреты русских поэтов. Изд. «Аргонавты», Б, 1922, стр. 7; Изд. 2, «Первина», М, 1923, стр. 5.

ЭРЕНБУРГ И., И. Одоевцева. Двор чудес.-Е. Полонская. Знаменья (рец). НРК, 1922, № 3, стр. 8.

ЭРЕНБУРГ И. О стихах Бориса Слуцкого. ЛГ, 28 июля 1956. Перепеч. в его кн. Собр. соч. в 9 тт., т. 6, ГИХЛ, 1965, стр. 588.

ЭРЕНБУРГ И. Неистовый Сарьян. ЛГ, 5 марта 1960. Перепеч. там же, стр. 598.

ЭРЕНБУРГ И. Люди, годы, жизнь. НМ, 1960, № 9, стр. 134; 1961, № 9, стр. 94, 124, 1962, № 6, стр. 143, 146, 151; 1963, № 1, стр. 95; 1965, № 1, стр. 123—124. Перепеч. в его Собр. соч. в 9 тт., т. 8, ГИХЛ, 1966, стр. 145, 147, 408, 458; т. 9, ГИХЛ, 1967, стр. 254—255, 259, 267, 316, 462, 476, 490—492.

ЭРИСТОВ Г. (Автобиографическая справка) в кн. «Содружество. Из современной поэзии русского зарубежья». Под ред. Т. Фесенко. Изд. В. П. Камкина, Вш, 1966, стр. 555.

ЭТКИНД Е. Поэзия и перевод. СП, 1963, стр. 201, 259, 263, 264.

ЭТКИНД Е. (Вступ. заметка к публикации «Слова о Лозинском» А. Ахматовой). ДПЛ 1966, стр. 51.

ЭФРОН А. и А. СААКЯНЦ. Примечания в кн. Марина Цветаева. И з б р. п р о и з в е д е н и я. БП б с, 1965, стр. 736, 745, 767.

ЭФРОС А. Портрет Натана Альтмана. Изд. «Шиповник», М, 1922, стр. 67.

ЮРЛОВ А. «Стрелец», сборник 3 (рец). ПиР, 1922, № 5, стр. 230.

ЮРЬЕВА З. Юлиан Тувим по-русски (рец). НЖ, № 87, 1967, стр. 328.

ЯКОВЛЕВ Н. Русский Парнас. А. и Д. Элиасберг (рец). РК, 1921, № 6, стр. 16.

ЯКОНОВСКИЙ Е. Принц без короны. В, № 82, 1958, стр. 123, 124, 125, 126.

ЯРОВОЙ П. «Взмах», сборн. (рец). ПиР, 1921, № 3, стр. 275.

ЯЩЕНКО А. Литература за пять истекших лет. НРК, 1922, № 11—12, стр. 6.

S., E. Анна Ахматова. Anno Domini (рец). Н, 2 марта 1923.

S., R. Оксюморон. « Л и т е р а т у р н а я Э н ц и к л о п е д и я », т. 8, М, 1934, столб. 271.

ИНОЯЗЫЧНАЯ ЛИТЕРАТУРА ОБ А. А. АХМАТОВОЙ

В этом разделе мы пользуемся следующими сокращениями для некоторых названий периодических изданий, издательств и городов:

ASEER	*The American Slavic & East European Review* (New York)
BA	*Books Abroad* (University of Oklahoma, Norman, Okla.)
DEI	*Dizionario Enciclopedico Italiano* (Roma)
EISLA	*Enciclopedia Italiana di scienze, lettere ed arti* (Roma)
EL	*l'Europa letteraria* (Roma)

ILLA	Inter-Language Literary Associates
K	*Kultura* (Instytut Literacki, Pariż)
McGRAW-Hill	*McGraw-Hill Encyclopedia of Russia and Soviet Union.* Ed. M. T. Florinsky, New York, 1961.
NL	*The New Leader* (New York)
NY	New York
NYT	*The New York Times*
NYTB	*The New York Times Book Review*
RR	*The Russian Review* (Hanover, N. H.)
SEEJ	*The Slavic and East European Journal* (University of Wisconsin, Madison, Wisc.)
SEER	*The Slavic and East European Review* (University of London)
SL	*Soviet Literature* (Moscow)
ST	*The Sunday Telegraph* (London)
T	*The Times* (London)
TLS	*The Times Literary Supplement* (London)
WPBW	*The Washington Post Book Review* (Washington, D. C.)

AIGARS Peteris. A Note on Akhmatova. *International P. E. N. Bulletin*, XVIII, No. 1, 1966, pp. 24—25.

AIGARS Peteris. Ievadu: A. Achmatova. R e k v i e m s. ILLA, 1967.

ALEXANDROVA Vera. A H i s t o r y o f S o v i e t L i t e r a - t u r e : 1 9 1 7 — 1 9 6 2. Garden City, NY, 1963, pp. 234, 244, 245.

ANON. Controlled Experiment. *TLS*, July 18, 1952. (Rev. of G. Struve, *Soviet Russian Literature: 1917—1950).*

ANON. Achmatova. *DEI*, I, Roma, 1955.

ANON. Acmeists. M c G r a w - H i l l, p. 2.

ANON. Akhmatova. M c G r a w - H i l l, p. 13.

ANON. Anna Achmatova a Oxford. *EL*, VI, No. 35 (1965), p. 150.

ANON. Anna Achmatova Premio Taormina 1964. *EL*, VI, No. 33 (1965/1), p. 16.

ANON. Anna Akhmatova: A Great Russian Poet. *T*, March 7, 1966.

ANON. Anna Akhmatova, Leading Soviet Poet, Is Dead. *T*, March 6, 1966.

ANON. Anna Akhmatova, Soviet Poetess, Dies. *NYT*, March 6, 1966.

ANON. Anna Akhmatova. *TLS*, June 9, 1966, pp. 505-06.

ANON. Anti-Stalinist Poet Dies. *ST*, March 6, 1966.

ANON. L'Almanacco di Mosca e di Leningrado. *EL*, VI, No. 34 (1965/2), p. 239.

ANON. New Voice from Russia. *ST*, December 22, 1963. (Rev. of *Requiem*).

ANON. [Obituary of Akhmatova]. *Time*, March 18, 1966.

ANON. Oxford Honours a Soviet Poetess. *T*, June 7, 1965.

ANON. The European Literary Scene. *Saturday Review*, February 13, 1965.

ANON. The »Russian Sappho« Is Honoured. *Oxford Mail*, June 5, 1965.

ANON. To Anna Akhmatova: A Tribute by Korney Chukovsky. *Oxford Slavonic Papers*, XII (1965), p. 141.

ANON. (Заметка без заглавия о передаче бумаг А. Ахматовой в Ленинградскую Публичную Библиотеку). *TSG*, February 13, 1967.

ANON. A. Akhmatova. *Soviet Poets*. Do you know their names? «Mezhdunarodnaya Kniga», Moskow, [1967], 4 pp. (not numbered).

ANONIM. Brief Chronicle of Literary Events: SL, 1967, № 11, pp. 177, 185, 186.

ANON. Ahmatova ja Under. *Eskilstuna Kuriren.* Stockholm, 2. XII. 1967.

ARSENIEW Nicolas von. Die russische Literatur der Neuzeit und Gegenwart in ihren geistigen Zusammenhängen. Mainz, 1929, SS. 347-51, 398.

BABLER Otto F. *Anna Achmatová:* pokus o studii. Olomouc, 1926.

BACHMANN Ingeborg. Wahrlich. Saluto ad Anna Achmatova. *EL*, VI, No. 33 (1965/1), p. 15.

BARING Maurice. Introduction to: O x f o r d B o o k o f R u s - s i a n V e r s e. Oxford, 1924, p. XXXVII.

BLOT Jean. Anna Akhmatova. *Preuves* (Paris), mars 1962, pp. 3—6.

BLOT Jean. Anna Achmatova. *Bonnier Litterära Magasin* (Stock- holm), XXXII, pp. 356—58.

BONGARD Willi. Alle Häuser wackeln hier (Eine Begegnung mit A. Achmatowa in Komarowo). *Die Zeit* (Hamburg), 1965, No. 6, S. 11.

BOWRA C. M. P o e t r y & P o l i t i c s : 1 9 0 0 — 1 9 6 0. Cam- bridge, 1966, pp. 26—28, 141—42.

BOWRA C. M. T h e H e r i t a g e o f S y m b o l i s m. London, 1943.

BROWN Clarence. Vladimir Ognev, comp. «Во весь голос: So- viet Poetry». Progress (Rev.). SEEJ, Vol. XI, № 2 (1967), pp. 228, 229, 230.

BROWN Clarence. On Reading Mandel'stam, in: Осип Мандель- штам. С о б р а н и е с о ч и н е н и й, т. 1. МЛС, 1964, стр. XIV, XXV.

BROWN Clarence. The Prose of Osip Mandelstam. — Notes to the Prose in: T h e P r o s e o f O s i p M a n d e l s t a m. Prin- ceton, N. J., 1965 (2nd edn., 1967), pp. 12, 16, 197.

BROWN Clarence. Rev. of V. Erlich, *The Double Image. RR.* XXII (October 1964), № 4, p. 406.

BROWN Edward. T h e P r o l e t a r i a n E p i s o d e i n R u s - s i a n L i t e r a t u r e : 1 9 2 8 — 1 9 3 2. NY, 1953, pp. 32, 250.

BROWN Edward. R u s s i a n L i t e r a t u r e S i n c e t h e R e - v o l u t i o n. NY-London, 1963, pp. 28—29, 35, 225—26, 227—28, 258.

CARLISLE Olga A. Poems by Anna Akhmatova. *Atlantic Monthly,* October 1964, pp. 60—61.

CARLISLE Olga A. Anna Akhmatova. *NYTB, September 11,* 1966, pp. 2, 28, 30.

CARNEVALI Bruno. Introduzione a: P o e s i e d i A n n a A c h m a t o v a. Parma, 1962.

CORBET, Charles. La littérature russe. Paris, 1951, p. 178.

CRANKSHAW Edward. Russia Without Stalin: The Emerging Pattern. NY, 1956, p. 138.

CREEKMORE Hubert. Literature in the U. S. S. R. *The Nation,* October 20, 1951. (Rev. of G. Struve, *Soviet Russian Literature: 1917—1950).*

CZAPSKI Józef. Na nieludzkiej ziemi. Paryż, 1949. Wydanie drugie: Paryż, 1962, str. 192—197.

CZAPSKI Józef. Terre inhumaine. Paris, 1949, pp. 180—189.

CZAPSKI Józef. The Inhuman land, London, 1931, pp. 191—98.

CZAPSKI Józef. Czarny kamień. *K,* No. 4 (222), Kwiecien/avril 1966, str. 123.

[DALLIN David]. Facts of Communism. Vol. II: The Soviet Union, from Lenin to Khrushchev. Committee on Unamerican Activities. House of Representatives. 87th Congress, 2nd Session, December 1960. Washington, 1961, pp. 258, 260.

DEUTSCH B. Three Russian Poets. Rev. of L. Strakhovsky, *Craftsmen of the Word. NYTB.* August 28, 1949.

DOMAR Rebecca. The Tragedy of a Soviet Satirist or the Case of Zoshchenko In: Through the Glass of Soviet Literature: Views of Russian Society. Ed. Ernest J. Simmons. NY, 1953, p. 201.

DONCHIN Georgette. French Influence on Russian Symbolist Versification. *SEER,* XXXIII, No. 80 (December 1954), pp. 162, 170, 186.

DONCHIN Georgette. The Influence of French Symbolism on Russian Poetry. 's-Gravenhage, 1958, pp. 171, 181, 209, 214.

DUDDINGTON Nathalie. Introduction to: Forty-Seven Love Poems by Anna Akhmatova. London, 1927, pp. 5—14.

DRIVER Sam N. The Poetry of Anna Akhmatova, 1912—1922. Doctoral dissertation, reproduced in stenciled form, Columbia University. New York, Columbia University, 1967.

EDGERTON William. The Serapion Brothers: An Early Soviet Controversy. *ASEER*, VIII, No. 1 (1949), p. 48.

ELLER Helmi. Leinaja punamüüri all. (A. Ahmatova — M. Under. Reckviem). (Рец.) *Eskilstuna Kuriren* (Stockholm), 8. III. 1968.

ELTON Oliver. Introduction to: V e r s e f r o m P u s h k i n a n d O t h e r s. London, 1935, p. 20.

ERLICH Victor. R u s s i a n F o r m a l i s m : H i s t o r y - D o c t r i n e. 's-Gravenhage, 1965, pp. 41, 66, 88, 92, 141, 144, 145, 147, 195, 223, 233, 234, 271.

ERLICH Victor. T h e D o u b l e I m a g e : C o n c e p t s o f t h e P o e t i n S l a v i c L i t e r a t u r e s. Baltimore, Md., 1964, p. 107.

FÉRON Bernard. La mort d'Anna Akhmatova. Une grande dame de la poésie russe. *Le Monde* (Paris), 8 mars 1966.

FIELD Andrew. The Arrest of Andrei Sinyavsky. *NL*, November 8, 1965, p. 11.

FIELD Andrew. Soviet Frostbite. *WPBW*. February 26, 1967, p. 20. [Rev. of: George Reavey. *The New Russian Poets: 1953— 1966*].

FOSTI Vera. Anne Akhmatoff, la princesse des poètes russes. *Le Soir* (Bruxelles), 31 mars 1966.

FRANK Victor. Bending Letters to Ideology. *Tablet* (London), February 10, 1945. (Rev. of G. Struve, *25 Years of Soviet Russian Literature*).

FRANK Victor. Anna Akhmatova. *Survey* (London), No. 60, July 1966, pp. 93—101.

FYVEL T. R. The Prevention of Literature. *NL*, October 8, 1951. (Rev. of G. Struve, *Soviet Russian Literature: 1917—1950*).

GEORGE Waldemar. Hommage à George Annenkov. В кн.: Ю. Анненков. Д н е в н и к м о и х в с т р е ч, т. I, 1966, стр. 16.

GIBIAN George. I n t e r v a l o f F r e e d o m : S o v i e t L i - t e r a t u r e D u r i n g t h e T h a w , 1 9 5 4 — 1 9 5 7. Minneapolis, 1960, pp. 5, 10, 15, 22, 153.

GLENNY Michael. The Sappho of Russia at Oxford. *The Observer* (London), June 6, 1965.

ГОЛЕНИШЧЕВ-КУТУЗОВ И. Две књиге о савремено руско Књижевности. Преглед на нови е књижевности у Руси и. *Српски Књижевни Гласник*, 1936, № , стр. 304.

GORIÉLY Benjamin. S c i e n c e d e s l e t t r e s s o v i é t i q u e s. Paris, 1947, pp. 190, 191, 194—200, 206, 208, 210, 211.

GRIGSON, Geoffrey (ed.). T h e C o n c i s e E n c y c l o p e d i a o f M o d e r n W o r l d L i t e r a t u r e. NY, 1963, p. 24.

GUENTHER Johannes von. Biographische Anmerkungen und Nachwort in: D e i n L ä c h e l n n o c h u n b e k a n n t g es t e r n. Verse russischer Frauen. Heidelberg, 1958, SS. 79, 83 —84.

GUENTHER Johannes von. D i e L i t e r a t u r R u s s l a n d s. Stuttgart, 1964, SS. 178, 181, 183, 202.

GWERTZMAN Bernard. Young Soviet Poets in Forefront of Quiet Revolution. *The Washington Evening Star,* July 28, 1965, p. A-19.

HAIGHT Amanda. Rev. of А. Ахматова. Б е г в р е м е н и. С о ч и н е н и я т. 1. *SEER*, XLIV, No. 104 (Jan. 1967), pp. 231—35.

HAIGHT Amanda. Poema bez geroya. *SEER*, XLV, No. 105 (July 1967), p. 473.

HANKIN Robert M. Postwar Soviet Ideology and Literary Scholarship. In: T h r o u g h t h e G l a s s o f S o v i e t L i t e ra t u r e... Ed. E. J. Simmons. NY, 1953, pp. 251, 253, 254.

HARKINS William E. D i c t i o n a r y o f R u s s i a n L i t e ra t u r e. NY, 1956, pp. 1 (Acmeism), 146—47 (Gorenko).

HAYWARD Max. Introduction to: O n T r i a l: T h e S o v i e t S t a t e V e r s u s «A b r a m T e r t z» a n d «N i k o l a i A r z h a k». NY-London, 1966, pp. 27, 37—38.

HERLING-GRUDZINSKI Gustav. L'occhio asciutto. *Tempo Presente* (Roma), IX, No. 1 (1964), pp. 1—2.

HERLING-GRUDZINSKI Gustav. Suche oko. *K*, 1964, No. 6 (200), str. 57—60.

HERLING-GRUDZINSKI Gustav. List do redakcii. *K*, 1965, No. 7—8 (213/214), str. 235.

HERLING-GRUDZINSKI [HERLING Gustavo]. «Requiem» di Anna Achmatova. *La Fiera Letteraria*, 196?

IVASK George. Rev. of *Pages from Tarusa*. *RR*, XXIII, № 3, July 1964, p. 284.

JAKOBSON Roman. Notes préliminaires sur les voies de la poésie russe. L a P o é s i e r u s s e. Anthologie réunie et publiée sous la direction de Elsa Triolet. Paris, 1965, p. 24.

JOHANNET J. Littérature russe et soviétique. G r a n d L a - r o u s s e e n c y c l o p é d i q u e, vol. 9. Paris, 1964, p. 446.

J(ürma) M(all). Anna Ahmatova. Reekviem. Tolkinud M. Under. ILLA, 1967. *Vaba Eesti Sona.* New York, 1. II. 1968.

KARLINSKY Simon. M a r i n a C v e t a e v a : H e r L i f e a n d A r t. Berkeley & Los Angeles, 1966, pp. 3, 6, 7, 38, 39, 41, 53, 54, 66, 77, 87, 102—103, 112, 117, 128, 155, 169, 182—83, 189, 210, 240—41, 286—87.

KAUN Alexander. Russian Poetic Trends on the Eve and the Morning After 1917. *The Slavonic Year-Book; American Series,* I (vol. XX of *SEER*). Menasha, Wisc., 1941, pp. 59—60.

KAUN Alexander. S o v i e t P o e t s a n d P o e t r y. Berkeley & Los Angeles, 1943, p. 208.

KLINE George L. New Poems by Joseph Brodsky and Andrei Voznesensky. *Tri-Quarterly* (Evanston, Ill.), Spring 1965, p. 85.

KLINE George. L. Introduction to «Elegy for John Donne», by Joseph Brodsky. *RR,* XXIV No. 4 (October 1965), p. 343.

KOPIELOW Lew. Nad trumną Anny Achmatowej. *K,* 1967, No. 1/2 (231/232), str. 160.

KUŁAKOWSKI Sergiusz. P i ę c d z i e s i ą t l a t l i t e r a t u r y r o s y j s k i e j : 1 8 8 4 — 1 9 3 4. Warszawa, 1939, str. 189, 190, 193, 197, 225, 237, 348, 393.

LAFFITTE Sophie. Introduction à: Anna Akhmatova. P o é s i e s. Paris, 1959.

LANDOLFI Tommaso. Contributo ad uno studio della poesia di Anna Achmatova. *L'Europa Orientale* (Roma), XIV, No. 3—4, pp. 170—183, XV, No. 1—2, pp. 51—67, No. 3—4, pp. 142—157.

LANDOLFI Tommaso. Generalita sull' acmeismo. *EL*, XV, No. 7—10 pp. 379, 381, 382, 390.

LAVRIN Janko. R u s s i a n W r i t e r s : T h e i r L i v e s a n d L i t e r a t u r e. Toronto-New York-London, 1954, p. 290.

LETTENBAUER Wilhelm. Achmatowa. L e x i k o n d e r W e l t - l i t e r a t u r. Biographisch-bibliographisches Handwörterbuch nach Autoren und anonymen Werken ... Herausgegeben von Gugo von Wilpert. Stuttgart, 1963, S. 20.

LEVITSKY Ihor. The Poetry of Anna Akhmatova. *BA*, XXXIX, No. 1 (Winter 1965), pp. 5—9.

LEVITSKY Ihor. Rev. of Сочинения, т. 1. I. *BA*, XI, No. 4 (Fall 1966).

LITVINOFF Boris. Anna Akhmatova. *Beaux Arts* (Bruxelles), 14 avrill 1966.

LINDSAY Jack. Introduction to: M o d e r n R u s s i a n P o e t r y. London, 1960, p. 6.

LO GATTO Ettore. Poesia russa della rivoluzione. Roma 1923.

LO GATTO Ettore (ed.). I p r o t a g o n i s t i d e l l a l e t t e r a - t u r a r u s s a d a l X V I I I a l X X s e c o l o. [Milano], 1958, p. 21.

LO GATTO Ettore. S t o r i a d e l l a l e t t e r a t u r a r u s s a. Firenze, 1950, pp. 465—67, 489. (Ed. 1956 [Torino], pp. 275, 276—77, 305).

LO GATTO Ettore, Achmatova. *EISLA*, vol. 1, Milano-Roma, 1929, p. 319.

LO GATTO Ettore, Acmeisti. *EISLA*, vol. 2. Milano-Roma, 1929, p. 43.

LO GATTO Ettore, Russia: Letteratura. *EILSA*, vol. 30. Roma, 1936, p. 331.

LO GATTO Ettore, S t o r i a d e l l a l e t t e r a t u r a r u s s a c o n t e m p o r a n e a. Milano, 1958.

LO GATTO Ettore, H i s t o i r e d e l a l i t t é r a t u r e r u s s e d e s o r i g i n e s à n o s j o u r s. Paris, 1965, pp. 658—60, 661, 718, 723, 784, 785, 815, 816, 820, 835, 873, 882.

LO GATTO Ettore, Presentazione di: A n n a A c h m à t o v a. A cura di Raissa Naldi. Milano, 1962, pp. 19—55.

LO GATTO Ettore, Sulla poesia russa contemporanea. S t u d i d i l e t e r a t u r e s l a v e, I, 1925, pp. 172, 175—184.

LUTHER Arthur. Geschichte der russischen Literatur. Leipzig, 1924, SS. 444—45.

M. Die russische Sappho sagte «Njet». Zum Tode der 76-jährigen Dichterin Anna Achmatowa. *Münchner Merkur*, 7 März 1966.

M., J. G. Anna Andreevna Akhmatova, 1888—1966. *CU News*, XXI, No. 18, May 5, 1966. Berkeley, Calif., pp. 1—2. (О выставке в память Ахматовой в Калифорнийском университете).

MAGIDOFF Robert. A G u i d e t o R u s s i a n L i t e r a t u r e. Against the Background of Russia's General Cultural Development. NY, 1964, pp. 39, 52, 53.

MALLAC Guy de. Pour une esthétique pasternakienne. *Problèmes soviétiques* (Munich), 1964, No. 7, pp. 103, 106.

MANZINI Gianna. Tre immagini della Achmatova. *La Fiera letteraria*, 1965.

MARKOV Vladimir. The L o n g e r P o e m s o f V e l i m i r K h l e b n i k o v. Berkeley & Los Angeles, 1962, pp. 13, 124.

MARKOV Vladimir. Russian Poetry. E n c y c l o p e d i a o f P o e t r y a n d P o e t i c s. Princeton, N. J., 1965, p. 734.

MARKOV Vladimir. On Modern Russian Poetry. Introduction to: M o d e r n R u s s i a n P o e t r y. Ed. V. Markov and Merrill Sparks. Indianapolis-Kansas City-NY, 1967, pp. XI—XII, XVI, XXV.

MASLENIKOV Oleg. Russian Literature from 1880 to 1917. In: A H a n d b o o k o f S l a v i c S t u d i e s. Ed. L. Strakhovsky. Cambridge, Mass., 1949, p. 446.

MATHESIUS B. Doslov do: A. Achmatová. B i l e h e j n o. Prel. M. Marcanova. Praha, 1947.

MATHEWSON Jr. Rufus W. The P o s i t i v e H e r o i n R u s s i a n L i t e r a t u r e. NY, 1958, p. 118.

MAURIAC François. Anna Akhmatova, je pense à vous... *Figaro Littéraire* (Paris), 19 mai 1966.

MAURIAC François. Epiloog in A. Achmatova, R e e k v i e m. ILLA, 1967, pp. 73—77, & izkana in A. Achmatova. R e k v i e m s, ILLA, 1967, pp. 71—75. (перепечатка предыдущей статьи).

MAURINA Zenta. U e b e r L i e b e u n d T o d. Essays. Memmingen/Allgäu, 1963, S. 94.

MESSINA Giuseppe. L a l e t t e r a t u r a s o v i e t i c a. Firenze, 1950, pp. 57, 58, 95, 96, 98.

MIRSKY D. S. [см. также SVIATOPOLK-MIRSKY, D.] C o n t e m p o r a r y R u s s i a n L i t e r a t u r e : 1 8 8 1 — 1 9 2 5. London, 1926, pp. 254, 256—59, 260, 261, 266, 278, 330, 356 357.

MIRSKY D. S. A H i s t o r y o f R u s s i a n L i t e r a t u r e. Comprising: A H i s t o r y o f R u s s i a n L i t e r a t u r e [1927] & C o n t e m p o r a r y R u s s i a n L i t e r a t u r e [1926]. Ed. & abridged by F. J. Whitfield. NY, 1949, pp. 486 —87, 488—89, 490—91, 495.

MONAS Sidney. Russian in: T h e C r a f t a n d C o n t e x t o f T r a n s l a t i o n. Austin, Texas, 1961.

MONITOR. Russian Poetess Moved by National Acclaim. Memories of Neglect under Stalin. *T*, June 11, 1965. [An interview with Akhmatova].

MUCHNIC Helen. Rev. of «Vozdushnye Puti. Almanakh III.» RR XXIII, No. 2 (Aprill 1964), p. 193.

MUCHNIC Helen. Rev. of N. Gumilev, *Sobranie socinenij*, vols. 1 and 2 (1962 and 1964). *RR*. XXV, No. 1 (January 1966), p. 87.

MUCHNIC Helen. Three Inner Emigrés: Anna Akhmatova, Osip Mandelshtam, Nikolai Zabolotsky. *RR*, XXVI, No. 1 (January 1967), pp. 13, 14, 15, 16, 17—18, 19, 22, 24.

NIKOLIĆ Milica, Nana BOGDANOVIĆ. M o d e r n a r u s k a p o e s i j a. Beograd, 1961, str. 184, 185.

NAGÓRNY Andrzej. Imiona miłości i śmierci (O Anne Achmatowej). *Tygodnik Powszechny* (Kraków), 24 kwietnia 1966, str. 1—2.

[NALDI Raissa]. Calendario (pp. 57—62) e Nota bibliografica (pp. 203—207): A n n a A c h m á t o v a. Milano, 1962.

NORMAN Peter. Anna Akhmatova. *TLS,* 1966.

OBOLENSKY Dimitri. Introduction to: T h e P e n g u i n B o o k o f R u s s i a n V e r s e. Harmondsworth, Mddx., 1962, pp. XLVI, LV.

OJA Hannes. Süüdistus ja mälestus (Anna Ahmatova. — Marie Under. Requiem. ILLA, 1967). *Vaba Eestlane.* Toronto, 20. XII. 1967.

OLONOVOVA Elvira. «V sedivych, vsednich chodivam šatech . . .» *Plamen* (Praha), 1964, VII, pp. 119—120.

OZ. Zemřela Anna Achmatová. *Literární Noviny* (Praha), 12-III-1966.

PASOLINI Pier Paolo. Quasi alla maniera dell'Achmatova. Saluto ad Anna Achmatova. *EL,* VI, No. 33 (1965/1), p. 16.

PASTERNAK Boris. A u t o b i o g r a f i a e n u o v i v e r s i. Milano, 1958.

PASTERNAK Boris. E s s a i d' a u t o b i o g r a p h i e. Paris, 1958, pp. 143, 147.

PASTERNAK Boris. A n E s a y i n A u t o b i o g r a p h y. Tr. by M. Harari. London, 1959, pp. Также под названием I R e m e m b e r : S k e t c h f o r a n A u t o b i o g r a p h y. Tr. with a preface and notes by D. Magarshack, with an essay on «Translating Shakespeare» tr. by M. Harari. NY, 1959, pp. 82, 155 [Есть ряд других, более поздних изданий обоих переводов].

PASTERNAK Boris. S e l b s t b i l d n i s. Hamburg, 1960, SS. U e b e r m i c h s e l b s t : V e r s u c h e i n e r A u t o b i o-g r a p h i e. Aus d. russischen von R. von Walter. Frankfurt/Main, 1959, SS. 62, 106.

PASTERNAK Boris. A u t o b i o g r a f i a. Santjago, 1959.

PASTERNAK Boris. Letters to G e o r g i a n F r i e n d s. Translated by D. Magarshack. Harcourt, Brace and World, New York, 1967, pp. 25, 120, 125, 134, 136, 141, 175—176.

PAWLIKOWSKI Michał K. Okno na Rosję. W, No. 1027, 5-XII-1965.

PAWLIKOWSKI Michał K. Okno na Rosję. W, No. 1052 29-V-1966.

PAWLIKOWSKI Michał K. Okno na Rosję. W, No. 1056, 26-VI-1966.

PAWLIKOWSKI Michał K. Okno na Rosję. W, No. 1067, 13-XI-1966.

PAWLIKOWSKI Michał K. Okno na Rosję. W, No. 1092, 5-III-1967.

PAWLIKOWSKI Michał K. Okno na Rosję. W, No. 1099, 23-IV-1967.

PAWLIKOWSKI Michał K. Okno na Rosję. W, No. 1107, 18-VI-1967.

PAWLIKOWSKI Michał K. Okno na Rosję. W, No. 1115, 13-VIII-1967.

POGGIOLI Renato. Introduzione a: Il fiore del verso russo. Milano, 1961, pp. 117—123, 124, 125, 165, 170, 188, 189, 387, 440, 456. (I ed., Torino 1949).

POGGIOLI Renato. The Poets of Russia: 1890—1930. Cambridge, Mass, 1960, pp. 224, 229—34, 236, 297, 304, 313, 314, 317, 338, 360.

POLLAK Seweryn. Wstęp do: Anna Achmatowa. Poezje. Warszawa, 1964, str. 5—34.

POZNER Vladimir. Panorama de la littérature russe contemporaine. Avec une préface de P. Hazard. Paris, 1929, pp. 253—57.

PRZYBYLSKI Ryszard. Roza Anny Achmatowej (Anna Achmatowa. Poezje). Nowe Książki, No. 16 (347), 31-VIII-1964.

RANNIT Aleksis. The Rhythm of Pasternak. I: His Early Poetry, 1912—1924. Bulletin of the New York Public Library, LXIII, No. 11 (November 1959), pp. 558—59.

RANNIT Aleksis. The Current State of Baltic Literatures Under Soviet Occupation. Testimony given by A. Rannit, of the Council on Russian and East European Studies, Yale University, before the Committee on Foreign Affairs ... — U. S. Congress, Washington, January 27, 1964, p. 4.

RANNIT Aleksis. Anna Ahmatova ja Marie Under. In: A. Ahmatova. Reekviem. ILLA, 1967, pp. 13—36.

REAVEY George. S o v i e t L i t e r a t u r e T o d a y. London & New Haven, Conn.), 1946, pp. 149, 178, 179.

RICCIO, Carlo. Prefazione ad: Anna Achmatova. P o e m a s e n - z a e r o e e a l t r i p o e s i e. Torino, 1966, pp. 6—21.

RICORDI A. M. Russia: Letteratura. *EISLA,* terza appendice (1949—1960). Roma, 1961, p. 641.

RIPELLINO Angelo Maria. Introduzione e nota bibliografica a: P o e s i a r u s s a d e l N o v e c e n t o. Parma, 1954, pp. XXI, XXXVII, XXXIX—XLII, 567.

SANDOMIRSKY Vera. A Note on the Poetry of Anna Akhmatova. *Poetry,* LXXVI, No. 2 (May 1950), pp. 114—117 [включает перевод 4 стихотворений Ахматовой].

SANDOMIRSKY Vera. Rev. of: L. Strakhovsky. T h r e e P o e t s o f M o d e r n R u s s i a. *Poetry,* LXXVI, No. 2 (May 1950), pp. 112—13.

SAZONOVA J. »L'influence de la littérature française sur les écrivains russes depuis 1900. Dans: Robert Sébastien et Wsevolod de Vodt, *Rencontres.* Soirées franco-russes des 29 octobre 1929, 26 novembre 1929, 18 décembre 1929, 28 janvier 1930. Paris, s. d. (1930), pp. 51, 56.

SCHMÄHLING Walter. Anna Achmatowa. Das Echo Toent; Requiem. *Die Buecherkommentare.* Freiburg, 1965, No 2, p. 61.

SCHULZ H. E. and St. S. TAYLOR (eds.) Akhmatova. In: W h o' s W h o i n U S S R, 1 9 6 1 / 6 2. Montreal, 1962, pp. 26—27.

SETCHKAREV Vsevolod. S t u d i e s i n t h e L i f e a n d W o r k o f I n n o k e n t i j A n n e n s k i j. Gravenhage, 1963, pp. 5, 41, 141.

SETCHKAREV Vsevolod. [SETSCHKAREFF]. G e s c h i c h t e d e r r u s s i s c h e n L i t e r a t u r. Stuttgart, 1962, SS. 140, 159.

SHULGINA Nina. Foreword & Notes to: В о в е с ь г о л о с. Moscow, [1966], pp. 6, 7, 394.

SIMMONS, Ernest J. Soviet Russian Literature. In: A H a n d - b o o k o f S l a v i c S t u d i e s. Ed. L. Strakhovsky. Cambridge, Mass., 1949, p. 537.

SIMMONS Robert W. Rev. of B. Eikhenbaum, *Skvoz' literaturu* (1962) and V. Zhirmunskii *Vobrosy teorii literatury* (1962). *SR*, XXIII, No, 1. (March 1964).

СЛОНИМ Марк. Портреты современих руских писаца. Београд, 1931, стр. 17—22, 26.

SLONIM Marc. Modern Russian Literature: From Chekhov to the Present. NY, 1953, pp. 214, 217, 219—221, 247, 425, 448.

SLONIM Marc. An Outline of Russian Literature. NY, 1960, pp. 140, 141, 165.

SLONIM Marc. European Notebook: Anna Akhmatova. *NYTBR*, April 17, 1966, pp. 32—33.

SLONIM Marc. Soviet Russian Literature, Writers and Problems: 1917—1967, NY, 1967, pp. 4, 9, 275, 278, 279, 298, 302, 331, 336, 340.

SNOW Valentine. A Bio-Bibliographical Dictionary from the Age of Catherine II to the October Revolution of 1917. NY, 1946, pp. 7, 70, 71, 76.

STAMMLER Heinrich. «Proletarischer Realismus». Die russische Literatur unter dem Sowjetregime. *Wort und Wahrheit* (Wien), VIII, No. 7 (1953), (Besprechung von: G. Struve, Soviet Russian Literature: 1917—1950), p. 515.

STAMMLER Heinrich. Gorenko, A. A. (Achmatowa). Lexikon der Weltliteratur im 20. Jahrhundert, 1. Band. Freiburg, 1960, Spalten 785—786.

STRADA Vittorio. [Anna Achmatova]. *L'Unita* (Roma), 6 marzo 1966.

STRAKHOVSKY Leonid. Anna Akhmatova — the Sappho of Russia. *The Russian Student*, VI, No. 3 (November 1929), p. 8.

STRAKHOVSKY Leonid. Anna Akhmatova: Poetess of Tragic Love. *ASEER*, VI, No. 16—17, (1947), pp. 1—18.

STRAKHOVSKY Leonid. Craftsmen of the Word. Three Poets of Modern Russia: Gumilyov, Akhmatova, Mandelstam. Cambridge, Mass., 1949, pp. 21—22, 25, 53—82.

STRAKHOVSKY Leonid. Problems in Translating Russian Poetry into English. *SEER,* XXXV, No. 84 (December 1956), pp. 261, 262—63, 265.

STRAKHOVSKY Leonid. Akhmatova. C o l l i e r' s E n c y c l o - p e d i a, vol. 1. [New York], 1964, p. 416.

STRUVE Gleb. S o v i e t R u s s i a n L i t e r a t u r e. London, 1935, pp. X, 2, 215.

STRUVE Gleb. H i s t o i r e d e l a l i t t é r a t u r e s o v i é t i - que. Paris. 1946, pp. 18, 26, 230, 330, 331, 335.

STRUVE Gleb. Akhmatova. C h a m b e r s E n c y c l o p a e d i a, vol. 1. NY, 1950, p. 209.

STRUVE Gleb. S o v i e t R u s s i a n L i t e r a t u r e: 1 9 1 7 — 1 9 5 0. Norman, Okla., 1951, pp. 4, 329—334, 347, 366.

STRUVE Gleb. Russische Literatur. L e x i k o n d e r W e l t l i t e - r a t u r i m 2 0. J a h r h u n d e r t, Bd. II. Freiburg, 1961, Spalten 813, 816.

STRUVE Gleb. Russian Literature. C o l l i e r' s E n c y c l o p e - d i a, vol. 20. [New York], 1964, p. 301.

STRUVE Gleb. G e s c h i c h t e d e r S o w j e t l i t e r a t u r. München, 1957, SS. 16, 18, 19, 49, 227, 246, 323, 358, 373—75, 395, 396, 397, 398, 399, 400, 401, 415, 443, 476, 505, 515, 519. [Neue Ausgabe, München, 1964, SS. 17, 18, 20, 52, 244, 264, 385, 401, 402, 423—29, 444, 474, 508, 538, 548].

STRUVE Gleb. Rev. of V. Setchkarev, *Studies in the Life and Work of Innokentij Annenskij.* RR, XXIV, No. 1 (January 1965), p. 78.

STRUVE Gleb. Anna Andreevna Akhmatova (1889—1966). In: A C e n t u r y o f R u s s i a n P r o s e a n d V e r s e: F r o m P u s h k i n t o N a b o k o v. NY, 1967, pp. 123—25.

STRUVE Nikita. Anna Akhmatova, 1889—1966. *Foi et culture. Informations catholiques internationales,* No. 261, 1 avril 1966, p. 32.

STUCKI Arnold. Achmatowa, akmeisci i współczesność. *Życie Li- terackie* (Kraków), XIV, No. 39 (661), 27-VIII-19??, str. 9.

593

SURKOV Aleksei. The Poetry of Anna Akhmatova. *SL* 1965, No. 9, pp. 133—136.

SVIATOPOLK-MIRSKY, D. Russian Literature. Encyclopaedia Britannica, vol. 19, 1949, p. 756.

SWAYZE Harold. Political Control of Literature in the USSR: 1946—1959. Cambridge, Mass., 1962, pp. 19, 38—39, 41.

ТАРАНОВСКИ Кирил. Руски четверостопни јамб у првим двема деценијама XX века. *Јужнословенски филолог* (Београд), XXI, № 1—4 (1955—1956), стр. 34.

TRIOLET Elsa. L'art de traduire. Dans: La Poésie russe. Anthologie réunie et publiée sous la direction de Elsa Triolet. Paris, 1965, pp. 11, 283.

UNBEGAUN, B. O. Russian Versification. Oxford, 1956, pp. 19, 26, 52, 89, 102, 122, 132, 144, 145, 154, 155.

UTECHIN S. V. A Concise Encyclopaedia of Russia. NY, 1964, pp. 12, 213.

VIGORELLI Giancarlo. A. Mosca vanno a ruba i canti di Leopardi. *Momento-sera* (Roma), 22 dicembre 1967, p. 3.

VIGORELLI Giancarlo. A. Mosca si domandano: Leopardi era Italiano? *Tempo* (Milano), XXX, № 2 (9 Gennaio 1968), p. p. 40—41, 73.

V., R. [Robert VLACH]. Вступительная заметка без заглавия в кн.: Anna Achmatova. Requiem. Přeložil Robert Vlach. Řim, 1964, p. 5.

VLACH Robert. Znové tvorby Anny Achmatové. *Proměny* (NY), No. 1/3, July 1964, pp. 6—10.

VLACH Robert and Boris FILIPOFF. The Slavic Awards and Some Candidates (Nobel Prize Symposium). *BA*, XLI, No. 1 (Winter 1967), p. 27.

WERTH Alexander. Akhmatova: Tragic Queen Anna. *The Nation* (NY), August 22, 1966, pp. 157—160.

WILCZKOWSKI Cyrille. Ecrivains soviétiques. Paris, 1949, pp. 129, 144, 303, 307, 319, 321.

WOROSZYLSKI Wiktor. Życie Majakowskiego. Warszawa, 1965, str. 189, 190, 193, 217, 375—378.

WYSOCKA Tacjanna. W s p o m n i e n i a. Warszawa, 1962, pp. 115, 118.

YARMOLINSKY Avrahm. L i t e r a t u r e   u n d e r   C o m m u - n i s m. Bloomington, Ind., [1960], pp. 22—23, 27, 29—30, 32 36—38.

YARMOLINSKY Avrahm. Introduction & Notes in: T w o   C e n - t u r i e s   o f   R u s s i a n   V e r s e. NY, 1966, pp. VI, XLIII, LI, LXIII, LXIV, LXVIII, 281—82, 289.

YURIEFF, Zoya. Literature. M c G r a w - H i l l ... NY, 1961, p. 318.

ZAVALISHIN Vyacheslav. E a r l y   S o v i e t   W r i t e r s. NY, 1958, pp. VI, 41, 46—50, 51, 348.

ZERNOVA Ruth. A Visit to Anna Akhmatova (An interview). *SL,* 1965, No. 3, 148—150.

ZVETEREMICH Pietro. L a   l e t t e r a t u r a   r u s s a :   I t i - n e r a r i o   d a   P u s c k i n   a l l' O t t o b r e   [Roma], 1953, pp. 489, 501, 514b.

ПРИЛОЖЕНИЕ ВОСЬМОЕ

ПРОИЗВЕДЕНИЯ АХМАТОВОЙ
ОПУБЛИКОВАННЫЕ ВО ВРЕМЯ ПЕЧАТАНИЯ
ЭТОГО ТОМА

*

ДОПОЛНИТЕЛЬНЫЕ ПРИМЕЧАНИЯ

Когда этот том был уже напечатан, нами был получен «День Поэзии. 1967», Москва, 1967, с публикацией очерка Ахматовой «Амедео Модильяни», текст которой в нескольких местах имеет разночтения с опубликованным нами. В журнале «Юность», 1968, № 3, опубликовано стихотворение Ахматовой «Надпись на книге». В ряде журналов были опубликованы статьи об Ахматовой — или содержащие те или иные сведения о ней и ее творчестве. Кроме того, в этом томе было замечено немало досадных опечаток.

Все это заставляет нас в этом приложении внести те дополнения и исправления, которые уже не могут быть внесены в основной корпус тома.

Редакторы

НАДПИСЬ НА КНИГЕ

Что отдал — то твое.
Шота Руставели

Из-под каких развалин говорю,
Из-под какого я кричу обвала!
Я снова все на свете раздарю,
И этого еще мне будет мало.

Я притворилась смертною зимой
И вечные навек закрыла двери,
Но все-таки узнают голос мой,
И все-таки ему опять поверят.

1959, янв. Ленинград

АМЕДЕО МОДИЛЬЯНИ

В сборнике «Д е н ь   П о э з и и.   1 9 6 7». Изд. «Советский Писатель», Москва, 1967, стр. 248—252, опубликован очерк Ахматовой «Амедео Модильяни». Разночтения с нашим текстом (страницы указаны по нашему
изданию):

Стр. 157, строка 10 сверху. После фразы «Тем не менее
он всю зиму писал мне» в публикации Дня Поэзии
следует сноска:
Я запомнила несколько фраз из его писем; одна из
них: «Vous êtes en moi comme une hantise».

Стр. 159, строка 11 сверху: в Дне Поэзии фраза в скобках
отсутствует (L'Île St.-Louis).

Стр. 159, строка 13 снизу: после слов «. . . оказала Беатриса Х.» в публикации Дня Поэзии сноска:

Цирковая наездница из Трансвааля (см. статью P.
Guillaume в «Les Arts à Paris», 1920, № 6, стр. 1—2).
Подтекст, очевидно, такой: «Откуда же провинци-
альный еврейский мальчик мог быть всесторонне и
глубоко образованным?»

Стр. 159, абзац «Первый иностранец. . .» в публикации
Дня Поэзии отсутствует.

Стр. 160, строка 12 сверху: в Дне Поэзии: . . . сказал:
«Mais Hugo — c'est déclamatoire?»

Стр. 160, строка 8 снизу: в Дне Поэзии: . . . называлось:
«Vieux Paris» или «Paris avant guerre».

Стр. 160, строка 6 снизу: в Дне Поэзии: . . . назывались
«Au rendez-vous des cochers» . . .

Стр. 160, строка 1 снизу, и стр. 161, строка 1 сверху, в
Дне Поэзии: Ида Рубинштейн играла Шехерезаду . . .

Стр. 161, цитата из Виллона в Дне Поэзии:
Et Jehanne la bonne lorraine
Qu' Anglois brulèrent à Rouan

600

Стр. 161, абзац «Итальянский рабочий украл Джоконду...» в публикации Дня Поэзии отсутствует.

Стр. 162, строка 17 сверху: после конца абзаца: «...будущие 'ню'», в Дне Поэзии следует сноска: Известный искусствовед, мой друг Н. И. Харджиев, посвятил этому рисунку очень интересный очерк, который приложен к этой статье.

Стр. 162, абзац «Потом я встретила художника — Александра Тышлера...» в Дне Поэзии отсутствует.

Стр. 162, строка 13 снизу: в Дне Поэзии: ...Я тогда еще не знала итальянского языка.

Стр. 164, строка 7—8 сверху: в Дне Поэзии: А жить им обоим оставалось примерно по три года, и обоих ждала громкая посмертная слава.

В Дне Поэзии очерк датирован: *Болшево, 1959 — Москва, 1964.*

После очерка Ахматовой в Дне Поэзии следует заметка:

Николай ХАРДЖИЕВ
О РИСУНКЕ А. МОДИЛЬЯНИ

Мне хочется сказать несколько слов о рисунке, которым я впервые восхищался почти тридцать пять лет тому назад. В длинном ряду изображений Анны Ахматовой, живописных, графических и скульптурных, рисунку Модильяни, несомненно, принадлежит первое место. По силе выразительности с ним может быть сопоставлен только лаконичный стиховой портрет, созданный Осипом Мандельштамом.

Небезынтересно отметить, что «Ахматова» Модильяни имеет случайное, но почти портретное сходство с его же перовым рисунком, находившимся в собрании д-ра Поля Александра. «Maud Abrantés écrivant au lit». В стилистическом отношении эти произведения чужды друг другу и характеризуют различные этапы эволюции художника. Беглый набросок с натуры, заставляющий вспомнить гениальные кроки Тулуз-Лотрека, портрет Мод Абрантес (1908), нарисован за год до встречи Модильяни со скульптором Константеном Бранкюзи. Модильяни увлекся негритянским искусством и в течение нескольких лет занимался скульптурой. Портрет Ахматовой, относящийся к этому периоду, трактован художником как фигурная композиция и чрезвычайно похож на подготовительный рисунок для скульптуры. Здесь Модильяни достигает необычайной выразительности линейного ритма, медлительного и уравновешенного. Наличие художественной формы монументального стиля позволяет этому небольшому рисунку выдержать любые масштабные метаморфозы.

Дружба с Бранкюзи, одним из основоположников абстрактного искусства, не увела Модильяни в область отвлеченного формального экспериментаторства. В эпоху гегемонии кубизма Модильяни, не боясь упреков в традиционализме, остался верен образу человека и создал замечательную портретную галерею современников. На всем протяжении своего пути он не утратил живой связи с художественной культурой итальянского Ренессанса. Об этом можно прочесть и в воспоминаниях друзей художника, и в работах исследователей его творчества.

Поэтому нет ничего неожиданного в том, что образ Ахматовой перекликается с фигурой одного из известнейших архитектурно-скульптурных сооружений XVI столетия. Я имею в виду аллегорическую фигуру «Ночи» на крыше саркофага Джулиано Медичи, этот едва ли не самый значительный и таинственный из женских образов Микеланджело.* К «Ночи» восходит и композиционное построение рисунка Модильяни. Подобно «Ночи», фигура Ахматовой покоится наклонно. Постамент, с которым она составляет единое конструктивное це-

---

* Микеланджело посвятил своей «Ночи» четверостишие, переведенное на русский язык Тютчевым.

лое, повторяет дугообразную (расчлененную надвое) линию крышки двухгрифного саркофага Медичи. В отличие от напряженной позы «Ночи», как бы соскальзывающей со своего наклонного ложа, фигура на рисунке Модильяни статична и устойчива, как египетский сфинкс. Но это уже объясняется принципиальной несхожестью двух разновременных архитектонических систем.**

По свидетельству Ахматовой, у Модильяни было весьма смутное представление о ней как о поэте, тем более что тогда она только начинала свою литературную деятельность. И все-таки художнику с присущей ему визионерской прозорливостью удалось запечатлеть внутренний облик творческой личности.

Перед нами не изображение Анны Андреевны Гумимилевой 1911 года, но «ахронологический» образ поэта, прислушивающегося к своему внутреннему голосу.

Так дремлет мраморная «Ночь» на флорентийском саркофаге. Она дремлет, но это полусон ясновидящей.

4 мая 1964

ПОЭМА БЕЗ ГЕРОЯ

Уже после того, как эта книга была напечатана, редакторы получили от г-жи Аманды Хэйт ряд исправлений текста «Поэмы без Героя», основанных на самых последних авторских рукописях этого произведения. Однако подавляющее большинство этих исправлений оказалось уже учтенными в нашем издании — на основании изучения ряда редакций поэмы. Лишь следующие поправки редакторы просят учесть при чтении поэмы:

** По прочтении этих строк А. А. Ахматова вспомнила, что в одной из бесед с ней Модильяни упомянул Микеланджело. «Великие люди не должны иметь детей», — сказал Модильяни. — «C'est ridicule d'être le fils de Michel-Ange».

ЧАСТЬ ПЕРВАЯ. Глава первая. Стихи 33—34 автором из Поэмы исключены.

ЧАСТЬ ВТОРАЯ. В прозаическом вступлении к этой части фразу: ...В печной трубе воет ветер, и в этом вое можно угадать следующие строфы.... — следует читать:
В печной трубе воет ветер, и в этом вое можно угадать очень глубоко и очень умело спрятанные обрывки Реквиема.

Кроме того, в примечаниях следует исправить даты ареста сына А. А. Ахматовой, Л. Н. Гумилева: И первый раз он был арестован не в 1934, а в 1935 году, второй раз — не в 1937, а в 1938 году.

Редакторы приносят глубокую благодарность г-же Аманде Хэйт за эти сведения и исправления.

В изданном на ротаторе (тиражом в 100 экз.) сборнике: Тартусский Государственный Университет. *Материалы XXII научной студенческой конференции.* Тарту, 1967, на стр. 121—123 напечатан конспект доклада: Р. Тименчик. *К анализу «Поэмы без героя».* Автор ставит «вопрос с соотнесенности 'Поэмы' с циклом стихов М. Кузмина 'Форель разбивает лед'». Соображения, высказываемые в этом докладе, достаточно интересны и убедительны.

«Образ одного из героев 'петербургской повести' '1913 год' (первая часть поэмы) — поэта-офицера Всеволода Князева, покончившего жизнь самоубийством, присутствует и в'Форели' ('Гусарский мальчик с простреленным виском'...), при этом в 'Поэме' заимствованы основные сигнатуры его облика (ср. 'зеленый дым' глаз в 1 посвящении 'Поэмы' и портрет человека 'лет двадцати с зелеными глазами' в 1-м ударе 'Форели'. См. также описание 'красавицы, как с полотна Брюллова' там же. Ср. 'и брюлловским манит плечом' — о героине 'Поэмы' О. А. Глебовой-Судейкиной. Вопрос об отожествлении персонажей обоих рассматриваемых произведений с реальными лицами — представителями петер-

604

бургской литературно-артистической среды — очень сложен. Мотивы перепутанности ('покойники смешалися с живыми'), взаимопроникновения образов героев — лейтмотив 'обмена' — играют важную темообразующую роль в 'Форели' и предвосхищают 'симпатические чернила', 'зеркальное письмо' и мотивы двойничества в 'Поэме': 'но другой дороги мне нету, чудом я набрела на эту...' Отсюда возможность самых противоречивых толкований обоих произведений нашими современниками. ... Таким образом тематическая, фабульная подоснова рассматриваемых произведений перекликается; повторяются и сюжетные ситуации (приход 'непрошенных гостей'). Из 'Форели', повидимому, заимствован с некоторыми вариациями и рисунок строфы 'Поэмы' (см. '2-й удар'). На наш взгляд, *Поэма* в известном смысле представляет *спор*, отталкивание от сборника Кузмина, принципиально противоположное по тону осмысление общих тематических мотивов: 'Но была *для меня* та тема, как раздавленная хризантема на полу, когда гроб несут...' Отталкивание, полемика с Кузминым касается прежде всего трактовки основополагающей для позднего ахматовского творчества категории ПАМЯТИ (у Кузмина: 'Ну, память — эскимоска, воображенье — boy, не пропущу вам даром проделки я такой'):

> Между помнить и вспомнить, други,
> Расстояние, как от Луги
> До страны атласных баут.

Память в поэтическом универсуме поздней Ахматовой — это сила, противостоящая мертвящему 'беспамятству смуты', позволяющая воссоздать утраченную беспамятным, жестоким временем 'связь времен' (ср. 'Когда погребают эпоху'), это социальная функция Автора ('Я одна — рассказчица')».

ДОПОЛНЕНИЯ К БИБЛИОГРАФИИ АХМАТОВОЙ
ТЕКСТЫ АХМАТОМОЙ

в сборниках

Стихи:

ДЕНЬ ПОЭЗИИ. 1967. Изд. «Советский Писатель», Ленинград, 1967, стр. 18 («Мужество»).

Проза:

ДЕНЬ ПОЭЗИИ. 1967. Изд. «Советский Писатель», Москва, 1967, стр. 248—252 («Амедео Модильяни», с рисунком Модильяни — портретом Ахматовой).

ЛИТЕРАТУРА ОБ АХМАТОВОЙ

АНДРЕЕВА С. Междузовская научная конференция. «Вопросы Литературы», 1968, № 4, стр. 249.

Аноним. Б. М. Эйхенбаум. Из неопубликованного (вступ. заметка). «День Поэзии. 1967», Ленинград, 1967, стр. 167.

АСЕЕВ Н. Советская поэзия за шесть лет. «Вопросы Литературы», 1967, № 10, стр. 182.

БЕЛИНКОВ А. Поэт и толстяк (Из книги «Юрий Олеша»). «Байкал», Улан-Удэ, 1968, № 1, стр. 107.

БЕРГГОЛЬЦ О. От имени ленинградцев. «Литературная Газета», 9 мая 1965.

ВАНШЕНКИН К. Голос Ахматовой. (Стихи). «Кругозор», 1966, № 1; «День Поэзии. 1967», Москва, 1967, стр. 60.

ИВАНОВ Г. Есенин. Вступ. статья в кн.: Сергей Есенин. Стихотворения. Изд. «Возрождение», Париж, (1951), стр. 26.

ИВАСК Ю. Поэты двадцатого века: ... Ахматова. «Новый Журнал», Нью-Йорк, № 91, стр. 93—96, 98.

КООР М. Материалы для библиографии А. А. Ахматовой. В сборн. Тартуский Гос. Университет. Материалы XXII научной студенческой конференц и и. Тарту, 1967 (ротаторное изд. Тираж — 100 экз.), стр. 85—87.

КРАЙНИЙ Антон (З. Гиппиус). Литературная запись. О молодых и средних. «Современные Записки», Париж, № 19, 1924, стр. 242.

КУЛИНИЧ А. Новаторство и традиции в русской советской поэзии 20-х годов. Изд. Киевского Университета, Киев, 1967, стр. 15, 121, 131, 263, 265, 286.

ЛЕСНЕВСКИЙ Ст. О гражданственности. «Юность», 1968, № 4, стр. 55, 57.

МАНДЕЛЬШТАМ О. (Об Ахматовой). Отрывок из неоконченной и неопубликованной статьи «О современной поэзии (К выходу Альманаха Муз)» (Опубликована в Собр. соч. О. Манденьштама, т. 3, МЛС, 1968). «Вопросы Литературы», 1968, № 4, стр. 199—200.

МАРКОВ Вл. «Десять лет» Ирины Одоевцевой. (Рец.). «Новое Русское Слово», Нью-Йорк, 19 марта 1961.

ПОМИРЧИЙ Р. Блоковская конференция. «Вопросы Литературы», 1967, № 10, стр. 251.

САМАРИН В. Свидание с книгой. (Рец. на второе издание первого тома Сочинений А. Ахматовой, МЛС, 1967). «Новое Русское Слово», Нью-Йорк, 23 июня 1968.

ТАРАНОВСКИЙ К. Пчелы и осы в поэзии Мандельштама: к вопросу о влиянии Вячеслава Иванова на Мандельштама. В сборн. *To Honor Roman Jakobson. Essays on the Occasion of His Seventieth Birthday.* Mouton, The Hague-Paris, 1967, pp. 1973, 1992, 1993, 1994.

ТИМЕНЧИК Р. К анализу «Поэмы без героя» А. Ахматовой. В сборн. Тартуский Гос. Университет. М а т е р и а л ы XXII н а у ч н о й с т у д е н ч е с к о й к о н ф е р е н ц и и. Тарту, 1967, стр. 121—123.

ЦГАЛИ (Центральный Гос. Архив Литературы и Искусства). Путеводитель: Литература. Москва, 1963, стр. 45—46.

ЧУКОВСКИЙ К. Анна Ахматова. Впервые: « С о в р е м е н н и к и », 1967 (см. нашу библиографию). Перепеч.: С о б р. с о ч. в 6 тт., т. 5, ГИХЛ, 1967, стр. 725—755.

ШТЕЙГЕР А. Письмо З. А. Шаховской, 5 ноября 1935. «Возрождение», Париж, № 195, 1968, стр. 83.

ЭЙХЕНБАУМ Б. Об А. А. Ахматовой. (Тезисы и наброски к докладу в Доме Ученых) 7 января 1946. «День Поэзии. 1967», Ленинград, 1967, стр. 169—171.

ЭРЕНБУРГ И. Из неопубликованного или забытого. «Простор», Алма-Ата, 1965, № 4, стр. 58.

FRIEDBERG Maurice. The U.S.S.R. and Its Emigrés. *The Russian Review,* Vol. 27, № 2, April 1968, p. 138.

IVASK George. O s i p M a n d e l s h t a m. Mimeographed publication. Seattle, Wash., 1964, pp. 2—3.

MUCHNIC Helen. Markov, Vl. (ed.) and Merrill Sparks (transl.). Modern Russian Poetry: An Anthology. (Rev.). *The Russian Review,* Vol. 27, № 2, April 1968, p. 252.

PAYNE Robert. T h r e e W o r l d s o f B o r i s P a s t e r n a k. 1961.

PAYNE Robert. A Reply (to A. Rannit). *The New York Times Book Review, August 20, 1961.*

RANNIT Aleksis. Pasternak's Three Worlds. *The New York Times Book Review.* August 20, 1961.

RIPELLINO Angelo Maria, Tentativo di esplorazione del continente Chlébnikov. Вступ. статья в кн. P o e s i e d i C h l é b n i k o v. Torino, Einaudi, 1968.

WATSTEIN Joseph. Osip Mandelstam: The First of Soviet Literary Rebels. *The Western Humanities Review,* Vol. XX, № 4, Autumn 1966, pp. 279, 281.

ОПЕЧАТКИ И ОШИБКИ, ЗАМЕЧЕННЫЕ В ПЕРВОМ ТОМЕ СОЧИНЕНИЙ А. АХМАТОВОЙ (2-е издание)

Страница 138. Стих. МИЛОМУ:
   Строка 14. Напечатано:
      Ласточкой пугливой пробегу,
   Следует читать:
      Ласочкой пугливой пробегу,

Страница 315. Стих. ГОРОДУ ПУШКИНА:
   Эпиграф — напечатано:
      В царскосельские хранительные сени . . .
   Следует читать:
      И царскосельские хранительные сени . . .

Страница 378. В Дополнении сказано, что стихотворение «Когда в тоске самоубийства» впервые опубликовано в 1918 г. в газете «Воля России». На самом деле оно опубликовано в газете «Воля Народа».

Страница 423. Примечание к стих. 10 «Реквиема» — Распятие.

   Напечатано:
   Впервые: «Бег времени», 1965 . . .

   Следует читать:
   Впервые в СССР: «Бег времени», 1965 . . .

ОПЕЧАТКИ, ЗАМЕЧЕННЫЕ ВО ВТОРОМ ТОМЕ

	Напечатано:	Следует читать:
Стр. 21, строка 15 сверху	. . . precesion . . .	. . . precision . . .
Стр. 52, строка 2 сверху	В эпоху, когда свыше . . .	В эпоху, когда свыше . . .
Стр. 58, стих., строка 2 снизу	. . . прощаещь . . .	. . . прощаешь . . .
Стр. 62, строка 8 сверху	. . . Майерхольда . . .	. . . Мейерхольда . . .
Стр. 62, строка 9 снизу	. . . через «Позму без героя». . .	. . . через «Поэму без героя» . . .
Стр. 66, строка 6 сверху	Я стоял между двумя фонарями	Я стоял меж двумя фонарями
Стр. 86, строка 13 снизу	зеркало, гадательно . . .	в зеркало, гадательно . . .
Стр. 86, строка 11 снизу	(Коринфянам, 1, 12).	(Коринфянам, 13, 12).
Стр. 90, строка 6 снизу	. . . сжимаются в железных	сжимаются в железных
Стр. 109, строка 8 сверху	Слышу шопот: «Прощай! Пора!	Слышу шопот: «Прощай! Пора!
Стр. 119, стих 402	«Помогите, еще не поздно!	«Помогите, еще не поздно.»
Стр. 119, стих 404	И чужою, ночь, не была!»	И чужою, ночь, не была!
Стр. 119, стих 411	И кто будет навеки набыт.	И кто будет навек забыт.
Стр. 159, строка 18 снизу	palais à l'Italienne . . .	palais l'Italienne . . .
Стр. 172, строка 8 снизу	«Детское имени товарища Укрицкого» . . .	«Детское имени товарища Урицкого» . . .
Стр. 192, строки 19—120 сверху	. . . вернулся в артистическою . . .	. . . вернулся в артистическую . . .

610

	Напечатано:	Следует читать:
Стр. 205, строка 5 сверху, франц. текст	. . . jeurs . . .	. . . jours . . .
Стр. 218, строка 18 сверху	. . . «Библиотеки для Чтения» 1853 г.	. . . «Библиотеки для Чтения» 1835 г.
Стр. 221, строка 1-я сноски 35-й	. . . само по собе	. . . само по себе
Стр. 232, сноска 27-я, строка 2	. . . отвлеченные ми-сли.	. . . отвлеченные мы-сли.
Стр. 245, строка 17 снизу	. . . решпекте петер-бугский . . .	. . . решпекте петер-бургский . . .
Стр. 275, строка 1 сверху	Мой предшестве-ник . . .	Мой предшествен-ник . . .
Стр. 296, строка 13—14 сверху	«Мужество», переве-деное . . .	«Мужество», переве-денное . . .
Стр. 299, строка 9 снизу	. . . «Грузника-мать» . . .	. . . «Грузинка-мать» . . .
Стр. 306, строка 12 снизу	«Ночные видения» (открывок)	«Ночные видения» (отрывок)
Стр. 339, строка 10 сверху	. . . Аненский напи-сал».	. . . Анненский напи-сал».
Стр. 342, строка 19 сверху	В частности, она прочна . . .	В частности, она проч-ла . . .
Стр. 351, строка 5 снизу	. . . сквозь толцу . . .	. . . сквозь толпу . . .
Стр. 358, строка 20 снизу	. . . была сдинствен-ным . . .	. . . была единствен-ным . . .
Стр. 361, строка 11 сверху	Два больших «От-рывка от поэмы» . . .	Два больших «Отрыв-ка из поэмы» . . .
Стр. 362, строка 13 сверху	«Стихотворнения . . .	«Стихотворения . . .
Стр. 381, строка 1 снизу	Ложно-класическая шаль.	Ложно-классическая шаль.
Стр. 384, строка 2 сверху	капелла выстроена . . .	капелла встроена . . .

	Напечатано:	Следует читать:
Стр. 429, строка 5 снизу	... Сергей Есении.	... Сергей Есенин.
Стр. 437, строка 14 сверху	... наша библиотрафия ...	... наша библиография ...
Стр. 438, строка 4 сверху	«Петрополис» и и «Алконост» ...	«Петрополис» и «Алконост» ...
Стр. 444, строка 2 снизу	«Хорони, хорони веня ...	... «Хорони, хорони меня ...
Стр. 448, строка 6 снизу	... перебирая вещи» ...	... перебирая вещи» ...
Стр. 449. строка 9 снизу	... современных руских ...	... современных русских ...
Стр. 450, строка 15 сверху	Народные руские песни	Народные русские песни
Стр. 467, строка 18 снизу	«Ташкентские странцы»	«Ташкентские страницы»
Стр. 477, строка 9 сверху	Ohe Gray-Eyed King.	The Gray-Eyed King.
Стр. 491, строка 5 сверху	В его кн. 4: Поэты...	В его кн.: Поэты...
Стр. 501, строка 14 сверху	«Ост-Проблемс»	«Ост-Проблеме»
Стр. 504, строка 13 снизу	Изд. Общества ...	Изд. Общества ...
Стр. 506, строка 12 сверху	Mit tinem ...	Mit einem ...
Стр. 507, строка 12 снизу	БОРШЕВСКИЙ С.	БОРЩЕВСКИЙ С.
Стр. 509, строки 3-4 сверху	По поводу. «La Poésie ...	По поводу «La Poésie ...
Стр. 520, строка 11 снизу	Гими цензуре.	Гимн цензуре.
Стр. 529 — ДВА раза напечатана строка:	КРОТКОВ Ю. Пастернаки. Г, № 63, 1967, стр. 64	
Стр. 551, строка 4 снизу	233.	232.
Стр. 586, строка 14 сверху	avrill 1966.	avril 1966.

612

ВКЛАДКА

Уже в то время, когда этот второй том А. А. Ахматовой находился в брошюровке, в воронежском журнале «Подъем» (1968, № 3, стр. 115—116) были опубликованы под общим заголовком «Из неопубликованного и забытого», с небольшой вступительной заметкой А. Крюкова, стихотворения «На руке его много блестящих колец», «Завещание», «Как песню слагаешь ты легкий танец», «Так просто можно жизнь покинуть эту», «И неоплаканною тенью», «Надпись к поэме» («И ты ко мне вернулась знаменитой»), «Соседка из жалости—два квартала» и «Надпись на книге», с эпиграфом из Руставели. Пять стихотворений, отсутствующих в нашем собрании, приводим в этой вкладке.

Редакторы

ЗАВЕЩАНИЕ

Моей наследницею, полноправной будь,
Живи в моем дому, пой песнь, что я сложила.
Как медленно еще скудеет сила,
Как хочет воздуха замученная грудь.
Моих друзей любовь, врагов моих вражду
И розы желтые в моем густом саду,
И нежность жгучую любовника — все это
Я отдаю тебе, предвестница рассвета.
И славу, то, зачем я родилась,
Зачем моя звезда, как некий вихрь, взвилась
И падает теперь. Смотри, ее паденье
Пророчит власть твою, любовь и вдохновенье.
Мое наследство щедрое храня,
Ты проживешь и долго, и достойно.
Все это будет так. Ты видишь, я спокойна,
Счастливой будь, но помни про меня.   1914

Тамаре Платоновне Карсавиной

Как песню слагаешь ты легкий танец —
О славе он нам сказал.
На бледных щеках розовеет румянец,
Темней и темней глаза.

И с каждой минутой все больше пленных,
Забывших свое бытие,
И клонится снова в звуках блаженных
Гибкое тело твое.   1914

*
   *   *

Так просто можно жизнь покинуть эту,
Бездумно и безбольно догореть,
Но не дано Российскому поэту
Такою светлой смертью умереть.

Всего верней свинец души крылатой
Небесные откроет рубежи
Иль хриплый ужас лапою косматой
Из сердца, как из губки, выжмет жизнь.

1925

*
   *   *

И неоплаканною тенью
Я буду здесь блуждать в ночи,
Когда зацветшею сиренью
Играют лунные лучи.

Шереметьевский сад. 20-е годы

*
   *   *

Соседка из жалости — два квартала,
Старухи, как водится, — до ворот,
А тот, чью руку я держала,
До самой ямы со мной пойдет.
И станет совсем один на свете
Над рыхлой, черной, родной землей
И громко спросит, но не ответит
Ему, как прежде, голос мой.

25 августа 1940 г.

СОДЕРЖАНИЕ